अपने अपने राम

अपने अपने राम

भगवान सिंह

वाणी प्रकाशन

प्रकाशन के उत्कृष्टतम 63 वर्ष

vaniprakashan.com

सजिल्द पहला संस्करण : 1998
सजिल्द दूसरा संस्करण : 2011
सजिल्द तीसरा संस्करण : 2018
सजिल्द चौथा संस्करण : 2023
सजिल्द पाँचवाँ संस्करण : 2026

वाणी प्रकाशन

4695, 21-ए, दरियागंज, नयी दिल्ली-110 002

फ़ोन : + 91 11 23273167, 23275710

शाखाएँ

अशोक राजपथ, पटना-800 004, बिहार

कॉफ़ी हाउस कैम्पस, महात्मा गांधी मार्ग, प्रयागराज-211 001, उत्तर प्रदेश

महात्मा गांधी अन्तरराष्ट्रीय हिन्दी विश्वविद्यालय, वर्धा-442 001, महाराष्ट्र

sales@vaniprakashan.in
vaniprakashan@gmail.com

Apne Apne Ram
by Bhagwan Singh

ISBN : 978-81-8143-875-1
Novel

मूल्य : ₹795

जी.एस. ऑफ़सेट, दिल्ली-110 095 में मुद्रित

वाणी प्रकाशन का लोगो मक़बूल फ़िदा हुसैन की कूची से

1

द्वारपाल ने विश्वामित्र के आगमन की सूचना दी तो एक क्षण को राम उसका मुँह ही देखते रह गए। अपने एकान्त क्षणों में कई दिन से उन्हें गुरुदेव की याद आ रही थी। स्थिति सामान्य होती तो स्वयं सिद्धाश्रम जा कर उनसे परामर्श किया होता। इस समय अयोध्या छोड़ कर इतनी दूर जाना उचित नहीं लग रहा था। गुरुदेव को बुलाने का साहस भी नहीं था। एक तो उनकी अवस्था अधिक हो गई थी, दूसरे, जब राम ने उनसे अनुरोध किया था कि अब वह सिद्धाश्रम छोड़ कर अयोध्या में, या इसके निकट ही कहीं रहें तो उन्होंने इसका विरोध किया था, "राजा को अपने गुरु की छाया से, यथासम्भव, दूर ही रहना चाहिए। उसके परामर्श भी आदेशवत हो जाते हैं। इससे राजा को स्वतन्त्र निर्णय लेने में बाधा पड़ती है।" और आज बिना किसी सूचना या निमन्त्रण के वह स्वयं उपस्थित हो गए और वह भी ठीक उस समय जब उनकी याद बार-बार आ रही थी। गुरुदेव को क्या परानुभूति होती है!

"महाराज की जय हो।" विश्वामित्र ने सभाकक्ष में प्रवेश करते हुए हाथ उठा कर आशीष दिया था। राम सिंहासन से उठ कर खड़े हो गए थे।

"आप मुझे रामभद्र ही कहा करें, गुरुदेव। आपके मुँह से महाराज का सम्बोधन अटपटा लगता है।" राम ने हाथ जोड़ कर कहा था।

विश्वामित्र हँसते हैं तो एक प्रभा सी फूटती है, "यह तो सुना था कि कुछ लोग महाराज के राजपद से प्रसन्न नहीं हैं। अब पता चला, स्वयं महाराज भी इससे सन्तुष्ट नहीं हैं।" विश्वामित्र की दृष्टि अनायास राजगुरु की ओर चली गई थी जो महाराज के खड़े होने पर अन्य सभासदों के साथ उठ खड़े हुए थे। विश्वामित्र के इस वाक्य से उनका चेहरा पीला पड़ गया था। उन्होंने अपनी

दुर्बलता पर बहुत जल्द ही काबू पा लिया था और मुस्कराने का प्रयास कर रहे थे।

राजगुरु वसिष्ठ के मुख की विवर्णता को राम ने भी लक्ष्य कर लिया था। वह विश्वामित्र के इस वाक्य पर चकित थे। विश्वामित्र अकारण नहीं आए हैं, इसका आभास तो इस एक वाक्य से ही मिल गया था। राम विश्वामित्र को साथ लेकर सभाकक्ष से बाहर चले गए थे। जाते-जाते पीछे से सुनाई पड़ा था, वसिष्ठ का वाक्य, "तपसाधना और आयु, दोनों में से किसी का प्रभाव नहीं पड़ा है महर्षि की विनोदवृत्ति पर।" यह वाक्य विश्वामित्र को प्रसन्न करने के लिए कहा गया था या अपनी झेंप मिटाने के लिए, इसका निर्णय उनकी मुखाकृति देख कर ही हो सकता था, जो इस समय ओझल थी।

"उपजीवियों में विनम्र आग्रहशीलता तो होती ही है, प्रगल्भता भी कम नहीं होती!" विश्वामित्र ने चलते-चलते दीवारों से कहा था।

सच, कितनी आग्रहशीलता है वसिष्ठ में! राम को उनके स्वभाव की दुर्बलताओं का ज्ञान तो पहले से ही था, परन्तु राजा बनने के बाद इसका व्यक्तिगत अनुभव उन्हें भी विस्मित करता था।

राम के आरम्भिक शासन काल में आचार्य कुछ सहमे-सहमे रहते थे। जब यह विश्वास हो गया कि राम उन्हें प्रत्यक्षतः कोई हानि नहीं पहुँचाना चाहते तो वह उन्हें प्रसन्न करने के लिए उसी तरह के प्रस्ताव रखने लगे थे, जिनसे वह स्वर्गीय महाराज को प्रसन्न किया करते थे।

भरत के शासन काल में विलासिता और दम्भ प्रदर्शन पर व्यय बढ़ गया था, अतः कोष की स्थिति अच्छी नहीं थी। राम के आगमन के समय स्वागत के बहाने खुल कर धन लुटाया गया था और इस तरह कोष लगभग रिक्त कर दिया गया था। आरम्भ में राजकर्मियों और सैनिकों तक को समय पर वेतन नहीं दिया जा सका था और इससे विद्रोह की सी स्थिति उत्पन्न हो गई थी। राम ने बड़ी दूरदर्शिता से काम लिया था। उन्होंने न केवल असन्तुष्ट राजकर्मियों और सैनिकों से स्वयं बात करके उन्हें यह विश्वास दिलाया था कि यह स्थिति क्षणिक है, अपितु इनके असन्तोष की एक अन्य अभिव्यक्ति, सीधे प्रजा पर अत्याचार करके वसूली, को भी रोका था। आर्थिक संयम और कोष की सुव्यवस्था के साथ ही उन्होंने क्रमशः निर्माण कार्यों पर ध्यान दिया था, जिससे कृषि का उत्पादन ही नहीं बढ़ा था, अपितु व्यापार में भी उन्नति हुई थी और कुछ साल बाद ही कोष फिर भर गया था।

कोष की स्थिति सन्तोषजनक देख कर आचार्य ने प्रस्ताव रखा था, "महाराज ने रावण जैसे आततायी का संहार करके लोक में शान्ति स्थापित की, उसकी चतुर्दिक प्रशंसा हो रही है। सबसे सन्तुष्ट तो वणिक समुदाय है जो अब निश्शंक

होकर दक्षिणापथ की ओर जा सकता है। परन्तु रावण ब्राह्मण था। पुलस्त्य का वंशधर और स्वयं भी असाधारण विद्वान्! उसके वध से ब्रह्महत्या का जो पातक लगा है उसके प्रायश्चित स्वरूप अश्वमेध का आयोजन किया जाना चाहिए।" अपनी पुष्टि में उन्होंने शास्त्र का विधान भी जड़ दिया था, "तरति सर्वं पाप्मानं तरति ब्रह्महत्यां यो अश्वमेधेन यजते।"

"वर्ण और जाति तो मनुष्य की होती है, आचार्य। आततायी तो मनुष्य होता ही नहीं। वह तो नरपशु होता है। उसमें यदि किसी वस्तु का अभाव होता है तो वह है मनुष्यता। उसके संहार से यदि शुभ और लोक कल्याण हो तो इसके लिए प्रायश्चित की क्या आवश्यकता!" राम ने आचार्य की वाक्चातुरी पर पानी फेर दिया था।

"उपद्रवी तो वृत्र भी था, महाराज। आततायी तो वृत्र भी था।" आचार्य ने बड़े आत्मविश्वास से कहा था।

राम उनका आशय सचमुच नहीं समझ पाए थे। वह उत्सुक दृष्टि से उस समय भी वसिष्ठ को ही देख रहे थे जब वसिष्ठ अपनी बात समाप्त करके अपने कथन के समर्थन में अन्य पार्षदों की ओर देखने लगे थे। राम के विस्मय को लक्ष्य करके उन्होंने अपनी बात पूरी की थी, "वृत्र का वध करने के बाद स्वयं इन्द्र ने भी प्रायश्चित के लिए अश्वमेध किया था।"

राम मुस्कराने लगे थे, "इन्द्र से मेरी तुलना उचित नहीं है, आचार्य। उन्होंने बहुत कुछ ऐसा किया है जिस पर मुझे ही नहीं, किसी भी विवेकशील और मर्यादित व्यक्ति को लज्जा अनुभव होगी।"

राम को इतने स्पष्ट-कथन की आवश्यकता सामान्यतः नहीं पड़ती। प्रायः अन्य सभासदों की ओर दृष्टि डालने मात्र से, उनकी ओर से प्रस्तुत किये जाने वाले विचारों से ही दूसरे पक्ष पर प्रकाश पड़ जाता है। उन्हें प्रस्तुत सुझावों में से किसी को स्वीकार करने तक ही अपनी भूमिका सीमित रखनी पड़ती है। यह प्रस्ताव कुछ ऐसा था जिस पर कोई अन्य सभासद आचार्य के प्रस्ताव का विरोध नहीं कर सकता था, जबकि राम स्पष्ट देख रहे थे कि आचार्य के सुझाव के पीछे राम को पातक से मुक्त करने की चिन्ता नहीं, कुछ और है। उनके उत्तर से वसिष्ठ का चेहरा लाल हो गया था। उनके गोरे मुख पर क्रोध या लज्जा के क्षणों में जो लाली उभरती है उसे देख कर लगता है कोयला हवा से दहक कर लाल हो गया था। इस समय भी उनका मुख लाल हो गया था जैसे राम ने इन्द्र के नहीं, स्वयं वसिष्ठ के कार्यों को लज्जाजनक बताया हो। फिर उनके मुँह से हठात् निकला था, "परन्तु..." और उन्होंने झट अपने को रोक लिया था।

"हाँ, हाँ, कहिए। रुक क्यों गए? अप्रिय विचारों को भी सुनने और सहने का धैर्य मुझमें है।" अब राम मुस्करा रहे थे। उन्हें वसिष्ठ की बातें सुनने में आनन्द

आ रहा था। इस समय वसिष्ठ नहीं उनके भीतर बैठा पुरोहित बोल रहा था जिसकी दृष्टि लाभ पर रहती है। यदि यह पता चल जाए कि कुछ व्यंग्य और तिरस्कार झेलने के बाद भी लाभ सुनिश्चित है तो वह इसकी चिन्ता नहीं करता। ऐसी स्थिति आने पर वसिष्ठ मान-अपमान की ओर ध्यान ही नहीं देते। यदि कोई दूसरा इसकी ओर ध्यान दिला दे तो बड़ी तटस्थता से कहते हैं, "सम्मानात् ब्राह्मणो नित्यं उद्विजेत् विषात् इव। अमृतस्येव च आकांक्षेत् अवमानस्य सर्वदा।" और फिर समझाते हैं, 'ब्राह्मण को सम्मान से उसी तरह घबराना चाहिए जैसे वह विष हो और अपमान की उसी तरह आकांक्षा करनी चाहिए मानो वह अमृत हो।' आश्चर्य होता यह सोच कर कि क्या यह वही वसिष्ठ हैं जो बात-बात पर "ब्राह्मणो नावमंतव्यो सद् वा असद् वा समाचरन्" अर्थात् 'ब्राह्मण सदाचारी हो या दुराचारी, किसी भी स्थिति में उसकी अवमानना नहीं करनी चाहिए' का पाठ करते रहते हैं!

"महाराज, मैं तो केवल युद्ध की बात कर रहा था। युद्ध में क्रूरता तो होती ही है—युद्धे वै क्रूरं क्रियते। क्रूर कर्म पाप तो है ही। उसका प्रायश्चित तो होना ही चाहिए।" वसिष्ठ ने अपना पैंतरा बदल लिया था।

दूसरे सभासद आश्चर्य से उनका मुँह देखने लगे थे। राजा के साथ विवाद नहीं किया जाता। उसके सम्मुख केवल प्रस्ताव रखा जाता है। यदि वह कोई प्रश्न करे तो उसका उत्तर दिया जाता है। यदि विवाद होता भी है तो सभासदों के बीच ही और वहाँ भी यदि राजा के किसी भी संकेत से यह पता चले कि उसकी विवाद में रुचि नहीं है तो विवाद को रोक दिया जाता है। उसके निर्णय के बाद किसी यदि-तथापि का तो प्रश्न ही नहीं उठता। वसिष्ठ सभासदीय गरिमा का ही उल्लंघन नहीं कर रहे थे, वह स्वयं राजा को ही पापलिप्त सिद्ध करने पर तुले हुए थे।

इस दुस्साहस के लिए वसिष्ठ को अपमानित हो कर सभा त्यागने पर भी विवश होना पड़ सकता था। उन्हें अपने पद से भी हटना पड़ सकता था। परन्तु राम जो वसिष्ठ को अपना विचार प्रकट करने के लिए उकसाते हुए मुस्करा रहे थे, अब खुल कर हँसने लगे थे, "मुझे खेद इस बात का है, आचार्य, कि युद्ध के पाप में मैं इतने लम्बे समय तक लिप्त रहा और आप ने पहले इस पाप के प्रक्षालन की चिन्ता ही नहीं की। यदि प्रक्षालन अयोध्या आते ही हो गया होता तो इस अवलिप्ति के साथ जीने का अभ्यास तो न पड़ा होता। और अश्वमेध हो या राजसूय, युद्ध तो इनमें भी करना पड़ता है। पाप तो उससे भी लगता ही होगा। यदि ऐसा है तो शुद्धि होगी कैसे? आप तो नए पाप से पुराने पाप धोने का सुझाव दे रहे हैं, आचार्य।"

इस वाक्य पर पूरी सभा अट्टहास कर उठी थी। यह उक्ति की मार्मिकता के कारण तो था ही, सभा के आचार के कारण भी था। जब राजा हँस कर कोई बात कहे तो वह हँसने लायक तो हुई ही। उक्ति हास्यास्पद हो तो भी। इस हँसी में

शिष्टाचार की बाध्यता के कारण स्वयं वसिष्ठ को भी हँसना पड़ा था।

उक्ति की बेधकता से अधिक सभासदों की हँसी और स्वयं अपने ऊपर हँसने की बाध्यता ने वसिष्ठ को भीतर से व्यग्र कर दिया था। वह इस अपमान से उबरने के लिए इतने आतुर हो उठे थे कि हँसी थमते ही कुछ पीड़ित स्वर में बोल पड़े थे, "क्या महाराज वेद और शास्त्र को भी नहीं मानते?" प्रश्न अशिष्टतापूर्ण भी था और मूर्खतापूर्ण भी। विस्फोट की आशंका ने सभासदों को पुनः गम्भीर बना दिया था।

राम क्षुब्ध नहीं हुए थे, "किसी शास्त्र में यह विधान भी है, आचार्य, कि क्रूरता के लिए प्रेरित करनेवाले को क्या पाप लगता है?" वसिष्ठ की उलझन का आनन्द लेने के लिए वह एक क्षण को रुके थे और फिर, "युद्ध तो सदा मन्त्रियों और पुरोहितों के प्रोत्साहन और परामर्श से ही होते हैं, आचार्य, पर आज तक किसी मन्त्री या पुरोहित को इसके लिए प्रायश्चित करते नहीं देखा।"

वसिष्ठ को भागने का रास्ता नहीं मिल रहा था। उनके चेहरे पर हवाइयाँ उड़ रही थीं। किसी तरह उन्होंने अपने को सँभाला और फिर झेंप मिटाते हुए बोले, 'महाराज तो तर्क और विमर्श पर आ गए। शास्त्र और धर्म तो मानने, न मानने के क्षेत्र हैं। यहाँ तर्क से काम नहीं चलता। इस तरह तर्क करने लगें तब तो कोई यह ही कह बैठेगा कि परम पुरुष के मुख से ब्राह्मण की और बाहु से क्षत्रिय की उत्पत्ति कैसे हो सकती है! अन्यत्र तो कहीं ऐसा होता नहीं। किसी ने ऐसा होते देखा नहीं। शास्त्र में लिखा है तो मानना ही होता है।"

राम ने हाथ जोड़ लिए थे, "जो तर्क की आँच न सह सके उस शास्त्र के विधान से कम से कम राम को बचाए रहें, आचार्य। जड़ीभूत शास्त्र को मानने पर मैं भी शास्त्रजड़ हो जाऊँगा।" राम के मुँह से यह वाक्य निकल तो गया पर इसके निकलते ही वह सचेत हो गए थे। उनके भीतर एक अपराध बोध भी जाग उठा था। उत्साह में आ कर जो कुछ उन्होंने कह दिया था उसका एक आशय यह भी तो निकलता था कि वसिष्ठ सहित ऐसे सभी लोग जो शास्त्रों में विश्वास रखते हैं, शास्त्रजड़ हैं। यदि यह तत्त्वतः सच भी हो तो भी इसका इस तरह स्पष्ट कथन न केवल नीतिविरुद्ध या, अपितु सभा की मर्यादा के भी अनुरूप नहीं था। अपने को सँभालने के लिए वह एक क्षण को रुके थे और फिर बड़े नम्र स्वर में बोले थे, "शास्त्र और धर्म तो युग के अनुरूप बदलते रहते हैं, आचार्य। कृतयुग का आचरण त्रेता में निन्दनीय हो जाता है। त्रेता के आदर्श द्वापर में नहीं चल सकते। द्वापर के विधान कलि में युग-बाह्य हैं। फिर इनकी अन्तिम कसौटी क्या है? तर्क और विवेक ही तो! वेद सृष्टि के आदि में रचे गए थे। कहते हैं, सृष्टि से भी पहले। जिस प्रजापति ने वेदों के ज्ञान से सृष्टि की, उसका आचार, जिस वैवश्वत मनु ने धर्म का प्रथम विधान किया, उनका आचार क्या आज हमें मान्य हो सकता

है! यहाँ कोई है जो अपनी दुहिता के साथ पिता के विवाह का अनुमोदन करे? फिर वेद और उसके विधान तो उससे भी पुराने हुए। उनको कैसे माना जा सकता है! जिन वेदों और शास्त्रों की दुहाई बार-बार दी जाती है वे सब पुराने पड़ गए हैं। मैं शास्त्र की अवज्ञा कैसे कर सकता हूँ, पर यह नए युग के अनुरूप हो, तभी तो मान्य हो सकता है। यदि ऐसा कोई शास्त्र नहीं है तो उसकी रचना कीजिए और जो प्राचीन है उसे तर्क और विवेक से परखिए। यदि शास्त्र तर्क और विवेक के प्रतिकूल पड़ता हो तो तर्क को झुठलाने के स्थान पर शास्त्रीय विधान को बदलिए, आचार्य!"

राम ने केवल तर्क के लिए नया शास्त्र लिखने की बात कही थी पर वसिष्ठ को, जो चारों ओर से घिर गए थे, उस सुझाव में ही अपना मुँह छिपाने की ओट मिल गई थी, "महाराज का अनुग्रह बना रहा तो नया शास्त्र भी लिखूँगा।" उन्होंने सुयज्ञ की ओर कुछ खिन्न हो कर देखा था। उनका खिन्न होना उचित भी था। यज्ञ के प्रस्ताव के लिए सुयज्ञ ने ही उन्हें उकसाया था और इस समय वह भी दूसरों के साथ वसिष्ठ की दुर्गति का आनन्द ले रहे थे। यह सरासर विश्वासघात था।

वसिष्ठ की प्रगल्भता और नया शास्त्र लिखने के उनके दर्प ने राम को शान्त करने के स्थान पर कुछ उकसा दिया था। अपने स्वर को संयत रखते हुए ही उन्होंने कहा था, "अपने नए शास्त्र में अपराध करनेवाले ब्राह्मणों के लिए भी दंड की व्यवस्था अवश्य कीजिएगा, आचार्य।"

वसिष्ठ भौंचक रह गए थे। अन्य सभासदों को भी विस्मय हुआ था। वसिष्ठ को इस वाक्य के पीछे एक गम्भीर चेतावनी दिखाई दे रही थी। अपने मनोभाव पर नियन्त्रण रखते हुए उन्होंने सिर तानते हुए कहा था, "मैं महाराज का आशय समझ नहीं पाया।"

"आशय कुछ विशेष नहीं है। जब आप रावण और वृत्र की बात कर रहे थे तब मैं सोच रहा था, सभी राक्षस ब्राह्मण ही क्यों होते हैं? क्या इसका एक कारण यह नहीं है कि जिन अपराधों के लिए समाज के अन्य लोगों को दंड मिलता है उन्हीं के लिए ब्राह्मणों को दंडमुक्ति मिली हुई है? दूसरों से यदि अपराध हो भी जाता है तो दंड प्रयोग से वे सुधर जाते हैं। यदि ब्राह्मणों में से कोई अपकर्मी हुआ तो वह, निर्बंध होने के कारण, राक्षस बन कर ही रहता है। यदि ब्राह्मणों के लिए भी दंड की व्यवस्था हो तो समाज अधिक मर्यादित रहे।"

धर्मपाल अभी तक चुप थे। वह अपने स्पष्ट विचारों के लिए विख्यात थे। अपनी इस स्पष्टता और निर्भीकता के चलते ही वसिष्ठ से असहमति प्रकट करने के कारण, भरत के शासन काल में, उन्हें यदा-कदा उपेक्षा और तिरस्कार का भी सामना करना पड़ा था। वसिष्ठ की दुर्गति से वह भीतर-ही-भीतर प्रसन्न भी

अनुभव कर रहे थे। परन्तु ब्राह्मणों के लिए दंड-विधान का प्रस्ताव सुन कर उन्होंने कुछ कहने की अनुमति चाही। वह अपने स्वाभाविक शान्त और स्थिर स्वर में बोले, "ब्राह्मणों के लिए दंडमुक्ति की व्यवस्था तो इसलिए की गई है, महाराज, कि वे ही समाज के चिन्तक और मार्गदर्शक हैं। दंड-भय होने पर वे राजाओं और सामंतों की अनीतियों और अनाचारों का विरोध न करके उनकी चाटुता करने लग जाएँगे। यह पूरे समाज के लिए अनर्थकर होगा।"

"विचार करने की स्वतन्त्रता क्या अपराध करने की भी स्वतन्त्रता देती है, आचार्य?"

"नहीं।" धर्मपाल ने उसी शान्त स्वर में उत्तर दिया था। अन्य सभासदों ने भी सहमति में सिर हिलाया था, "परन्तु विरल मामलों में यह भी हो सकता है कि कोई असहिष्णु राजा, सामंत या भूस्वामी अप्रिय, किन्तु पथ्य, विचारों को सुन कर तत्काल तो शान्त रह जाए, पर किसी अन्य अवसर पर ऐसे ब्राह्मण को तनिक भी चूक होने पर कठोर दंड दे बैठे।" धर्मपाल ने कहा था।

"यदि शास्त्रीय विधान होना है तो इन बातों का भी उसमें ध्यान रखा जा सकता है।" राम ने धर्मपाल के विचारों का सम्मान करते हुए सुझाया था। इस बार भी सभी ने अनुमोदन में सिर हिलाया था, परन्तु वसिष्ठ का सिर एक बार झुक कर पुनः तन गया था।

इसके बाद से वसिष्ठ सभा में अधिक सतर्क रहने लगे थे।

इसके कुछ समय बाद ही चरों के माध्यम से पता चला था कि लोक में राम के चरित्र और धर्माधर्म विचार को ले कर टीका-टिप्पणी आरम्भ हो गई है।

राम की लोकप्रियता और न्यायप्रियता के कारण सीधे उन पर कोई आक्षेप करना सम्भव नहीं था, फिर भी यह प्रचार किया जा रहा था कि राम ब्रह्मद्वेषी हैं। इस विचार की पुष्टि उनके किसी कार्य से सम्भव नहीं थी, अतः इससे राम को कोई भय नहीं था, पर कुछ समय बाद ही सीता के विषय में प्रवाद फैलने लगा था। उनका अपहरण करके रावण उन्हें लंका में उठा ले गया था। वहाँ वह अपने सतीत्व की रक्षा कैसे कर पाई होंगी? ऐसी सीता को अपनी महिषी बना कर राम ने एक निन्दनीय कार्य किया था। यदि एक सतीत्व-भ्रष्ट स्त्री को राजा ही सम्मान देगा तो समाज में स्वैराचार तो फैलेगा ही। सामाजिक मर्यादा नष्ट होने पर तो पूरा समाज ही विकृत हो जाएगा।

यह प्रवाद उग्र रूप धारण करने लगा था, अतः राम ने स्वयं इस विषय को सभा में उठाया था और कहा था, "एक पति को अपनी पत्नी के सतीत्व की जितनी चिन्ता हो सकती है उससे अधिक चिन्ता और किसे हो सकती है? मैं जानता हूँ कि सीता निष्कलुष हैं। वह अग्निशुद्ध हैं।"

इस घोषणा के बाद सूतों और मागधों ने सीता के चरित्र को उज्ज्वल सिद्ध

करने के लिए पंवारे गढ़ डाले थे जिनमें यह कहा गया था कि राम ने लंका विजय के बाद सीता की अग्निपरीक्षा ली थी। कुछ समय के लिए प्रवाद शान्त होता लगा था, पर दुष्प्रचार ने फिर जोर पकड़ लिया था, "कौन जाने अग्निपरीक्षा ली भी गई थी या नहीं! यह मात्र कल्पना भी तो हो सकती है।"

चूक राम से भी हुई थी। सूतों और मागधों द्वारा इस तरह का प्रचार होते देख कर भी उन्होंने इसका खंडन नहीं किया था कि अग्निशुद्ध कहने से उनका आशय यह नहीं था कि सीता की अग्निपरीक्षा ली गई थी। वह तो केवल यह कह रहे थे कि अग्नि को कोई दोष नहीं लगता। उसमें कोई भी वस्तु डाली जाए वह या तो स्वयं भस्म हो जाएगी या आग स्वयं बुझ जाएगी। सीता का सतीत्व भी आग की तरह है। स्खलित होने पर वह जीवित न रहतीं।

लोक प्रवाद का स्रोत क्या है, और इसके पीछे वास्तविक कारण क्या है, इसका कुछ अनुमान राम को था, अतः जब राम ने सभा के सम्मुख प्रवाद का उल्लेख किया था तो वसिष्ठ ने इसका उपहास करते हुए कहा था, "लोक तो मूढ़ है, महाराज। वह प्रवाद में रस लेता है। पर यदि महारानी एक बार अग्निपरीक्षा में खरी सिद्ध हो ही चुकी हैं तो एक बार पुनः सार्वजनिक परीक्षा लेने पर प्रवाद का सदा के लिए अन्त हो जाएगा।"

वसिष्ठ के इस सुझाव पर राम अवाक् रह गए थे। आचार्य इतने भोले नहीं हो सकते थे कि अग्निपरीक्षा का अर्थ ही न जानते हों। भूत तत्त्व चेतन नहीं होते कि वे सद्-असद् में भेद करें। उनका प्रभाव सब पर एक जैसा ही होता है। पर इस समय यह बताने का अवसर नहीं रह गया था कि राम ने सीता को अग्निशुद्ध क्यों कहा था।

सभासदों में से कोई वसिष्ठ के प्रस्ताव का विरोध करने को खड़ा नहीं हुआ था। राम के असमंजस को देख कर सुमंत्र खड़े हुए थे। उनकी कायस्थ बुद्धि वसिष्ठ के प्रस्ताव की काट ढूँढ़ने में सफल हो गई थी। राम के अनुमति सूचक सिर हिलाने पर उन्होंने कहा था, "महाराज ने पहले भी यह घोषणा की थी कि उनके मन में महारानी के चरित्र को लेकर किसी प्रकार का सन्देह नहीं है। ऐसे विषयों में पति की तुष्टि से बड़ी पुष्टि नहीं हो सकती। एक बार परीक्षा हो जाने के बाद पुनः परीक्षा का कोई औचित्य भी नहीं दिखाई देता। प्रथम परीक्षा के समय महारानी की स्थिति एक सामान्य पत्नी की थी, परन्तु आज वह अयोध्या की राजमहिषी हैं। उन्हें अग्निपरीक्षा के लिए बाध्य करना उनकी गरिमा के अनुरूप नहीं होगा।"

सभासदों को भी अब एक आड़ मिल गई थी। एक साथ कई ओर से साधुवाद का स्वर गूँजा था। आया हुआ संकट टल गया था, पर इससे दुष्प्रचार रुका नहीं था। वसिष्ठ के प्रस्ताव से राम के सन्देह की पुष्टि तो हो गई थी, परन्तु वह इसके

लिए उन्हें प्रत्यक्षतः दोषी नहीं ठहरा सकते थे।

प्रवाद अब कानाफूसी तक सीमित नहीं रह गया था। लोग अब प्रकट रूप से राम का उदाहरण दे कर एक दूसरे के साथ परिहास और व्यंग्य करने लगे थे। राम की दुश्चिन्ता का यही कारण था और इसीलिए उन्हें गुरुदेव की बार-बार याद आ रही थी। यदि वह उनके दर्शन कर सकते तो वह इस संकट काल में अवश्य कोई उपाय सुझाते। उन्हें बार-बार उनके वे शब्द याद आ रहे थे जो उन्होंने अयोध्या के पास रहने के विषय में राम के अनुरोध को अस्वीकार करते हुए कहे थे, "मैं अयोध्या से दूर रह कर भी सदा आपके पास ही रहूँगा और जब आपको मेरी सबसे अधिक आवश्यकता होगी तो मैं स्वतः उपस्थित हो जाऊँगा।" और आज जब राम को उनकी सचमुच बहुत याद आ रही थी गुरुदेव बिना किसी निमन्त्रण के, बिना कोई सूचना दिए, स्वतः उपस्थित हो गए थे। क्या गुरुदेव को सचमुच दूरानुभूति होती है!

2

गुरुदेव आँधी की तरह आए और प्रभंजन की तरह चले गए। राम को पहले से भी अधिक पीड़ित कर गए। पहले से भी अधिक धर्मसंकट में डाल गए।

स्थिति से अवगत तो कुछ-कुछ पहले से ही थे। कुशलोपचार के क्रम में जो कुछ जानना शेष था, उसे भी जान लिया था। आते समय जितने उद्विग्न थे, जाते समय उतने उद्विग्न नहीं रह गए थे। राम को खिन्न देख कर उन्होंने हास्य युक्त किन्तु स्थिर स्वर में कहा था, "विकृति दूध में आती है, पानी में नहीं। लांछित चन्द्रमा होता है, खद्योत नहीं। अपयश महान् व्यक्तियों को ही लगाए जाते हैं, गर्हित जनों को नहीं। महाराज को इससे चिन्तित नहीं होना चाहिए।"

फिर वह कुछ गम्भीर हो गए थे। एक क्षण तक चुप, कुछ सोचते रहे थे और फिर, "प्रवाद दुष्टों का सबसे बड़ा हथियार है और इसकी ओर से उदासीन रहने पर, वे इसे विध्वंसकारी भी बना सकते हैं।"

राम सुन कर चौंक पड़े थे। अभी तक उन्हें मात्र अपने अपयश का भय था, पर गुरुदेव विध्वंस की बात कर रहे थे। वह कुछ बोले नहीं थे। विश्वामित्र की ओर चिन्तित हो कर देखते रहे थे।

"हाँ महाराज, प्रवाद तुषाग्नि की तरह होता है। जैसे भूसी की ढेरी में लगी आग न तो खुल कर लपट देती है, न धुआँ, पर धीरे-धीरे उसे जला कर राख करती जाती है, उसी तरह प्रवाद राजा के यश के साथ ही उसमें प्रजा के विश्वास को भी, क्रमशः, नष्ट करता जाता है। प्रजा के विश्वास के अनुपात में ही राजा की शक्ति भी नष्ट होती जाती है, और अन्ततः, वह एक खिलौना बन कर रह जाता है—राख

की एक ऐसी ढेरी जो हवा के साथ उड़ कर मिट सकती है।"

"गुरुदेव, मैं पहले से ही बहुत कातर अनुभव कर रहा हूँ। आप मेरे संशय को और बढ़ा रहे हैं।" राम ने विचलित हो कर कहा था।

"पहले मेरी पूरी बात तो सुनें, महाराज। यदि क्लेश होता है, तो भी। राजा का न्यायप्रिय होना बड़ी बात है। पर इससे भी बड़ी बात है, अपनी न्यायप्रियता में प्रजा के विश्वास की रक्षा करना। प्रजापीड़क राजाओं ने भी, भ्रष्ट और अन्यायी राजाओं ने भी, यह विश्वास दिला कर कि उनका ऐसा करना न्याय और राजशक्ति की रक्षा के लिए आवश्यक है, बड़े ऐश्वर्य से राज किया है। यह दूसरी बात है कि उनके इस कर्म से भीतर से राज्य इतना खोखला हो गया है कि उनकी मृत्यु होते ही पूरा राज्य विघटित हो गया है। परन्तु अपने न्याय और प्रजाहित में विश्वास न पैदा कर पाने वाले राजा की शक्ति तो उसके जीते जी ही समाप्त हो जाती है। उसके सैनिक, राजकर्मी और परिजन उसके आदेशों और नियमों की उपेक्षा करके राज्य के भीतर ही अपने स्वार्थों के छोटे-छोटे उपराज्य बना लेते हैं और वह एक देव प्रतिमा की भाँति, अपनी आँखों के सामने, अपने ही नाम पर किए जाने वाले उत्पीड़नों को निरुपाय देखता रह जाता है।"

"यदि राज्य इतना बड़ा अपाय है, गुरुदेव, तो मैं अपनी आत्मा का हनन करने के स्थान पर इस राज्य का परित्याग करना अधिक उचित समझूँगा। सीता मेरी आत्मा है, और न तो मुझे उनकी अपकीर्ति सहन है, न अग्निपरीक्षा के नाम पर उनका आत्मदाह ! मेरे लिए महाराज द्वारा माँ को पूर्वकाल में दिए गए हजार गाँव ही पर्याप्त हैं। मैं उसी में प्रसन्न हूँ। जिन्हें यह राज्य चाहिए, वे ले जाएँ इसे और सन्तुष्ट रहें।"

विश्वामित्र इस तरह अट्टहास कर उठे थे कि लगा था राम ने कोई विनोद किया हो, "यदि राज्य सुख और सत्ता का भोग होता, महाराज, तो आप एक हजार गाँवों की उस सम्पत्ति का भी त्याग करके, संन्यास या वनवास लेना चाहते तो भी मुझे प्रसन्नता होती। मैं तो आपसे स्वयं अनुरोध करता कि इस महाजंजाल को छोड़ कर मेरे साथ सीता सहित सिद्धाश्रम को चले चलिए। आपके पास रहने से मेरा भी मन लगा रहता। कुछ मूर्ख राजा राज्य को भोग ही समझते भी हैं और प्रशासन का सारा भार अपने मन्त्रियों पर डाल कर स्वयं विलासिता में लिप्त रहते हैं। अपनी सत्ता की परीक्षा के लिए समय-समय पर कुछ अटपटे आदेश भी देते रहते हैं और उनका पालन हो जाने से ही सन्तुष्ट भी हो जाते हैं। परन्तु आप जैसे राजा के लिए राज्य भोग का नहीं, महातप का पीठ है, महाराज। प्रजा सुखी रहे, देश सुरक्षित रहे, इसके लिए ऐसे राजा स्वयं बड़ा से बड़ा कष्ट उठाते और अपने प्राणों तक को उत्सर्ग करने को तत्पर रहते हैं। वे स्वप्न में भी जागते रहते हैं कि उनकी प्रजा सुख की नींद सो सके।"

"आपने स्वयं ही तो कहा, गुरुदेव, कि प्रवाद तुषाग्नि की तरह होता है और इसकी अन्तिम परिणति है राजा के प्रति प्रजा के विश्वास का और अपने सैनिकों और कर्मचारियों की निष्ठा का समाप्त हो जाना। राजा का अशक्त हो जाना और ऊपर से अखंडित दीखते हुए भी राज्य का भीतर से टूट कर सत्ता के स्वायत्त केंन्द्रों या उपराज्यों में बँट जाना। क्या इसी दुर्दिन के लिए मुझे सत्ता से चिपके रहना चाहिए?"

"तुषाग्नि जल चुकी है, यह तो सच है। पर आग से भागना क्या आग को शान्त भी कर देता है? जिनकी प्रेरणा से यह तुषाग्नि लगाई गई है, उनके हाथ में सत्ता आने पर तो पूरा राज्य ही महाज्वाला का ग्रास बन जाएगा, महाराज। उनके स्वैराचार और उत्पीड़न की महाज्वाला का ग्रास।" विश्वामित्र इस समय भी मुस्करा रहे थे।

"फिर उपाय क्या है?" राम सचमुच असमंजस में पड़ गए थे।

"प्रवाद का शमन। प्रजा के विश्वास की रक्षा।" विश्वामित्र ने एक दीर्घ निःश्वास लिया था।

राम को अब इस चर्चा को आगे बढ़ाने में घबराहट हो रही थी, पर इसे बीच में छोड़ना भी उचित नहीं था, "क्या गुरुदेव भी सीता की अग्निपरीक्षा को उचित मानते हैं?" राम को लगा बोलते हुए उनकी जिह्वा तालु से चिपक सी रही है।

विश्वामित्र के होंठों पर एक विषाद भरी मुस्कान तैर गई थी, "नहीं। मैं सीता की अग्निपरीक्षा की बात नहीं कर रहा हूँ। राम की अग्निपरीक्षा की बात कर रहा हूँ।"

विश्वामित्र राम को हतप्रभ करने पर ही उतर आए थे। राम की समझ में नहीं आ रहा था कि वह कह क्या रहे हैं। उन्होंने झिझकते हुए कहा था, "मैं आपका आशय नहीं समझ पाया।"

"समझने को अधिक कुछ है भी नहीं। आपको सीता को कुछ समय के लिए अज्ञातवास में रखना होगा। तुषाग्नि के ऊपर चुपचाप एक हिमशिला रख देनी होगी। बस। केवल कुछ समय के लिए, जब तक यह आग शान्त नहीं हो जाती।"

राम ने लक्ष्य किया था कि गुरुदेव उनके लिए तो महाराज का सम्बोधन प्रयोग में ला रहे थे, पर सीता को सीधे नाम से पुकार रहे थे। उन्हें सन्देह हुआ था कि कहीं वह स्वयं भी तो जन प्रवाद को सच नहीं मान रहे हैं। उन्होंने कुछ संकोच के साथ प्रश्न किया था "अपने शिष्य को तो गुरुदेव ने महाराज बना दिया, पर सीता?"

"सीता मेरे लिए कभी महारानी नहीं बन सकती, महाराज। वह तो मेरी आत्मजा सदृश है।" विश्वामित्र ने कहा था और फिर बताया था कि कैसे बहुत

पहले दैवविपाक से वह स्वयं भी महाराज जनक की राजसभा में उपस्थित थे जब एक किसान एक परित्यक्ता बालिका को ले कर उपस्थित हुआ था। सन्तानहीन महाराज को उन्होंने ही परामर्श दिया था कि वह उस बालिका को दैवी प्रसाद के रूप में ग्रहण करें। उसके विवाह की जितनी चिन्ता स्वयं महाराज को थी उससे कम विश्वामित्र को न थी। वह भावाकुल हो गए थे। उनकी आँखें आर्द्र हो आई थीं, "और उसी सीता को निर्वासित करने का परामर्श मैं दे रहा हूँ। मेरी समस्त तपस्या का यही फल शेष रह गया था! होगा कोई मुझसे अधिक हतभाग्य!"

राम स्वयं विचलित थे, पर विश्वामित्र की इस दशा ने तो उन्हें विगलित ही कर दिया था। विश्वामित्र ने जल्द ही अपने को नियन्त्रित कर लिया था। उनकी आँखों की आर्द्रता एक कठोर निश्चय में बदल गई थी, "इन कुचक्रियों का सामना धैर्य और विवेक से करना होगा, महाराज। यह एक लम्बी लड़ाई है और इसमें अग्निपरीक्षा सीता की नहीं, महाराज की होनी है। अभी तो महाराज को सीता के गुप्तवास के लिए ही तैयार होना है। यही अपने आप में एक परीक्षा है।"

विश्वामित्र बहुत पहले से ही कुछ तय करके आए थे। आते समय वह वाल्मीकि से भी मिलते आए थे। राम के मन में सीता के स्वास्थ्य और सुरक्षा को लेकर सौ तरह की शंकाएँ थीं। उन्होंने बड़े धैर्य से एक-एक प्रश्न का समाधान किया था। परन्तु जब राम ने कहा था, "सीता को इसके लिए कौन समझाएगा?" तो वह विचलित हो गए थे।

"सीता का सामना मैं नहीं कर पाऊँगा महाराज। इसकी कोई युक्ति आपको ही निकालनी होगी।" विश्वामित्र ने हथियार डाल दिया था।

सीता का सामना करने का साहस तो राम में भी नहीं था। लक्ष्मण का सामना भी कठिन होगा। इसी के निमित्त तो बुला भेजा है। गुरुदेव को विदा हुए एक पखवारा हो गया। इस बीच राम ने अपने शब्दों से, मनोभाव से, या आचार से किसी पर यह प्रकट नहीं होने दिया है कि उनके भीतर निरन्तर किस तरह की झंझा चल रही है। और अब कल प्रातः ही प्रस्थान करना है, अन्यथा राम आज भी इसका साहस नहीं कर पाते। जाने क्या सोच कर समय और तिथि गुरुदेव स्वयं निश्चित कर गए थे।

राम की अपर आत्मा हैं लक्ष्मण। उन्हीं को यह अप्रिय कार्य भी करना है। इसीलिए बुलाया भी है राम ने और अब, जब लक्ष्मण उनके सामने उपस्थित हैं, उनकी समझ में नहीं आ रहा है कि बात आरम्भ कैसे और कहाँ से करें।

"आपने स्मरण किया था, महाराज?" प्रतीक्षा असह्य हो जाने के बाद लक्ष्मण ने याद दिलाया।

"हाँ, किया था।" राम ने कुछ कहना चाहा, पर एक कातर दृष्टि डाल कर रह गए।

"किया था", लक्ष्मण ने अपने भीतर ही दुहराया। उनकी समझ में नहीं आ रहा था कि वह कुछ कहते क्यों नहीं। उनके होंठ काँप कर क्यों रह जा रहे हैं और उनकी दृष्टि में यह कातरता क्यों है। जोर देने पर भी कोई संगत कारण लक्ष्मण की दृष्टि में नहीं आ रहा था।

लक्ष्मण ने राम को जितना जाना है उससे वह इतना ही कह सकते हैं कि यह उनका अपना कष्ट नहीं हो सकता। वह अपने दुख से दुखी नहीं होते, पर लक्ष्मण या सीता के छोटे-से-छोटे कष्ट से वह विचलित हो जाते हैं। उन्हें रुलाने की शक्ति केवल इन्हीं दो में है। पर लक्ष्मण को क्या हो जाएगा? होना है तो हो। नहीं, ऐसा होता तो महारानी सीता को तो इसका कुछ आभास होता ही। उन्हीं के माध्यम से तो बुलवाया था राम ने उन्हें। उन्हें निर्देश देते हुए वह कितनी तो उत्फुल्लित थीं। लक्ष्मण की समझ में कुछ नहीं आता।

लक्ष्मण को न शत्रु से भय लगता है, न व्याधि से, न कष्ट से, पर अनिश्चय और आशंका उन्हें विचलित कर देते हैं। पहले की स्थिति होती तो लक्ष्मण इतनी प्रतीक्षा के बाद खीझ गए होते, पर अब मर्यादा का ध्यान रखना होता है। राम केवल बड़े भाई नहीं, न सीता मात्र भाभी हैं। अब वे महाराज और महारानी हैं। उनकी गरिमा की लक्ष्मण से अधिक चिन्ता अन्य किसे हो सकती है! पर फिर भी राम की दशा को देख कर मन में उद्वेलन हो रहा है कि...कि...नहीं कुछ किया नहीं जा सकता। वह जितना भी समय लें, लक्ष्मण को इस बेचैनी को झेलना ही होगा।

और फिर बहुत धीरे से, लगभग बुदबुदाते हुए, रुकते हुए, जैसे कोई अपराध कर रहे हों, राम ने कहना आरम्भ किया, "सीता के चरित्र पर...वह जो उतने दिन रावण के यहाँ..." राम अपना वाक्य पूरा नहीं कर पाए।

"क्या!" यह प्रश्न नहीं है। आश्चर्य का प्रकाशन भी नहीं। उनके होंठों के कम्पन और नासापुटों के खिंचाव और आँखों की सिकुड़न को देख कर कोई भी समझ सकता था कि यह एक तीखी भर्त्सना है जिसका अधिकार लक्ष्मण को ही हो सकता है। मर्यादा जाए भाड़ में, "यह राम कह रहे हैं? यह राम कह रहे हैं?" वह लगभग चीख रहे थे। "और वह भी आज? इतने दिन बाद?"

राम शान्त थे। बिल्कुल शान्त, यदि निःशब्दता को शान्ति कहें तो। वह दीर्घ निःश्वास ले रहे थे। लक्ष्मण अकेले कब तक चीखते रह सकते थे। वह केवल आश्चर्य कर सकते थे। क्या वह राम को समझने में अब तक भूल करते रहे हैं? क्या यह वही राम हैं जिन्होंने अहल्या के लांछन और अपमान की कथा सुन कर गुरुदेव से कहा था, "मैं उस देवी के दर्शन करना चाहूँगा, गुरुदेव।"

गुरुदेव ने कुछ कहा नहीं था। केवल गर्व से देखा था राम की ओर, फिर उनके कुछ निकट हो कर, जैसे चलने के क्रम में दूरी अनायास ही कम हो गई हो,

उनके कन्धे पर हाथ रख कर चलते रहे थे, दूर आकाश की ओर देखते हुए। वह आकाश की ओर देख नहीं रहे थे। आकाश तक ऊँचा उठा हुआ अनुभव कर रहे थे, अपने शिष्य के मुख से उस तिरस्कृता और लोकनिर्वासिता महिला के लिए 'देवी' का सम्बोधन सुन कर। फिर चलते-चलते, जैसे अपने आप से बातें कर रहे हों, बोले थे, "तुम मेरी आत्मा हो!" वह राम की ओर नहीं, आकाश की ओर देख रहे थे, "मेरा आत्मविस्तार!"

कुछ समय तक वह आत्ममुग्ध से खड़े रहे थे और फिर कुछ रुकते हुए कहने लगे थे, "उसे भी तुम्हारी ही प्रतीक्षा है, राम। अपमान और उपेक्षा ने उसकी चेतना को लगभग नष्ट कर दिया है। मनुष्यों की छाया से भी वह डरती है। किसी को दूर से ही देख कर छिपने या भागने का प्रयत्न करती है। डरती है, जाने क्या अपशब्द सुनने पड़ें। चेतना का केवल यही प्रमाण शेष रह गया है। उसे दूषित करने वालों की लोक पूजा करता है। वे पुरुष जो ठहरे। शक्तिशाली जो ठहरे। वे छल कर सकते हैं, लूट सकते हैं, दूसरों को अपमानित कर सकते हैं और जिन्हें छलते, लूटते और अपमानित करते हैं उन्हीं को इन सबके लिए दोषी भी सिद्ध कर सकते हैं। आश्चर्य है कि जो सिरजता है, गढ़ता है, लोक को जीवन और अवलम्बन देता है वही सबसे अधिक अपमानित भी होता है—वह धरती हो, स्त्री हो या सेवक हों—सबकी एक ही नियति है।" उन्होंने संकेत से दिशानिर्देश किया था और स्वयं वहीं खड़े रह गए थे।

राम ने अपने दोनों हाथ जोड़ लिए थे। दूर किसी स्त्री की छाया दिखी थी। वह हाथ जोड़े ही उस दिशा में चलते रहे थे। लक्ष्मण भी उनके साथ उसी तरह करबद्ध चल रहे थे। सम्भवतः उसे भी लगा था कि यह व्यक्ति अन्य लोगों से भिन्न है। वह न तो अपने स्थान से हिली थी, न भागी थी। सम्भव है उसकी आँखों से कुछ दीख ही न रहा हो। सम्भव है उसमें हिलने की शक्ति ही न रह गई हो। नहीं, वह शायद इधर देख ही नहीं रही थी। वह बैठी थी और सिर गड़ाए किसी सोच में डूबी थी। उसके निकट पहुँच कर राम उसके चरणों में लेट गए थे, "आपने बहुत दुख झेला है, माँ। मैं समस्त पुरुष जाति की ओर से आपसे क्षमा माँगने आया हूँ, देवी। मैं आपको अपमानित करने वाली उस दम्भी पुरुष जाति का प्रतिनिधि, आपसे दंड माँगने आया हूँ।"

उसे अपनी आँखों पर विश्वास नहीं हो रहा था। यदि राम के शब्द उसके कानों में पड़ भी रहे थे तो उनका अर्थ शायद उसकी समझ में नहीं आ रहा था। वह जड़-सी एकटक राम को देखती जा रही थी। नहीं, उसके कानों में कोई ध्वनि टकराई अवश्य थी। उसने बोलने का प्रयत्न किया था। होंठ हिले थे पर शब्द बाहर नहीं आ पाए थे। कोई मरणासन्न व्यक्ति जैसे कुछ कहने का प्रयत्न करे और उसकी आवाज एक अस्पष्ट फुसफुसाहट बन क़र रह जाए और बहुत ध्यान

देने पर कुछ समझ में आए, वैसे ही उसने कहा था, "मैं लांछिता हूँ। पतिता।" उसने राम के सिर को अपनी दुर्बल उँगलियों से कुछ इस तरह छुआ था जैसे उठाने का प्रयत्न कर रही हो और फिर वही शब्द, "पतिता!"

"आप पतित नहीं हो सकतीं, माँ। जो पतित होते हैं वे अपने जघन्यतम कृत्य पर भी अपने को पतित नहीं कहते। वे अपने पातकों को ले कर गर्व करते हैं। उनकी चेतना अहंकार से इतनी मलिन हो चुकी होती है कि वे अपने पातकों को समझ ही नहीं पाते। जिनमें पतित होने का बोध है, जो उन अहंकारियों द्वारा पातकी कहे जाते हैं, वे या तो अज्ञान, अपज्ञान या विवशता के कारण उनके ही पापों और पातकों का बोझ अपने ऊपर ओढ़ लेते हैं, या उनके द्वारा लादे गए पातक के बोझ को ढोने को बाध्य कर दिए जाते हैं।" राम ने प्रतिवाद करते हुए कहा था।

अहल्या की समझ में कुछ नहीं आ रहा था। वह केवल आश्चर्य से राम को निहार रही थी। राम ने कुछ स्पष्ट स्वर में, एक-एक शब्द पर रुकते हुए और एक-एक शब्द का स्पष्ट उच्चारण करते हुए फिर कहा, "तुम पतित नहीं हो माँ। तुमने दूसरों के पातक का प्रक्षालन अपनी पीड़ा और यातना से किया है, जैसे माँ अपनी गोद के बच्चे के मलोत्सर्ग का प्रक्षालन करती है। हाँ माँ, अपने समस्त अहंकार के बावजूद पुरुष जाति स्त्री के सम्मुख एक शिशु ही बना रह जाता है–अपनी धात्री और पोषिका को ही दूषित और मलिन करके किलकारियाँ भरनेवाले शिशु से अधिक क्या है वह।"

"तुम्हारी बातें मेरी समझ में नहीं आतीं।" अहल्या ने दुर्बल और काँपते हुए स्वर में कहा था। उसकी समझ में कुछ तो आ ही रहा था, अन्यथा वाणी में यह परिवर्तन कहाँ से आता! उसके नकार में भी आत्मविश्वास कहाँ से लौटता, "कुछ समझ में नहीं आता, बेटा।" बेटा शब्द का उच्चारण उसने इतने विगलित हो कर किया था कि अपना संयम न खोनेवाले राम की भी आँखें आर्द्र हो आई थीं।

"पतित वे होते हैं माँ, जो दूसरों को कुचल कर अकेले ऊपर उठना चाहते हैं। सिर तान कर शिखर बनना चाहते हैं। मैंने शिखरों को भूचाल तो दूर, मात्र मेह से खिसकते और लुढ़कते देखा है। पर्वतों को अपने अहंकार के जड़ भार से, बिना किसी बाहरी ठोकर या आघात के, चूर-चूर होते देखा है, महावटों को झंझा और बिजली के आघात से खण्डित होते देखा है। माँ, मैंने धरती को द्रवित हो कर बहते तो देखा है पर पतित होते नहीं देखा। स्त्री तो लोक जननी होती है, वह तो धरती होती है, माँ। वह पतित नहीं हो सकती। पतितों को भी वही सँभालती है और वही सँभाल सकती है। अपनी अवज्ञा करके तने शिखरों को टूटने पर अपने आँचल में वही सँभालती है। यदि वह पतित होगी तो उसे कौन सँभालेगा!" राम ने अपने संयत पर कोमल स्वर में कहा था। उस समय उस वृद्धा के मुख पर हो रहे

भाव-परिवर्तन को देख कर आश्चर्य हो रहा था। उसमें एक ऐसी प्राणशक्ति आ गई थी मानो कोई सूखी लता वर्षा की झड़ी से एक ही क्षण में हरी हो गई हो।

"तुम कौन हो? कौन हो तुम?" उसने अपने आन्तरिक आह्लाद को दबाते हुए, भर्राई सी आवाज में, कहा था, "तुम मनुष्य नहीं हो सकते। नहीं। तुम मनुष्य नहीं हो सकते! तुम भगवान हो। तुम पतितपावन भगवान हो—पतितों को भी पवित्र माननेवाले, उपेक्षितों और वंचितों को उनका लुटा हुआ सौभाग्य और गौरव दिलानेवाले अवतार हो तुम।" वह बढ़ कर राम के चरणों से लिपट गई थी और फूट-फूट कर रोने लगी थी। राम बार-बार, "उठो माँ, उठो देवि" कह कर अकुला रहे थे। उनका पाला इस तरह की स्थिति से इससे पहले नहीं पड़ा था।

पता नहीं कब चुपचाप गुरुदेव निकट आ गए थे और जाने कब से इस दृश्य को देख रहे थे। उनकी आँखें छलछला आई थीं।

"उठो माँ, चलो।" राम ने अपने पाँवों को किसी तरह छुड़ाते हुए कहा था।

"चलूँ, कहाँ?" अहल्या ने प्रश्न किया था और इसी समय, ठीक इसी समय, राम की दृष्टि विश्वामित्र पर पड़ी थी और वह सकपका गए थे। "चलो", कहाँ चलने को कह रहे थे वह अहल्या को, और वह भी गुरुदेव से अनुमति लिए बिना।

"तुम्हें कहीं नहीं जाना होगा, अहल्या। तुम्हें लेने के लिए तुम्हारे पति को ही आना होगा। क्षमायाचना सहित।" गुरुदेव का दृढ़ स्वर सुनाई पड़ा था, "प्रतीक्षा करो।" और अविश्वास और अनिश्चय में डूबी अहल्या को एक अधिक बड़े अनिश्चय में छोड़ते हुए गुरुदेव ने संकेत किया था। दोनों भाई बिना किसी प्रतिवाद के उनके साथ हो लिए थे।

रास्ते में लक्ष्मण का मन आशंकाग्रस्त था, "क्या वह दम्भी ऋषि इतना नम्र हो सकेगा कि अपनी भूल स्वीकार करते हुए अपनी पत्नी से क्षमायाचना करे, पर राम के चेहरे पर किसी तरह की दुविधा या अनिश्चय का संकेत नहीं मिल रहा था। गुरुदेव अपने आप में खोए चले जा रहे थे। गौतम के पास वह स्वयं नहीं गए थे। कहा था, "तुम दोनों ही जाओ। तुम्हीं पर्याप्त हो इसके लिए।"

गौतम के पास पहुँचने पर लक्ष्मण को अपनी आशंका झूठी नहीं लगी थी। गौतम के पवित्रतावादी आग्रह पर काबू पाना कठिन था। एक खास अर्थ में उनका जीवन भी अहल्या से मिलता-जुलता ही था। अहल्या को त्यागने के बाद उन्होंने घर नहीं बसाया था। वह कहीं आते-जाते भी नहीं थे। सतानन्द की देखभाल में ही समय निकल जाता था और बाद में वह दिन-रात उसे ही पढ़ाने में जुटे रहते। अहल्या के पास वह संबल नहीं था। पर सतानन्द को छोड़ कर वह किसी अन्य से न तो बात करते, न ही मिलते। उनको स्त्रियों से घृणा सी हो गई थी। वे नारी-द्रोही हो गए थे और उनका यह नारी-द्रोह सतानन्द के लिए महँगा सिद्ध हो

रहा था। वह पिता के श्रम और अपनी प्रतिभा के बल पर प्रकांड विद्वान् बन चुके थे और महाराज जनक ने उन्हें सम्मान देते हुए अपना पुरोधा नियुक्त किया था, परन्तु पिताजी उन्हें आजीवन नारी सम्पर्क से दूर रहने का उपदेश देते रहते थे और वह पिता के शासन को तोड़ने का साहस नहीं जुटा पाते थे।

राम ने गौतम के पास पहुँचने पर उनका अभिवादन तक नहीं किया था। शान्त किन्तु स्थिर स्वर में प्रश्न किया था, "क्या मैं उसी ऋषि के सम्मुख खड़ा हूँ जिसने अपनी असहाय पत्नी को घर से निकाल दिया था?"

गौतम को इतना कठोर झटका लगा था कि वह यह तक तय नहीं कर पाए थे कि इस उद्दंडता पर उन्हें क्रोध करना भी चाहिए या नहीं। वह अपलक राम को देख रहे थे। आँखों में क्रोध नहीं था, मात्र विस्मय था। जीवन में यह पहला अवसर था जब उन्हें अपनी पत्नी के परित्याग का दोषी मानते हुए उनसे उत्तर माँगा जा रहा था और वह भी एक तरुण द्वारा जो अपनी वेश-भूषा से, ऋषिकुमार तो दूर, ब्राह्मण भी नहीं लगता था। राम के स्वर की अकम्प स्थिरता और इससे टपकने वाला अधिकार ऋषि को और भी चकित कर रहा था। उन्हें अपने आघात से बाहर आने में कुछ समय लगा था, "तुम मेरा अपमान कर रहे हो तरुण!" अब उनकी भौंहें तन चुकी थीं और आँखों में क्रोध झलक रहा था।

"कोई दूसरा व्यक्ति आपका उससे अधिक अपमान नहीं कर सकता, ऋषिवर, जितना आपने स्वयं अपने अविवेक से किया है। पत्नी तो व्यक्ति के सम्मान का निकष होती है। उसे ही अपने घर से निष्कासित करके, अरक्षिता बनाने के बाद भी, आपके पास सम्मान जैसी वस्तु शेष रह गई, यह सोच कर विस्मय होता है।" यदि गौतम को यह आशा रही हो कि उनकी मुद्रा देखकर राम विचलित हो जाएँगे, तो उनका यह प्रयत्न व्यर्थ गया था।

"वह दूषिता है! पतिता !!" ऋषि का क्रोध और उग्र हो गया था।

"मैं सुन चुका हूँ। जान चुका हूँ कि आप अपनी पत्नी के सम्मान की रक्षा नहीं कर सके। आपने उन दुश्शीलों को तो क्षमा कर दिया जिनको उनकी लंपटता के लिए दंड देना था और उनके द्वारा छल-पूर्वक घर्षित और अपमानित अबला पत्नी को, जिसके एकमात्र बल और सम्बल आप थे, अनन्त अपमान में डूबने के लिए निर्वासित कर दिया। किसी अज्ञ, अविवेकी, मत्त या विक्षिप्त व्यक्ति ने ऐसा किया होता तो वह क्षम्य भी होता, पर आप तो ऋषि का विरुद धारण करते हैं। आपने इस बात का भी ध्यान नहीं रखा कि अशक्त व्यक्ति यदि अपनी रक्षा न कर सके तो अपराध का भागी वह स्वयं नहीं, अपितु वह व्यक्ति होता है जिस पर उसकी रक्षा का भार होता है। यह आपका अपराध था ऋषिवर जिसके लिए आपने अपनी पत्नी को दंडित किया और उसके दूषकों को सुरक्षा दी।" इतनी कठोर बातें कहते हुए भी राम अपने स्वर को कितना सन्तुलित रख लेते हैं, यह लक्ष्मण को

तभी पता चला था।

ऋषि का क्रोध कुछ उतर गया था, यद्यपि वह शान्त फिर भी नहीं हुए थे। आवेश में हकलाने लगे थे, "गौतम अपने साथ छल करनेवालों को कभी क्षमा नहीं करता। उसने इन्द्र को भी शाप दे दिया।"

हँसने लगे थे राम।

"तुम हँस रहे हो? तुम मेरे क्रोध को नहीं जानते।" गौतम हकला ही नहीं, काँप भी रहे थे।

राम शान्त हो गए थे, "अपने को छलने से क्या लाभ मिला आपको? आप भी जानते हैं कि आपकी पत्नी का दूषक इन्द्र नहीं हो सकता। वह इसी लोक का, इसी नगर का कोई प्रमुख व्यक्ति था। सम्भवतः आपके प्रति उदार भी। दानशील भी। सम्भवतः आपका कृपापात्र भी।" राम रुक-रुक कर अपनी बात कह रहे थे, प्रत्येक शब्द की गौतम पर क्या प्रतिक्रिया हो रही है इसका निरीक्षण करते हुए, "इन्द्र की कथा गढ़ कर आपने अपराधियों को तो बचा लिया, पर अपनी पत्नी की रक्षा नहीं कर सके।"

गौतम का मुख विवर्ण हो गया था। उनके शरीर का सारा रक्त किसी अदृश्य यन्त्र से निकाल लिया गया हो जैसे। उनका क्रोध अब दैन्य में बदल गया था, "तुम कौन हो, तरुण? कौन हो तुम? तुम सामान्य मनुष्य नहीं हो सकते।"

कितनी बार सुनना पड़ा है लक्ष्मण को राम के लिए यह प्रश्न, कितने मुखों से, "तुम कौन हो? तुम साधारण मनुष्य नहीं हो सकते।"

"एक याचक हूँ, ऋषिवर।" राम ने पहली बार गौतम के सम्मुख हाथ जोड़े थे, "एक याचक, और मेरी याचना मात्र यह है कि आप स्वयं चल कर उस देवी से क्षमा-याचना करके अपने अपराध का मार्जन करें।"

जाने कहाँ बह गया था गौतम का सारा हठ। मन्त्रकीलित की भाँति वह उठ खड़े हुए थे, "चलो!" और कुछ दूर आगे चलने के बाद फिर पूछा था, "तुम्हारा गुरु कौन है, तरुण?"

राम ने गुरु का परिचय दिया था तो गौतम पहले विश्वामित्र के दर्शन के लिए ही विकल हो गए थे। राम ने ही आग्रह किया था, "पहले, पहला काम।" गौतम अहल्या के साथ ही गुरुदेव के समक्ष आए थे। अवस्था में गुरु विश्वामित्र से बहुत बड़े होने पर भी वह उनके सम्मुख करबद्ध खड़े थे। विश्वामित्र ने टोका था, "यह क्या अनर्थ कर रहे हैं आप?" उन्होंने स्वयं भी हाथ जोड़ लिए थे।

"मैं तो आपके शिष्य से भी तुच्छ हूँ, ऋषिवर। इसने मुझे और अहल्या दोनों को जीवनमुक्ति दी है। आप तो इसके गुरु हैं।" और वह अपना अनुताप प्रकट करने लगे थे, विश्वामित्र के सामने।

और वही राम आज सीता के चरित्र पर लांछन की बात कर रहे हैं। लक्ष्मण

को सचमुच लग रहा था कि जिस राम को वह जानते हैं वह यह राम नहीं हैं। यह उनका वाक्य नहीं हो सकता, "मैं तो आज तक केवल उसी राम को जानता रहा हूँ महाराज, जिसने अहल्या के त्याग पर गौतम को भी क्षमा नहीं किया था। वह राम जो मानते थे, स्त्री न पतित होती है, न दूषित। वह धरती की तरह विराट् और उसी की तरह महान् होती है। मैं केवल उस राम को जानता हूँ, देव, जो मानता था कि अपनी पत्नी की रक्षा न कर पानेवाला व्यक्ति स्वयं ही अपराधी होता है।"

लक्ष्मण भर्त्सना करते हुए भी प्रतीक्षा कर रहे थे कि राम उन्हें रोकेंगे। झिड़क कर कुछ कहेंगे और, जैसा कि प्रायः होता आया है, जब लक्ष्मण अपने असंयम पर ग्लानि से कातर अनुभव करेंगे तो गले से लगा कर पीछे के सारे अनुताप को धो-पोंछ देंगे। पर राम की ओर से कोई प्रतिवाद नहीं होता। और यह क्या, राम स्वयं रो रहे हैं?

लक्ष्मण चुप हो गए और चोट खाए बच्चे की तरह अवसन्न राम को एकटक देखने लगे। लक्ष्मण का वाग्दंश उतना पीड़क नहीं था जितनी उनकी यह चुप्पी। राम सचमुच फूट-फूट कर रो रहे थे।

अपने को सँभालने में राम को समय लगा था और फिर उन्होंने बताया था कि सीता जहाँ भी रहेंगी, अरक्षिता नहीं रहेंगी, न ही वह उन्हें किसी भी रूप में दोषी मानते हैं। बताया था कि कितने लम्बे समय से वह लक्ष्मण से और स्वयं सीता से अपनी मानसिक यन्त्रणा को छिपाए सामान्य बने रहने का अभिनय करते आ रहे हैं। बताया था कि गुरु विश्वामित्र अयोध्या में क्यों पधारे थे और उनका परामर्श और विधान क्या है। बताया था कि एक राजा के रूप में व्यक्ति जब-तब कितना दुर्बल हो जाता है और यदि राम ने समय रहते उचित उपाय नहीं किया तो स्थिति किस तरह उनके नियन्त्रण से बाहर हो सकती है जिसमें न केवल राम को, न केवल सीता को, अपितु उस समस्त प्रजा को भी अकल्पनीय कष्ट भोगने हो सकते हैं जो आज सीता को लांछित मान कर अपप्रचार में लगी हुई है।

अब लक्ष्मण की समझ में कुछ-कुछ आने लगा था। इस तर्क से कि गुरुदेव ने स्वयं यह सुझाव रखा है, उनकी पीड़ा कुछ कम हो गई थी। राम के प्रति उनके मन में कोई आरोप अभियोग नहीं रह गया था, पर स्वयं राम लक्ष्मण को समझाते हुए भी कातर अनुभव कर रहे थे। उनका ध्यान केवल एक ही बिन्दु पर टिका हुआ था, "सीता जब इस निर्णय की बात सुनेंगी तो उन पर क्या बीतेगी?" राम को यदि पीड़ा थी तो केवल एक ही, कि सीता को ही ओट बना कर बार-बार राम को अपमानित और लांछित करने का प्रयत्न क्यों किया जाता है। राम के निर्वासन के दिनों में सीता को भौतिक कष्ट जितना भी हुआ हो, आत्मग्लानि कभी नहीं हुई होगी। राम का अनन्य प्यार और उनकी क्षमता में विश्वास जो सीता को दुस्सह पीड़ा के क्षणों में भी टूटने से बचाए रहा, जिसने रावण द्वारा अपहृता होने पर भी

सीता के मनोबल को गिरने नहीं दिया और उन समस्त यातनाओं और प्रतारणाओं को सहने की शक्ति दी जिनका वर्णन उनकी सेवा में रावण द्वारा नियुक्त परिचारिकाओं ने न किया होता तो राम उनकी कल्पना भी नहीं कर सकते थे। राम के अनन्य विश्वास का सम्बल न होता तो क्या सीता अपने मनोबल को अकंप दीपशिखा की भाँति स्थिर रख पातीं?

इतने दिन उस आततायी की कारा में रहने के बाद भी राम ने उनके अतीत के विषय में जब कोई जिज्ञासा नहीं की थी तो हार कर सीता को स्वयं कहना पड़ा था, "मुझसे कुछ पूछेंगे भी नहीं? कोई आरोप? कोई अभियोग?"

राम ने कोई उत्तर देने या कोई प्रश्न पूछने की आवश्यकता नहीं समझी थी। वह सीता की आँखों में इतने स्नेह और विश्वास से देखते थे मानो अपने हृदय को ही द्रवित कर सीता की दृष्टि के माध्यम से उनके हृदय में उतार देना चाह रहे हों। सीता विस्मय में जड़ीभूत उस दृष्टि को निहारती रह गई थीं और फिर राम ने एक हल्की सी मुस्कान के साथ कहा था, "नहीं।"

और सीता विलख पड़ी थीं, "आपके इसी विश्वास ने अभेद्य कवच के रूप में बराबर मेरी रक्षा की प्रभु। इस अचल विश्वास ने ही।"

और आज जब सीता को यह पता चलेगा कि उन्हें उसी राम के निर्णय से निर्वासित किया जा रहा है तो कैसा लगेगा उन्हें! राम को यह समझ में नहीं आ रहा था कि वह सीता को किस तरह समझाएँ। इस निर्णय की पूर्व सूचना दें भी या नहीं। इसी दुष्कर के निवारण के लिए तो उन्होंने लक्ष्मण को बुलाया था पर सारी योजना लक्ष्मण के सामने रखने के बाद भी यह कहने का साहस नहीं हो रहा था कि लक्ष्मण स्वयं सीता को महाराज जनक के दर्शन के बहाने यहाँ से ले जाएँ और वाल्मीकि आश्रम के पास पहुँच कर ही इस रहस्य को प्रकट करें और फिर आश्रम से कुछ दूर ही उन्हें संकेत दे कर इस तरह लौट आएँ कि किसी को सीता के निर्वासन के विषय में सन्देह न रह जाए।

वह लक्ष्मण की स्वाभाविक प्रतिक्रिया से भी परिचित थे। पर इसका एक उपाय था। मात्र एक ही उपाय, "यह मेरा आदेश है लक्ष्मण।" यह ऐसा वाक्य है जिसके बाद लक्ष्मण का सारा दुराग्रह धुल जाता है। राम ने यही किया।

3

वाल्मीकि का आश्रम! कैसा होगा वहाँ का जीवन? कैसे होंगे वहाँ के निवासी? कैसे रहेंगी सीता? ये प्रश्न राम के मन में वात्याचक्र की भाँति बार-बार उठ रहे थे। विश्वामित्र से पूछा था तो वह सुन कर हँसने लगे थे, "जानना चाहते हैं?"

राम ने अपनी चिन्ताकातर आँखें विश्वामित्र की ओर उठाई थीं।

"वाल्मीकि के आश्रम में वैसा कुछ नहीं है जो अन्य आश्रमों में देखने में आता है। न वहाँ छात्रों का वह दल होता है जो गुरुओं और गुरुपत्नियों के लिए सेवकों से लेकर आश्रम भूमि के लिए श्रमिकों और भूविस्तार के लिए सैनिकों तक का काम करता है, न ही वहाँ उस तरह के महायज्ञों का आयोजन होता है जिनके बहाने कुलपति आश्रम की भूसम्पदा का विस्तार करते हैं।" विश्वामित्र वाल्मीकि आश्रम का अन्तर समझा रहे थे, "सच कहें तो वह आश्रम है ही नहीं। कोलों की एक बस्ती कहना अधिक उपयुक्त होगा," पर ऐसी अनुशासित बस्ती जैसा अनुशासित कोई आश्रम भी नहीं होगा।"

राम के लिए चिन्ता की कोई बात नहीं है। यदि गुरुदेव किसी व्यवस्था से सन्तुष्ट थे तो उन्हें उसे लेकर सिर खपाने की आवश्यकता नहीं थी। फिर भी कोलों की एक बस्ती सुन कर वह अपने कुतूहल को कैसे रोक सकते थे, "कोलों की बस्ती?" वह चौंक कर बोले।

"अपने निवासन काल में महाराज ने यह तो देख ही लिया होगा कि जिन राक्षसों की क्रूरता की कहानियाँ नागर जन अतिरंजना के साथ सुनाया करते हैं वे राक्षस नहीं, अपने वनवासी कोल-किरात आदि ही हैं। आप ने यह भी देखा होगा कि उनका स्वभाव कितना सरल होता है और अपने वचन के वे कितने पक्के होते हैं !" विश्वामित्र राम के मन से सीता के विषय में किसी भी प्रकार की आशंका के निराकरण के लिए समझा रहे थे।

"मेरा अपना विचार तो यह है, गुरुदेव, कि अपने को सभ्य कहनेवाला हमारा समाज जितना रुग्ण, अनैतिक और मानवीय गुणों से शून्य है, उतना तो कोई नरभक्षी गण भी न होगा। उनकी क्रूरता की अतिरंजित कहानियाँ गढ़ कर सामान्य नागरिकों को जिस तरह उनके प्रति निष्ठुर बनाया जाता है और जितने अनुतापहीन ढंग से उनके वध के लिए प्रोत्साहित किया जाता है, यदि उसी तरह का व्यवहार वे हमारे साथ करने लगें तो हमारा तो जीवन दूभर हो जाए।" राम अपनी प्रतिक्रिया को रोक नहीं पाए थे।

"वाल्मीकि की पूरी कथा सुनने पर आपका यह विश्वास और दृढ़ हो जाएगा।" विश्वामित्र ने कहा और फिर पीछे की बात से कड़ी मिलाते हुए कहने लगे, "वाल्मीकि का आश्रम सच कहें तो साधनाभूति है और यदि आश्रम का अर्थ ऐसा स्थल है जहाँ रहने वाला प्रत्येक व्यक्ति श्रम करते हुए ज्ञान से लेकर विज्ञान तक की सिद्धि करे और पारस्परिक सम्बन्ध सेवक और सेव्य के न हों तो इस विशेष अर्थ में इसे आश्रम भी कह सकते हैं।" लगा विश्वामित्र ने अपनी बात पूरी कर ली है, तभी सहसा वह पूछ बैठे, "जानते हैं ये वाल्मीकि मुनि हैं कौन?"

राम उनका नाम पहली बार सुन रहे थे। यह अच्छी बात भी थी अन्यथा सीता को वहाँ रख कर उनके प्रवास को गुप्त रख पाना कठिन होता।

"ऋषियों के प्रमुख आश्रम नदियों के संगम पर इसलिए होते हैं कि दो जल-मार्गों से जुड़े होने के कारण इनके व्यापारिक केन्द्र बनने की सम्भावना अधिक रहती है। आरम्भ में कोई व्यापारी इन जंगली स्थानों को साफ करने और बसाने का साहस नहीं कर पाता, पर ऋषियों को तो यज्ञ के बहाने जंगलों में आग लगाने की विधि पर इतना अधिकार हो गया है कि उन्हें ऐसा करने में तनिक भी आशंका नहीं होती। ऐसे ही एक दुस्साहसी ऋषि थे सिद्धव्रत। उनका आश्रम पहले तमसा के पास ही था, पर वह ठीक संगम पर नहीं था। उन्होंने गंगा और तमसा के बीच के स्थल की उपयोगिता को पहचान कर एक बार इन नदियों के बीच के वनखंड को अपने महायज्ञ का ग्रास बना दिया। उन दिनों इस वनखंड में जो गण रहते थे उनके प्रधान थे वाल्मीकि। गण समारोहों में होनेवाली प्रतियोगिताओं में इनकी समता करनेवाला कोई दूसरा नहीं था, इसलिए अन्य गणों पर भी इनका बहुत प्रभाव था। इस घटना के बाद वाल्मीकि ने वन्य गणों को संगठित करके इस आश्रम पर आक्रमण कर दिया जिसमें कुछ रक्तपात भी हुआ। छात्र इस पूरे क्षेत्र से प्राण बचा कर भागे थे। सिद्धव्रत का दुर्भाग्य था कि वह इनकी पकड़ में आ गए थे। उन्हें दंडित करने के लिए उन्होंने उन्हें दीमकों की एक बाँबी पर हाथ-पाँव बाँध कर डाल दिया था और जब दीमकें अपनी बाँबी या वल्मीक के टूटने से चिढ़ कर इनके पूरे शरीर पर चढ़ कर काटने लगी थीं तो उन्होंने उनके रोने गिड़गिड़ाने पर छोड़ दिया था। सिद्धव्रतजी तो अपने प्राण लेकर भागे थे पर दीमकों के काटने से उनका शरीर फूल गया था और कई दिन तक ज्वर से पीड़ित रहने के बाद वह उसी व्याधि से मर भी गए थे। उन्होंने अपनी यातना की जो कहानी बताई थी उसी से उनका नाम वल्मीक पर बैठानेवाला सरदार या वाल्मीकि पड़ गया।

"सिद्धव्रत के आश्रम को उजाड़ कर ही उनकी प्रतिहिंसा की आग शान्त नहीं हुई। अब वह संगठित होकर गंगा और तमसा के मार्ग से जानेवाली नौकाओं पर भी डाका डालने लगे और इनका आतंक इतना बढ़ गया था कि इस क्षेत्र से आने-जानेवाले नाविक और व्यापारी एक योजन पहले से ही काँपने लगते थे।" विश्वामित्र राम की उलझन को देख कर मन ही मन प्रसन्न हो रहे थे।

"गुरुदेव विनोद कर रहे हैं। यदि ऐसा होता तो आप सीता को ऐसे व्यक्ति के संरक्षण में रखने की कल्पना तक नहीं करते।" राम ने अपनी घबराहट को प्रकट कर ही दिया।

विश्वामित्र ने सस्मित कहा, "पहले पूरी कथा तो सुनें।" और फिर कुछ गम्भीर होकर कहना आरम्भ किया, "यही वाल्मीकि एक बार जाबालि से जा भिड़े।"

"जाबालि? इस नाम के एक ऋषि को तो मैं भी जानता हूँ।" राम फिर अपने को रोक नहीं पाए थे।

"हाँ वही। वर्ण और जाति की श्रेष्ठता पर आधारित वैदिक यज्ञ-विधान और

कर्मकांड के विरुद्ध ब्रह्मचिन्तन और आत्मज्ञान की लहर नहीं आई होती तो भला कहाँ उत्पन्न होते जाबालि जैसे तत्त्वविद और वाल्मीकि जैसे सिद्ध मुनि ! जाबालि स्वयं एक परिचारिका का पुत्र, जिसके वर्ण और गोत्र का कोई ठिकाना ही नहीं ! जब पहली बार दूसरे बच्चों की देखा-देखी उसने भी हठ किया था कि 'माँ, मैं भी ब्रह्मचर्य का पालन करूँगा, मैं भी शिक्षा ग्रहण करूँगा,' तो माँ ने झिड़क दिया था, 'नासमझ कौन करेगा तेरा उपनयन? कौन देगा तुझे दीक्षा? यह सब तो द्विजों के लिए है। तेरी जाति और कुल का तो कोई ठिकाना ही नहीं।'

"परन्तु जाबालि में बालसुलभ हठ ही नहीं था, एक अद्भुत संकल्प भी था। दिन स्वयं पता लगा कर वह हारिद्रुमत गौतम के पास पहुँच गए। गुरु ने प्रश्न किया, 'तुम्हारा नाम क्या है, वत्स? पिता का नाम?'

"जो उत्तर मिला उससे हारिद्रुमत इस तरह चौंके जैसे चलते-चलते शूल चुभ गया हो। विस्मय में वह एक क्षण तक बालक को देखते ही रह गए थे। बड़े निर्लिप्त स्वर में जाबालि ने उत्तर दिया था, 'पिता का नाम तो न मैं जानता हूँ, न ही मेरी माँ। मैं केवल यह जानता हूँ कि मेरी माँ का नाम जबाला है और लोग मुझे उसी के नाम पर जाबालि कह कर पुकारते हैं।' इतने निर्लिप्त भाव से इतने अप्रिय सत्य को सबके सामने कहने वाला यह तेजस्वी बालक कौन हो सकता है? आयु इतनी कम भी नहीं कि इन वाक्यों के आशय से अनभिज्ञ रह गया हो! हारिद्रुमत गौतम ऊपर से अविचलित रहते हुए भी भीतर-ही-भीतर हिल गए थे। उनकी समझ में नहीं आ रहा था कि वह अपने इस बाल गुरु का क्या करें जो सत्यनिष्ठा में उनसे भी आगे बढ़ा हुआ है। अपने विषय में किसी अप्रिय सत्य को इस तरह कहने का साहस वह भी नहीं कर सकते थे।

"'क्या मुझे दीक्षा मिलेगी, आचार्य?' जाबालि ने आचार्य को अवसन्न सा देख कर पूछा था।

"'अवश्य।' हारिद्रुमत ने स्थिर स्वर में कहा था और आगे जोड़ा था, 'तुम्हारा नाम आज से सत्यकाम रहेगा। सत्यकाम जाबालि।'

"परन्तु हारिद्रुमत ने जाबालि को तत्काल दीक्षा नहीं दी थी। यदि प्रश्न केवल उनके शूद्र या अंत्यज होने का होता तो हारिद्रुमत को इसकी चिन्ता नहीं थी। उनके अनेक छात्र शूद्र और अंत्यज थे जिनको उन्होंने उनकी असाधारण प्रतिभा के कारण स्वीकार किया था। परन्तु सत्यकाम एक पुंश्चली के पुत्र थे। माँ के जीवन का पुत्र पर जाने क्या प्रभाव पड़ा हो। उसमें कोई आचारगत विकृति भी तो हो सकती थी। अतः चाल-चलन पर दृष्टि रखने के लिए उसे गायें चराने के काम पर लगा दिया था, 'ये चार सौ गायें हैं। तुम इनकी देखभाल करोगे। जब इनकी संख्या एक हजार हो जाएगी तब तुम्हें दीक्षा मिलेगी।' उन्होंने सत्यकाम के रहने की भी अलग व्यवस्था कर दी थी।

" ज्ञान की आतुरता और पुस्तकीय शिक्षा के अभाव के बावजूद आश्रम का सान्निध्य और उड़ान भरनेवाला उसका मन! वह अपने खाली समय में तरह-तरह के प्रश्नों से निरन्तर जूझता रहता, 'वह परम तत्त्व जो सबमें व्याप्त है, जो ही सबका आधार है, उसकी स्थिति क्या है, प्रकृति क्या है, उसका स्वरूप क्या है?' वह उन्हीं उलझनों को सुलझाने के लिए विविध प्रकार की उद्भावनाएँ करता रहता। इसी क्रम में उसने ब्रह्म के विविध रूपों और स्थितियों की व्याख्या की थी और उसकी व्याख्या का सार यह था कि कोई भी स्थान और कोई भी रूप ब्रह्म से शून्य नहीं है, हम अपनी सुविधा के लिए उसे भले पृथक् नामों और शक्तियों और अवस्थाओं में बाँधने का प्रयत्न करें!

" दिक् रूप में विद्यमान ब्रह्म को उसने प्रकाशवान ब्रह्म; दिक् प्रसार में स्थित जलमय समुद्र, स्थलमय पृथ्वी, विराट् अंतरिक्ष और उसके भी ऊपर के द्युलोक को उसने अनन्तवान ब्रह्म; इस पृथ्वी, अन्तरिक्ष और द्युलोक में अग्नि, विद्युत, चन्द्रमा और सूर्य को ब्रह्म का एक भिन्न रूप मान कर इन्हें ज्योतिष्मान ब्रह्म; और हमारे शरीर में जो हमारे ही प्राण, नेत्र, कान और मन हैं इन्हें उसने आयतनवान ब्रह्म की संज्ञा दे रखी थी।

" इस तरह के ढेर सारे ऊल-जलूल विचार घेरे रहते उसके मन को।"

राम ने सोचा तो यही था कि वह गुरुदेव को कथा समाप्त करने से पहले नहीं छेड़ेंगे, पर जाबालि के इन विचारों के लिए ऊल-जलूल शब्द का प्रयोग सुन कर उनसे कुछ कहे बिना रहा नहीं गया, "मुझे तो इन विचारों के पीछे एक व्यवस्थित और गहन चिन्तन दिखाई देता है, गुरुदेव। ऊल-जलूल तो नहीं लगते।"

"क्या व्यवस्था दिखाई देती है, राजन् ?" विश्वामित्र ने रस लेते हुए और अनभिज्ञता का अभिनय करते हुए पूछा।

"यही कि इस विश्व ब्रह्मांड में जड़-चेतन, स्थूल-सूक्ष्म, सक्रिय-निष्क्रिय जो कुछ भी है सब एक ही सत्ता के विकास और अभिव्यक्ति के भिन्न-भिन्न रूप हैं। अर्थात् परम सत्ता भूत जगत् से अलग और वियोज्य नहीं है। इसे हम प्रकृति कहें या ब्रह्म, नाम से कोई अन्तर नहीं पड़ता।" राम ने अपना दृष्टिकोण स्पष्ट किया था।

"आपकी बुद्धि सारग्राही है, महाराज। आपने ठीक ही समझा। पर अपने अकेलेपन में इस प्रकार चिन्तन करते हुए जाबालि को अपने ये विचार उनके सुने और जाने हुए विचारों से बहुत अलग पड़ने के कारण ऊल-जलूल ही लग रहे थे। उन्हें लगता, यदि वह किसी से अपने विचार प्रकट करेंगे तो वह उनका उपहास करेगा। एक ही व्यक्ति ऐसा था जिसके विषय में उन्हें विश्वास था कि वह उनका उपहास नहीं करेगा, अतः वह आतुरता से गायों की संख्या एक हजार तक पहुँचने की प्रतीक्षा कर रहे थे।

" और फिर जब यह अवसर आया और उन्होंने अपने विचार हारिद्रुमत गौतम के सम्मुख रखे तो वह स्वयं हाथ जोड़ कर खड़े हो गए थे। भावाकुल हो कर उन्होंने कहा था, 'तुम्हें दीक्षा कौन दे सकता है, वत्स? तुम तो आत्मदीप हो। ज्ञान और चिन्तन के उस बिन्दु पर पहुँचे हुए जहाँ तक मेरी भी गति नहीं। यदि दीक्षा लेने की स्थिति होती तो मैं स्वयं दीक्षा लेकर कृतकृत्य अनुभव करता। मैं तो ज्ञान के नाम पर मात्र अक्षरज्ञान और शास्त्रज्ञान ही दे सकता हूँ। वही तुम्हें दूँगा।'

" और यही जाबालि गंगा और तमसा के संगम के निकट, वाल्मीकि के वर्तमान आश्रम में, जो तब आश्रम भी नहीं था, एकान्त साधना कर रहे थे। वाल्मीकि ने उन्हें ऐसा छली ऋषि समझ लिया था जो अवसर देख कर एक दिन छात्रों का दल लिए आएगा, यज्ञ का आयोजन करेगा और वन को जला कर इस पर अधिकार कर लेगा। वह उनकी दृष्टि में अक्षम्य थे। वाल्मीकि ने उन पर प्रहार करने के लिए डंडा ताना था, पर डंडा उनके हाथ में उठा ही रह गया था। यह तापस उनकी ओर देखता हुआ निर्भय मुस्करा रहा था और उसी मुस्कराहट में ही कोई ऐसा जादू था कि वाल्मीकि का हाथ काँपने लगा था।

" 'तुम्हें मेरे प्राण लेने हैं न, वत्स? ले लो। रुक क्यों गए?' जाबालि के स्वर में न व्यंग्य था न विद्रूप, न भय था न खेद। कुछ इस सहज भाव से कही थी उन्होंने यह बात जैसे कोई किसी से कहे 'तुम्हें प्यास लगी है? पानी पीना है न? तो लो, यह रहा कमण्डलु। पी लो।'

" 'आप कौन हैं? यहाँ क्या कह रहे हैं?' वाल्मीकि ने अपना डंडा नीचे झुका दिया था। उनके साथी भी स्तब्ध खड़े थे। इस तरह की स्थिति से इससे पहले उनका पाला ही नहीं पड़ा था।

" 'जो तुम हो वही मैं हूँ। मेरे प्राण यदि तुम्हारे किसी काम आ सकें तो मुझे प्रसन्नता होगी।' जाबालि ने अकंप स्वर में उत्तर दिया था, 'यदि तुम मुझे मार सकते हो तो मारो। विलम्ब क्यों?' उन्होंने फिर अपना आमन्त्रण दुहराया था।

" 'आप कृपा कर यहाँ से चले जाएँ।' वाल्मीकि ने कहने को तो कह दिया था पर उनको अपने शब्दों पर स्वयं विश्वास नहीं हो रहा था।

" 'कहाँ चला जाऊँ?' जाबालि ने प्रश्न किया था।

" 'जहाँ से भी आए हों।' वाल्मीकि का स्वर काँप रहा था।

" 'मैं तो यहीं था। यहीं हूँ। यदि तुम मेरे प्राण ले लो तो भी यहीं रहूँगा। मैं कहीं जाता नहीं। मैं कहीं से आया भी नहीं हूँ। जैसे शरीर में रक्त दौड़ता है उसी तरह इस समस्त सृष्टि में मैं प्रवाहित हूँ, क्योंकि जिन तत्त्वों से मैं बना हूँ उन्हीं के किसी-न-किसी रूप और आकार से यह समस्त ब्रह्मांड व्याप्त है। मैं तुमसे भी इसलिए अलग नहीं हूँ। जैसे मन में तर्क और वितर्क उठते हैं इसी तरह तुमसे वाद-प्रतिवाद कर रहा हूँ। हम एक-दूसरे से अलग होते हुए भी एक-दूसरे के भीतर

हैं। कहीं प्रेम भाव से, कहीं विरोध से। कहीं कल्पना की मधुर धारा की तरह, कहीं चिन्तन के तर्क-वितर्क की तरह एक-दूसरे को काटते हुए।' वाल्मीकि की समझ में कुछ आ रहा था और कुछ नहीं, पर इतना समझ में आ रहा था कि यह व्यक्ति साधारण मनुष्य नहीं है। या तो यह विक्षिप्त है या परमज्ञ। एक बात उन्हें स्पष्ट समझ में आ रही थी और वह यह कि न तो इससे वन सम्पदा को कोई क्षति हो सकती है, न ही यह वनचरों को कोई हानि पहुँचाएगा।

"वाल्मीकि इस तपस्वी के चरणों पर गिर कर अपनी उद्दंडता के लिए क्षमा माँगने लगे थे।

"यहीं से वाल्मीकि के जीवन में एक नया मोड़ आया था जिसने उस कुख्यात दस्यु को महर्षि बना दिया। उस निरक्षर अज्ञ को कवि बना दिया। इसी वाल्मीकि का आश्रम है जहाँ सीता को रहना है।" विश्वामित्र चुप हो गए थे।

कुछ देर तक कोई कुछ नहीं बोला। चुप्पी एक विभाजन रेखा की तरह न केवल अभी घटित संवाद को वर्तमान से अलग कर रही थी, अपितु राम को विश्वामित्र से भी अलग कर रही थी। दोनों एक-दूसरे को भूल कर अपने ही भीतर कहीं खो गए थे। पानी में डुबकी लगाने की तरह। सहसा राम बाहर आए, "जाबालि! वाल्मीकि! हमारे ही युग की दो महान् विभूतियाँ! कितना व्यर्थ है जन्म और रक्त की श्रेष्ठता का दम्भ! कितनी मूर्खतापूर्ण है वर्णों की यह सीमा।"

"जाबालि और वाल्मीकि ही क्यों? स्वयं वसिष्ठ और अगस्त्य क्यों नहीं? वसिष्ठ कुटिल हों, स्वार्थलोलुप हों, अहंकारी हों, पर उनके ज्ञान की उपेक्षा तो नहीं की जा सकती। आश्चर्य तब होता है जब वसिष्ठ रक्त की श्रेष्ठता और ब्राह्मणों की जन्मजात उच्चता की बात करते हैं। उर्वशीपुत्र को सबसे पहले अपने रक्त की शुद्धता की परीक्षा करनी चाहिए।" विश्वामित्र कुछ खीझ भी जाते हैं, वसिष्ठ का नाम आने पर। उचित भी है। उनके कारण ही विश्वामित्र को राजगुरु का पद छोड़ना पड़ा था और इस पद से विश्वामित्र के हटने के बाद भी वह इन्हें अपमानित करने का कोई अवसर चूकते नहीं रहे हैं। राम और लक्ष्मण के उपनयन और अध्यापन के प्रसंग में ही उनके साथ कितना अभद्र व्यवहार किया था, वसिष्ठ ने।

विश्वामित्र ने स्वयं न तो उस घटना का विस्तार से उल्लेख किया था न ही राम को पूछने का साहस हुआ था। अपनी स्मृति, माँ कौसल्या के कथन और सिद्धाश्रम के अन्य साधकों के माध्यम से सुनी-सुनाई बातों के आधार पर जो चित्र राम ने बनाया था वह इस तरह था।

कैकेयी के आने तक विश्वामित्र ही दशरथ के पुरोहित थे। वसिष्ठ का आना-जाना पहले अश्वपति के यहाँ हुआ करता था और उनके स्वभाव की दुर्बलताओं से कैकेयी बचपन से ही परिचित थीं। राम और लक्ष्मण की आरम्भिक

शिक्षा-दीक्षा विश्वामित्र द्वारा आरम्भ हुई थी। महारानी कैकेयी को जब विवाह के दो वर्ष बाद भी कोई सन्तान नहीं हुई थी तो उन्हें चिन्ता होने लगी थी और वह वसिष्ठ के सुझाव पर पुत्रेष्टि के लिए आग्रह करने लगी थीं। जब इस प्रस्ताव को विश्वामित्र के सम्मुख रखा गया था तब उन्होंने इसका उपहास किया था। वास्तव में वह यज्ञ के आलोचक थे। अग्नि में उत्कृष्ट द्रव्यों को जलाकर भस्म करने से क्या होता है! उन्हीं पदार्थों से जाने कितने क्षुधार्तों का पालन हो सकता है। वह ध्यान और मन्त्रबल से इन्द्र को प्रसन्न करने का दावा करते थे।

पर यदि ध्यान और मन्त्रबल से इष्टसिद्धि सम्भव है तो विश्वामित्र ने अब तक क्या किया! कैकेयी की गोद भरी क्यों नहीं! वसिष्ठ ने कैकेयी के सहयोग से जल्द ही महाराज को यह समझा दिया था कि विश्वामित्र को कुछ आता-जाता नहीं। वह मात्र चमत्कारी हैं। इसके बाद विश्वामित्र का स्थान वसिष्ठ ने ले लिया था और विश्वामित्र की छुट्टी हो गई थी और उन्होंने सिद्धाश्रम की राह पकड़ी थी। वसिष्ठ ने पुत्रेष्टि भी करवाया और महारानी कैकेयी को पुत्रलाभ भी हुआ। उनकी धाक सचमुच जम गई। इसी का परिणाम था यज्ञ के लिए एक पृथक् पद का निर्माण और सुयज्ञ का मन्त्री के रूप में मन्त्रिपरिषद् में प्रवेश।

राजभवन कुचक्र के केन्द्र होते हैं और इसलिए यह पद-परिवर्तन आश्चर्यजनक नहीं था। इससे विश्वामित्र का अपमान भी आश्चर्यजनक नहीं था। परन्तु जब वसिष्ठ ने सुझाया कि राम और लक्ष्मण की शिक्षा का आरम्भ विश्वामित्र करा चुके थे इसलिए उनको आगे की शिक्षा भी वही दें तो दशरथ के सामने एक नई समस्या आई। वसिष्ठ किसी अन्य व्यक्ति से उपनीत बटु को अपना शिष्य बनाने के लिए तैयार नहीं थे। "गुरु केवल शिक्षक ही नहीं होता है, महाराज। वह उपनयन के समय छात्र को तीन दिन तक अपने गर्भ में रखकर नया जन्म देता है। उसे सही अर्थ में द्विज बनाता है। जैसे एक व्यक्ति की दो माताएँ नहीं हो सकतीं वैसे ही एक ही छात्र के दो गुरु नहीं हो सकते।"

महाराज ने चिन्ता प्रकट की थी, "पुरोहित के पद से हटने के बाद अब क्या विश्वामित्र इस दायित्व को स्वीकार करेंगे? और अब तो सुना है वह अपना पूरा समय तप-साधना में लगाने लगे हैं।"

"स्वीकार न करने का प्रश्न ही नहीं है, महाराज। महाराज की राज्य सीमा में रहते हुए वह महाराज के आदेश का उल्लंघन कैसे कर सकते हैं? राजाज्ञा का पालन तो प्रजा का धर्म है। महाराज को यदि राजकुमारों को उनके पास भेजने में संकोच है तो हम उन्हें यहीं बुला लेते हैं। वह स्वयं राजकुमारों को शिक्षा के लिए ले कर जाएँगे।" वसिष्ठ ने बड़े अधिकार से कहा था मानो विश्वामित्र से उनकी गहरी आन्तरिकता हो।

महाराज इस प्रस्ताव पर क्या कह सकते थे !

विश्वामित्र को बुलाने के लिए वसिष्ठ ने किसी दूत या सभासद या सम्मानित नागरिक को नहीं भेजा था। भेजा था सशस्त्र सैनिकों को कि यदि विश्वामित्र आने में आनाकानी करें तो उन्हें बाँध कर लाया जाए और यदि आश्रम के अन्य जन इसका विरोध करें तो उन्हें दंडित किया जाए। वसिष्ठ जानते थे कि राजकुमारों की शिक्षा के लिए विश्वामित्र भले तैयार हो जाएँ, वसिष्ठ के राजपुरोहित रहते वह दशरथ के दरबार में आने के लिए कदापि तैयार न होंगे। वह विश्वामित्र को अपमानित ही नहीं करना चाहते थे अपितु विश्वामित्र के प्रत्यक्ष रोष और अपमान का एक अधिक जघन्य उपयोग करना चाहते थे।

"जघन्य? इससे अधिक जघन्य उपयोग क्या हो सकता था।" राम ने चौंक कर माँ कौसल्या से उस समय पूछा था, जब वह यह विवरण सुन रहे थे।

कौसल्या राम के माथे पर हाथ फेरते हुए चुप हो गई थीं। राम उनके तने हुए चेहरे और पिघलती हुई आँखों को निहार रहे थे। अपने को सँभालने में कौसल्या को कुछ समय लगा था, "सिद्धाश्रम जाते समय तुम दोनों की हत्या का प्रयत्न किया गया था। सिद्धाश्रम में रहते हुए भी तुम्हारे ऊपर प्रहार किए गए। योजना यह थी कि इसका दोष विश्वामित्र के सिर आसानी से मढ़ा जा सकेगा कि उन्होंने अपने अपमान का बदला राजपुत्रों की हत्या करके लिया है और इस तरह एक साथ दो कंटकों को सदा के लिए दूर किया जा सकेगा।"

"तुम ताड़का, मारीच, और सुबाहु की बात कर रही हो माँ?" राम ने चकित हो कर पूछा था।

कौसल्या ने हामी में केवल सिर हिलाया था। राम को आश्चर्य था कि यह रहस्य गुरुदेव ने उन्हें क्यों नहीं बताया। यह सच है कि पूरी यात्रा में वह बहुत चौकन्ने रहे थे। उन्होंने एक बार कहा भी था, "हमारा पीछा किया जा रहा है।" परन्तु यह किसी की योजना या आदेश से किया जा रहा है, यह कभी नहीं बताया था। उनका आदेश था कि दिन में वह विश्राम करेंगे और रात भर जाग कर पहरा देंगे, पर दिन में राम और लक्ष्मण पूरी तरह सतर्क रहेंगे। और फिर एक दिन संध्या के समय जब दिन भर के तनाव के बाद राम कुछ शिथिल अनुभव कर रहे थे, विश्वामित्र ने उन्हें सचेत किया था, "राम, धनुष-बाण साध लो।" अभी वह अपने तीर-धनुष को सँभाल ही रहे थे कि किनारे की एक झाड़ी के पीछे से उछल कर किसी गाय या बैल की अगली टाँग की हड्डी नौका पर आ गिरी थी। यदि निशाना ठीक बैठा होता तो इसके साथ ही राम का सिर फट गया होता। गुरुदेव की ललकार के कारण प्रहार करने वाला घबरा गया होगा और इसलिए उसका निशाना चूक गया होगा। हड्डी राम से कुछ ही आगे गिरी थी। तभी उसके भागने की आहट मिली थी और एक औरत भागती हुई दिखाई भी दी थी। "मारो।" विश्वामित्र ने ललकारा था और राम ने बाण चला दिया था। विष से बुझा हुआ

बाण जिसे विश्वामित्र ने स्वयं तैयार किया था और बड़े जतन से रखने को कहा था। वह औरत कुछ ही दूर आगे चल कर गिर पड़ी थी। उसी समय एक और व्यक्ति झाड़ी से निकल कर भागता हुआ दिखाई दिया। राम ने उस पर भी प्रहार किया, पर वह बच गया।

रात होने को आ रही थी। कगार भी कुछ तीखा था। वह आदमी अगले प्रहार से बचने के लिए भूमि पर लेट गया था। उतर कर उसका पीछा नहीं किया जा सकता था। समस्या अपने प्राणों की रक्षा की अधिक थी। वे जाने कितने लोग हों। गुरुदेव ने नाविक को नाव को बीच धार में कर लेने की सलाह दी थी जो निरापद तो था ही नहीं, असुविधाजनक भी था। कौसल्या के बताने पर वह पूरी घटना राम को चित्र की भाँति याद आ गई थी। उस यात्रा का प्रत्येक दृश्य और गुरुदेव का प्रत्येक शब्द, उनकी आँखों में घूमने और कानों में गूँजने लगा था।

"आपने कैसे जान लिया था कि हमारा पीछा किया जा रहा है, गुरुदेव?" राम ने पूछा था।

"जान लोगे वत्स, तुम भी जान लोगे।" उन्होंने बात टाल दी थी।

और एक बार जब नाविक किसी विशेष कारण से नाव को किनारे लगा कर जंगल की ओर चला गया था, तो इन्होंने कहा था, "सावधान इस नाविक से भी रहना।" बस!

जहाँ तक सिद्धाश्रम में राम के प्राणघात का प्रश्न था, गुरुदेव ने संकेत कर दिया था, "यहाँ के वनचर कुछ उपद्रवी हैं। उनके कारण सदा सतर्क और सन्नद्ध रहना होगा। किसी पर तनिक भी सन्देह होने पर उसे जीवित न छोड़ना।" पर गुरुदेव ने यह कभी नहीं बताया कि इन वनचरों के पीछे नागर हाथ हैं, और हैं भी बहुत लम्बे।

विश्वामित्र ने जब अयोध्या आने में असमर्थता प्रकट की थी तो उन सैनिकों ने उनको पकड़कर सचमुच बाँध लिया था। यह किसी भी शिक्षित व्यक्ति का अपमान था, विश्वामित्र जैसे सिद्ध पुरुष और असाधारण विद्वान् और कवि की तो बात ही अलग थी। पर राजशक्ति के आगे वह विवश थे। अपमान की ग्लानि से तिलमिलाते हुए उन्होंने वसिष्ठ को भयंकर शाप दिए थे—छन्दबद्ध।

सिद्धाश्रम के एक वरिष्ठ छात्र को न केवल वे मन्त्र याद थे अपितु उसे यह दृढ़ विश्वास था कि बहुत जल्द ही गुरुदेव की वह वाणी सार्थक हो कर रहेगी।

परशुं चिद् वितपति शिंबलं चिद् वि वृश्चति।
उखा चिदिंद्र येषंती प्रयस्ता फेनमस्यति।।
न सायकस्य चिकिते जनासो लोधं नयंति पशुमन्यमानाः।
नावाजिनं वाजिना हासयंति न गर्दभं पुरो अश्वान्नयंति।।
इम इंद भरतस्य पुत्रा अपपित्वं चिकितुर्न प्रपित्वं।
हिन्वंत्यश्वमरणं न नित्यं ज्यावाजं परिणयंत्याजौ।।

उसने पहली बार जब इन मन्त्रों को पढ़ा था तो स्वयं इनका अर्थ भी बताने लगा था, 'जैसे कुठार लकड़ी को चीर कर रख देता है, वैसे ही तेरा हृदय फट जाए। जैसे सेमल का फूल फट कर अलग हो जाता है वैसे ही तेरा सिर फट जाए। जैसे उबलती कड़ाही फेन छोड़ती है वैसे ही तेरे मुँह से फेन उठे। सैनिको, तुम विश्वामित्र के अभिशाप का परिणाम नहीं जानते, तुम एक केसरी सिंह को सामान्य पशु की तरह बाँधे लिए जा रहे हो। समझदार आदमी मूर्खों से बात करके अपना ही उपहास कराता है, मैं उस मूर्ख वसिष्ठ से बात करना तक पसन्द नहीं करता। मेरे सामने तो उसकी वही स्थिति है जैसे घोड़े की तुलना में गधे की होती है। वसिष्ठ यह न सोचे कि उसके साथ मेरे कुल के किसी भी व्यक्ति का सम्बन्ध हो सकता है। विश्वामित्र इस अपमान का बदला ले कर रहेगा।'

क्या गुरुदेव का शाप फलीभूत हुआ? क्या उनकी प्रतिज्ञा पूरी हुई? वसिष्ठ तो आज भी जीवित है, उनका पहले का प्रभाव भले समाप्त हो गया हो, उनकी स्थिति अपने ही लोभ और कुटिलता के कारण भले ही हास्यास्पद हो गई हो!

"आप किस सोच में पड़ गए हैं, राजन्?" विश्वामित्र ने कुछ देर के बाद राम को आत्मलीन देख कर टोका था।

राम लज्जित हो गए थे। क्या उत्तर दें? उन्हें सँभलने में कुछ समय लगा, "सोच रहा था, गुरुदेव ने सीता के लिए जिस आश्रम का चुनाव किया है उससे उपयुक्त स्थल सचमुच कोई दूसरा नहीं हो सकता!"

4

यह एक काली और मनहूस रात थी। इतनी काली रात इससे पहले अयोध्या के इतिहास में नहीं आई थी। कई दिन से सूरज नहीं निकला था और ठंडी हवाएँ पेड़ों-पत्तियों में भी सिहरन पैदा कर रही थीं। पक्षी पूरे दिन जाने कहाँ दुबके रहे थे और रात के अन्धकार में कुत्तों के भौंकने की आवाज भी हवा की हुहकार का हिस्सा मालूम हो रही थी। दिन के बादलों ने अँधेरा घिरने के साथ कुहरे का रूप ले लिया था जो अयोध्या को स्याही के एक काले समुद्र में डुबोता चला जा रहा था। सम्भावना इस बात की दिखाई दे रही थी कि अगला दिन भी इस रात का ही अभिन्न हिस्सा बन जाएगा पर यह रात अपने गुजर जाने के बाद भी स्याही की कितनी गहरी पर्त अयोध्या के राजभवन में और राम के अन्तःकरण में छोड़ जाएगी इसकी ओर तो अभी राम तक का ध्यान नहीं जा रहा था।

राम संध्या से ही सीता से बार-बार आग्रह कर रहे थे, "मार्ग में कष्ट होगा। विश्राम कर लो" और उनके ध्यान न देने पर भी उन्हें अपनी भुजाओं में समेट कर उनको अपनी गोद में ही सुला कर माथे पर हाथ फेरने लगते थे कि उन्हें नींद आ

जाए। शयनकक्ष में जलते घृतदीप के मंद प्रकाश में उनके चहरे पर उभरने वाले भावों को देख पाना सम्भव नहीं था, पर यदि प्रकाश अधिक होता तो भी सीता को उधर देखने का अवकाश न होता। राम ने इन्हें इतनी आतुरता और विह्वलता से कभी प्यार किया था, इसका स्मरण सीता को नहीं था। वह अपनी चेष्टाओं में एक प्रौढ़ पुरुष नहीं, एक शिशु प्रतीत हो रहे थे। सीता को अपने अंक में भर कर उनका ललाट, उनका माथा, उनकी ग्रीवा चूमते हुए और उन्हें अपनी गोद में सुलाते हुए वह स्वयं सीता की गोद में लोटते-खेलते, ऊधम मचाते, किलकारियाँ भरते, सीता के केश और वस्त्र नोंचते किसी अबोध शिशु जैसे लग रहे थे।

"मैं इतना सुख सहन नहीं कर पाऊँगी महाराज! आज यह आपको हो क्या गया है?" सीता को सचमुच लग रहा था कि इस सुख को समेट पाने की जगह उनके हृदय में नहीं है। यदि यही स्थिति रही तो वह फट जाएगा। उनकी धड़कनें इतनी तेज हो गई थीं कि उनकी आवाज तक सुनी जा सकती थी।

क्या सचमुच राम चाहते थे कि सीता सो जाएँ? यदि चाहते थे तो स्वयं भी विश्राम क्यों नहीं कर रहे थे और फिर अपनी गोद में रखे सीता के मुख को इस तरह अपलक निहार क्यों रहे थे? सीता की दृष्टि पड़ते ही चोरी करते समय पकड़े गए बच्चे की तरह घबराकर इधर-उधर देखने क्यों लगते थे? सीता ने आँखें मूँदे-मूँदे ही अपने रोम-रोम तक भर आए उस सुख को समेटते हुए जब पूछा था, "आज आपको हो क्या गया है, महाराज?" तो इसके उत्तर में कोई शब्द नहीं, राम की तीव्र हो चली साँसों का दबाव और उनकी आँखों से टपके आँसुओं का स्पर्श क्यों अनुभव हुआ था?

इससे पहले कि सीता अपनी पलकें खोल कर देख सकें कि हुआ क्या है उन्होंने अपना माथा झुका कर सीता के वक्ष पर रख दिया था और बच्चे की तरह सुबकने लगे थे।

"क्या हुआ महाराज? क्या हो गया है आपको?" सीता ने अपने को मुक्त करने की एक हल्की चेष्टा के साथ प्रश्न किया था। वह कारण जानना भी चाहती थीं और जानती भी थीं और केवल कल्पना या स्वप्न में प्राप्त हो सकनेवाले इस अगाध सुख से बाहर भी नहीं आना चाहती थीं।

"पता नहीं तुमसे कितने समय बाद मिलना हो!" राम ने रोते हुए ही कहा था और सीता को धीरे से, जैसे किसी सोए हुए शिशु को गोद से उठा कर पलंग पर रखते हैं, उस तरह, पलंग पर डाल दिया था और उठ कर गवाक्ष के पास चले गए थे। बाहर क्या देखना चाहते थे वह? क्या छिपाना चाहते थे वह सीता से?

सीता स्वयं भी उठ कर उनके पास आ खड़ी हुई थीं, "क्या देख रहे हैं, महाराज?"

बाहर कुछ भी दिखाई नहीं दे रहा था। कुहरे की हल्की ठंडी चोट हवा के हल्के

झोंकों के साथ चेहरे पर अवश्य अनुभव की जा सकती थी, "बाहर कुछ नहीं सूझता। यदि इस अन्धकार में हम स्वयं बाहर निकल जाएँ तो अपने आपको भी ढूँढ़ न पाएँगे। क्यों?"

"अपने आपको भले न ढूँढ़ पाऊँ, महाराज, पर आपको तो आपके शरीर की गन्ध से ही ढूँढ़ लूँगी मैं।" सीता ने अपना सिर राम के कन्धे से सटा दिया था और उन्हें दोनों हाथ फैला कर कस कर पकड़ लिया था, जैसे सचमुच अन्धकार में ढूँढ़ने के बाद पकड़ा हो, अन्धकार में डूबने से बचने के लिए।

"यह गन्ध ही तो हमारे पास बची रह जाएगी! हमारे वस्त्रों की तरह हमें दिन-रात घेरे और अपने भीतर छिपाए रखनेवाली एक-दूसरे की सतत उपस्थिति की गन्ध!" वह सीता को सँभाले हुए ही पलंग की ओर लौट पड़े थे, "अब सो जाओ। रास्ते में बहुत कष्ट होगा। जाने कब सुख से सोने को मिले।" वह स्वयं भी सीता के पास ही लेट गए थे। उन्हें सँभाले हुए। सुख का दबाव भी मनुष्य को थका देता है, शायद। सीता सचमुच शिथिल अनुभव करने लगी थीं और सपनों की एक लम्बी दीर्घा से होते हुए गहरी नींद में खो गई थीं और जब नींद खुली थी तो पाया था महाराज उसी तरह उनको शिशुवत सँभाले, अपनी बाईं भुजा को पलंग पर टिका कर उसी पर अपना सिर रखे दीपक के उस मन्द प्रकाश में जाने क्या ढूँढ़ने का प्रयत्न कर रहे हैं, उनके चेहरे में। पलक खुलते ही इस दृश्य को देख कर सीता ने झट आँखें बंद कर ली थीं और इसके बाद उन्हें न शिथिलता आई, न ही नींद।

और जब दूसरे प्रहर की चोट पड़ी थी तो उन्होंने धीरे से पुकारा था, "महारानी!" राम जब 'महारानी' कहते हैं तो जाने क्यों सीता को यह सम्बोधन व्यंग्य जैसा लगता है, जबकि स्वयं राम को 'महाराज' कहते समय उन्हें यही एकमात्र उपयुक्त सम्बोधन प्रतीत होता है। परन्तु आज उनके स्वर में एक ऐसा आवेग था कि सीता को लगा था, राम कराह रहे हैं। नींद तो कब की जा चुकी थी और शिथिलता यदि थी भी तो इस सम्बोधन ने उन्हें अपनी बाँहों में पकड़ कर उठा लिया था। उन्होंने अपने एक हाथ को बढ़ा कर राम को पकड़ लिया था और जैसे बछड़ा माँ के शरीर से अपना थूथन रगड़ता है, उनके वक्ष से अपना मुँह रगड़ती हुई सी उठ कर उनके ऊपर एक क्षण तक अपना सिर टिकाए पड़ी रही थीं।

आधी रात की प्रहार ध्वनि उन्होंने भी सुनी थी। इसके बाद राम के मुँह से इस सम्बोधन को सुनने के बाद यह सुनने की आवश्यकता नहीं थी कि अब उन्हें प्रस्थान के लिए तैयार हो जाना है।

"दैवज्ञ भी कितने विचित्र होते हैं ! मुहूर्त निकाला भी तो कैसा ! तुम्हें क्या इस अन्धकार में ही जाना था!" राम ने सहारा देते हुए सीता को अपने साथ ही उठाया था, "इस कुहाच्छन्न अन्धकार में ही!"

सीता को अब सचमुच वियोग की पीड़ा अनुभव होने लगी थी। पहली बार

उन्हें राम से अलग होते हुए डर लगने लगा था।

"महाराज की जय हो!" बाहर से दासी का स्वर सुनाई पड़ा था।

यह इस बात की सूचना थी कि कंचुकी ने उसे सूचित किया है कि प्रतिहारी से उसे सूचना मिली है कि लक्ष्मण रथ और सारथी के साथ द्वार पर उपस्थित हैं।

महाराज सीता को रथ तक छोड़ने आए थे। लक्ष्मण के प्रणाम करने पर वह कुछ बोले नहीं थे, केवल उनके कन्धे पर हाथ रखे तब तक खड़े रहे थे जब तक सीता रथ पर सवार न हो गई थीं। फिर उन्होंने लक्ष्मण के कन्धे को दबाया था और फिर हाथ को शिथिल कर दिया था। जब लक्ष्मण पुनः प्रणाम करके रथ की ओर मुड़े थे तो वह बिना कुछ कहे लौट पड़े थे।

जैसे यवनिका का पट बदलता है, सीता के मस्तिष्क में धीरे-धीरे अयोध्या सिमटने और मिथिला प्रकट होने लगी थी। वह स्मृतियों के एक वैभवपूर्ण संसार में खो गई थीं और लम्बे समय तक उनका ध्यान इस बात की ओर भी नहीं गया था कि रथ सरयू की ओर नहीं जा रहा है। नहीं, दिशा का बोध तो सम्भव ही नहीं था, पर यदि सरयू की ओर जा रहा होता तब तो यह कब का वहाँ पहुँच गया होता।

"हम किधर जा रहे हैं, लखन?" प्रश्न करते समय उनके मन में किसी प्रकार का संशय नहीं पैदा हुआ था। यह एक सामान्य जिज्ञासा थी। इतने लम्बे समय की चुप्पी तोड़ने का एक क्षीण प्रयास।

"तमसा की ओर।" लक्ष्मण ने उत्तर दिया था। उनकी मुखाकृति दिखाई नहीं दे रही थी। गला फँस रहा था। सम्भव है कुहरे और ठंड का प्रभाव हो!

"तमसा की ओर!" सीता को केवल विचित्र लगा था। सरयू के इतने सुगम मार्ग के रहते तमसा का मार्ग!

"उसकी धारा शान्त और स्थिर है। जाड़ों में पानी भी कम ही रहता है। न यमकर्त का डर, न जलचरों का भय! आगे सीधे गंगा का मार्ग मिल जाएगा।" लक्ष्मण किसी अपराधी की तरह काँपते हुए बोल रहे थे!

"ऊर्णम्रद से शरीर को अच्छी तरह ढक लो, लखन! तुम्हें ठंड लग रही है।" सीता को लक्ष्मण की यही बात अच्छी नहीं लगती। वह अपने शरीर और सवास्थ्य की चिन्ता ही नहीं करते।

सीता के कानों में लक्ष्मण की लम्बी सिसकारी सुनाई पड़ी थी। उनका अनुमान ठीक ही था। वह काँप रहे थे शायद। सीता ने स्वयं अपना ऊर्णम्रद उतार कर उनकी ओर बढ़ा दिया था।

लक्ष्मण ने प्रतिरोध नहीं किया था पर कुछ क्षण बाद ही उन्होंने इसे सीता को लौटा दिया था, "बहुत गर्म है।"

सीता को इसीलिए तो स्नेह उमड़ता है लक्ष्मण पर। कभी यह बोध पैदा नहीं

होने देंगे कि वह कुछ भी सीता को किसी कष्ट से बचाने के लिए कर रहे हैं। घाट तक पहुँचते-पहुँचते दिन हो आया था पर सूरज एक पहर दिन चढ़ने तक तो दीखा ही नहीं, दीखा भी था तो दिन के निष्प्रभ चाँद की भाँति।

"गंगा तक पहुँचने में कितना समय लगेगा?" लक्ष्मण ने नाविकों से पूछा था।

"तीस योजन की दूरी है। दिन-रात चलते रहे तो भी दो दिन का समय तो लग ही जाएगा।" माझी ने उत्तर दिया तो लक्ष्मण ने सीता की ओर एक उड़ती सी दृष्टि डाली। उन्होंने अपना प्रश्न उतना यात्रा काल का अनुमान लगाने के लिए नहीं किया था जितना सीता को यह बताने के लिए कि वे जिस मार्ग से जा रहे हैं वह आगे चल कर गंगा से ही मिलेगा। सीता की समझ में कुछ नहीं आया था, पर लक्ष्मण का इस तरह देखना उनको कुछ अटपटा अवश्य लगा था। उन्हें लगा था लक्ष्मण कुछ छिपाना चाहते हैं, पर इस विषय में उठे 'क्यों' और 'क्या' का उन्हें अपने भीतर कोई उत्तर नहीं मिला था। लक्ष्मण से कुछ पूछने का उनका साहस भी नहीं हुआ था।

समय बीतने के साथ जो बात उन्हें अधिक विचित्र लगने लगी थी वह थी लक्ष्मण की चुप्पी। यह लक्ष्मण का स्वभाव नहीं था। कम-से-कम सीता के सामने तो वह अधिक समय तक अपने को चुप रख ही नहीं पाते थे। लक्ष्मण का स्वास्थ्य अवश्य गड़बड़ है, "सुनो, मेरे निकट आओ।" सीता ने लक्ष्मण को अपने पास बुलाया था। अपनी हथेलियों से उनका माथा छुआ था। ताप नहीं था।

"तुम कुछ अनमने लग रहे हो।" सीता ने इस विषय में सन्तुष्ट हो जाने के बाद कि उन्हें ज्वर नहीं है, लक्ष्मण से पूछा था।

"चिन्ता के कारण रात सो नहीं पाया। थक गया हूँ।" लक्ष्मण ने थके और अनमने स्वर में उत्तर दिया था।

"विश्राम कर लो।" सीता ने आदेश दिया था और लक्ष्मण को अपने भीतर ऐसी राहत अनुभव हुई थी जैसी किसी धुआँ घर से बाहर खुली वायु में निकलने पर अनुभव होती है। उन्हें विस्मय हुआ कि यह बहाना उन्हें पहले स्वयं क्यों न सूझा।

सीता ने यह जानने का प्रयत्न नहीं किया कि लक्ष्मण को चिन्ता किस बात की सता रही थी। यदि यात्रा का मुहूर्त आधी रात का हो और सारा भार लक्ष्मण पर ही रखा गया हो तो नींद आ भी कैसे सकती थी? यदि राम ने इतने आग्रह से उन्हें सोने को विवश न किया होता तो क्या सीता को स्वयं वह गहरी झपकी आ सकी होती! पर इस समय वह प्रफुल्लित थी और तमसा के दोनों कूलों की भाँति सुखद स्मृतियों के दो कूलों में से कभी उनकी दृष्टि कोई खींच लेता था, कभी कोई। यदि अन्तर था तो केवल यह कि उनके स्मृतियों के कूल धूप में नहाए हुए चमक रहे थे और तमसा के कूलों के साथ फैले जंगल कुहरे के भीतर किसी महादुर्ग की

काली प्राचीरों जैसे लग रहे थे।

नौका बहुत बड़ी नहीं थी। इसका आधा भाग पटा हुआ था और उस पर बाँस की फट्ठियों से एक अर्ध गोलाकार मण्डप बना था जिसे ऊपर से ताड़ की चटाइयों से ढक दिया गया था और इस तरह यह भीतर बैठे व्यक्तियों को धूप और वर्षा से और रात के समय ओस से बचा सकती थी पर हवा से पूरा बचाव सम्भव नहीं था क्योंकि इसके दोनों सिरे ढोल के खोल की तरह खुले हुए थे। पाट के नीचे नाविकों ने अपने सोने का स्थान बना रखा था जिसमें अगली पारी के नाविक बैठे या लेटे पड़े थे। पाट के ऊपर लक्ष्मण और सीता और उनकी दासी के बैठने और विश्राम करने के लिए गोनरियाँ बिछी थीं जिन पर कम्बल डाल दिया गया था। लक्ष्मण इस समय सो रहे थे या केवल आँखें बंद किए पड़े हुए थे, यह सीता के चिन्ता का विषय नहीं था। उनकी चिन्ता केवल एक बात को लेकर थी कि उनके शरीर का कोई अंग असावधानी में कम्बल से बाहर निकला न रह जाए, अन्यथा उन्हें ठंड लग जाएगी। सीता की दासी उनके पास बैठी थी।

सीता ने लक्ष्य किया कि लक्ष्मण के चेहरे पर ऐसा तनाव है जो किसी सोए हुए व्यक्ति के चेहरे पर नहीं होना चाहिए। उनकी आँखों के कोनों में आर्द्रता है जो क्रमशः बढ़ती जा रही है। बीच-बीच में उनके होंठ हिल जाते थे और जब हिलना बन्द होता था तब भी उनमें एक तनाव बना रह जाता था। एक बार उन्होंने शायद चीखना चाहा था और फिर दाँत भिंच कर रह गए थे। वह कोई दुःस्वप्न देख रहे होंगे।

"लक्ष्मण!" सीता की पुकार पर लक्ष्मण ने केवल करवट बदली और सिर को कंबल से ढक लिया। अब उनका चेहरा भी दिखाई नहीं दे रहा था।

अब प्रकाश कुछ अधिक बढ़ गया था। दोपहर होने को आ रही थी। धूप फिर भी नहीं निकली थी। नाविकों ने एक बोरसी सुलगा ली थी और उस पर अपने खाने-पीने के लिए मोटी रोटियाँ बनाने लगे थे। सीता को भूख नहीं थी पर लक्ष्मण को तो कुछ खा ही लेना चाहिए। सीता के पास ही मूज की बनी वह बड़ी पिटारी रखी थी जिसमें यात्रा के लिए पकवान भरे थे। इतने पकवान खाएगा भी कौन? उन्होंने लक्ष्मण को पुनः पुकार लगाई। कई बार आवाज देने के बाद भी जब वह नहीं उठे तो उन्होंने बढ़ कर उनके कम्बल को खींचते हुए जगाने का प्रयत्न किया। लक्ष्मण जगे तो, पर उन्हें भूख नहीं थी। सोने से उनकी थकान घटी नहीं थी, बढ़ गई थी।

यदि सीता अपने उल्लास में खोई न रही होतीं तो छोटी-मोटी अनेक बातें थीं जिन पर वह चौंकी होतीं और लक्ष्मण से पूछा होता कि ऐसा क्यों है, जैसे जग जाने के बाद भी लक्ष्मण का सीधे सीता की ओर न देखकर उनसे दृष्टि चुराते रहना, इतना चुप रहना, बैठे-बैठे ही मुख का एकदम तन जाना और बोलने के

नाम पर कई बार एक ही वाक्य दुहराना, "कैसा तो दिन है! मनहूस!" अपने मायके जाते समय लक्ष्मण के मुख से इस प्रकार की उक्ति सुन कर सीता को कुछ खीझ भी होती है। यह क्या इस तरह की बातें करने का अवसर है! क्या हुआ यदि थोड़ी धुंध छा गई तो! यदि लक्ष्मण की इच्छा साथ आने की नहीं थी तो आरम्भ में ही कह दिया होता! सीता के साथ जानेवाली दासी तो स्वभाव से ही इतनी अल्पभाषिणी थी कि उससे कोई बात की ही नहीं जा सकती थी।

सीता से रहा न गया तो उन्होंने आग्रहपूर्वक पूछ ही लिया, "लखन, तुम्हें हुआ क्या है? इतने अनमने तो मुझे आज तक तुम कभी दिखाई नहीं दिए थे!"

लक्ष्मण ने हँसने का प्रयत्न किया था और हँसी में खिन्नता और बढ़ गई थी, "कुछ विशेष नहीं है। महाराज से दूर रहने पर उनकी सुरक्षा की चिन्ता मुझे व्यवस्थित नहीं रहने देती।"

ठीक तो है। यह मोटी सी बात सीता की समझ में आ क्यों नहीं रही थी? लक्ष्मण को राम के स्वास्थ्य और सुरक्षा की कितनी चिन्ता रहती है इसे क्या सीता नहीं जानतीं। आजकल तो उनके शत्रुओं की नींद भी टूटी हुई है। वे दिन-रात कुचक्र में लगे रहते हैं, इससे तो दासियाँ तक अनभिज्ञ नहीं हैं।

"और फिर जब अकेले मेरे ऊपर आपका दायित्व रहता है तो आपके विषय में भी चिन्ता बढ़ जाती है। एक बार की चूक हृदय में शूल बन कर चुभती ही नहीं रहती, भीतर से आतंकित भी किए रहती है।" लक्ष्मण ने अपनी खिन्नता के कारण कुछ अधिक स्पष्ट करना चाहा, पर इस बीच उनके चेहरे पर राख सी किसने मल दी! लगता था वह फूट-फूट कर रोने लगेंगे।

"तुम्हें दुर्बलता के ऐसे क्षणों में देखती हूँ, लखन, तो आश्चर्य होता है कि महाराज तम्हारे शौर्य और धैर्य की इतनी प्रशंसा क्यों करते हैं! विनोद में भी तुम्हारी शक्ति या धैर्य का उपहास करूँ तो कहेंगे, 'लक्ष्मण मनुष्य नहीं हैं, सीता। वह शेषनाग के अवतार हैं। तुम्हें उनके फूत्कारों को देख कर यह भ्रम होता तो है कि उन्हें अपने क्रोध पर नियन्त्रण नहीं है, अपने आवेगों को वह सँभाल नहीं पाते, पर मैं जानता हूँ कि उनमें पूरी धरती को सँभाले रख सकने की शक्ति भी है, और धैर्य भी। और एक तुम हो लखन कि उनकी प्रशस्ति को झुठलाने पर ही तुले रहते हो।" सीता ने उनके विषाद को कम करने की एक चेष्टा मात्र की थी। उन्हें क्या पता था कि इस उक्ति पर वह इतने विगलित हो जाएँगे कि अपने को सँभाल भी न पाएँ।

"शेषनाग के अवतार का यह विरुद मेरे लिए प्रायः भारी पड़ा है, पर आज..." लक्ष्मण अपना वाक्य पूरा कर ही नहीं पाए थे। उन्होंने अपना मुँह अपनी हथेलियों में छिपा लिया था।

इसके बाद सीता ने उनसे कोई बात नहीं की थी। उन्हें लक्ष्मण को इतना

अशांत देखकर मन में उद्वेग होने लगा था। सम्भव है कुछ ऐसा हो जिसे सीता को बताया न गया हो पर जिसकी गुरुता से ही लक्ष्मण इस तरह विचलित हो रहे हों। राजनीति न तो स्त्रियों का विषय है, न ही उन्हें इस विषय में अधिक चिन्ता करनी चाहिए। यदि वह कुछ जानना भी चाहें तो बताएगा कौन? सीता को इतना तो स्पष्ट हो ही गया था कि लक्ष्मण ने जो कारण गिनाए हैं वे अधूरे हैं। वह अपने भीतर बन्द हो गई थीं और अँधेरे में टटोल कर सुई के छेद में धागा पिरोने की तरह उस रहस्य को जानने के लिए ऊहापोह में पड़ गई थीं जिस पर रहस्य का वैसा ही परदा पड़ा हुआ था जैसे आज प्रातःकालीन तुषार का आवरण जिसमें अज्ञात को ढूँढ़ना तो दूर जानी-पहचानी वस्तुएँ भी अदृश्य हो गई थीं और जो दिख भी रहीं थीं, पहचानी नहीं जा रही थीं।

अगले दिन दो पहर ढले जब नाविकों ने उत्साह में बताया, “अब एक घड़ी बाद ही हम गंगा के संगम पर पहुँच जाएँगे” तो लक्ष्मण उनकी बात पर ध्यान न देकर बाएँ तट पर आँखें फाड़-फाड़ कर कुछ ढूँढ़ने लगे थे।

“नौका रोको।” उन्होंने किनारे की ओर संकेत किया था। लक्ष्मण को क्या दिख गया था जो वह इस तरह चौंक पड़े थे? कुछ भी हो, यह सब सीता की चिन्ता का विषय नहीं।

लक्ष्मण नौका से नीचे उतर गए थे, “आपको भी कष्ट करना होगा।” उन्होंने हाथ जोड़ कर सीता से अनुरोध किया था।

सीता के माथे पर हल्का बल पड़ा था पर उन्होंने अपनी ओर से कोई प्रतिरोध नहीं किया था। दासी स्वतः उतरने लगी थी तो लक्ष्मण ने संकेत से बरज दिया था। उन्होंने नाविकों को आदेश दिया था, “संगम तक जाकर देख आओ कि उपहारों की नौका पहुँच चुकी है या नहीं।”

नाविक हैरान आगे बढ़ गए थे। उनके विस्मय का कारण यह था कि उपहारों की नौका के विषय में उन्हें कुछ भी ज्ञात नहीं था, परन्तु यदि वह तमसा मार्ग से गई होती तो न तो उसे अलग जाने की आवश्यकता थी न ही उनसे यह सच्चाई छिपी रह सकती थी। यदि आगे थी ही तो पहुँच तो गई ही होगी। इसमें पता लगाने का क्या प्रश्न था! यदि पीछे से आ रही थी तो पहुँची होने का प्रश्न उठता ही नहीं था। उसकी प्रतीक्षा यहाँ ठहर कर भी की जा सकती है। यदि सरयू के मार्ग से गई थी तो सरयू के संगम से पीछे की ओर लौट कर तमसा संगम की ओर आने का क्या औचित्य था। मिथिला तो सरयू-गंगा संगम से आगे है। इस संशय के कारण नाविकों ने अपनी आरम्भिक तत्परता जल्द ही कम कर दी थी और अब वे धीरे-धीरे आगे बढ़ते हुए पीछे की ओर भी निहारते जा रहे थे। यदि राजा का मामला न होता तो उन्होंने तर्क भी किया होता, पर जानते थे कि आदेश मिल जाने के बाद तर्क नहीं किया जा सकता।

लक्ष्मण ने जिस स्थान पर नौका को रुकवाकर सीता को उतारा था वहाँ वन की ओर को एक पगडंडी के जाने के चिह्न थे। पगडंडी जिधर को गई हुई थी उधर को संकेत करते हुए लक्ष्मण ने कहा था, "यहाँ एक सिद्ध तापस रहते हैं। आप आसन्न प्रसवा हैं। महाराज का आदेश था कि उनका दर्शन करके उनका आशीर्वाद लेकर ही आगे बढ़ेंगी।"

लक्ष्मण सीता को आगे करके उनके पीछे-पीछे स्वयं चलने लगे थे। कुछ ही आगे चलकर आसपास झाड़ियाँ आरम्भ हो गई थीं। सीता को लगा वह अकेली चल रही हैं, लक्ष्मण पीछे रह गए हैं। वह रुक गई थीं। मुड़ कर देखा तो उनका अनुमान ठीक निकला, "क्या बात है? काँटा चुभ गया?" सीता ने लक्ष्मण को काँटा निकालने का अभिनय करते देख कर प्रश्न किया।

इस प्रश्न के साथ ही एक झटके में काँटा बाहर निकल गया और उसे एक ओर फेंकते हुए वह आगे बढ़ आए। उनकी गति में ही कुछ विशेष था जो सीता उन्हें निकट आते देख कर भी आगे नहीं बढ़ीं, "अपरिचित स्थान है। तुम आगे चलो।" सीता के मन में अब कुछ सन्देह उभरने लगा था।

लक्ष्मण जहाँ खड़े थे वहीं ठिठके खड़े रह गए थे। सीता अपलक लक्ष्मण को ही देख रही थीं। लक्ष्मण ने कुछ असमंजस के साथ अपना दाहिना हाथ बढ़ा कर म्यान से अपना खड्ग निकाल लिया था। सीता को अपनी आँखों के आगे लक्ष्मण, धरती और समस्त दिशाएँ चक्कर खाते लगे थे, "क्या बात है लक्ष्मण? तुम खड्गहस्त हो! तुमने मुझे इस जनशून्य स्थान में उतारा क्यों? नौका को आगे जाने का आदेश क्यों दिया? तुम चाहते क्या हो?"

"खड्गहस्त तो हूँ, महारानी।" लक्ष्मण का स्वर भीगा ही नहीं उखड़ा हुआ भी था। उनके उच्चार का एक-एक अक्षर दूसरे से टकराता हुआ एक विचित्र गूँज पैदा कर रहा था। लक्ष्मण ने अपने बाएँ हाथ से खड्ग के दूसरे सिरे को सँभालते हुए खड्ग सीता की ओर बढ़ा दिया था, "मैं आपका अपराधी हूँ, देवि।" सीता की ओर अश्रु-विगलित दृष्टि से देखते हुए उन्होंने कहा था। सीता प्रतिमा की भाँति जड़, अचल, अकम्प खड़ी थीं। लक्ष्मण ने खड्ग को उनके चरणों में रख दिया था और सिर झुका कर वहीं बैठे रह गए थे, "इसी से मेरा प्राणांत कर दें।"

सीता ने इस दृश्य की कल्पना भी नहीं की थी। सीता ने अपने मानसिक ऊहापोह में जो अनुमान लगाए थे उनमें इस सम्भावना की ओर उनका ध्यान भटक कर भी नहीं गया था। सीता को राम ने कुछ नहीं बताया था पर वह अपने विषय में चल रहे अप्रिय प्रवादों से अनभिज्ञ नहीं थीं। राजकुल की दासियाँ उड़ते समाचारों को पकड़ने में दूतों से कम दक्ष नहीं होतीं और कुछ तो अपनी इसी भूख को मिटाने के लिए दूतों से कुछ अधिक गहरा सम्बन्ध जोड़ लेती हैं। राम के व्यवहार में इन सूचनाओं के बाद भी किसी प्रकार का परिवर्तन नहीं आया था।

स्वयं सीता का इस अप्रिय विषय पर चर्चा करने का साहस नहीं हुआ था। एक बार कुछ उधेड़बुन के बाद उन्होंने सोचा था कि वह स्वयं महाराज से अनुरोध करें कि वह उनके आवास की पृथक् व्यवस्था करके उनके भरण-पोषण का प्रबन्ध कर दें और स्वयं पुनर्विवाह कर लें। राजाओं की तो यूँ भी अनेक पत्नियाँ होती ही हैं। यह विचार अपनी पूरी पवित्रता के साथ उनके मस्तिष्क में कई दिन तक उतराता और डूबता रहा था, परन्तु इसे कहने का साहस वह न जुटा पाई थीं। यदि महाराज का विश्वास उनमें बना हुआ था तो उन्हें किसी अन्य की चिन्ता करने की आवश्यकता ही क्या थी। मार्ग में लक्ष्मण की अतिरिक्त खिन्नता को देख कर वह सभी सूत्रों को मिलाने के बाद इस निष्कर्ष पर पहुँची थीं कि सम्भव है इस बार मिथिला की उनकी यात्रा जीवन के शेष दिन मिथिला में ही बिताने के दुर्भाग्य में परिणत हो जाए। पर इस समय तो जो लक्ष्मण दिख रहे थे वे सीता के शिरच्छेद की ओर संकेत कर रहे थे।

"मुझे अपने प्राणों का भय नहीं है, लक्ष्मण। ग्लानि केवल यह है कि महाराज ने मुझे इतना भी गौरव नहीं दिया कि वह अपना धर्मसंकट बता कर मुझे अपनी कीर्ति को उज्ज्वल रखने के लिए स्वयं अपना प्राणत्याग करने का अवसर देते। यह कार्य तो विष प्रयोग से या वधस्थल पर भेज कर अयोध्या में भी पूरा किया जा सकता था। इसके लिए इतना जटिल आयोजन करने की क्या आवश्यकता थी! और सबसे बड़ा दुर्भाग्य यह है कि महाराज ने स्वयं भी मुझसे छल किया। उन्होंने भी विश्वासघात किया। अपने अन्तिम क्षण में मैं इस आत्मदाह के साथ मरने जा रही हूँ, लक्ष्मण, कि मैं एक ऐसे व्यक्ति की पत्नी हूँ जो अपने पर अनन्य विश्वास रखनेवाले के विश्वास का लाभ उठा कर ही उसके प्राण तक ले सकता है।" सीता को अब मृत्यु का भय नहीं लग रहा था। उनके स्वर में स्थिरता आ गई थी, "तुम निर्भय हो कर राजाज्ञा का पालन करो, लक्ष्मण। निर्भय हो कर।"

सीता स्वयं भी लक्ष्मण के सामने ही भूमि पर बैठ गई थीं।

"यह मेरा निर्णय नहीं है, देवि। आप..." सहसा लक्ष्मण को याद आया कि सीता किसी भिन्न परिणति की ओर संकेत कर रही हैं। उन्होंने रुकते हुए, अपने को सँभालते हुए उस पूरी परिस्थिति का उल्लेख किया था जिसमें सीता को वाल्मीकि आश्रम में छोड़ने का निर्णय लिया गया था।

सीता की कठोरता कुछ कम तो हुई पर ग्लानि कम नहीं हुई, "मुझे तुम पर न तो रोष है, न अभियोग। तुम्हारा दुर्भाग्य मुझसे कम नहीं है, लखन। पर अब मैं इस कलंकित जीवन को लेकर क्या करूँगी! तुम जाओ। मुझे मेरे भाग्य पर छोड़ दो तुम। मैं तमसा में डूब कर प्राण दे दूँगी पर किसी से जीवन की शरण माँगने नहीं जाऊँगी। एक बार परपुरुष की छाया में जीवित रहने का लांछन दुबारा किसी अन्य पुरुष के संरक्षण में रहने से नहीं धुलता, लखन। यदि धुलता भी हो तो भी मैं इस

अपमान के लिए तैयार नहीं हूँ।" सीता के स्वर में कम्पन तो था पर किसी दुर्बलता के कारण नहीं।

"आपको क्या अब भी केवल अपने जीवन की ही चिन्ता है देवि! इस विकट परिस्थिति में जब महाराज शत्रुओं के कुचक्र में चारों ओर से घिरे हुए हैं, क्या आप उनका साथ नहीं देंगी? इस तरह छोड़ देंगी उन्हें कुचक्रियों के हाथ में? और फिर आपके गर्भ में तो इस समय अयोध्या का भविष्य पल रहा है, महारानी!" लक्ष्मण ने गिड़गिड़ाते हुए कहा था।

"तुम मुझे कुछ भी कहो, महारानी मत कहो, लखन। यह मुझे व्यंग्य जैसा लगता है।" सीता ने खीझ कर कहा था।

"जो भी आदेश, देवि। पर इस समय आपके ऊपर बहुत गम्भीर दायित्व है। आप अपने शत्रुओं के समस्त प्रहारों को केवल अपनी प्राण रक्षा और गुप्त प्रवाह से निरस्त कर सकती हैं। केवल आप।" लक्ष्मण को बार-बार भाषा के संकट का सामना करना पड़ रहा था। उनकी समझ में नहीं आ रहा था कि वह सीता को कैसे समझाएँ कि आरम्भ में शत्रुओं को यह विश्वास था कि वन के लम्बे जीवन में यदि सीता अफला-अपुष्पा ही रह गईं तो अब उनसे वंश-परम्परा की आशा व्यर्थ है। ऐसी स्थिति में राज्य का उत्तराधिकार तो भरत के पुत्र को प्राप्त होना ही था। वे नहीं जानते थे कि वन का साहचर्य अपने आप में राम के लिए कितनी कठोर तपस्या थी! उन्होंने सीता को मित्र समझा, पर पत्नी नहीं। उस वन्य जीवन में जब उनके पीछे लगातार नर-बधिक लगे दिखाई देते थे, सन्तान उत्पन्न करके वह अपने को अरक्षणीय नहीं बनाना चाहते थे। इससे उनकी गुप्ति और गतिशीलता दोनों कम हो जाती। इसके अतिरिक्त उनके साथ लक्ष्मण भी तो थे। कितना कुत्सित होता उनका प्रणयाचार। किसी भी तरुण या वृद्ध तपस्वी ने उतना कठोर तप इससे पहले नहीं किया था, जितना कठोर तप मात्र अपने कठोर संयम और मर्यादा के कारण राम और सीता ने किया था। यह लक्ष्मण के अतिरिक्त कौन जानता था, और उनसे अधिक सफलता से कौन समझा सकता था, पर उन्हें भी अपनी बात कहने को शब्द नहीं मिल पा रहे थे। यह जान कर कि राम किसी अन्य स्त्री का संसर्ग तक नहीं सहन कर सकते, राम के अपर विवाह का तो प्रश्न ही नहीं उठता था। और इस विश्वास से कि सीता गर्भ धारण करने में अक्षम हैं वे खिन्न होते हुए भी भविष्य के प्रति आशावान थे और इसलिए शान्त भी। परन्तु गर्भ के लक्षण प्रकट होने के साथ ही उनके विरुद्ध प्रवाद प्रसारित किए जाने लगे थे और इसके लिए वसिष्ठ के अपने क्षोभ और असन्तोष ने आग में घी का काम किया था। पता नहीं लक्ष्मण की कही बातों का कोई स्पष्ट अर्थ निकल भी पा रहा था या नहीं और सीता उन अधूरे और टूटे वाक्यों को जोड़ने-मिलाने में सफल हो भी रही थीं या नहीं, जिनमें लक्ष्मण अपने तर्क और अनुरोध को रखने का प्रयत्न

कर रहे थे, "आप, केवल आप ही, अयोध्या के भविष्य की रक्षा करके, उन्हें परास्त कर सकती हैं देवि।"

सीता पर लक्ष्मण के कथन का अनुकूल प्रभाव पड़ा था, "उठो, चलो, कहाँ चलना है?"

सीता को लेकर लक्ष्मण आश्रम के निकट तक गए थे पर वाल्मीकि के सामने जाने का उनका साहस नहीं हुआ था। यदि उन्होंने सीता को शरण देने के स्थान पर लक्ष्मण की ही भर्त्सना करनी आरम्भ कर दी और सीता को वापस ले जाने का हठ करने लगे तब क्या होगा। उन्होंने कुछ झिझकते हुए कहा था, "अब इससे आगे की यात्रा आपको अकेले करनी होगी। मेरे साथ होने से व्यवधान पड़ सकता है। सम्भव है गुरुदेव ने स्वयं वाल्मीकि मुनि से बात भी की हो।" लक्ष्मण ने सीता को प्रणाम किया था और वापस मुड़ पड़े थे।

यह आश्रम नहीं था। एक बस्ती थी जिसके चारों ओर की भूमि पादपहीन थी। सीता जहाँ खड़ी थीं वहाँ से वह बस्ती दिखाई दे रही थी। अपने पूरे संकल्प के बाद भी उन्हें आगे बढ़ने में संकोच हो रहा था। अनिश्चय में वह खड़ी रह गई थीं। फिर धीरे-धीरे लगभग रेंगते हुए वह उस बस्ती की ओर चल पड़ी थीं जिसे लक्ष्मण ने वाल्मीकि का आश्रम कहा था।

कुछ बच्चे जो लुका-छिपी का खेल खेल रहे थे, पहले विस्मय में खड़े होकर सीता को देखने लगे थे और फिर कोलाहल करते हुए उस बड़ी कुटिया की ओर भागे थे जो सम्भवतः वाल्मीकि की हो सकती थी, "वन देवी! वन देवी।"

इतने भव्य वेश में आज तक उन्होंने किसी स्त्री को देखा नहीं था।

5

वसिष्ठ संध्या-वंदन करके बाहर निकले ही थे कि भद्र पर उनकी दृष्टि पड़ी और वह जहाँ के तहाँ ठिठक गए। वह तेजी से आश्रम की ओर बढ़ा आ रहा था। एक बार तो ठोकर खा कर गिरते-गिरते बचा।

निकट आ कर उसने ऋषि से तीन कदम दूरी पर ही चरण-स्पर्श की मुद्रा में धरती का स्पर्श किया। शूद्रजात होने के कारण वह आचार्य के चरणों का तो स्पर्श कर ही नहीं सकता था, ऐसी दिशा में भी वह नहीं खड़ा हो सकता था कि उसकी छाया आचार्य के चरणों तक को स्पर्श कर पाए। वह कुछ घबराया हुआ था और "कल्याण" की मुद्रा में उठे हुए ऋषि के हाथ भी उसको सांत्वना नहीं दे पा रहे थे।

"कुछ विशेष है?" वसिष्ठ ने जिज्ञासा की।

"महाराज ने महारानी सीता का वध करा दिया।" उसने फुसफुसाते हुए स्वर में कहा।

"क्या?" वसिष्ठ उछले नहीं थे। बस उनका एक पाँव तेजी से उठ कर इस तरह नीचे आया था कि उनका दूसरा पाँव उनकी खड़ाऊँ की चपेट में आ गया था और उसे सहलाने के लिए वह कुछ झुक गए थे।

वसिष्ठ कुछ बोले नहीं। टहलते हुए उद्यान की ओर चल पड़े थे और भद्र उनके पीछे-पीछे घिसटने लगा था। वसिष्ठ अभी उद्यान के सौन्दर्य का अवलोकन करने में अधिक तन्मय थे—एक-एक पौधे और झाड़ी को बारीकी से देख रहे थे। वह। मल्लिका की एक झाड़ी के पीछे सफेद सा कुछ चमका। वह चौंक पड़े। वहाँ कोई छिपा है शायद!

"कौन?" वह बोले नहीं थे, पर उन्हें जाने कैसे अपनी ही आवाज सुनाई पड़ गई थी। उनका हृदय धड़क रहा था और चलते-चलते रुक गए थे। ध्यान से देखने पर सन्देह और पुष्ट ही हुआ था।

इस बार वह गरजे थे, "कौन?" उनका स्वर काँप रहा था।

लता-कुंज में कुछ हलचल सी हुई थी। वह छिपने का प्रयत्न कर रहा था शायद? यद्यपि उसके वस्त्र इस समय भी साफ चमक रहे थे।

भद्र इस बीच सावधानी के लिए आगे बढ़ गया था कि रहसचारी यदि भागे भी तो कम-से-कम पहचान में तो आ जाए।

"अरे, ये तो बछड़ा है।" अपने भय और ऋषि के सन्देह से दूर होने की राहत उसकी हँसी में स्पष्ट थी।

वसिष्ठ को अब याद आया कि नंदिनी का बछड़ा अब दूब टूँगने लगा है और घास-मोथे की तलाश में इधर-उधर मुँह मारता फिरता है। उन्हें भी हँसी आई अपनी मूढ़ता पर, "ओह, चन्दू है!" उन्होंने अपनी झेंप मिटाते हुए कहा और फिर अपने को समझाते हुए सोचा, 'ऐसे मामलों में अति विश्वास से मूढ़ता भली। जाने किसके कान में कौन सी बात पड़ जाए!' अब वह लगभग निश्चिन्त थे। दूर तक कोई नहीं था। चलते हुए ही बात करना अधिक ठीक होगा, "हाँ, अब बताओ।"

"लक्ष्मण ने महारानी का वध कर दिया।" भद्र की आवाज धीमी थी, पर थी साफ।

"तुम्हें यह सूचना कहाँ से मिली?" वसिष्ठ ने अपने माथे पर बल डालते हुए प्रश्न किया। वह एक सुरक्षित दूरी बनाए हुए भद्र के समानान्तर कुछ इस तरह चल रहे थे कि स्वयं उनकी परछाईं भी भद्र को पवित्र न कर सके। आचार्य को हर समय एक साथ कितनी अधिक बातों का ध्यान रखना होता है! उन्होंने अपने प्रश्न को कुछ अधिक सटीक बनाते हुए कहा, "किसने देखा था महारानी का वध होते हुए? क्या महारानी का शव किसी को मिला?"

"एक नाविक जो सीता और लक्ष्मण को लेकर गया था....." भद्र ने कहना आरम्भ किया।

"तुम मूर्ख हो।" वसिष्ठ ने उसे डाँट दिया, "तुम्हें इतना भी मालूम नहीं कि सीता और लक्ष्मण रथ से मिथिला के लिए गए थे। उनके साथ जानेवाला उपहार ही नौका से भेजा गया था। मैंने यह सूचना बहुत विश्वस्त सूत्र से पाई है और इसकी पुष्टि एक अन्य स्रोत से भी हो चुकी है।"

भद्र हँसने लगा, "वे सरयू के मार्ग से या रथ से नहीं गए थे। सरयू के मार्ग से केवल उपहार भेजा गया।"

"फिर?" वसिष्ठ को लगा, भद्र भी हवा में तीर नहीं चला रहा है। इसके पास भी कुछ ठोस जानकारी है, अन्यथा वह इतने आत्मविश्वास से हँसता नहीं। अब उसके द्वारा दिए गए संकेत से उनकी जानकारी का कोई सीधा टकराव भी नहीं था।

"रथ से यात्रा तो केवल तमसा के तट तक की गई थी। आगे की सारी यात्रा तमसा के मार्ग से हुई और वाल्मीकि वन के पास पहुँच कर लक्ष्मण ने सीता को नौका से उतार लिया और नाव को संगम तक आगे बढ़ने का आदेश दिया। और..." वह रुक गया।

"और?" वसिष्ठ ने उसे आगे की बात कहने को उकसाया।

"और एक पहर बाद जब लक्ष्मण संगम पर पहुँचे तो अकेले थे। महारानी का पता नहीं था।" उसने आत्मविश्वास से कहा।

वसिष्ठ ने मुँह बिचका दिया। सूचना उनकी अपेक्षा से बहुत कम महत्त्वपूर्ण थी। भद्र को लगा आचार्य भीतर से बेचैन हो चले हैं और इसे छिपाने की चेष्टा कर रहे हैं। जब उन्होंने कहा, "बस इतने पर ही तुमने कहानी गढ़ ली कि महारानी की हत्या कर दी गई?" तो उसमें उत्सुकता या आलोचना की तुलना में निराशाजनित खीझ का भाव अधिक स्पष्ट था।

भद्र की आँखों में एक चमक तैर आई, "नाविक ने कुछ दूर आगे आ जाने के बाद दबी आँखों से पीछे देखा था तो पाया था लक्ष्मण अपना खड्ग निकाल रहे हैं और महारानी उनके सामने खड़ी चीख रही हैं।"

वसिष्ठ ने कोई प्रतिक्रिया नहीं दिखाई। उनकी जिज्ञासा अभी अधूरी थी शायद। "फिर उसने क्या देखा?"

"इसके बाद उसका उधर देखने का साहस नहीं हुआ। यदि लक्ष्मण को तनिक भी सन्देह हो जाता कि वह मुड़ कर देख रहा है तो उसके प्राण बच सकते थे, भला? उसने साथ के नाविकों से भी यह बात छिपा ली थी।" भद्र ने बताया।

"और जब लक्ष्मण एक पहर बाद लौटे थे तब? तब क्या उनके वस्त्र पर कहीं कोई छींटा था?" इसे लेकर बारीक-से-बारीक पहलू की जाँच वसिष्ठ कर लेना चाहते थे।

"इस विषय में उसने कुछ बताया नहीं।" भद्र ने हथियार डाल दिए।

"इसे तुम्हें पूछना चाहिए था, मूर्ख।" वसिष्ठ ने निराशा में सिर पर हाथ दे मारा।

वसिष्ठ ने जब भद्र को पहली बार मूर्ख कहा था तब उस पर कोई प्रभाव नहीं पड़ा था, पर इस वाक्य पर वह सचमुच अपमानित अनुभव कर रहा था। उसने अपने को वसिष्ठ की दृष्टि में सचमुच मूर्ख सिद्ध कर दिया था। उसने सहमे हुए स्वर में कहा, "इसकी जाँच कर लूँगा।"

परन्तु उपहारस्वरूप जो विपुल सामग्री गई थी उसका क्या हुआ हो सकता है? लक्ष्मण ने इसके लिए वाल्मीकि वन को क्यों चुना? वहाँ तो कोई उतरने का भी साहस नहीं कर पाता। सीता यदि मारी नहीं गईं, तो उनका हुआ क्या? उनका लोप तो होने से रहा। ये सवाल वसिष्ठ के मस्तिष्क में एक उलझी हुई झाड़ी की तरह उठ खड़े हुए थे।

वास्तव में वाल्मीकि के जीवन में जो परिवर्तन आया था उसका तो किसी को ज्ञान नहीं था। वर्षों से लूटपाट की कोई घटना नहीं हुई थी पर आज भी वाल्मीकि आश्रम का क्षेत्र बाहर के लोगों के लिए वाल्मीकि वन के रूप में याद किया जाता था। उसका आतंक किसी अप्रिय घटना के इस बीच न घटने के बाद भी पहले जैसा ही बना हुआ था। इसके कारण वसिष्ठ की उलझन और बढ़ गई थी। सभी उपलब्ध सूचनाएँ एक ही निष्कर्ष की ओर ले जाती थीं और इस दृष्टि से भद्र का अनुमान कदापि गलत नहीं था।

"यह सूचना भरत को मिल चुकी?" वसिष्ठ ने अन्तिम प्रश्न किया पर इससे पहले कि भद्र इसका उत्तर दे, उनकी दृष्टि आश्रम के द्वार की ओर चली गई और उनके मुँह से निकला, "कोई आ रहा है।"

इस वाक्य का आशय भद्र को किसी व्यक्ति के आने की सूचना देना नहीं था। आशय कुछ विशेष था। भद्र को उत्तर देने की अपेक्षा फूल चुनना कुछ अधिक महत्त्वपूर्ण लगा और वह झाड़ी के पीछे की ओर जा कर फूल चुनने लगा। एक माली के लिए इससे अधिक उपयुक्त बहाना और हो भी क्या सकता था!

वसिष्ठ प्रकृति का अवलोकन करते हुए अपने आवास की ओर लौटने लगे। प्रकृति इस समय इतनी रम्य हो गई थी कि वह उसी में लीन से हो गए थे, अतः जब आगन्तुक उन्हें प्रणाम करने के लिए घुटनों के बल बैठ गया तब भी उसकी उपस्थिति के प्रति वह उदासीन ही बने रहे। जब उसके मुँह से, "प्रणाम भगवन्।" निकला तब एकाएक चौंककर, उन्होंने उसकी ओर देखा, "कल्याण हो।" और फिर कुछ स्मरण करते हुए से बोले, "महाराज प्रसन्न तो हैं, सत्यव्रत?"

सत्यव्रत ने उतने ही स्वाभाविक स्वर में आश्वस्त किया, "जिसे आप जैसे ऋषियों का वरदहस्त प्राप्त हो वह प्रसन्न तो रहेगा ही, भगवन्। यदि कुछ विशेष हो भी तो आप जैसे त्रिकालदर्शी से भला छिपा रह सकता है?" वह बड़े ध्यान से वसिष्ठ की मुद्रा और आँखों की पुतलियों का अध्ययन कर रहा था कि उसके वाक्य का उन पर क्या प्रभाव पड़ता है।

वसिष्ठ सत्यव्रत की प्रशंसा का अर्थ समझ रहे थे और समझते हुए भी अपने को इससे सन्तुष्ट और प्रसन्न दिखा रहे थे। वह भीतर-ही-भीतर अस्थिर अनुभव कर रहे थे। इस बीच उनकी पुतलियों में एक हल्का सा कम्पन हुआ था पर उन्होंने इसे तत्काल सँभाल लिया था या कम से कम अपने को यह विश्वास दिला लिया था कि वे अपने को संयत रखने में सफल हुए हैं। यह अलग बात थी कि सत्यव्रत की दृष्टि ठीक उस दिशा में ही कुछ तलाशने लगी थी जिधर की ओर उनकी पुतलियाँ हल्के मुड़ कर फिर सँभल गई थीं। उसकी आशंका निर्मूल नहीं थी। हवा ठहरी होने पर भी उस दिशा में फूलों की एक झाड़ी में एक टहनी शेष से अलग, एक झटके से हिल उठी थी, "भगवान की वाटिका में फूलों की जो छटा देखने में आती है, वह राजवाटिका में कहाँ!"

यह कहने के साथ ही उसे लगा कि कूटगर्भित होने के बाद भी उसकी उक्ति बहुत एकार्थी हो गई है और इससे वसिष्ठ को यह अनुमान लगाने में कोई कठिनाई नहीं होगी कि वह भद्र का पीछा करता हुआ ही यहाँ तक आया है। कोई चिन्ता नहीं। वह जानता था कि अब वसिष्ठ उस स्थिति में पहुँचते जा रहे हैं जिसमें जिस व्यक्ति को वह क्षति पहुंचाना चाहेंगे उसका तो लाभ होगा और जिसको लाभ पहुँचाना चाहेंगे उसका सर्वनाश तक हो सकता है।

सत्यव्रत के स्वर में छिपी उद्धतता को और इसके पीछे छिपे संकेत को वसिष्ठ चुपचाप पी गए थे। उन्होंने यह भी समझ लिया था कि अब भद्र को छिपाए रखने का कोई अर्थ नहीं है। अपनी झेंप मिटाते हुए वह बोले, "राजभवन के परिचरों की आँख मेरी वाटिका पर ही क्यों टिकी रहती है, यह मेरी समझ में नहीं आता। अभी एक निमिष पहले वह तुम्हारा माली भद्र आया तो मेरे लाख रोकने समझाने के बाद भी उसने माधवी की शाखाओं को पुष्पहीन करने की ठान रखी है और अब तुम फूलों की प्रशंसा कर रहे हो।" अब वह अपने भीतर-ही-भीतर बहुत सन्तुष्ट अनुभव कर रहे थे। यदि सत्यव्रत ने दूर से या कहीं से छिप कर वसिष्ठ को भद्र से बातें करते हुए देख लिया हो तो भी वसिष्ठ ने उसके सन्देह-निवारण के लिए पर्याप्त बहाना ढूँढ़ निकाला है। उन्होंने झाड़ी की ओर मुड़ते हुए पुकारा, "भद्र, क्या तुम पूरा कुंज ही उजाड़ डालोगे?"

वसिष्ठ का इतना कहना ही पर्याप्त था। भद्र समझ गया कि अब छिपे रहने से कोई लाभ नहीं। वह वहीं से बोला, "बस थोड़े से और।" और ओट से बाहर की ओर आ कर फूल चुनता रहा।

सत्यव्रत ने अपनी विजय की प्रसन्नता को दबाते हुए कहा, "आचार्य मैं तो मात्र फूलों की प्रशंसा कर रहा था। फूल चुनने का मेरा कोई इरादा नहीं। मुझे तो फूल तभी तक अच्छे लगते हैं जब तक अपनी शाखाओं पर आनन्द से झूमते और उदारता से अपनी सुरभि बिखेरते रहते हैं। उन्हें उजाड़ने का चाव मुझे नहीं रहता।

आज्ञा हुई तो एक-दो पौधे आ कर लगा जाऊँगा, पर किसी का उद्यान उजाड़ने का काम जीवन में कभी नहीं करूँगा।" सत्यव्रत के इस वाक्य से वसिष्ठ के चेहरे का रंग एकाएक उड़ गया था। अब वह खड़े नहीं थे, जहाँ अपने को खड़ा समझ रहे थे वहीं की भूमि को अपने अनजाने ही अपनी खड़ाऊँ से खूँद रहे थे, त्रिबद्ध घोड़े की तरह।

"तुमने अपने आने का प्रयोजन तो बताया ही नहीं।" वसिष्ठ ने विषय बदला।

"प्रयोजन क्या हो सकता है, भगवन्? आपका आशीर्वाद अपने आप में क्या छोटा आकर्षण है? और फिर इस आश्रम की शान्ति!" सत्यव्रत ने अपना उत्तर पहले से ही गढ़कर तैयार कर रखा था।

"हूँ। तुम बहुत वाक्पटु हो।" वसिष्ठ ने प्रकट रूप में प्रसन्नता का भाव जताया। "यदि तुम्हें यह स्थान सचमुच बहुत प्रिय है तो महाराज से कह कर तुम्हें स्थायी रूप से यहीं नियुक्त करा लेता हूँ।" उन्होंने एक कड़ी और जोड़ दी।

"इससे बड़ा अनुग्रह क्या होगा, भगवन्।" सत्यव्रत ने छूटते ही उत्तर दिया।

सत्यव्रत ने विदा लेते हुए जब पुनः नमन किया तो आशीर्वाद में "शुभ हो। कल्याण हो।" कहते हुए वसिष्ठ को लगा उनका गला कुछ सूख रहा है और थूक कुछ गाढ़ा हो कर वायुनली को अवरुद्ध कर रहा है। सत्यव्रत चलने को मुड़ा तो उन्होंने खँखार कर गले को साफ किया और थूकने को एक ओर बढ़ गए। उनकी छाती का भार कुछ हलका होता लगा पर आँखों के आगे धुँधले छल्ले बन कर फैलने लगे—शान्त जल में पत्थर फेंकने से उठनेवाली लहरियों की तरह। उन्हें चक्कर आ रहा था। उन्होंने अपने पूरे संकल्प से अपने पर काबू पाने का प्रयास किया पर इसके साथ ही उनके पाँवों में लड़खड़ाहट सी महसूस होने लगी। वह बैठ जाना चाहते थे पर तभी पाँवों को सँभालने के प्रयत्न में ही उनकी बाईं खड़ाऊँ दाएँ पाँव के पीछे की नस पर जा लगी और इसके साथ ही वह चक्कर खा कर गिर पड़े।

सत्यव्रत अभी तक तीस-चालीस डग ही आगे बढ़ पाया था। वसिष्ठ के गिरने की आहट पा कर वह पीछे की ओर मुड़ा और तेजी से दौड़ पड़ा। उनके चेहरे पर पसीने की बूँदें इस तरह उभर आई थीं मानो वह ग्रीष्म की दोपहर में बहुत कठोर श्रम करके निकले हों। वह दौड़ कर घर के भीतर गया। एक पंखा ले कर दौड़ा बाहर आया। ऋषिपत्नी एक लोटे में पानी लिए बाहर निकलीं। पंखे की हवा और पानी के छींटों के सम्मिलित प्रभाव से उनकी आँखें सुगबुगाईं। होंठ हिले और फिर बड़े प्रयत्न से उन्होंने अपनी जिह्वा से होंठों को चाटा। उन्हें प्यास लग आई थी। वह अपनी छाती को दबाते हुए तिलमिला से रहे थे। भद्र दूर खड़ा ऋषि की दशा देख रहा था। शूद्र जात होने के कारण वह उनकी कोई सहायता नहीं कर

सकता था।

सत्यव्रत नहीं आया होता तो भी वसिष्ठ को मर्मशूल उठना ही था। जब से भद्र ने यह सूचना दी थी कि राम ने सीता का वध करा दिया तभी से उनका मस्तिष्क एक साथ दो स्तरों पर काम कर रहा था। वह पहले वाक्य के साथ ही यह मान चुके थे कि ऐसा हुआ होगा। सीता के और सीता के कारण राम के प्रवाद में घिर जाने के बाद विश्वामित्र का आकस्मिक आगमन और उसके बाद गुप्त रीति से, आधी रात को सीता को लक्ष्मण के साथ अज्ञात और अघोषित यात्रा पर भेजा जाना, प्रकट रूप से कुछ बताया न जाना पर विविध द्रव्यों से भरी नौका को कथित रूप में मिथिला के लिए रवाना करना अयाचित नहीं हो सकता था। ये सभी एक योजना के अंग लग रहे थे, जिसमें कुछ अप्रीतिकर होना ही था, अतः ऊपर से भद्र के कथन पर हर दृष्टि से सन्देह करने के बावजूद वसिष्ठ के मन में इस विषय में कोई आशंका नहीं थी। ऊपर से शान्त और निश्चिन्त दिखते हुए भी वसिष्ठ भीतर से पूरी तरह हिल गए थे और उन्हें अपने को नियन्त्रित रखने में कठिनाई हो रही थी। चलते-चलते कई बार उनके मन में आया था, कहीं बैठ जाएँ। कितनी दूर चले होंगे वह? कुल दो सौ डग भी तो नहीं और इतने ही में वह थकने से लगे थे। सत्यव्रत के आगमन ने उनकी बेचैनी को बढ़ाया नहीं था अपितु एक दूसरे स्तर पर उन्हें अधिक सजग बना कर इसे मस्तिष्क की एक भिन्न कोठरी में उलझने, सुलझने और पकने के लिए डाल दिया था जिसे वसिष्ठ स्वयं भी लक्ष्य नहीं कर पाए थे।

वसिष्ठ के मन में भारी उथल-पुथल मची हुई थी। उनके मस्तिष्क की बिल्कुल ऊपरी सतह पर बार-बार असम्बद्ध विचार इस तरह कौंध जाते थे मानो आँखों के सामने उपस्थित हो गए हों। सन्देह बन कर, प्रश्न बन कर, भय बन कर, अतीत की स्मृति या सूचना का एक छोटा सा टुकड़ा बन कर, ये कुछ इस तरह ऊपर उछल आते थे मानो मस्तिष्क में विचार चल न रहे हों, उबल रहे हों।

राम कुछ भी कर सकते हैं। वह न किसी शास्त्र को मानते हैं, न किसी व्यवस्था को। कहते हैं, मनुष्य को आत्म-प्रमाण होना चाहिए। किसी के कथन या किसी शास्त्र में लिखे वाक्य से मार्गदर्शन लेने से पहले अपने अनुभव और विवेक से मार्गदर्शन लेना चाहिए और शास्त्र का वही और केवल वही अंश मानना चाहिए जो अपने प्रत्यक्ष अनुभव और ज्ञान के विरुद्ध न पड़ता हो या जिसके विषय में हमारा अपना कोई अनुभव और ज्ञान हो ही नहीं। ऐसे दम्भी के मन में कब क्या सूझ जाए और वह क्या कर बैठे, इसका कोई ठिकाना था?

कहते हैं, 'सभी राक्षस ब्राह्मण ही क्यों होते हैं?' और जो उपद्रवी होता है उसकी अन्य कोई जाति नहीं होती। कोई वर्ण नहीं होता। वह मात्र उपद्रवी होता है। नहीं, वह मनुष्य होता ही नहीं। पशु होता है। हिंस्र पशु। उसका वध करने से

कोई पातक नहीं लगता। वह किसी की हत्या कर या करा सकते हैं। अपनी पत्नी की भी, किसी ब्राह्मण की भी।

वसिष्ठ को अपने से अधिक चिन्ता अपने पुत्र की होने लगी थी। शक्ति। वह नाम से ही नहीं, आचरण से भी उग्र है। जिन प्रयोजनों को वसिष्ठ मन्त्रशक्ति और ब्रह्मबल से सिद्ध करना चाहते हैं, उन्हें वह बलप्रयोग से सिद्ध करने की बात करता है। क्रोधी है। जो जी में आता है, बक देता है। यदि एक बार भी इससे कोई ऐसी उद्‌दंडता हो गई जो राम को असह्य हुई तो ब्राह्मणपुत्र होने का कवच उसकी रक्षा नहीं कर पाएगा।

शक्ति ही क्यों? स्वयं उनका जीवन क्या निरापद है? पर यदि पुत्र सुरक्षित रहे तो अपने जीवन का क्या है! अब रहे ही कितने दिन! विश्वामित्र के आने का क्या अर्थ हो सकता है? राम ने उनसे सभा में बात तक नहीं की। सीधे ले कर अपने भवन में चले गए। विश्वामित्र की अपने अपमान की आग बुझी नहीं है, यह उनकी वक्र दृष्टि से ही स्पष्ट हो जाता है। और उन्होंने वसिष्ठ के जिस अनिष्ट की बात सोची थी! सैनिकों ने जो कुछ कहा था यदि वह सच हो तो, उनके शिष्य का शासन उनके अपमान और तिरस्कार का कारण तो बन ही गया है, उनके वंशनाश का भी कारण बन सकता है।

वसिष्ठ अधूरा खेल खेलने में विश्वास नहीं रखते। राम का शासक बना रहना उनका सर्वनाश कर सकता था, वह यह जानते थे और इसलिए अपनी ओर से हर उपलब्ध मोर्चे पर सक्रिय थे और यही सक्रियता उन्हें आज डरा रही थी।

ये विचार शब्दों में बँध कर नहीं, तरंगों के रूप में उठ रहे थे। उदित और तिरोहित होते हुए।

यदि स्थिति बिल्कुल इकहरी होती तो भी संशय इतना पीड़क नहीं होता। उन्हें राम का कथन याद आ जाता, "मैं पश्चपाद नहीं हूँ। आगे की ओर ठहरती है मेरी दृष्टि। पुराने अपकारों का बुरा नहीं मानता। 'गतं न शोचामि कृतं न मन्ये।' परन्तु असाध्य और कुसाध्य को साधना भी जानता हूँ।" राम ने राज्यारोहण के बाद कहा था। यदि राम को वसिष्ठ पर किसी तरह का सन्देह न हो, या सन्देह हो पर उसका प्रमाण न मिले तो...

सबसे आश्चर्यजनक था सीता का वध। राम उनसे जितना अनुराग करते हैं वह सभी पर प्रकट है। दूसरे राजाओं की तरह रंगविलास के लिए न तो नर्तकियों का आमन्त्रण, न दासियों, उपदासियों और उपरानियों की ओर ध्यान। और ऐसी सीता का उन्होंने वध करा दिया।

अन्य कोई उपाय भी नहीं रह गया था। यदि अग्निपरीक्षा कराते तो अग्निदाह से सीता तो बच ही नहीं सकती थीं, राम का भी झूठ प्रकट हो जाता। यदि कुछ नहीं करते तो विद्रोह अब किसी भी समय कराया जा सकता था। वसिष्ठ को

सबसे अधिक ग्लानि इस अवसर के हाथ से निकल जाने की थी।

परन्तु क्या अब पुनः इस बात का प्रचार सम्भव नहीं कि इस राज का प्रत्येक कार्य अलग है। यह मनोविक्षिप्त है। अन्य स्त्रियों की तो बात ही अलग यह अपनी पत्नी तक का वध करा सकता है। परन्तु इसका निर्णायक प्रमाण?

6

"तुम कौन हो बेटी?" वाल्मीकि तीसरी बार सीता का परिचय पाने का प्रयत्न कर रहे थे।

इस बार भी वही अभेद्य मौन। व्यक्तिगत उपेक्षा और अपमान की गहरी चेतना और इसके समानान्तर ही कुल की प्रतिष्ठा का गहरा बोध बार-बार सीता के सामने एक प्राचीर की तरह खड़ा हो जाता है। ऋषि के इतने आत्मीय अनुरोध का निरादर नहीं करना चाहतीं, वह। वह उनसे अपने मन की बात कह देना चाहती हैं, पर अभी तक उनका अहंकार पूरी तरह गल नहीं पाया है, शायद।

"तुम्हें मुझ पर विश्वास नहीं है, बेटी?" वाल्मीकि इस बार कुछ कातर हो उठे थे।

सीता ने वाल्मीकि की आँखों में कुछ इस दृष्टि से देखा मानो देख नहीं, अपने अन्तःकरण की खिड़कियाँ खोल रही हों। देखिए, देख कर पढ़ लीजिए! कहीं है किसी तरह का अविश्वास या दुराव? सीता की आँखों पर पानी की एक पर्त तैर रही है। वाल्मीकि की अवज्ञा का साहस क्या उनसे हो सकता है? वह अपने को पिछले चार दिनों से कितनी बार इस बात के लिए तैयार करती रही हैं कि वाल्मीकि के सम्मुख हर बात खोल कर रख दें पर ठीक उस अवसर पर जब वह कुछ कहना चाहती हैं, या वाल्मीकि कुछ पूछते हैं, कोई बात उनके मुँह से फूटती ही नहीं। मन आवेग से इतना बोझिल हो जाता है कि कुछ कहना एक ऐसे कठिन अवरोध को तोड़ने का पर्याय बन जाता है जिसके बाद भावनाओं का जो प्रवाह आएगा उसमें अपने को सँभाल पाना कठिन होगा।

प्रश्न भी कितना बड़ा है। सीता तय ही नहीं कर पातीं कि वह अपनी बात कहाँ से आरम्भ करें। जन्म से, विवाह से, वनवास से या परित्याग से।

एकाएक सीता को अपना एक ही परिचय दिखाई दिया। वह चिरपरित्यक्ता और अन्यरक्षिता है! अपनों की निष्ठुरता और परायों की अनुकम्पा के अनवरत दाह और लेप के बीच ही तो चलता रहा है उनका जीवन!

कहते हैं अनावृष्टि और दुर्भिक्ष का वैसा प्रकोप मिथिला में इससे पहले सुनने में भी नहीं आया था। वहाँ तो उस समय भी हरियाली छाई रहती थी जब कुरु, पांचाल और त्रिगर्त में प्राणघाती निदाघ में धरती शमी की तरह दहकती रहती थी।

कहते हैं एक के बाद एक, कई वर्षों तक, पानी पड़ा ही नहीं। दुर्भिक्ष में क्षुधार्त मनुष्यों द्वारा किए जाने वाले ऐसे-ऐसे अपकृत्यों के विवरण सुनने में आते थे जिन पर विश्वास करना कठिन है। कहते हैं कुछ लोगों ने अपनी क्षुधा मिटाने के लिए अपने बच्चों तक को काटकर उनका मांस पका कर खा लिया था। भूखा आदमी कोई भी पाप कर सकता है, यह मात्र खाली दिमाग की उड़ान नहीं, ऐसे दुर्भिक्षों की ही देन है। परन्तु क्या सम्पन्नता भी अच्छे-से-अच्छे आदमियों को निर्मम पशु नहीं बना देती? यदि ऐसा नहीं होता तो क्या महाराज जैसा मनुष्य किसी भी दबाव में अपनी उसी पत्नी को शेरों और भेड़ियों द्वारा खा लिए जाने या किसी अन्य व्यक्ति की कृपा पर जीने, के दो विकल्पों में से किसी एक के भरोसे छोड़ देता, जिसके मान और सम्मान की रक्षा के लिए उसने रावण जैसे महाप्रतापी को कुल-परिजन सहित यमलोक भेज दिया था?

यही तो गड़बड़ है सीता के साथ। उसके मर्म में जो शूल एक-के-बाद-एक चुभते रहे हैं वे कहीं गहराई में जा कर एक ही बिन्दु पर जुड़ जाते हैं। एक को निकालते समय चुभन कहीं अन्यत्र और उससे भी तेज होने लगती है और इसलिए वह अपनी बात क्रम से न तो सोच पाती हैं, न कहने का साहस जुटा पाती हैं। तो उस भयानक अकाल में जिसकी कहानियाँ आज तक दूर-दूर तक दुहराई जाती हैं, एक खेत में चील-कौओं का आहार बनने के लिए जन्म लेते ही छोड़ दी गई थी एक सद्यःजात बालिका। उसकी चीख से ही एक ग्रामीण का ध्यान उसकी ओर चला गया था और वह उसे लेकर महाराज जनक के सामने उपस्थित हुआ था। सुना था कि महाराज ने या तो उस पर तरस खा कर, या अपनी सन्तान की कामना को तुष्ट करने के लिए, उसे माँ सुनयना की गोद में डाल दिया था। तब से वह महाराज की पुत्री के रूप में ही पली-बढ़ी थी।

कौन थे उसके माता-पिता? किस जाति के? किन परिस्थितियों में वे उसे छोड़ने को बाध्य हुए थे, क्या वह किसान जो यह अनुरोध लेकर महाराज के सम्मुख उपस्थित हुआ था कि महाराज उसके माता-पिता का पता लगवाकर उन्हें अपनी सन्तान के प्रति इस तरह की क्रूरता करने के लिए दंडित करें, स्वयं सीता का पिता नहीं रहा हो सकता? उसका खेत में अरक्षित पाया जाना मात्र उसकी गढ़ी हुई कहानी नहीं हो सकती? सीता के पास इन प्रश्नों का कोई उत्तर नहीं है। वह तो यह भी नहीं जानतीं कि आरम्भ में स्वयं महाराज जनक या माँ सुनयना के मन में उसके प्रति क्या भाव थे।

अपने स्वभाव और रूप के कारण वह महाराज और महारानी की इतनी लाड़ली अवश्य हो गई थी कि जो बातें महारानी सुनयना स्वयं महाराज से कहते झिझकती थीं, उन्हें वह सीता से कहलवा देती थीं। महाराज जनक उसकी बातों का बुरा मानना तो दूर, उसे गोद में लेकर दुलराने लगते थे और उसकी अटपटी बातों को

दूसरों को सुना-सुना कर हँसा करते थे। इस विषाद की घड़ी में भी सीता के मुख पर एक स्निग्ध हँसी तैर रही है, इसे कोई भी लक्ष्य कर सकता था।

कहते हैं, वह थी भी बहुत कुशाग्र, और महाराज की छोटी से छोटी आवश्यकता का बहुत ध्यान रखती थी। महाराज को अध्ययन, चिन्तन, विद्वत् समागम से इतना लगाव था कि अपने प्रति वह बहुत असावधान थे। वह कुछ-कुछ भुलक्कड़ भी थे। शरीर है पर शरीर की चिन्ता नहीं—देह रहते हुए विदेह। जहाँ उनके समय के अनेक दूसरे राजा-महाराजा अपना मनोरंजन राग-रंग, हास-परिहास, कौतुक-तमाशों से करते थे, जहाँ उनके अन्तःपुरों में रानियों, उपरानियों, परिचारिकाओं की, और सभाओं में नटों, भाटों, विदूषकों और नर्तकियों की भीड़ लगी रहती थी, वहाँ महाराज ब्रह्म और आत्म, स्थावर और जंगम, मन और प्राण, स्थूल और सूक्ष्म, जड़ और चेतन, जीवन और मृत्यु, सुख और दुख के स्वरूप और सम्बन्धों पर विचार करते हुए खोए रहते और तत्त्वज्ञानियों को आमन्त्रित कर इन पर विवाद कराते रहते थे। वह इन विद्वानों को इतना सम्मान और इतना विपुल दान दिया करते थे कि इनको ले कर अतिरंजित कथाएँ गढ़ ली गई थीं, जिन्हें सुना कर चतुर पुरोहित अपने यजमानों को अधिक-से-अधिक दान देने के लिए प्रेरित करते रहते थे। इन पंडितों ने उन्हें वीतकाम्, जीवनमुक्त, निःसंग, राजर्षि आदि की प्रशस्तियों से विभूषित कर रखा था, जिनसे भ्रम पैदा होता था कि महाराज अपने शासकीय दायित्व की उपेक्षा करते हुए प्रजा के प्रति घोर उदासीन रहते हुए दिन-रात विद्याविलास में ही डूबे रहते थे।

महाराज जो अपने व्यक्तिगत जीवन में इतने संयमी और मितव्ययी थे कि राज परिवार के सदस्यों को बार-बार यह स्मरण दिलाते रहते थे कि राजबलि का संग्रह राजकुल के भोग के लिए नहीं, अपितु प्रजा की रक्षा, उत्थान और कल्याण के लिए होता है और इसलिए उन्हें भी भोग और ऐश्वर्य की ओर से उदासीन रखते हुए इस बात की चेष्टा करते रहते थे कि उनके द्वारा भी किसी प्रकार का अपव्यय न होने पाए, वही जब विद्वानों को दान और उपहार देने का अवसर आता तो प्रजा के उत्थान और कल्याण की बात भूल कर इस तरह धन लुटाते कि राजकोष तक खाली हो जाता था। कभी-कभी सीता को लगता कि महाराज अपने व्यक्तिगत जीवन में इतनी मितव्ययिता इसलिए बरतते हैं कि विद्वानों को अधिक-से-अधिक दान देते रह सकें। लगता जीवन के सुख-भोग से अनासक्त होते हुए भी वह सुयश और कीर्ति की आसक्ति में उससे कहीं अधिक लिप्त रहते हैं, जितना कोई ऐश्वर्य और भोग में होता होगा। महान् पुरुषों की दुर्बलताएँ भी महान् होती हैं!

महाराज जनक की उदारता की याद आते ही सीता के मस्तिष्क में वह क्षण कौंध गया जब याज्ञवल्क्य से प्रसन्न होकर महाराज ने इतना विपुल दान दिया था कि राजकोष सचमुच खाली हो गया था। सीता आश्चर्यचकित थीं। इस दान पर

नहीं, अपितु याज्ञवल्क्य के शिष्यों की लोलुपता पर। जिस आतुरता से वे स्वर्ण-मुद्राएँ समेट रहे थे और गायों को हाँक कर ले जाने के लिए उतावले हो रहे थे, उसे देखकर लग रहा था कि उन्हें डर लगा हुआ था कि कहीं महाराज इतना बड़ा दान दे कर इसे वापस न ले लें। उनकी दशा क्षुधार्त कंगालों से भी बुरी थी। वे बेसब्र भी होते हैं तो इसलिए कि उन्हें इस बात का निश्चय नहीं रहता कि पिछड़ जाने पर उनके खाने को कुछ बचा भी रह जाएगा या नहीं।

सीता की समझ में नहीं आ रहा था कि दूसरों को निस्पृहता का उपदेश देनेवाले और स्वयं निस्पृहता की मूरत बने याज्ञवल्क्य इस विपुल धन का क्या करेंगे। अपनी वाचालता और महाराज जनक से मिले अभय के कारण सीता ने अपना सन्देह महाराज से प्रकट कर ही दिया था, "निस्पृह और तत्त्वज्ञानी महर्षि के शिष्यों को धन-सम्पदा से इतना लगाव क्यों है, तात? उनकी शिक्षा का प्रभाव स्वयं उनके शिष्यों पर क्यों नहीं पड़ता? इस अकूत धन को क्या तत्त्वचिन्तन पर व्यय करेंगे, महर्षि याज्ञवल्क्य? और यदि निस्पृहता और निःसंगता की कसौटी पर महाराज स्वयं इन ऋषियों-मुनियों से भी ऊपर ठहरते हैं तो उन्हें तो स्वयं आपकी वंदना करनी चाहिए, आपको उनकी वंदना और समादर की क्या आवश्यकता?"

महाराज ने हँसते हुए सीता के कान उमेठ दिए थे, "मुझसे भी बड़ी तत्त्वज्ञ तो तू हो गई है। बोल तेरी वंदना और अभ्यर्थना किस तरह करूँ?"

सीता जनक के सामने से लजा कर भाग गई थीं। इससे उनकी शंका का समाधान तो नहीं हुआ, पर फिर कभी इस तरह का कोई प्रश्न करने का साहस भी नहीं हुआ।

जन्म और कुल का परिचय तो इतना ही था कि वह किसी संकटग्रस्त माता-पिता की परित्यक्ता सन्तान थीं और थीं महाराज जनक जैसे महान् पुरुष की स्नेहपालिता और मुँह लगी बालिका। और राम की पत्नी के रूप में उनकी कहानी का क्या कोई अन्त है! कुछ भी तो ऐसा नहीं जिसे किसी अन्य को बता कर वह सन्तुष्ट अनुभव कर सकें। उनका जन्म तो अपने स्वजनों द्वारा त्यागने और ठुकराए जाने के लिए ही हुआ है। मातृ-पितृ-त्यक्ता। श्वसुर-कुल-निर्वासिता, अपहृता और फिर पति-परित्यक्ता! और वह भी किस अवस्था में!

"मेरा एक ही परिचय है, मुनिवर। मैं एक परित्यक्ता और आसन्न-प्रसवा स्त्री हूँ।" अपनी छाती में गड़े हुए शूल को जैसे कोई एक झटके में निकाल फेंके, कुछ उसी वेदना और कसक के साथ अपनी पूरी कहानी को एक वाक्य में बाँध कर बाहर फेंक दिया था, सीता ने।

वाल्मीकि की नाक से 'हूँ' की आवाज निकली थी और वह पुनः कुछ विचलित हो कर उठ खड़े हुए थे। धरती की ओर निहारते हुए ही वह टहलते हुए कुछ खोजने लगे थे। उनकी दृष्टि उस व्यक्ति पर भी नहीं पड़ी थी जो उसी मार्ग

पर बढ़ा आ रहा था जिससे हो कर वह तिरस्कृता स्त्री चार दिन पहले आई थी, जिसका परिचय पाने के उनके अब तक के प्रयत्न विफल होते आए हैं। जब वह व्यक्ति उनके इतने निकट आ गया कि उसके पैरों की आहट से सीता की आत्मलीनता टूट गई और वह उसे कुछ उत्सुकता और कुछ अविश्वास के साथ एकटक निहारने लगीं, तब भी मुनि का ध्यान भंग नहीं हुआ। जब उसने वाल्मीकि के चरण-स्पर्श के लिए आगे बढ़ कर अपना सिर झुकाते हुए हाथ आगे बढ़ाया तो वाल्मीकि ने चौंकते हुए अपने पाँव पीछे खींच लिए। उन्होंने झिड़कते हुए से स्वर में कहा, "मैं द्विज नहीं हूँ, भद्र, जिन्हें अपने को ऊँचा बनाने के लिए दूसरों को नीचे गिराना पड़ता है। यहाँ लोग अपने से बड़ा बनने आते हैं, छोटा बनने नहीं।"

लक्ष्मण सकपकाकर मुनि के चेहरे की ओर देखने लगे। वहाँ न व्यंग्य की छाया थी, न दर्प का लेश। थी मात्र एक ऋजुता जिसमें कहीं विस्मय और उत्सुकता भी छिपी थी।

"आप कौन हैं, श्रीमन्?" वाल्मीकि ने आगंतुक से प्रश्न किया।

"लक्ष्मण। अयोध्या नरेश महाराज राम का अनुज।" लक्ष्मण ने उत्तर देते हुए हाथ जोड़ लिए। वह निकट ही पड़ी एक चौकी की ओर मुड़ पड़े, "आइए।" और लक्ष्मण का हाथ अपने हाथों में लिए हुए उस पर जा बैठे। लक्ष्मण ने देखा सीता इस बीच जाने कहाँ खिसक गई थीं।

राम का नाम वाल्मीकि के लिए नया नहीं था। उनका पहला परिचय उन्हें महर्षि जाबालि से ही मिला था। जाबालि ने एक बार पूछा था, "एक ऐसे व्यक्ति पर जो तुम्हें कोई क्षति नहीं पहुँचा रहा था, जिसके पास लूटने को भी कुछ नहीं था, जिससे तुम्हारा पहले से कोई शत्रुभाव भी नहीं था, तुम्हें इतना क्रोध क्यों आ गया था, वाल्मीकि?"

वाल्मीकि ने वन के उस खंड की ओर संकेत करते हुए उस ऋषि की कहानी सुनाई थी जिसने भू-विस्तार के लिए वन में आग लगा दी थी और जिसे दंड स्वरूप उन्होंने वल्मीकश्रृंग पर रख दिया था।

जाबालि यज्ञ-विस्तार की मूर्खता और लोभ की निन्दा करने लगे थे और फिर उन्होंने राम से इस विषय पर हुई अपनी बातचीत का वर्णन आरम्भ किया था। अयोध्या का एक राजकुमार है, राम। उसे उसकी विमाता की दुर्बुद्धि के कारण वनवास भोगना पड़ रहा है। निर्वासन काल में ही जब वह चित्रकूट की उसी तपोभूमि में आया जहाँ जाबालि साधनारत थे, तो वह उनसे भी मिला था, और उनकी उससे बात भी कुछ विस्तार से हुई थी। बड़ा तेजस्वी था वह। कहता था "वन-दहन से बचने का एक ही उपाय है, वन्य गणों द्वारा स्वयं ही वन-दहन।"

सुनने में बड़ी विचित्र लगी थी यह बात। वाल्मीकि को भी जाबालि के मुँह से यह बात सुन कर कुछ विस्मय हो रहा था। वाल्मीकि ने कहा था, "राजाओं की

सहायता से ही तो ये ऋषि वन जलाते हैं। राजकुमार तो ऐसा कहेगा ही कि वन्य गणों को अपना वन जला कर स्वयं भू-लोलुपों को सौंप देना चाहिए। उन्हें जंगल जलाने का ही कष्ट वे क्यों देते हैं! उनको वन्य गणों से इतनी चिढ़ तो इसीलिए है न कि वे अपने सर्वनाश का विरोध क्यों करते हैं, स्वयं अपना सर्वनाश करके उनके ग्रास क्यों नहीं बन जाते! निर्वासित और राज्यवंचित होने पर भी वह राजाओं की दृष्टि से ही सोचेगा न!"

जाबालि हँसने लगे थे, "नहीं, ऐसा नहीं है। वह दूसरों से भिन्न है। उसके विचार इतने क्रान्तिकारी हैं कि पहली बार सुनने पर उन पर विश्वास ही नहीं होता। मुझे भी नहीं हुआ था। कहता था, 'राजकुल में जन्म भर लिया है परन्तु बचपन से आज तक पीड़ा ही भोगी है। मुझसे अच्छी तरह कौन समझ सकता है उनकी वेदना को!' और फिर ऊपर से विश्वामित्र का शिष्य जो ठहरा!" फिर कुछ सोचते हुए से बोले थे, "उसको निर्वासन तो राजकलह के कारण मिला था, पर कभी-कभी सोचता हूँ, उसकी दुर्गति के कारणों में से एक उसके विचारों की नवीनता भी थी, या, जैसा कि वह कहता था, उसके नए विचार उसकी पीड़ा से ही जन्मे हैं।"

वाल्मीकि को जाबालि जब-तब भोलावसंत मालूम होते थे। इस अवसर पर भी ऐसे ही लगे थे। वाल्मीकि ने अपने मन-ही-मन मुस्कराते हुए जिज्ञासा की थी, "फिर वह वन-दहन की बात क्यों कर रहा था? इससे किसका लाभ होगा?"

"वन्य जनों का। वह कहता था, जितनी भूमि में खेती करने से एक हजार मनुष्यों का सुखपूर्वक निर्वाह हो सकता है उतने वन्य क्षेत्र से सौ जनों का निर्वाह सम्भव नहीं। असुविधा, कष्ट और अनिश्चितता का भी कोई अन्त नहीं।"

वाल्मीकि ने बीच में ही टोक दिया था, "धरती माँ को झुलसा कर, उसकी छाती चीर कर मिलनेवाला आहार, सुख और सुविधा न! यह तो वैसी ही कृतघ्नता है जैसे कोई माँ का थोड़ा-थोड़ा दूध पीने के स्थान पर उसका गला काट कर उसका रक्त पीने का प्रयत्न करे।" वाल्मीकि को अपने को सभ्य कहनेवाले लोगों के प्रति घृणा अपनी जन्म-घुट्टी में मिली थी, "आपने उससे कहा क्यों नहीं कि यह काम केंकड़ों और बिच्छुओं के बच्चे करते हैं। ऐसा मनुष्य नहीं करते। जो ऐसा करते हैं वे मनुष्य हैं ही नहीं।"

जाबालि कुछ देर तक चुप रहे थे। जितना कठोर आग्रह वाल्मीकि के मन में था उसमें कोई तर्कसंगत बात समझाई भी जा सकती है या नहीं, यह उलझन रही होगी उनके मन में। जब उनकी चुप्पी से वाल्मीकि का अपना विश्वास डगमगाने लगा तब उन्होंने कहा, "धरती माँ तो है, पर यह बहुत बड़ी है। मही है यह। इसका कोई अन्त नहीं। उसकी छाती क्या इतनी पतली है कि दो अंगुल की खरोंच से फट जाए?"

जाबालि ने उत्तर के लिए एक क्षण तक प्रतीक्षा की थी पर वाल्मीकि को यह प्रश्न सचमुच इतना टेढ़ा लग रहा था कि इसका उत्तर उनसे बन नहीं पा रहा था। जाबालि ने आगे कहा था, "कभी-कभी जब माँ की चमड़ी में खुजलाहट होती है तो वह बच्चों से अपनी चमड़ी खुजलाने को कहती है। इसमें उसे बड़ा आनन्द आता है। यही दशा धरती माँ की है। जो हल से उसकी चमड़ी को खरोंचते हैं, वे उसकी सेवा करते हैं और इसीलिए तो वह हर्ष से रोमांचित होकर उन्हें खूब अधिक सुख-सम्पत्ति देती है। ये खेतों में उसे वीरुध और सस्य उसकी पुलक और रोमांच ही तो हैं।"

वाल्मीकि ने इस दृष्टि से तो कभी सोचा ही नहीं था। अब उन्हें राम के कथन में सचमुच रुचि पैदा हो गई थी, "और क्या कहता था वह राजकुमार?"

"कहता था, उन्नति और समृद्धि के नए रास्ते खुल जाने पर जो लोग उन पर नहीं चल पाते हैं, वे पिछड़ जाते हैं। इससे उनकी शक्ति कम हो जाती है। जो उन पर आगे बढ़ते हैं वे अधिक संगठित और शक्तिशाली हो जाते हैं। फिर वे पिछड़े, अशक्त और असंगठित लोगों की अपनी सम्पदा को जब जी में आता है छीन लेते हैं और उन्हें भी अपना दास बना लेते हैं। नहीं, वह कहता था, ऐसे लोग उन्हें दास बना कर ही नहीं रखते बल्कि उसी रास्ते पर अपना पशु बना कर चलने को भी बाध्य करते हैं जिस पर मनुष्य के रूप में उन्होंने चलने से इनकार किया था। वन्य जनों के साथ यही हो रहा है। वे कृषि न अपना पाने के कारण अशक्त हो गए हैं, पिछड़ गए हैं और आगे बढ़े हुए खेतिहर उनका वन जला कर यह वन भी उनसे छीनते जा रहे हैं। वे उन्हें अपना दास भी बनाते जा रहे हैं। धरती को जोतने का जो काम वे अपने निर्णय से नहीं कर पाए वही काम वे उनसे करवाते हैं और स्वयं उनके उत्पादों का भोग करते हैं। करने को उनके पास एक ही काम रह जाता है। अपनी सैन्य शक्ति को बढ़ाना और इन्हें नियन्त्रित करना।" जाबालि ने अपने ढंग से कुछ सजा-सँवार कर राम के विचारों को प्रस्तुत कर दिया था।

वाल्मीकि की आँखों के आगे से भ्रामक विचारों की धुंध जैसे एक झटके से छँट कर अलग हो गई थी। इसकी झलक उनकी आँखों की चमक और चेहरे के कसाव में आए परिवर्तन से भी मिल रही थी। जाबालि ने समाहार करते हुए कहा था, "इसलिए राम का कहना है कि वन-दहन से बचाव न तो इस पर पहरा देते रहने में है, न ही इससे डरकर पीछे के जंगलों में पलायन करने में। बचाव स्वयं ही वन्य भूमि को जला कर, कृषि भूमि में बदलकर, उसका स्वामी बनने में है।"

"परन्तु क्या राजा अपने सैन्यबल से उस नई भूमि को छीन कर उन्हीं ऋषियों को नहीं दे देगा।" वाल्मीकि ने शंका प्रकट की थी।

"नहीं।" जाबालि ने कहा था, "राजा को इसकी आवश्यकता तब पड़ेगी जब उस भूमि का कोई स्वामी न हो। जब वह परती पड़ी हो। वैसी स्थिति में वह इस

भूमि को किसी किसान को भी दे सकता है और किसी आश्रम को भी। वह केवल यह चाहता है कि अधिक-से-अधिक भूमि पर खेती हो जिससे अधिक-से-अधिक शुल्क राजकोष में आ सके। यदि वन्य जन स्वयं खेती करते हैं और राजा को उसका देयभाग पहुँचाते हैं तो वह उन्हें उजाड़ने की अपेक्षा उन पर किसी प्रकार का संकट आने पर उनकी सहायता करेगा। 'तुम मुझे मेरा हिस्सा दो, मैं तुम्हारी रक्षा करूँगा', यही है राजा और प्रजा के बीच का अनुबन्ध।"

जाबालि वाल्मीकि को समझाने में सफल हो गए थे। वाल्मीकि के आग्रह को देख कर पहले उन्हें इसकी आशा नहीं थी। वह बहुत सन्तुष्ट अनुभव कर रहे थे, पर तभी वाल्मीकि ने एक बहुत टेढ़ा प्रश्न कर दिया था, "क्या सभ्य समाज हमारे समाज से सचमुच अच्छा है?" और इस प्रश्न ने जाबालि को एक ऊँची चोटी से झटक कर फिर अनिश्चय की गहरी खाई में फेंक दिया था।

एक परिचारिका का पुत्र होने के नाते जाबालि को अपने जीवन में अपनी असाधारण प्रतिभा और शास्त्रज्ञान के होते हुए भी बार-बार अपमान और उपेक्षा के जो घूँट पीने पड़े थे, उनका सारा विष मानो एक साथ उनके मस्तिष्क में फैल कर उन्हें अचेत सा करने लगा था।

"नहीं। एक समाज के रूप में जब-तब लगता है कि वह मनुष्यों का समाज ही नहीं है। लगता है हिंस्र पशुओं का समाज है। पशुओं के समाज से भी गिरा हुआ। पशु हिंस्र और आक्रामक तो होते हैं पर यदि एक पशु दूसरे पर प्रहार करता है तो केवल भूख मिटाने के लिए, या दूसरे से अपने प्राण बचाने के लिए। इन दो स्थितियों को छोड़ कर कीड़े-मकोड़े तक किसी को दंश नहीं मारते। पर वह समाज ऐसे पशुओं का है जिसमें लोग अहंकारवश भी काटते और दंश मारते रहते हैं। अकारण ही दूसरों को अपमानित और पीड़ित करते रहते हैं। वह एक टूटा हुआ समाज है जिसका हर टुकड़ा अपने को पूरा और दूसरों से बड़ा सिद्ध करने के लिए उससे टकराता, उसे तोड़ता और स्वयं भी टूटता रहता है। जैसे कोई मिट्टी का घड़ा पत्थर पर गिर कर टूट और बिखर जाए, वह समाज अपने कुत्सित स्वार्थ और अहंकार की चट्टानों से टकराकर टुकड़े-टुकड़े हो गया है। आश्चर्य तब होता है जब अपने को ज्ञानी और विचारशील कहनेवाले ब्राह्मण इन टुकड़ों पर ही गर्व करते हैं। उन्हें अपनी इस करनी पर ही अहंकार होता है कि उन्होंने अपने समाज को कितने कौशल से तोड़ रखा है।" जाबालि ने अपने विचारों को बिना किसी संकोच के रख दिया था।

वाल्मीकि का आत्मविश्वास पुनः लौट आया था, "इस पर भी आप कहते हैं कि वह राजकुमार ठीक कह रहा था?"

जाबालि ने अपने आप में डूबते हुए कहा था, "वह दूसरों से भिन्न है, वाल्मीकि। दूसरों से भिन्न है, वह। अपने समाज की इस टूटन को लेकर उसे

उससे कम पीड़ा नहीं होती, जितनी तुम्हें या मुझे हो रही है। अपने समाज के लिए यह टूटे हुए घड़े वाली उपमा उसी ने दी थी। वह कहता था, 'हमारे समाज में चार नहीं आठ वर्ण हैं।'

"उसकी बात पर चौंक उठा था मैं। कहा था, 'तुम तो ब्राह्मणों से भी अधिक विघटनकारी हो, राजकुमार। उन्होंने समाज को चार वर्णों में बाँटा और तुम उन्हें आठ बनाए दे रहे हो।"

"बोला, नहीं, मुनि। वर्ण विभाग आठ हैं और जातियाँ आठ सौ। ब्राह्मणों, क्षत्रियों और वैश्यों की स्त्रियों के अधिकार क्या वे ही हैं, जो उनके पुरुषों के? अतः ये तीन नहीं, छह वर्ण हैं और इनके अतिरिक्त शूद्र और अंत्यज।"

"अंत्यज?" वाल्मीकि चौंक पड़े थे।

"हाँ। वे, जो ब्राह्मणों के बनाए वर्ण-विभाग में नहीं अंटते पर जो अपने निर्वाह के लिए उसी समाज की सेवा करने को विवश हैं। ये वे लोग हैं जिनका व्यवसाय ही ऐसा है कि उनके पास कोई न कोई हथियार अवश्य रहता है और इसलिए प्रभु समाज इनसे डरता है। अपने डर को ही घृणा में बदल कर वह इनको अपमानित करते हुए इनके मनोबल को तोड़ने का प्रयत्न करता रहता है। उनकी परछाईं से भी दूर रहता है, वह। रथकार, बंसफोड़, चर्मकार, निषाद, पुंजिष्ठ, तक्षक व विविध आखेटजीवी जन सभी उनके अंत्यजों में आते हैं।"

"यदि वन्य जन आपके राम की बात मान लें तो वे भी अंत्यजों में आ जाएँगे? है न?" वाल्मीकि ने प्रश्न किया है या राम के नाम से प्रस्तुत विचार का उपहास, यह सोचने का जाबालि के पास समय नहीं था, सम्भवतः उन्होंने यह प्रश्न सुना ही नहीं। वह अपने विचारों में ही खोए हुए थे।

"जानते हो उस राजकुमार ने अंत्यजों की दशा को सोच कर क्या कहा था?" वह किसी प्रश्न या जिज्ञासा के लिए रुके नहीं थे। अपनी ही धुन में इसका उत्तर भी दिए जा रहे थे, "कहा था 'पुरोहितों की सबसे ऊँची कल्पनाएँ हैं कुम्भीपाक और रौरव नरक। यदि उनका वश चले तो वे पूरे समाज को, इस पूरी दुनिया को एक आदर्श कुम्भीपाक में बदल दें जिसमें मनुष्य मनुष्य बन कर, अपने सिर को तानकर और मेरुदंड को सीधा करके न चले, बल्कि उनके पाँवों के पास कीड़ों की तरह रेंगता और बजबजाता रहे।"

अब उन्हें ध्यान आया था कि इस बीच वाल्मीकि ने कोई प्रश्न भी किया था। उन्होंने कहा था, "हाँ, तुम बीच में कुछ पूछ रहे थे?"

वाल्मीकि ने अपना प्रश्न फिर दोहराया था, पर इस बार उसमें व्यंग्य का पुट नहीं था।

"कोई वन्य समूह उस समाज में किस स्थान पर पहुँचता है यह उसकी आत्मनिर्भरता या विवशता पर निर्भर करता है। यदि वह कृषिजीवी बन कर

स्वतन्त्र गण के रूप में अपना संचालन करता है तो वे ही पुरोधा इससे दान-दक्षिणा पाने के लिए उसे क्षत्रिय बना देंगे। यदि वह आखेटजीवी ही बना रह जाता है और अपनी वन सम्पदा उजड़ जाने के बाद उसी क्षेत्र में बचे-खुचे जानवरों का शिकार करता है तो अंत्यज तो रहेगा ही। यदि कोई ऐसा व्यवसाय भी अपनाया जिसमें आर्थिक पराश्रय बना रहे तो शूद्र और अंत्यज बनने के बीच ही चुनाव रह जाता है।"

एक क्षण को लगा, जाबालि अपनी बात पूरी कर चुके हैं। पर नहीं, इस समय वह चुप हो कर भी बोलते से लग रहे थे। उनके विचारों का सूत्र तो पकड़ा नहीं जा सकता था पर उनके चेहरे की चमक और धुंध के बदलाव में पढ़ा अवश्य जा सकता था। फिर वह अपने आप बुदबुदाने लगे, "वह लौटेगा अवश्य। अपना अधिकार वह ले कर रहेगा। उसमें दृष्टि भी है, शक्ति भी है, धैर्य भी है और दृढ़ निश्चय भी। एक न एक दिन वह लौटेगा अवश्य!"

वाल्मीकि को जाबालि का एक राजकुमार को लेकर इतना भावुक होना कुछ अटपटा सा लग रहा था। उन्होंने अपने मन की बात छिपाई भी नहीं थी, "क्या एक राजकुमार को उसका राज्य मिल जाने से पूरा समाज सुधर जाता है, मुनिवर? लगता है आप कुछ अधिक भावुक हो रहे हैं।"

"मेरी चिन्ता एक राजकुमार को ले कर नहीं है, वत्स। एक सम्भावित राजा को ले कर है। मुझ जैसे एक साधारण मनुष्य में और नए विचारों से प्रेरित एक राजा में सबसे बड़ा अन्तर यह है कि वह समाज को आगे बढ़ाने के लिए राजशक्ति का प्रयोग कर सकता है, या कम-से-कम नए विचारों का दमन करने के लिए राजशक्ति का दुरुपयोग नहीं होने दे सकता। एक योग्य, न्यायप्रिय और विवेकशील राजा सैकड़ों वर्षों में कोई इक्का-दुक्का ही होता है, पर जिस राजकुमार की बात मैं कर रहा हूँ, वैसे तत्त्वविद और योग्य राजा तो युगों के बाद ही पैदा होते हैं।" जाबालि ने कहा था।

वाल्मीकि को राजाओं की अयोग्यता के विषय में जाबालि के विचार सुन कर विस्मय हुआ था, "जिनके पालन-पोषण पर आरम्भ से ही इतना ध्यान दिया जाता है, जिनको सर्वोत्तम भोजन और सबसे योग्य आचार्यों-उपाध्यायों से शिक्षा मिलती है, वे अयोग्य कैसे हो सकती हैं? उनमें तो उच्चकुल के गौरव के कारण उस तरह का दैन्य भी नहीं होता जो हीन कुल के प्रतिभाशाली व्यक्तियों की आधी योग्यता को सोख और चूस लेता है।"

"राजा शक्ति का एक पुंज है, भद्र, जिसका उपयोग मन्त्री, पुरोहित, पंडे, सभी अपनी सूझ-बूझ के अनुसार अपने लिए करना चाहते हैं। अपनी चालाकी और चाटुता से ये राजा को झूठे प्रलोभनों में फँसा कर, उसमें चरित्रगत और मनोगत विकृतियाँ पैदा करके अपने ऊपर अधिकाधिक निर्भर बनाने का प्रयत्न उसके शैशव काल से ही करते रहते हैं। अधिकांश शासक इसलिए शक्ति को उनके हाथ

में सौंप कर स्वयं दम्भ के पुतले बन कर रह जाते हैं। अपनी सुविधाओं को देखते हुए राजा में योग्यताओं का दयनीय अभाव होता है। मैंने अपने को परम प्रतापी, त्रिलोक-विक्रम, राजराजाधिप कहनेवाले दम्भी राजाओं को इसी जाल में फँस कर द्यूत, मद्य, विलास, नृत्य, आमोद में आकंठ डूब कर बेहोश और अशक्त हो कर उसी तरह लुढ़कते देखा है जैसे किसी फोड़े पर चिपकी जोंक विकृत रक्त का भरपूर पान करने के बाद फूल कर अपने को सँभाल न पाने के कारण लुढ़क जाती है।"

वाल्मीकि ने जाबालि से राम के विषय में आगे कोई प्रश्न नहीं किया था। और फिर वर्षों बाद जब विश्वामित्र ने आ कर राम के चरित्र और योग्यता का मुग्धभाव से गुणगान करते हुए उनके इन्हीं गुणों के कारण उनके विरुद्ध चल रहे कुचक्र की चर्चा की थी तो वाल्मीकि को लगा था, जाबालि ने राम के विषय में जो अनुमान लगाया था और उनकी जो अपेक्षाएँ थीं उनमें से कोई असत्य नहीं हुआ।

"यदि आवश्यकता हुई तो क्या महारानी सीता के गुप्तवास के लिए आपके आश्रम में स्थान मिलेगा, मुनिवर?" विश्वामित्र ने वाल्मीकि के मनोभाव को पढ़ने के बाद प्रश्न किया था।

"मेरी तपस्या को सार्थक करने के लिए इससे बड़ा प्रसाद क्या हो सकता है!" वाल्मीकि ने नम्र स्वर में कहा था।

वाल्मीकि अपने स्मृतिलोक से बाहर आए तो देखा लक्ष्मण अनिमिष तमसा को जाने वाले उसी मार्ग की ओर देख रहे थे जिससे वह कुछ क्षण पहले स्वयं आए थे। यह देखने के लिए कि उधर कुछ विशेष बात है क्या, वाल्मीकि ने स्वयं भी दृष्टि दौड़ाई। उन्हें दूरी पर कुछ आदमी आश्रम की ओर ही आते दिखाई दिए। उनके निकट आने पर पता चला कि उनके कन्धों पर बहंगे टँगे हुए थे जिनसे यह अनुमान लगाना कठिन नहीं था कि ये भारिक हैं।

"कौन हैं ये?" वाल्मीकि ने जानना चाहा।

लक्ष्मण को उत्तर का वाक्य गढ़ने में बड़ी कठिनाई हो रही थी, "महाराज ने आप की सेवा में कुछ उपहार..." लक्ष्मण अपना वाक्य पूरा नहीं कर पाए।

"मैं दान और उपहार नहीं ग्रहण करता, श्रीमन्। दूसरों के उपार्जित धन का सेवन करने में मनुष्य का पतन होता है। हम अपनी आवश्यकताओं की पूर्ति स्वयं कर लेते हैं। उन्हें बढ़ कर रोको। उनका प्रवेश इस आश्रम में नहीं होना चाहिए।" यह कथन सरल और अनुत्तप्त होते हुए भी इतना निश्चयात्मक था कि कोई आदेश वाक्य भी इससे अधिक आदेशपरक नहीं हो सकता था।

"सम्भव है इसका आंशिक उपयोग महारानी के लिए हो।" लक्ष्मण ने इस बोध से कातर स्वर में कि वह ऋषि के आदेश की अवमानना सी कर रहे हैं, कहा।

"महारानी को आने दो। सम्भवतः उनको इसकी आवश्यकता नहीं होगी। उन्हें यहाँ एक आश्रमवासी के रूप में ही रहना होगा, राजकीय गरिमा से नहीं।"

वाल्मीकि ने अपनी आँखों पर कुछ जोर देते हुए उस मार्ग पर दृष्टि डाली, "महारानी की शिविका तो दिखाई नहीं दे रही है!" वाल्मीकि ने कहा।

लक्ष्मण को लगा कि इस प्रश्न का उत्तर देने से अधिक आवश्यक है बढ़ कर भारिकों को, जहाँ तक वे पहुँच आए थे, वहीं से वापस लौटाना। लौटते समय वह वाल्मीकि के प्रश्न का कोई उपयुक्त उत्तर भी ढूँढ़ लेना चाहते थे। मुनि की जिज्ञासा से स्पष्ट था कि सीता ने उन्हें अपना वास्तविक परिचय अभी तक नहीं दिया है। वह यह तय नहीं कर पा रहे थे कि जिस रहस्य को महारानी ने गोपन बना रखा है उसे स्वयं भंग करने का दुस्साहस वह करें भी तो कैसे, और वाल्मीकि के प्रश्न का उत्तर इस रहस्य पर परदा डालते हुए दें भी तो किस तरह!

वह वापस लौटे ही थे कि देखा महारानी सीता समीप की झोंपड़ी से निकल कर वाल्मीकि के सामने खड़ी हो गईं, "आपकी पुत्री ही अयोध्या की महारानी भी रह चुकी है, तात। यही उसका शेष परिचय है।"

7

"आपको अचानक यह क्या हो गया था?" वसिष्ठ को कुछ प्रकृतिस्थ देख कर उनकी पत्नी ने प्रश्न किया।

"अवस्था!" वसिष्ठ अपराधी भाव से मुस्कराए। वह कुछ छिपा रहे हैं यह ऋषिपत्नी को साफ दिखाई दे रहा था। उन्होंने मुँह दूसरी ओर फेर लिया था और इससे पत्नी की शंका और बढ़ गई थी।

"मुझे केवल तुम्हारी चिन्ता है।" उन्होंने उस दीवार से कहा जिसमें एक झरोखा तक नहीं था। कक्ष में प्रकाश का अभाव तो था ही, इसकी हवा में कुछ घुटन भी अनुभव हो रही थी। उन्होंने सिर घुमा कर अपनी आँखें उस छत में गड़ा दीं जिसकी कड़ियाँ और बल्लियाँ धुएँ की बनी लग रही थीं। "मुझे केवल तुम्हारी चिन्ता है।" उन्होंने दुबारा कहा और पहले से कुछ कमजोर अनुभव करने लगे। पत्नी चुप रहीं।

"मैंने तुम्हारा..." जाने क्या कहना चाहते थे वह। कह नहीं पाए। अपना वाक्य पूरा करने से पहले वह कमरे में छाई धुंध को पार करके, कमरे की दीवारों को भी चीर कर बाहर तक देख लेना चाहते थे, जबकि उनसे अपनी गर्दन तक घुमाई नहीं जा रही थी।

"आप मुझसे कुछ छिपा रहे हैं।" पत्नी ने धीरे से और डरते हुए कहा।

"तुमसे ही नहीं, अपने आपसे भी छिप जाना चाहता हूँ। जी में आता है, सब कुछ छोड़ कर चला जाऊँ। कहीं भी। किसी भी ओर।" उन्होंने पत्नी का वह हाथ अपने हाथों में ले लिया जिससे वह उनकी छाती सहला रही थीं। उन्हें लग रहा था

कि यदि यह हाथ उनसे छूट गया तो वह उड़ या डूब जाएँगे। पत्नी ने अपने बाएँ हाथ से पल्लू का एक कोना पकड़ा और काँपते हाथों से आँखें पोंछने लगीं। उनको न तो कुछ कहने का साहस हो रहा था, न पूछने का। वसिष्ठ को उन्होंने अपने इतने निकट निजी क्षणों में भी न पाया था।

"अब मुझे डर लगने लगा है।" पत्नी को लम्बे समय तक चुप पा कर उन्होंने स्वयं कहा।

"सत्यव्रत से बातें कर रहे थे, आप?" पत्नी ने अपने ढंग से मूल कारण को जानने की इच्छा से एक छोटी सी जिज्ञासा की।

वसिष्ठ ने अपना एक हाथ बढ़ा कर उनका मुँह बन्द कर दिया। दूसरे हाथ से वह अपनी पत्नी का हाथ पकड़ कर अपनी छाती से दबाए रहे। वह पत्नी के सवालों के जंगल में उलझते हुए व्यर्थ के विषय-विस्तार में नहीं जाना चाहते थे, पर साथ ही मन को हल्का भी करना चाहते थे, "मुझे अब भय लगने लगा है। भय...सन्देह...स्वयं अपनी शक्ति और दक्षता पर सन्देह। और...और..." आज वह अपने को व्यवस्थित नहीं कर पा रहे थे। कल बातें करेंगे। वह चुप ही नहीं हुए, उनका हाथ भी ढीला पड़ गया। उनके होंठ काँपे, "कल...।"

परन्तु एक क्षण चुप रहने के बाद उन्होंने हाथ की पकड़ पुनः मजबूत कर दी। "मैं...मैं...तुम रो रही हो अरुन्? नहीं, तुम डरो मत। मैं हूँ न!" वह अपने वाक्य की व्यर्थता को अवश्य अनुभव कर रहे होंगे। अपनी दुर्बलता को एक ओर झटकते हुए, उन्होंने किंचित अधिक विश्वास भरे स्वर में कहा, "मैं भागूँगा नहीं अरुन्। लड़ूँगा।"

उनके स्वर में क्या था जो उनके इस वाक्य का आशय भी उलट दे रहा था। पत्नी के गालों को भिंगोती हुई दो गर्म बूँदें वसिष्ठ के वक्ष पर आ गिरीं।

"तुम रो रही हो?"

पत्नी ने कोई उत्तर नहीं दिया। उन्होंने अपने आँचल से उनकी छाती पर पड़ी बूँदों को पोंछा और फिर अपने गालों और आँखों को पोंछने लगीं।

बाहर कुछ कोलाहल सा सुनाई पड़ा। एक दासी दौड़ती हुई आई, "महाराज आ रहे हैं।"

दासी ने अपना वाक्य पूरा भी नहीं किया था कि शक्ति का स्वर सुनाई पड़ा, "पिताजी को सूचित करता हूँ।" और दूसरे ही क्षण वसिष्ठ के पलंग के ऊपर कुछ झुकते हुए शक्ति ने कहा, "महाराज दर्शन करना चाहते हैं।"

"सादर ले आओ।" वसिष्ठ ने कहा और पहले की अपेक्षा कुछ अधिक निढाल हो गए।

"आचार्य दम्पति को प्रणाम।" राम ने कक्ष में प्रवेश करते हुए कहा।

वसिष्ठ ने करवट बदलने का हल्का सा प्रयास किया पर राम ने बरज दिया,

"कष्ट न करें। यह औपचारिकता का अवसर नहीं है।" और आकर पास में खड़े हो गए। राजवैद्य साथ थे।

राजवैद्य ने नाड़ी देखी। माथे का स्पर्श किया और फिर बोले, "ज्वर नहीं है, पर नाड़ी बहुत अस्थिर है मर्मशूल है।" वह किसी बूटी की खोज में स्वयं बाहर निकल गए।

राम वसिष्ठ के माथे को सहलाते हुए उन्हें आश्वस्त करने लगे, "चिन्ता न करें। विश्राम करें। सब ठीक हो जाएगा। दो राजकर्मी यहाँ नियुक्त रहेंगे। किसी समय किसी भी वस्तु की आवश्यकता होने पर उन्हें तुरन्त आदेश दें। सब कुछ उपस्थित हो जाएगा।"

इसके लिए किसी मौखिक आश्वासन की आवश्यकता नहीं थी। वसिष्ठ भी जानते थे कि उनके पद की गरिमा अभी इतनी घटी नहीं है कि वह किसी वस्तु का अनुरोध करें और उसकी प्राप्ति न हो। यह प्रस्ताव उनके लिए सुखद नहीं था, क्योंकि इससे अब उनके द्वार पर ही दो राजपुरुषों की नियुक्ति से उनकी गतिविधि पर राम को पूरा अंकुश रखने का एक बहाना मिल जाएगा। वसिष्ठ इसे जानते थे। उन्होंने एक क्षीण प्रतिरोध भी किया, "इसकी क्या आवश्यकता है! अनुगत शिष्य और सेवक तो हैं ही। किसी प्रकार की सहायता की आवश्यकता होने पर उनके माध्यम से ही समाचार भेजा जा सकता है।"

राम मुस्कराते हुए बोले, "आपके संकोची स्वभाव को न जानता होता तो यह प्रस्ताव मान लेता। मैं जानता हूँ, आप स्वयं कष्ट झेल लेंगे, पर किसी अन्य को आसानी से कष्ट नहीं देंगे। आपने तो इतने गहन क्लेश में भी सूचित करने में संकोच किया। यदि सत्यव्रत उस अवसर पर यहाँ उपस्थित न रहा होता तो आप स्वयं तो अब भी मुझे सूचित करने की आवश्यकता नहीं समझते।"

वसिष्ठ के पास इसका कोई उत्तर नहीं था। वह चुप थे और एकटक राम के चेहरे को पढ़ने का प्रयत्न कर रहे थे। अपनी नम्रता में भी कितने अडिग और कोमलता में भी कितने विकट लगते हैं राम।

राजवैद्य इस बीच बूटी ले कर उपस्थित हो गए थे। उन्होंने इसे पास खड़ी एक दासी को देते हुए कहा, "इसे पीस कर इसका रस समान अनुपात मधु के साथ देना होगा।" वह वसिष्ठ के पास खड़े हुए, "मैं जा कर कुछ अन्य औषधियाँ भी भेज दूँगा। उनका सेवन करें और आयास से बचें।"

राजकर्मियों सहित राम के विदा हो जाने के बाद कुछ देर तक वसिष्ठ के मुँह से कोई शब्द नहीं निकला। फिर कुछ सोच कर बोले, "सभी चले गए?"

"हाँ।" पत्नी ने कहा और पलंग पर उनके पाँवों के पास ही बैठ गईं।

वसिष्ठ ने एक उँगली से द्वार की ओर संकेत किया और फिर उसे नचाया। पत्नी उठीं। बाहर दृष्टि डाली और मकान की एक परिक्रमा करके पुनः आ गईं

"स्वजनों के अतिरिक्त कहीं कोई नहीं है।"

वसिष्ठ ने राहत की लम्बी साँस ली। वह राम के इस प्रस्ताव से आशंकित अनुभव कर रहे थे कि उनकी इच्छा या आवश्यकता जानने और पूरी करने के लिए दो राजकर्मी वहाँ नियुक्त रहेंगे, अतः इस सूचना से कि अभी ऐसा कोई व्यक्ति उनके द्वार पर नहीं है, उनके मन को कुछ सांत्वना मिल रही थी।

"वे जल्द ही आ जाएँगे।" उन्होंने कहा।

"कौन?"

"राजपुरुष। उनके बैठने और विश्राम करने के लिए कदम्ब के वृक्ष के नीचे एक चौकी बिछवा देनी होगी। घर के निकट रखने पर उन्हें भी अपना समय काटने में असुविधा होगी और हमें भी।" उन्होंने रुक-रुक कर पर पूरे विस्तार से अपनी बात समझाई। वैद्य की औषधि का अनुकूल प्रभाव स्पष्ट दिखाई दे रहा था।

व्यवस्था के लिए पत्नी के बाहर चले जाने के बाद वसिष्ठ अपनी चिन्ता में डूब गए। राम को समझने में उनसे प्रायः भूल हो जाती है। उनके इरादे स्पष्ट नहीं हो पाते। वह जब मुखर आलाप कर रहे होते हैं तो भी लगता है इस आलाप के पीछे एक मौन काम कर रहा है। उनके शब्द प्रायः मुखर चुप्पी का रूप ले लेते हैं। यह चुप्पी एक अन्धकार की सृष्टि करती है, जिसमें चीजों की पहचान धुँधली हो जाती है।

वसिष्ठ यह समझना चाहते थे कि राम के मुखर वाक्यों के पीछे भी चुप्पी का आभास क्यों मिलता है? इसका एक कारण निश्चय ही यह है कि वह वसिष्ठ के पूर्वानुमानों को बार-बार निराधार भ्रम सिद्ध कर देते हैं। वनवास से राम के लौटने के बाद कितने लम्बे समय तक वसिष्ठ इस आशंका से ग्रस्त रहे कि वह किसी न किसी युक्ति से वसिष्ठ की हत्या कराने का प्रयत्न करेंगे या सभा में उनको अपमानित करके निकल जाने का आदेश देंगे या राज्य-निर्वासित कर देंगे, पर उन्होंने ऐसा कुछ नहीं किया। उन्होंने अपनी ओर से वसिष्ठ के निर्वाह व्यय में किसी प्रकार की कटौती का भी प्रस्ताव नहीं रखा। पर कभी इस तरह सदय भी नहीं रहे कि लगे वह वसिष्ठ का वही महत्त्व स्वीकार करते हैं जो इससे पहले भरत के राज्यकाल में बना हुआ था। इतना ही नहीं, वसिष्ठ आज तक इस विषय में आश्वस्त नहीं हो पाए कि उनके जीवन से संकट पूरी तरह टल भी गया है या नहीं। वह एक लम्बी प्रतीक्षा में डाल दिए गए हैं अपने चारों ओर बिछाए गए एक अदृश्य जाल में फँसा कर जिससे निकलने के लिए यह जानना जरूरी है कि इस जाल का आदि और अन्त कहाँ है और इसके धागे कितने पुष्ट या क्षीण हैं और वे उन्हें कहाँ-कहाँ से कस रहे हैं। वसिष्ठ देखना चाहते हैं, पर दिखाई कुछ नहीं देता। वसिष्ठ अतीत की ओर लौट जाते हैं।

वनवास से राम केवल सीता और लक्ष्मण के साथ नहीं लौटे थे। एक विशाल

सैन्यबल के साथ लौटे थे, वह। चरों ने उनकी सेना के उत्साह और सिंहनाद को देख कर जो सूचना दी थी उससे लग रहा था, वह आते ही अयोध्या को चारों ओर से घेर लेंगे या सीधे युद्ध की चुनौती देंगे। भरत और कैकेयी के ही नहीं, वसिष्ठ के भी प्राण मुँह को आ रहे थे। एक ओर राम की विशाल वनचर सेना और दूसरी ओर भरत के शासन से प्रजा में भारी असन्तोष तथा राम के प्रति गहरी सम्वेदना। प्रतिरोध कर पाने का तो प्रश्न ही नहीं था।

राम ने न घेरा डाला न सीधे आक्रमण किया। वह स्वयं आए भी नहीं। स्वयं पहले भरद्वाज आश्रम गए। वहाँ से वस्तुस्थिति की जानकारी ली। भरत के पास अपने दूत को भेज दिया। अपनी सेना में निषाद गण को भी सम्मिलित किया और साकेत की सीमा पर ही रुके रहे।

वह विकट दूत जिसके आने से पहले ही उसके अद्भुत पराक्रम और दुस्साहस की कहानियाँ चरों के माध्यम से पहुँच गई थीं, और जो दूतकर्म की चातुरी से अधिक अपने स्वभाव की उग्रता और विध्वंसकारी कामों के लिए ही जाना जाता था, भरत के सम्मुख आ कर उनके विषय में सुनी और सिखाई बातों को दुहराता रहा। राम भरत को कितना प्यार करते हैं, भरत के उस प्रस्ताव का वर्णन करते हुए वह कितने विभोर हो जाते हैं कि राम स्वयं राजपद सँभालें और भरत उनके स्थान पर दंड भोगें। उसकी मीठी बातें सुन कर यह आभास ही नहीं होता था कि वह दूत स्वभाव से तनिक भी उद्धत था। उसकी बातों से इस बात का भी पहले पता नहीं चल पाया कि राम के पास सचमुच सैन्यबल भी है।

भरत के गुणगान के बाद वह राम का कीर्तन करने लगा था, "राम मनुष्य नहीं हैं। वह तो साक्षात् इन्द्र हैं। विष्णु के अवतार हैं। भला किसी मनुष्य में इतनी शक्ति हो सकती है जो दक्षिणांचल में पूरे समाज की काया पलट दे, रावण जैसे महापराक्रमी को हरा ही नहीं, उसके पूरे वंश को मिटा कर रख दे। उनकी कृपा के बल से ही उनके इस सेवक ने अकेले पूरी लंका को जला कर भस्म कर दिया था और फिर भी रावण इसका कुछ बिगाड़ नहीं पाया था।"

वह उनकी दयालुता की कथाएँ सुनाने लगा, "पर भगवान राम अपने असाधारण पौरुष और प्रताप के होते हुए भी इतने उदार हैं, इतने कृपालु कि वह जघन्य से जघन्य अपराधी को भी क्षमा कर देते हैं। उनके हाथों मर कर रावण जैसे अधम व्यक्ति का भी परलोक सुधर गया। उसके भाई विभीषण को तो उन्होंने लंका का जीता हुआ राज्य तक लौटा दिया।"

वह अपने प्रत्येक कथन पर कुछ रुक कर भरत की प्रतिक्रिया को भाँपने का और राम के भावी उद्देश्य के विषय में उन्हें ऐसे अनिश्चय में रखने का प्रयत्न कर रहा था कि भरत यह निर्णय ही नहीं कर पा रहे थे कि वह जो कुछ कह रहा है वह आक्रमण की पूर्वसूचना है, या सत्ता हस्तांतरण का शान्तिपूर्ण प्रस्ताव, या मात्र धमकी।

भरत ने अपनी घबराहट पर काबू पाने का प्रयत्न करते हुए पूछा था, "इस समय भ्रातृदेव कहाँ हैं?"

उस दूत ने सीधे उत्तर नहीं दिया था। वह ध्यान से कुछ सुनने का प्रयत्न करने लगा था और फिर बोला था, "सुनिए! ध्यान से सुनिए! यह जो कोलाहल सुनाई पड़ रहा है वह भगवान राम की सेना का ही है। वह गोमती को पार कर रही है।"

भरत को इतनी घबराहट हुई थी कि वह यह भी नहीं सोच पाए थे कि गोमती तट से उठता शोर यहाँ तक पहुँच कैसे सकता है। भरत भाग कर कहीं छिपने के लिए उठ खड़े हुए थे और दो डग भी नहीं चले होंगे कि आतंक में मूर्छित हो कर गिर पड़े थे।

वसिष्ठ ने सदा की भाँति उस समय भी स्थिति को सँभाला था। उन्होंने कृत्रिम आह्लाद के साथ कहा था, "अनन्य प्रेम है भरत के मन में, अपने भाई के प्रति! उनके आने की सूचना पा कर स्वागत के लिए दौड़ पड़े और अपनी प्रसन्नता को न सँभाल पाने के कारण हर्ष-मूर्छित हो गए।" उन्होंने उनके रोमांचित शरीर की ओर संकेत किया था।

"श्री राम का इस तरह आना ठीक नहीं होगा। उन्हें नगर सीमा पर ही ठहरने को कहें। उनके स्वागत का समारोह ऐसा होना चाहिए जैसा इससे पहले किसी भी उल्लास के अवसर पर न हुआ हो।" वसिष्ठ ने सुझाव रखा था और उस दूत को इस प्रस्ताव के साथ वापस कर दिया था

वसिष्ठ ने स्वागत समारोह का सुझाव तो समुचित कार्रवाई के निमित्त समय पाने के लिए रखा था, परन्तु जब यह विचार आरम्भ हुआ कि अब परिस्थिति से कैसे निबटा जाए तो युधाजित ही अकेला ऐसा था जिसे राम के सम्मुख समर्पण और इस समर्पण को एक भव्य स्वागत का रूप देने का प्रस्ताव अरुचिकर लगा था, "मरना तो है ही। बंदीगृह में सड़ कर या अपमानित हो कर क्यों मरें? एक बार जीने-मरने का संकल्प ले कर संग्राम में उतर ही जाना चाहिए।"

परन्तु कैकेयी और वसिष्ठ को राम के भव्य स्वागत में ही प्राणरक्षा की एक क्षीण सम्भावना दिखाई दे रही थी और उनका निर्णय ही मान्य हुआ था। प्राणों का भय इस समय भी बना हुआ था, और भरत राम का स्वागत करने के लिए आगे बढ़ते हुए काँप से रहे थे। गले मिलते समय भरत को लगा था कि कहीं राम उनका गला ही न दबा दें।

राम ने अपने किसी आचरण से इस बात का आभास तक नहीं होने दिया था कि उन्हें हमारी दुर्बलता और विवशता का बोध है, कि हमारे उल्लास के पीछे हमारी पराजय छिपी है। उनके मन में यदि किसी के प्रति कोई दुर्भाव था भी तो यह उनके किसी व्यवहार में प्रकट नहीं हो रहा था।

सत्ता ग्रहण करने के बाद उन्होंने पुरानी व्यवस्था में केवल दो परिवर्तन किए थे। सेनाध्यक्ष का पद युधाजित से लेकर शत्रुघ्न को दे दिया था। उन्हें न इस बात की चिन्ता हुई थी, न ही भय कि शत्रुघ्न की भरत से निकटता रही है। कोष और अपनी व्यक्तिगत सुरक्षा का भार उन्होंने लक्ष्मण को सौंपा था। भरत महाराज के पद को सुशोभित कर चुके थे, अतः उन्हें किसी अन्य पद पर नियुक्त करना राम को अशोभन लगा था और फिर 'भरत को तो जब राजकाज सँभालना पड़ा था तब भी वह एक वीतराग तपस्वी की भाँति शासकीय कार्यों से उदासीन ही रहते थे, और सारा प्रबन्ध माता कैकेयी और आचार्य को ही देखना पड़ता था। अब तो उन्हें तपश्चर्या के लिए भरपूर समय मिलना ही चाहिए।'

वसिष्ठ को भरत की गति देख कर आशंका हुई थी कि राम ऐसी ही मीठी छुरी से किसी दिन उनको भी किनारे लगा देंगे। सम्भवतः राम ने वसिष्ठ की दुविधा को भाँप लिया था। उन्होंने बिना किसी प्रसंग के ही अपना प्रिय वाक्य दुहराया था, "गतं न शोचामि कृतं न मन्ये। राम न तो बीती बातों पर रोता है न किसी के पिछले अपकारों को गाँठ बाँधता है।"

वसिष्ठ को इस वाक्य से राहत तो मिली थी पर साथ ही उनके पाँव भी लड़खड़ा गए थे।

'गतं न शोचामि कृतं न मन्ये।' इसे राम कितनी बार कितने रूपों में दुहराते आए हैं। एक बार शास्त्रचर्चा में राम ने जब अपने विचारों को रखा था तो उपस्थित सभासद आश्चर्य से एक-दूसरे का मुँह देखने लगे थे, "राजा अपने लिए राज्य नहीं करता। राष्ट्रहित के लिए ही वह शासन करता है। राष्ट्रहित से ही राजा मित्रों और शत्रुओं का निश्चय करता है और यह मैत्री और शत्रुता भी स्थायी नहीं होती, प्रासंगिक होती है।"

कहा था, "कुछ लोग होते हैं जो इतिहास को कीचड़ और दलदल बना कर जीना चाहते हैं। ये उसी में धँसे और डूबे रहने को अपने लिए गौरव की बात मानते हैं। इस तरह के भैंसों और बाराहों को न तो पहले कभी अभाव हुआ है, न ही आगे होगा। इन्हें आत्ममुग्ध होकर क्रीड़ा करने और लोटने के लिए कोई भी सड़ी जगह चाहिए। इसे वे इतिहास से भी चुन लेते हैं और वर्तमान से भी। नहीं, वे इतिहास और वर्तमान से केवल इसी का चुनाव करते हैं। और भविष्य को केवल यही बताने को कृतसंकल्प रहते हैं—कीचड़ और दलदल। परन्तु सुधी व्यक्ति के लिए इतिहास एक ऊँची और सुदृढ़ चट्टान होता है। हजारों, लाखों वर्ष के मानवीय अनुभवों के स्तरीभूत होने से ऊँचा उठा शिखर जिस पर खड़ा होकर वह भविष्य की ओर दूर तक देख सकता है और इस बात की सावधानी बरत सकता है कि पहले हुई भूलें पुनः दुहराई न जाएँ।"

एक अन्य अवसर पर कहा था, "धनुर्धर प्रत्यंचा को इसलिए पीछे नहीं

खींचता कि वह वाण को भी पीछे फेंकना चाहता है। वह वाण को अधिक से अधिक पीछे इसलिए खींचता है कि वह आगे अधिक से अधिक दूर तक जा सके। इतिहास मनुष्य के हाथ लगे जातीय विवेक के महाधनु की प्रत्यंचा है। पर मैंने ऐसे मूर्ख देखे हैं जो इस प्रत्यंचा को धनुष से खोल कर अपने गले में लपेट लेते हैं और दूसरों को भी यही करने की सलाह देते हैं।"

राम अल्पभाषी हैं। यदाकदा ही वह मुखर होते हैं और ऐसे क्षणों पर यह सोच कर दंग रह जाना पड़ता है कि उनका चिन्तन कितना गहन है और उनके प्रत्येक कार्य और निर्णय के पीछे कितनी गहरी सूझ हो सकती है। परन्तु इतना कहने के बाद भी क्या यह नहीं लगता कि कहने के व्याज से उन्होंने बहुत कुछ छिपा लिया है। उनके व्यक्तार्थ से अधिक गम्भीर उनका व्यंग्यार्थ होता है। उनके वाचिक उद्‌गार से अधिक रोचक उनका वाचिक मौन होता है और इस मौन से ही वसिष्ठ को डर लगता है। वसिष्ठ को राम के वाक्यों में सदा एक तीसरा अर्थ ध्वनित होता है जिसकी ओर दूसरे लोग ध्यान नहीं दे पाते। जब राम ने कहा था 'गतं न शोचामि कृतं न मन्ये' तो वसिष्ठ ने सुना था, "आचार्य मुझे अच्छी तरह मालूम है कि आप मेरा अहित करने के लिए कुछ भी करने और किसी भी सीमा तक जाने के लिए तैयार रहे हैं, पर मैं उसे भूला देता हूँ।" नहीं इसे भुला देने का भी अर्थ उन्हें उल्टा सुनाई पड़ता रहा है। उन्हें लगा राम वास्तव में कहे रहे थे, 'मैं भूला कुछ भी नहीं हूँ, आचार्य!'

जब राम ने कहा था कुछ लोग इतिहास की प्रत्यंचा को उस महाधनु से अलग करके गले में लपेट लेते हैं, तो उन्हें सुनाई पड़ा था, "वसिष्ठ, तुमने अपने गले का फंदा स्वयं तैयार किया है।"

इसी तरह आज भी जब उन्होंने दो राजकर्मियों को वसिष्ठ की सेवा में रखने का सुझाव दिया तो वसिष्ठ ने सुना, "मुझे पता है भद्र से तुम्हारी क्या बातें हो रही थीं। अब भविष्य में तुम्हारी प्रत्येक गतिविधि पर नजर रखी जाएगी।"

वसिष्ठ का संकट यह है कि वह इस प्रकार का अर्थ करते समय भी इस विषय में दुविधा में ही रहते हैं। वह यह भूल नहीं पाते कि राम वसिष्ठ के नहीं, उनके शत्रु के शिष्य हैं और उसने वसिष्ठ से बदला लेने की प्रतिज्ञा कर रखी है। वह यह नहीं भूल पाते कि भरत के शासन काल में सारा आधिपत्य उनके हाथों में था और राम ने वास्तव में भरत का नहीं, उनका अपना राज्य छीना है। वह यह नहीं भूल पाते कि राम के राजत्व से केवल उनको नहीं, पूरी पुरोहित जाति को क्षति पहुँच रही है। उनका मान घट रहा है। वह यह नहीं भूल पाते कि शूद्रों को वेदपाठ का अधिकार देना भी यदि राम के वश में होता तो वह यह अधिकार दे चुके होते। यह काम वह परोक्ष रूप से विद्वान् अब्राह्मणों और शूद्रों को समादर और ऐसे गुरुओं को जो छात्रों की प्रतिभा को ही प्रधानता देते हैं जाति को नहीं,

विशेष राजवृत्ति दे कर, कर भी रहे हैं। सबसे बड़ी बात यह कि वसिष्ठ जानते हैं कि राम इस बात को अच्छी तरह जानते हैं कि कोई भी उपयुक्त बहाना या अवसर पा कर वसिष्ठ उन्हें उखाड़ फेंकने में चूक नहीं सकते। यह सब कुछ जानते हुए भी यदि वह प्रकट विरोध करना आरम्भ कर देते तो वसिष्ठ को उतना डर नहीं लगता, पर वह मुस्कराते हुए, उनके हित की चिन्ता करते हुए, उन्हें बार-बार इस बात का आभास कराने के बाद भी कि वसिष्ठ पर विश्वास नहीं करते, उनकी अनिवार्य आवश्यकताओं और सुविधाओं का पूरा ध्यान रखते हुए, उनकी सुविधाओं में कोई कमी आने पर उत्तरदायी व्यक्तियों को इसके लिए ताड़ना देते हुए, जो व्यवहार करते हैं, वह उन्हें अधिक डराता है। यह बिना कुछ किए और कहे, राम को वसिष्ठ से अधिक श्रेष्ठ व्यक्ति सिद्ध करता है और उनकी यह तुलनात्मक ख्याति वसिष्ठ के लिए सबसे बड़ा संकट है। इसके बढ़ जाने पर वह एक पागल कुत्ते की तरह जब चाहें वसिष्ठ की हत्या करा सकते हैं और उस दशा में प्रजा में विद्रोह तो दूर सुगबुगाहट तक नहीं होगी। अतः वसिष्ठ को सबसे उपयोगी और प्रभावकारी हथियार राम की अपकीर्ति का प्रसार ही दिखाई देता है।

"आप बार-बार किस चिन्ता में डूब जाते हैं।" लौटने पर पत्नी ने वसिष्ठ को गम्भीर और चिन्तातुर मनःस्थिति में देख कर पूछा।

"मैं तो तुम्हारे विषय में ही सोच रहा था। इतने विलम्ब की तो कोई बात थी नहीं।" वसिष्ठ ने बात सँवारी।

"यदि इतनी ही चिन्ता तब की होती, जब इसकी उम्र थी, तो मेरा जीवन सार्थक हो गया होता।" पत्नी ने व्यंग्य किया।

सच तो, कितने स्वच्छन्द थे वसिष्ठ! उनको दान में कुमारी दासियाँ ग्रहण करते समय यह चिन्ता ही नहीं होती थी कि उनके घर में उनकी एक पत्नी भी है। इस अस्वस्थता में, और इस अवस्था में भी, इस व्यंग्य से उनका चेहरा लाल हो गया। झेंप मिटाने के लिए कहा, "बूढ़ी हो जाने पर भी स्त्रियों की तृष्णा नहीं जाती।"

"लज्जा भी नहीं रह गई है! कोई सुन ले तो..." और ऋषिपत्नी संकोच से कक्ष से बाहर हो गई थीं।

8

कैकेयी को सीता की नियति और वसिष्ठ की व्याधि का समाचार एक साथ ही मिला। दोनों समाचार भद्र ने ही दिए। उसी से यह भी पता चला कि राम स्वयं वसिष्ठ को देखने गए थे।

तीनों सूचनाओं की प्रतिक्रिया कैकेयी के मन पर कितनी गहरी पड़ी यह तो उन्हें ही मालूम हो सकता था, पर तीनों बार उनके मुँह से एक ही शब्द फूटा था, "नहीं!"

कैकेयी और कुछ जानती हों या नहीं, उन्हें यह मालूम था कि राम सीता को जितना प्यार करते हैं, उतना प्यार किसी अन्य राजा ने अपनी पत्नी से न किया होगा। वह उन्हें जो सम्मान देते हैं, वह किसी अन्य रानी के लिए अकल्पनीय है। दूसरा राजा पत्नी के कैशोर्य पर मुग्ध होकर उसके चरणों पर बिछ सकते हैं। उसको प्रसन्न करने के लिए कोई बड़ा-से-बड़ा पागलपन कर सकते हैं। उसे पाने के लिए अपने राज्य और प्राण तक की बाजी लगा सकते हैं। पर उसके सौन्दर्य में कमी आने पर, या उससे सुन्दर कोई अन्य किशोरी दृष्टि में आ जाने पर, उसकी जैसी उपेक्षा करते हैं, वैसी उपेक्षा तो कोई किसान अपनी सूखी गाय की भी न करता होगा। उनकी दृष्टि में वे स्वयं देवता हैं, और पत्नी उनको अर्पित की जानेवाली अवगुंठित कली, जिसे विकच होने तक सिर पर, गले में, चरणों में, सर्वत्र स्थान दिया जा सकता है, और मुरझाते ही फेंक-बुहार कर मुक्ति पाई जा सकती है।

राम के लिए सीता के रूप का नहीं पत्नीत्व का महत्त्व है। सीता के लिए राम जितने आदरणीय हैं, राम के लिए सीता भी उतनी ही आदरणीय हैं। इसके बावजूद भद्र कह रहा था कि राम ने सीता को निर्वासित कर दिया। यदि यह सच है तो इसका परिणाम उन लोगों के लिए कदापि शुभ नहीं हो सकता जो राम की दृष्टि में इसके लिए उत्तरदायी होंगे। परन्तु सीता को निर्वासित करने के बाद भी राम क्या इतने व्यवस्थित रह सकते हैं? क्या भद्र की सूचना ठीक है? नया समाचार जल्द से जल्द पहुँचाने के उत्साह में कभी-कभी ये चर मात्र अनुमान के आधार पर, अपनी कल्पनाशक्ति से, चित्र-विचित्र कहानियाँ गढ़ लेते हैं। प्राप्त सूचनाओं में अपनी ओर से भी कुछ जोड़ने और छोड़ने की तो इन्हें बीमारी होती है। भद्र इसका अपवाद नहीं है, पर वह उन थोड़े से चरों में से है जो राज-सत्ता हाथ से निकल जाने के बाद भी कैकेयी के प्रति अनन्य निष्ठा रखते हैं। वह कैकेयी के लिए अपने प्राण भी संकट में डाल सकता है। परन्तु क्या यह सच है कि राम ने सीता को निर्वासित कर दिया? भद्र को शायद यह पता ही नहीं कि वह जो कुछ कह रहा है उसका अर्थ क्या है? राम जैसा व्यक्ति क्या अपनी पत्नी को भेड़ियों और लकड़बग्घों का आहार बनने के लिए, या किसी वनचर द्वारा घर्षित किए जाने के लिए, अकेली, जंगल में छोड़ सकता है? क्या इससे कहीं अधिक सम्मानजनक एक ही आघात से शिरच्छेद कर देना नहीं है?

भद्र के कथन की जो प्रतिक्रिया वसिष्ठ पर हुई थी, उसे वह देख चुका था। वह अपने भीतर-ही-भीतर यह मानता था कि सीता के वध के समाचार से आहत होने के कारण ही वसिष्ठ को मर्मशूल हुआ था। वसिष्ठ ने वध की बात सुन कर जितनी शंकाएँ व्यक्त की थीं और जितने प्रकार के प्रश्न किए थे, उनका भी उनके मन पर गहरा असर था, अतः उसने कैकेयी तक केवल उतनी ही बात पहुँचाई थी,

जिसके विषय में वह अपने को आश्वस्त कर चुका था। पर अब इसी को लेकर कैकेयी तरह-तरह के प्रश्न कर रही थीं और इसकी तुलना में वध को अधिक सुकर और तर्कसंगत मान रही थीं। नहीं, राम सीता को मृत्युदंड तो दे सकते हैं, पर निर्वासित नहीं कर सकते!

भद्र के चले जाने पर भी कैकेयी केवल इसी समस्या से जूझ रही थीं। इस समय उनके मन में किसी प्रकार का भय नहीं था। केवल जिज्ञासा थी। वह यह जान लेना चाहती हैं कि उचित लगे तो राम क्या-कुछ करने को तैयार हो सकते हैं। राम की भावी योजना क्या है, यह तो कैकेयी की समझ में नहीं आ रहा था, पर सीता के निर्वासन की बात यदि सच है तो एक बात अवश्य स्पष्ट है कि राम को अब कठोर-से-कठोर कदम उठाने से कोई रोक नहीं सकता। वह उस दुष्प्रचार को निर्मूल करने के लिए जो कुछ भी सम्भव है, करेंगे, और फिर सम्भव है, वसिष्ठ और कैकेयी के प्रति उनका निर्णय बदल जाए।

"मन्थरा!" कैकेयी ने कुछ थके हुए स्वर में पुकारा।

मन्थरा भद्र को कैकेयी के पास पहुँचा कर स्वयं कुछ दूर चली गई थी, पर इतनी ही दूर कि वह कैकेयी की गुहार पर उपस्थित हो सके। उसने वहीं से आवाज दी "आई रानी माँ!" पुकार पर उसका इस तरह उत्तर देना जरूरी था। इसी से पता चल सकता था कि वह कहीं निकट ही छिप कर आगत व्यक्ति के साथ होनेवाली बातचीत को सुन नहीं रही थी। यह भय कि किसी समय पुकार हो सकती है। और तत्काल उत्तर देने पर यह पता चल सकता है कि दासी कितनी दूरी पर जा कर प्रतीक्षा कर रही थी, दासियों पर एक तरह के अंकुश का काम करता था।

मन्थरा के उपस्थित होने पर उन्होंने कुछ झिझकते हुए पूछा, "सुमित्रा के भवन तक जा सकती हो?" पर इससे पहले कि मन्थरा कोई उत्तर दे, जाने क्या सोच कर बोलीं, "अच्छा जाने दो। तुम भरत को सूचना दो कि वह..." कैकेयी ने अपना वाक्य पूरा नहीं किया था, पर मन्थरा के लिए आदेश पूरा हो गया था। रानी माँ किसी बात को लेकर बहुत चिन्तित हो गई हैं, यह उससे छिपा नहीं रह गया था, परन्तु, जब तक वह अपनी ओर से स्वयं कुछ न कहें, तब तक उनसे कुछ पूछना भी तो उचित नहीं था।

मन्थरा आज भी कैकेयी की सबसे विश्वस्त परिचारिका है। अन्य दासियाँ आज जहाँ आज्ञापालन में विलम्ब करके, या यह जता कर कि काम उनकी क्षमता से बाहर का है, कैकेयी की उपेक्षा करती रहती हैं, मन्थरा आज भी न केवल उनके लिए कोई अप्रिय-से-अप्रिय और कष्टसाध्य-से-कष्टसाध्य काम कर सकती है, बल्कि वह उनके लिए कोई भी दंड या अपयश सहने के लिए तैयार रहती है। नहीं, ऐसा करके वह अपने ऊपर गर्व भी करती है।

सेवक और स्वामी का सम्बन्ध ही ऐसा है कि स्वामी अपने सेवक की हर काम्य वस्तु छीन कर अपने उपयोग में ले लेता है और अपने लिए असाध्य और असह्य को उसके ऊपर डाल देता है। इसी तर्क से वह उसके असाधारण कार्यों का श्रेय भी छीन और हड़प लेता है। अपने कुकर्मों का लांछन उसके सिर मढ़ देता है। जब-तब अपने ही स्वामी से, उनके द्वारा किए कुकर्मों का दंड भी भोगना होता है, जो अंग-भंग से लेकर प्राणदंड तक हो सकता है। पर ऐसा वह विवशता में ही करता है। वह जानता है कि उसके प्रतिवाद करने या किसी भी रूप में दूसरों से सच्चाई प्रकट करने पर, उसे तो दारुण यातनाएँ भोगनी ही होंगी, उसके कुल-परिवार को भी नष्ट कर दिया जाएगा।

मन्थरा की स्थिति दूसरी है। वह शुद्ध दास मूल्य-व्यवस्था की उपज है। उसकी माँ भी राजकुल में दासी थी और जैसा कि राजकुल की सुन्दर दासियों के साथ प्रायः हो जाता है, उसे भी राज-प्रसाद के रूप में मन्थरा की प्राप्ति हुई थी। कैकेयी के विवाह के बाद वह कैकेयी के साथ दासी बन कर आ गई थी। कैकेयी से वह उम्र में दस वर्ष बड़ी थी। कैकेयी की दृष्टि में वह भले दासी मात्र हो, पर अपने आप को वह कैकेयी की संरक्षिका भी समझती थी। उसकी निष्ठा का केवल यही कारण नहीं था। वह यह भी जानती थी कि एक दासी का भाग्य अभिन्न रूप से उसकी स्वामिनी से जुड़ा होता है और उसके प्रति अपना प्राण और सम्मान और सुख सभी कुछ उत्सर्ग करने को तत्पर रह कर ही वह उसके सुख, सौभाग्य और अधिकार का भागी बन जाती है।

कैकेयी ने जब मन्थरा के सम्मुख अपना आदेश एक प्रस्ताव के रूप में रखा था, 'सुमित्रा के महल तक जा सकती हो ?' तो इसका एक कारण था। जब से अन्य दासियों ने उनके आदेश पर बहाने बनाने आरम्भ किए, तब से वह उन्हें तो इस भाषा में आदेश देती ही हैं, मन्थरा को भी वह इसी भाषा में आदेश देती हैं, जिससे दूसरों को कोई अन्तर दिखाई न दे। जानते सभी हैं इसका कारण। कैकेयी भी जानती हैं कि यह बोध सभी को है कि कैकेयी अब दासों-दासियों तक की दया का पात्र बन चुकी हैं। पर सुमित्रा के यहाँ जाने में मन्थरा के संकोच का एक अन्य कारण भी था। भरत के शासन काल में वह मन्थरा को सुमित्रा से भी ऊँचा स्थान देती थीं। मन्थरा सुमित्रा की दासियों को यदि कहती कि उसे मझली माँ के दर्शन करने हैं, तो इसका अर्थ होता था कि सुमित्रा मन्थरा से मिलने उसके पास आ जाएँ। इस संकेत को सुमित्रा भी समझती थीं और उनकी दासियाँ भी। कैकेयी के ही संकेत पर तो वह इस अधिकार भरे स्वर में बात करती थी।

अपने असाधारण मोटेपन और पचास से ऊपर की अवस्था के बावजूद उसका स्वास्थ्य बुरा नहीं था। वय को देखते हुए वह सुन्दर भी कम नहीं थी। काम-काज में वह इतना अधिक मीन-मेख निकालती कि उसका हर एक काम कुछ इत्मीनान

से ही होता था। लोग इसी कारण उसे सुस्त समझते थे तो समझा करें। महाराज ने तो इसी कारण उसका नाम ही मन्थरा रख दिया था और वसिष्ठ कहते, "पूर्वजन्म में मन्थरा ब्रह्माजी की निजी परिचारिका थी। वह अभी तक उन्हीं की घड़ी से काम करती है।"

सुमित्रा के यहाँ रानी माँ क्यों भेज रही थीं, मन्थरा को? क्या सोच कर उन्होंने फिर रोक दिया? भरत का उस काम से क्या सम्बन्ध हो सकता है जिसके लिए वह सुमित्रा के यहाँ जाने को कह रही थीं। महल से बाहर जाती हुई मन्थरा यही सोच रही थी कि उसे लगा कोई उसका पीछा कर रहा है। वह रुक गई। मुड़ कर देखा तो हैरान। रानी माँ स्वयं भागती सी चली आ रही थीं, "भरत को अभी छोड़ो। तुम राजवैद्य के पास जाओ और पता लगाओ राजगुरु का स्वास्थ्य कैसा है!"

मन्थरा से रानी माँ की यह दशा देखी नहीं जाती। वह कितनी अकेली पड़ गई हैं। दासी के नाम पर वही अकेली रह गई है। राजभवन के दूसरे दास-दासी उनके अधिकार से बाहर हैं। यह सच है कि नौकर-चाकर इतने कम कर दिए गए हैं कि कौसल्या के पास भी एक से अधिक दासी नहीं है। राजकुल की सभी स्त्रियों के पास दासियाँ नहीं रह गई हैं। कुछ सामान्य सेविकाएँ हैं जिनसे वे या तो अनुरोध कर सकती हैं या अपना काम स्वयं कर सकती हैं। महल के विभिन्न खंडों में रहनेवाली विधवा राजमाताओं की संख्या दास-दासियों की कुल संख्या से अधिक लगती है। कुछ की दशा तो महाराज दशरथ के जीवन काल में भी स्वयं उनके भवन की दासियों से अच्छी नहीं थी। सच कहें तो उनमें से अनेक तो पहले दासियाँ ही रह चुकी थीं, जिन पर उनके यौवन और सौन्दर्य के कारण कभी-न-कभी महाराज की कृपा हो गई थी और फिर वे उनकी कामलिप्सा का शिकार हो कर जीवन भर के लिए वंदिनी बनकर रह गई थीं। महाराज दशरथ के जीवनकाल में इनकी सबसे बड़ी लालसा किसी न किसी पटरानी की कृपादृष्टि पाने की रहती थी।

अधिकांश महाराज की परम कृपापात्र पटरानी की कृपा अर्जित न कर पाती थीं। इनका अपना जीवन इतना विषादमय था कि इन्हें दासियों से भी ईर्ष्या होती थी और उन्हें भी प्रसन्न करने के प्रयत्न में रहती थीं। अब राजमाताओं के सम्मान के बीच दूरी कम हो जाने के कारण, उनकी पीड़ा कुछ कम हो गई थी। सबसे बड़ी बात यह थी कि अब क्लीवों-कंचुकियों का बन्धन समाप्त हो गया था और राज भवन की कोई महिला किसी विश्वसनीय व्यक्ति के साथ बाहर भी जा सकती थी, जिसके लिए वाहन आदि की भी व्यवस्था थी। इस परिवर्तन से अभी कल तक जो महिलाएँ कैकेयी का संकेत पाने पर उसके चरण दबाने को अपने लिए सौभाग्य की बात मानती थीं वे आज अपने को उनके बराबर मानने लगी थीं। यह बराबरी कैकेयी को और भी पीड़ा देती थी। आज उन्हें बाहर जाने के लिए महाराज राम से

अनुमति लेनी पड़ती है, यह सोच कर उन्हें तो पीड़ा होती ही होगी, मन्थरा स्वयं भी बेचैन हो जाती है।

यदि मन्थरा केवल दासी होती तो निश्चय ही सीधे राजवैद्य के यहाँ चली गई होती। पर वह कैकेयी की संरक्षिका भी तो है। रानी माँ जितनी विकल थीं, जिस तरह वह अपने निर्णय बदल रही थीं, और भरत को भी छोड़ राजवैद्य के पास भेज कर राजगुरु के स्वास्थ्य का समाचार जानना चाहती थीं, उसमें एक खोई हुई कड़ी थी। वह खोई हुई कड़ी ही उनकी चिन्ता का कारण बनी हुई थी, न कि राजगुरु का स्वास्थ्य। इस खोई हुई कड़ी का कोई न कोई तार सुमित्रा के महल से भी जुड़ा है, यह वह अपनी घ्राणशक्ति के बल पर समझ रही थी। अतः वह, सुमित्रा के महल के पास से गुजरते हुए, उसमें जाने के प्रलोभन को रोक नहीं पाई।

राजभवन में सपत्नियों के आपसी सम्बन्ध जैसे भी हों, एक-दूसरे की दासी का उनके यहाँ सदा स्वागत रहता था। उन्हीं के माध्यम से तो उन्हें जब तब ऐसी अन्तरंग जानकारियाँ मिलती रहती थीं जिनका अन्य कोई स्रोत हो ही नहीं सकता। वे स्वयं भी यह दिखाने के लिए कि उनकी स्वामिनी का उन पर कितना गहरा विश्वास है, कि वे उनके नितान्त निजी मामलों की भी कितनी अच्छी जानकारी रखती हैं, इस तरह की सूचनाओं का आपस में और राजपरिवार की अन्य महिलाओं के बीच प्रसार करती रहती थीं। मन्थरा भी इसका अपवाद नहीं थी। कैकेयी के निकट रहने के कारण उसका महत्त्व अन्य रानियों की तुलना में कुछ अधिक ही था। वह महत्त्व आज भी समाप्त नहीं हुआ था।

"आओ, बैठो मन्थरा। कैसे भूल पड़ीं ?" सुमित्रा ने मन्थरा को देख कर यदि प्रसन्नता प्रकट की तो यह स्वाभाविक ही था।

परन्तु मन्थरा को साँस लेने की भी फुर्सत हो तब तो बैठे। उसके लिए तो अब जीवन ही भार हो रहा है। किसी तरह प्राण पखेरु उड़ें तो चैन मिले। पर मरने से भी क्या चैन मिलेगा उसे। रानी माँ को इस तरह छोड़ कर शान्ति से मरा भी तो नहीं जाएगा, उससे। बेचारी कितनी उदास रहती हैं। वह तो मन्थरा है जो तरह-तरह की बातों से उनका मन बहलाती रहती है। उनको छोड़ कर कहीं हिलने-डुलने का समय ही नहीं मिलता। वह तो आज रानी माँ ने बाहर का एक छोटा सा काम बताया तो समय निकाल कर इधर आ गई कि मझली माँ को देखे कितना तो समय हो गया! मझली माँ का स्वभाव ही उसे बार-बार उनकी ओर खींचता रहता है, "सच मझली माँ, आपने मनुष्य का नहीं, देवी का स्वभाव पाया है। बिल्कुल देवी का। इधर से जा रही थी तो आपके पाँवों की धूलि लिए बिना कैसे आगे बढ़ जाती, सो चली आई। अब भागना होगा।"

मन्थरा किसी से यह नहीं बता सकती थी कि रानी माँ से कौन-कौन लोग मिलते हैं। रानी माँ सुमित्रा और कौसल्या के विषय में क्या कहती थीं, इसे भी वह

किसी से नहीं बता सकती थी। महाराज राम के विषय में तो रानी माँ स्वयं मन्थरा से भी बड़े सम्मान के साथ बात करती थीं। वसिष्ठ की बीमारी और उनके विषय में रानी माँ की चिन्ता में छिपानेवाली कोई बात नहीं। पर नहीं, बड़ों की बात ठहरी। जाने कौन किस बात का क्या अर्थ ले! वह तो बस इतना ही बता कर चल देगी कि रानी माँ ने जाने क्या सोच कर उसे मझली माँ के पास भेजना चाहा और न जाने क्यों फिर इस आदेश को बदल कर भरत को बुलाने को भेज दिया, फिर उसे भी स्थगित कर राजगुरु के स्वास्थ्य के बारे में जानकारी प्राप्त करने के लिए राजवैद्य के पास जाने को कहा है। अब इतनी भाग दौड़ में मन्थरा को भला एक पल को भी आराम मिल सकता है।

अपने विचारों को दासी सुलभ नम्रता और चाटुता से उसने बताना आरम्भ किया कि कोई भी स्थिति हो, रानी माँ मझली, माँ को ही क्यों इतने प्यार से याद करती हैं। सच कहें तो 'देवी' तो वही कहती हैं, मझली माँ को। "कहती हैं देख मन्थरा, मेरे मुँह से तो किसी के लिए कुछ ऊँच-नीच भी निकल जाए, पर मझली दीदी को ऊँचा बोलते कभी किसी ने सुना? महाराज तो इसीलिए कहते थे, वह सबसे बना कर रहनेवाली है, सबकी मित्र। सुमित्रा नाम तो उन्होंने ही दिया था, मझली दीदी को। अपने बच्चों तक को बाँट दिया कि लो तुम दोनों के एक-एक पुत्र हैं और मेरे दो, तो मैं दोनों को एक-एक पुत्र देती हूँ कि तुम भी दो पूतोंवाली हो जाओ।"

सुमित्रा ने कहा, "मन्थरा तू छोटी रानी के हिस्से का सारा मधु स्वयं चुरा कर खा जाती है, क्या?"

"खाना ही होगा तो चुराऊँगी क्यों मझली माँ, आपसे माँग कर नहीं खा लूँगी!" कौन लगा रहा था चोरी का आरोप मुझ पर?" मंथरा कुछ रुष्ट हो गई थी।

सुमित्रा हँसने लगीं, "अरे मैं तो तेरी बोली पर कह रही थी। तेरी बातें तो ऐसी होती हैं जैसे मधु में डुबोई हुई।"

"जब सच ही मीठा हो तो मन्थरा उसे अपनी ओर से कड़वा क्यों बनाने चली। आप के बारे में तो कोई भी ऐसा नहीं जो तनिक भी कटु बात कहे। आपके शत्रु भी नहीं।" और फिर वह जल्दी में होने के कारण तीन वाक्यों के इस रहस्य को केवल आधे घंटे में सुना कर अपने स्वाभाविक लद्धड़पन के साथ उठ कर चलने को तैयार हो गई।

मन्थरा को कुछ याद आया। वह द्वार से एक बार फिर वापस लौट आई, "मझली माँ, रानी माँ को यह पता नहीं चलना चाहिए कि मैं बीच में आपके पास आ गई थी।" और फिर वापसी में उसने अपनी चाल तेज कर दी।

सुमित्रा के जी में आया एक बार किसी बहाने से चल कर छोटी से मिल आएँ, पर यह सोच कर रुक गईं कि इससे उनके मन में यह विश्वास न भी जमे

तो भी सन्देह तो हो ही जाएगा कि इस बीच मन्थरा उनसे मिल चुकी है। किसी गोपनीय समाचार के स्रोत को तो हर प्रकार से गुप्त रखना ही होता है।

मन्थरा गलत नहीं कह रही थी। सुमित्रा को न तो किसी से ईर्ष्या है, न द्वेष। महाराज जब जीवित थे तब भी यही हाल था। उन्हें पति से कभी ऐसा अनन्य प्रेम नहीं मिला कि कोई उनसे ईर्ष्या करता, या उन्हें स्वयं इस पर अहंकार होता। उन्हें अपनी सेवा-भाव का ही विश्वास था। जितनी अकृत्रिम निष्ठा महाराज के प्रति उनके मन में थी, उतनी सम्भव है किसी के मन में न रही हो। बहुत सामान्य परिवार में जन्म हुआ था इसलिए पीहर की ओर से भी गर्व करने लायक कुछ नहीं था। स्वभाव और सौन्दर्य की पूँजी ही थी उनके पास और कई दासियों को उन्होंने कई बार यह कहते सुना था कि सौन्दर्य में उनकी समता कैकेयी भी नहीं कर सकतीं। पर इस तरह की बातों पर उन्होंने कभी ध्यान नहीं दिया था। हाँ, छोटी रानी के प्रबल अंकुश के होते हुए भी महाराज उनसे मिलने का अवसर निकाल ही लेते थे, जबकि यही सौभाग्य कौसल्या का नहीं रह गया था। यही उनके लिए बहुत था।

शिक्षा भी विशेष नहीं थी, पर इतना तो जानती ही थीं कि उनकी सन्तान को राजपद नहीं मिल सकता। यह मिलेगा तो इसके वैध अधिकारी राम को, जो सबसे बड़े हैं, अथवा छोटी रानी के पुत्र भरत को, जिनके विषय में कई तरह की कहानियाँ समय-समय पर उड़ाई जाती थीं, पर इनका स्रोत नहीं मालूम हो पाता था। इन्हीं में से एक कहानी यह थी कि महाराज ने कैकेयी के वरण के समय ही उनके भावी पुत्र को राजपद देने का वचन दे रखा था। अतः सुमित्रा ने अपने दोनों पुत्रों में से एक को राम के साथ लगा दिया था, दूसरे को भरत के साथ। स्वयं भी इन्हें दोनों भाइयों के प्रति अनन्य सेवा भाव का उपदेश देती रहती थीं। राजा कोई भी बने, उनका अपना जीवन और सम्मान तो निरापद रहे! राजकुल के अनुभवों से वह इतना तो जानती ही थीं कि सत्ताधारी व्यक्ति से स्पर्धा रखने पर, या उसकी किसी भी रूप में अवज्ञा करने पर, किसी का सपरिवार विनाश हो सकता है, जबकि अनन्य समर्पण भाव से कोई भाई, राजपद पर न रहते हुए भी, सभी प्रकार के सुख भोग सकता और अपने परिजनों को सुख और शान्ति से रख सकता है।

"राजघरानों के आधे संकट दुस्साहस से पैदा होते हैं, आधे भीरुता से", सुमित्रा बच्चों को सिखातीं और अपने जीवन में भी वह इन दोनों अतियों से बच कर रहतीं। जिन दिनों कैकेयी के आदेश के बिना पत्ता भी नहीं हिल सकता था, उन दिनों भी वह कौसल्या से मिलती-जुलती रहतीं। उन्हें आश्चर्य होता कि कैकेयी जैसी असहिष्णु स्त्री भी उनके इस व्यवहार का बुरा नहीं मानती थीं। नहीं, बुरा मानने का तो प्रश्न ही नहीं था। सच कहें तो कैकेयी स्वयं उन्हें कौसल्या के महल में जाने के लिए उत्साहित करती रहतीं, "लगता इधर बहुत दिनों से आप

बड़ी के पास नहीं गईं?" वह छेड़तीं। कौसल्या के मन की बात जानने का कोई तो उपाय होना ही चाहिए। यह जान कर कि सुमित्रा कुछ ही दिन पहले उनके पास गई थीं, वह तरह-तरह के प्रश्न करके उनका भेद जानने का प्रयत्न करतीं। पर सुमित्रा कभी कोई ऐसी बात नहीं बतातीं जिससे कौसल्या का अहित हो सकता हो।

"मैं लक्ष्मण की माँ तो हूँ, पर बड़ी दीदी भी जानती हैं कि मेरा सबसे प्यारा बेटा शत्रुघ्न ही है। शत्रुघ्न की माँ को वह क्यों बताने लगीं कोई भेद!" वह कैकेयी के टेढ़े प्रश्नों को सीधे टाल जातीं।

यह मात्र बहाना भी नहीं था। अपने मधुर स्वभाव के होते हुए भी उन्हें न तो छोटी रानी का अनन्य विश्वास प्राप्त था, न ही बड़ी रानी का। जिस माँ ने अपने दो बच्चों को दो प्रतिस्पर्धी शिविरों में बाँट रखा हो, उस पर पूरा भरोसा कर भी कौन सकता था। अतः कौसल्या भी सुमित्रा से केवल अपने उन कष्टों और उपेक्षाओं का ही रोना रोती थीं जो किसी से छिपे नहीं थे और इनको सुन कर ही कैकेयी को इतना तोष मिलता था कि वह एक ही बात को रस ले-ले कर कई बहानों से पूछतीं।

कितनी कठिन परीक्षा से गुजरना पड़ा है, सुमित्रा को! अपनी अनन्य निष्ठा प्रमाणित करने के लिए लक्ष्मण और शत्रुघ्न परछाइयों की भाँति राम और भरत से जुड़े रहते। नहीं। परछाईं तो प्रकाश बुझते ही लुप्त हो जाती है। वे तो गहन अन्धकार में ही नहीं, स्वप्न में भी इनसे जुड़े ही रहते थे! उनके संकट और कष्ट इनके संकट और कष्ट बन जाते। प्रवास हो या वनवास, माथे पर बल नहीं पड़ा सुमित्रा के। एक नट को तनी रस्सी पर चलते हुए जिस तरह का सन्तुलन बनाए रखना होता है, उससे भी कठिन सन्तुलन सुमित्रा को पूरे जीवन बनाए रखना पड़ा है—जागते समय भी और स्वप्न में भी। सतर्कता की घड़ी में भी और अनवधानता के क्षणों में भी।

जब-तब उत्तेजना के ऐसे क्षण आते कि सुमित्रा को भी लगता कि उनका संयम टूट जाएगा। लक्ष्मण राम और सीता के साथ वन को चले गए थे तो कौसल्या ने झिड़का था, "वनवास तो राम को मिला था। लक्ष्मण को तो तू रोक सकती थी, मझली! रोका क्यों नहीं?"

कैसे कहती सुमित्रा कि जिसे उसका सहज स्वभाव मान कर सभी उसकी प्रशस्ति गाते रहते थे, वह इस एक क्षण पर दुर्बल पड़ते ही पाखंड में बदल जाता और वह स्वयं ही हास्यास्पद हो जाती। शत्रुघ्न पर कैकेयी का जो विश्वास है वह भी समाप्त हो जाता और उसकी दशा दासियों से भी दयनीय हो जाती। उसने मन की पीड़ा को दबाते हुए कहा था, "लक्ष्मण ने जब आपका आदेश नहीं माना तो वह मेरी क्या सुनता, दीदी।"

इसमें एक दबा हुआ उलाहना भी था, 'यदि रोकना ही था तो यह तो आपको

स्वयं करना चाहिए था, दीदी' पर वह जानती थी कि इससे लाभ तो कुछ नहीं होगा, अपनी दुर्बलता अवश्य प्रकट होगी और दीदी को जो आघात लगेगा वह अलग से।

कौसल्या को कभी दुखी नहीं देखना चाहतीं, सुमित्रा। अपने सघन दुख में भी वह अपनी गरिमा को किस तरह बनाए रहती हैं, जबकि कैकेयी की लघुता उसके हर काम और हर बात में प्रकट होती रहती है। वह व्यंग्य करतीं, "तुम तो दीदी योगिनी हो। अपने पुत्रों तक से कोई राग-विराग नहीं। जीव-जन्तुओं में तो ऐसा होता है पर मनुष्य को तो अपनी सन्तान का मोह मरने के दिन तक बना रहता है।"

सुमित्रा पशुओं से अपनी तुलना सुन कर रोष नहीं प्रकट करतीं। हँस कर कहतीं, "अधिकांश मनुष्य पशुओं से ऊँचे नहीं होते, छोटी। कुछ के स्वभाव से तो पशुओं को भी क्लेश होता होगा।" यदि कैकेयी बुरा मानती है तो माने। अपने से बड़ों से बात करने का ढंग तो उसे आना ही चाहिए। पता नहीं कैकेयी को इतना संस्कारहीन क्यों बना दिया जाता है। पर ऊपर से वह इतनी प्रसन्न रहतीं कि कैकेयी को यह निश्चय नहीं हो पाता कि इस तरह के वाक्य का प्रयोग सुमित्रा ने अपने को और दयनीय दिखाने के लिए किया है या उस पर चोट करने के लिए।

पुरानी बात याद आने लगी है सुमित्रा को। एक बार कैकेयी ने कहा था, "मझली दीदी, आपने महाराज पर क्या वशीकरण किया है जो आपके लिए अब भी व्यग्र रहते हैं, जबकि बड़ी रानी का नाम तक नहीं लेते!"

अपनी ओर से यह बात कैकेयी ने सुमित्रा की प्रशंसा करने के लिए नहीं बल्कि कौसल्या की महाराज द्वारा घोर उपेक्षा प्रकट करने के लिए कही थी। राज परिवारों में अभिधा से अधिक व्यंजना ही समझ में आती है। यदि कोई बात सहज ढंग से कही गई हो तो भी वे उसमें से व्यंजना की खोज करके ही दम लेते हैं। अतः सुमित्रा को यह समझने में कठिनाई नहीं हुई थी कि चोट कहाँ पड़ रही है। सुमित्रा ने बात मोड़ दी थी, "छोटी, महाराज की अवस्था का भी कुछ ध्यान रखा कर। इतना सताना ठीक नहीं।"

"अवस्था का ध्यान रखते समय कैसे किया जाता है, दीदी! अब समझी महाराज क्यों..." वह खिलखिला कर हँसने लगी थी।

"तुम्हें लज्जा भी नहीं आती छोटी, ऐसी बातें करते!" सुमित्रा को स्वयं भी रस आ रहा था।

"अब छिपाइए नहीं। बता दीजिए। सुना है पुरुष इसकी भी शिक्षा लेते हैं कोठों पर जा कर। आपने कहाँ से सीख लिया, दीदी?"

भगवान ही बचाए छोटी से। उसके लिए कहीं कोई सीमा रेखा नहीं।

कैकेयी के कहने में कुछ सच्चाई भी थी। यह नहीं कि महाराज बड़ी दीदी को भूल गए थे। वह कौसल्या के विषय में सुमित्रा से प्रायः बातें करते और करते भी स्नेह और आदर से ही। अन्तिम दिनों उनके मन पर कुछ बोझ सुमित्रा को भी

दिखाई देने लगा था। वह कैकेयी के महल में जाने से कतराने लगे थे। अपने जीवन के विषय में भी वह आशंकित रहने लगे थे। वह अपनी दुर्बलता छिपाने का प्रयत्न करते तो यह और अधिक प्रकट होने लगती।

सुमित्रा के विचार स्थगित हो गए। उनके सामने महाराज की एक कातर मुद्रा इस तरह छा गई और फिर उतनी ही त्वरा से लुप्त हो गई कि सुमित्रा का सारा ध्यान उस मुद्रा को पुनः अपनी स्मृति में उतारने में लग गया। फिर जब इधर से ध्यान टूटा तो पाया कि वह जाने कब से रो रही हैं।

9

कैकेयी ने मन्थरा को पहले सुमित्रा के यहाँ भेजने का निश्चय क्यों किया था और इसे फिर बदल क्यों दिया, इसका रहस्य जानने में सुमित्रा को कुछ समय लगा। रहस्य भेदन भी मन्थरा ही आ कर कर गई थी। सुन कर सुमित्रा को विश्वास नहीं हुआ, पर वह अपने को संयत भी नहीं रख पा रही थीं। स्वयं जा कर पता करना होगा।

सुमित्रा ने इस प्रश्न को डरते-डरते ही उठाया था, "सीता का स्वास्थ्य ठीक तो है?"

प्रश्न में नया कुछ नहीं था, परन्तु स्वर में अवश्य कुछ ऐसा था जिससे कौसल्या के मन को झटका लगा था। उन्हें पहले से ही कुछ बातें अटपटी लग रही थीं। सीता के विषय में लक्ष्मण ने उन्हें जो कुछ बताया था, और जिस तरह बताया था, वही नहीं, उनके स्वर की तटस्थता तक कौसल्या को खटकी थी। लक्ष्मण सीता के विषय में नितान्त साधारण बातों को भी कुछ अतिरिक्त उत्साह से ही सुनाया करते हैं।

कहा गया था कि सीता मायके जा रही हैं, पर बिना उधर से बुलावा आए क्यों? बहू विदा करने का समय आधी रात को तो होता नहीं है, पर उन्हें आधी रात को ही और बहुत चुपके से क्यों निकलना पड़ा? जनकपुर के लिए सरयू का मार्ग छोड़ कर तमसा का मार्ग क्यों पकड़ा गया? वह तो इतनी छोटी नदी है कि आगे जाने पर पाट इतना उथला मिल जाए जिससे हो कर नाव गुजर ही न सके तो आश्चर्य की बात नहीं। यह निर्णय इतने आकस्मिक ढंग से क्यों लिया गया कि विदाई की रात से पहले किसी को इसकी गन्ध तक न मिल सके? ऐसे तमाम प्रश्न थे जो सुमित्रा के प्रश्न को सुन कर फुफकारते हुए खड़े हो गए थे, पर सबसे कठिन प्रश्न यह था कि सीता को ले कर तो लक्ष्मण ही गए थे, फिर सुमित्रा को क्यों यह मालूम नहीं कि सीता यहाँ से अपने मातृगृह के लिए विदा हो चुकी हैं? उन्होंने यह बात सुमित्रा से क्यों छिपाई होगी?

कौसल्या कोई उत्तर न दे कर सुमित्रा की आँखों में कुछ इस तरह देखने लगीं,

मानो उनमें कुछ पढ़ने का प्रयत्न कर रही हों। सीता के विषय में प्रवादों की सूचना किसी न किसी रूप में सबको मिल चुकी थी और इन्हें ले कर कौसल्या का मन भी खिन्न रहता था।

आँखों की इस भाषा की सुमित्रा पर जो प्रतिक्रिया हुई, उन्होंने अपनी गर्दन एक अपराधी की तरह जैसे झुका ली, उसे देख कर कौसल्या के मन में अनिष्ट की आशंका और प्रबल हो गई। यदि जानने को कुछ बाकी रह गया था तो यह कि अनिष्ट का रूप क्या है? क्या मार्ग में कोई दुर्घटना घटित हो गई? क्या जाते समय सीता का स्वास्थ्य बिगड़ गया था? क्या...उनकी आँखों के आगे अँधेरा छाने लगा था। अवस्था के कारण दीखता तो यूँ भी बहुत साफ नहीं है, पर इस समय तो लगा, उनकी आँखों की जोत सचमुच चली गई है।

उन्होंने अपने को कुछ सँभाला। सुमित्रा के दोनों हाथों को अपने हाथों में भींचते हुए उन्होंने कहा, "तुम कुछ छिपा रही हो। तुम कुछ कहने आई थीं और...तुम कहो। जो भी कहना है कहो। कठोर-से-कठोर बात हो तो भी। मैं सब कुछ सह लूँगी।"

सुमित्रा से बोलते नहीं बन रहा था। वह केवल कौसल्या को निहार रही थीं और अपनी पूरी शक्ति से अपने को सँभालने का प्रयत्न कर रही थीं।

"मैं सह लूँगी सुमित्रा। सह लूँगी। मैंने इतना सहा है कि अब कोई बड़ा-से-बड़ा दुख, अशुभ-से-अशुभ समाचार, मुझे दुखी नहीं कर सकता। केवल बाहर से दीखती हूँ मैं, मनुष्य जैसी। भीतर से पत्थर हो चुकी हूँ। कब की!" वह सुमित्रा को अपने दुर्बल हाथों से लगभग झिंझोड़ रही थीं। सुमित्रा को मौन देख कर कुछ देर बाद उनके हाथ ढीले पड़ गए। सुमित्रा ने जब अपना माथा उनकी छाती पर रख दिया तो उन्हें उनकी आँखों से टपकते आँसुओं के स्पर्श और हिचकियों से पता चला कि सुमित्रा फूट-फूट कर रो रही हैं।

कौसल्या रोएँगी नहीं। वह केवल सुमित्रा के सिर पर हाथ रखे बैठी थीं, आँगन के सूने विस्तार को देखती हुई।

सुमित्रा ने जब अपने को सँभाला और हिचकियों के बीच जो कुछ उन्हें सुनने में आया था, कौसल्या को सुनाया, तो कौसल्या न रोईं न तड़पीं। उनका सिर एक क्षण के लिए आवेश में तनकर अकड़ गया और फिर इसके बाद धीरे-धीरे झुकता चला गया, ग्लानि, अपमान, उपेक्षा और प्रवंचना की एक मिली-जुली अनुभूति जो चुभन नहीं पैदा करतीं, अपितु संज्ञाहीनता या निर्वेदता की स्थिति में पहुँचा देती हैं। कुछ समय बाद, जो सुमित्रा को युगों समान लगा था, उन्होंने मरी हुई आवाज में कहा, "राम ने ऐसा किया? राम ने भी!"

यह प्रश्न नहीं था। होता भी तो न तो सुमित्रा के पास इसका उत्तर था, न उत्तर देने की शक्ति।

कौसल्या की दशा देख कर सुमित्रा को डर लगने लगा था। उनकी आँखें जड़ हो गई थीं। पूरी खुली होने पर भी लग रहा था उनकी ज्योति समाप्त हो गई है। सुमित्रा ने त्रस्त भाव से नाड़ी पकड़ी। नहीं, वह जीवित थीं। नाड़ी चल रही थी। वह केवल अपने भीतर सिमट गई थीं। उनकी दृष्टि और चेतना दोनों का सम्बन्ध बाहरी संसार से कट सा गया था।

"वंदना!" सुमित्रा ने पुकारा नहीं, चीख पड़ीं।

उनकी अपनी दासी वंदना कौसल्या की दासी के साथ ड्योढ़ी में खुसर-फुसर कर रही थी। कहने को तो वे उस स्थल से हट गई थीं, जहाँ दोनों राजमाताओं की बात हो रही थी, पर वास्तव में वे इधर ही कान लगाए हुए थीं और जो कुछ उनके कान में पड़ जाता था, उसके आधार पर वे कुछ अपनी ओर से अनुमान लगा कर धीरे-धीरे टीका-टिप्पणी कर रही थीं। सुमित्रा की पुकार पर दोनों एक साथ दौड़ी आईं।

"महाराज को सूचना दो कि बड़ी माँ की दशा बिगड़ गई है। शीघ्र!" उन्होंने कहा और स्वयं कौसल्या की पीठ, छाती और हथेलियाँ सहलाने लगीं। दूसरी दासी पानी ले आई। वह कौसल्या के होंठों को भिगोने का प्रयत्न करने लगी।

कौसल्या पूरी तरह अचेत नहीं हुई थीं। उन्होंने हाथों को हिलाना चाहा पर फिर ठहर गईं। मुँह को झटके से फेर कर उस कटोरी को अलग कर दिया जिससे दासी पानी पिलाने का प्रयत्न कर रही थी। कुछ पानी उनके शरीर पर भी गिर पड़ा। दासी भी सुमित्रा के साथ शूश्रूषा का प्रयत्न करने लगी। वह बहुत तेजी से उनके पाँवों के तलवे सहला रही थी, मानो अब तक की शिथिलता की क्षतिपूर्ति करना चाहती हो।

सूचना मिलते ही राम लगभग दौड़ते हुए आए थे। राजवैद्य को तत्काल आने के लिए रथ भेज दिया था। उन्हें स्वयं भी इस बात की शंका नहीं रही होगी कि माँ की दशा इतनी बिगड़ चुकी है। कौसल्या के माथे पर हाथ फेरते हुए उन्होंने कुछ कातर स्वर में कहा, "माँ!"

कौसल्या को उनका स्वर सुनाई पड़ा भी या नहीं इसका कोई लक्षण दिखाई नहीं दे रहा था। कौसल्या जाग्रत समाधि में चली गई थीं। राम की समझ में कुछ नहीं आ रहा था। राजवैद्य के आने तक पता नहीं माँ की क्या गति हो ! गर्मी नहीं थी फिर भी उन्होंने पंखे की ओर संकेत किया, पर लाए जाने पर एक ओर रख दिया। कौसल्या का शरीर तो यूँ ही कुछ ठंडा लग रहा था।

"क्या हुआ? हुआ क्या?" उन्होंने कातर स्वर में सुमित्रा से पूछा जो इस समय भी कौसल्या की हथेलियों को धीरे-धीरे सहला रही थीं।

"माँ!" राम ने कौसल्या के कानों के कुछ निकट मुँह ले जा कर आवाज दी। तत्काल कोई प्रतिक्रिया नहीं हुई। कौसल्या इस समय अपनी चेतना की लम्बी,

वक्र और जहाँ-तहाँ अवरुद्ध सुरंग में कहीं उलझी पड़ी हैं। राम के 'माँ' सम्बोधन की अपनी लम्बी और वक्र यात्रा पूरी करके वहीं पहुँचना है। प्रश्न ध्वनि के वेग का नहीं, संचार के वेग का है। स्नायुतन्त्र के जाने किन अन्धे गलियारों में चला गया है यह शब्द और जाने किन सम्पर्क केन्द्रों से टकराने और लौटाए जाने के बाद उसे अपने सही ठिकाने पर पहुँचना है।

कौसल्या को दूर से, बहुत-बहुत दूर से, काँपती थरथराती हुई पुकार की तरह सुनाई पड़ा यह शब्द और इससे उनकी आँखों की स्वच्छता में कुछ अन्तर आया। पहली बार लगा उनकी आँखें एक जीवित मनुष्य की आँखें हैं और उनमें देखने की शक्ति अभी शेष है। उन्होंने उस दिशा की ओर पुतलियाँ घुमाईं जिधर से आवाज आई थी और राम पर दृष्टि पड़ते ही चेतना फिर गड़बड़ा गई। राम उन्हें आज इतने अजनबी और इतने दूर लग रहे थे, जितने बनवास के दिनों में भी नहीं लगते थे। उन दिनों तो उनका एक सरल, निश्छल, मातृवत्सल राम सदा उनके साथ रहता जो नाना रूपों में उनकी स्मृतियों में खेलता, भागता, छेड़ता, चीखता, तंग करता रहता था, जिसके कष्टों की कल्पनाएँ करती हुई वह उसी से चिपकी बिसूरती रहती थीं। बरसात हो रही है, इतनी तेज तो हवा चल रही है, चक्कर देती हुई! वर्षा की झड़ी लगी हुई है, जो टूटने का नाम नहीं लेती। जाने मेरा राम किस पेड़ के तले अपनी पत्नी और भाई के साथ भीगता खड़ा होगा! कितनी कड़ाके की ठंड है, हड्डियाँ तक ठंड से सिकुड़ रही हैं। बेचारे जाने किस उजाड़ में खड़े काँप रहे होंगे! उनके इन चित्रों में राम-सीता और लक्ष्मण हर बार खड़े ही दिखाई देते थे। अधिक हुआ तो ठंड में अपने आप में सिकुड़ कर काँपते हुए। खाते-पीते समय तो बार-बार हाथ बढ़ाते ही हाथ रुक जाता। पता नहीं बेचारों को कुछ खाने को मिला भी होगा या नहीं।

हाँ, बनवास के दिनों में अपने अभावों और कष्टों से जूझता राम सदा उनकी कल्पना की आँखों के सामने रहता और वह स्वयं अपनी कल्पना के पंखों के साथ उड़ कर उसके पास पहुँच जातीं। अयोध्या में रहते हुए राम से अब जितना अलगाव बना रहता था, उन दिनों तो उतना अलगाव भी नहीं था। पर आज, अयोध्या का राजा, राम, उनकी आँखों के सामने सदेह खड़ा था और उसे पहचानने में उन्हें कठिनाई हो रही थी। पास खड़ा होने पर भी वह कितनी दूर लग रहा था। हाँ, आवाज अवश्य उसी जैसी थी। उनके अपने राम की आवाज, जो अयोध्या का राजा नहीं, कौसल्या का बेटा है। पर तभी एक कौंध की तरह उन्हें लगा कि अभी जिस व्यक्ति को उन्होंने देखा था उसकी आँखें सजल थीं और माथे पर विषाद की गहरी रेखाएँ थीं और उसका मुख कुछ उसी तरह श्रीहीन था जैसे तब हो जाता था, जब किसी गहरे धर्म-संकट में पड़ कर वह कोई ऐसा काम कर बैठता था, जिससे उसको आत्मिक क्लेश होता था।

कौसल्या फिर अपने भीतर ऊभ-चूभ करने लगीं। बचपन में राम ने लक्ष्मण को एक थप्पड़ जड़ दिया था। लक्ष्मण ने कौसल्या से जब शिकायत की थी तो कौसल्या ने बुलाया था और जवाब तलब किया था तो आँखों में ठीक वही पनीलापन, माथे पर ठीक वही खिंचाव, चेहरे पर ठीक वही ग्लानि उभर आई थी जो कौसल्या की दृष्टि में एक दीप्ति की तरह अभी-अभी कौंधी थी और जिसकी एक-एक प्रभाव रेखा, एक-एक करके, उनकी संज्ञा में मूर्त होती गई थी। अपने बचाव में उसने कुछ नहीं कहा था। उसी मुद्रा में खड़ा रहा था। कौसल्या ने उसके गालों पर ताबड़-तोड़ थप्पड़ लगाए थे, पर वह चुपचाप पिटता रहा था। लक्ष्मण जब स्वयं कौसल्या के हाथों को पकड़ कर झूल गया था तब कहीं उनका हाथ रुका था, पर राम की ओर से कोई प्रतिवाद नहीं।

स्वयं लक्ष्मण ने बताया था कि उसे मार पड़ी थी तो क्यों। दोनों भाई खेलते हुए कैकेयी के महल की ओर चले गए थे। राम को देख कर कैकेयी ने कौसल्या के लिए कुछ दुर्वचन कहे थे तो लक्ष्मण ने खेल के डंडे को उठा कर उनकी ओर तान दिया था, "मार कर सर तोड़ दूँगा।" और जब कैकेयी उसे पकड़ने को झपटी थीं तो भाग खड़ा हुआ था। कैकेयी के हाथ तो नहीं लगा था, पर राम से बच कर कहाँ जाता! राम ने पकड़ कर एक तमाचा उसके गाल पर जड़ दिया था। लक्ष्मण से पूरी कहानी सुनने के बाद कौसल्या ने कहा था, "काम तो तुमने ऐसा ही किया था, बेटे। यदि कैकेयी अपने बड़ों का सम्मान करना नहीं जानतीं तो क्या तुम भी बड़ों का सम्मान नहीं करोगे?" और लक्ष्मण के मुख को अपनी दोनों हथेलियों में ले कर दुलराने लगी थीं।

कौसल्या को राम की वह आकृति कभी नहीं भूलती। उनसे पिटने से पहले जहाँ वह इतना उदास और ग्लानि से कातर लग रहा था, पिटने के बाद एकदम प्रसन्न! कौसल्या के अतिरिक्त सुमित्रा और लक्ष्मण ही थे जो इस रहस्य को समझ सकते थे। लक्ष्मण को थप्पड़ लगाते हुए वह लक्ष्मण को नहीं मार रहा था, स्वयं अपने को मार रहा था, पर अपने सबसे कोमल स्थल पर। लक्ष्मण उसका सबसे कोमल स्थल है। और कौसल्या से पिटते समय उसे लग रहा था कि उसके चोट खाए स्थल पर औषधि-लेप हो रहा है।

अभी राम का जो रूप दिखा था, वह वही तो था--कौसल्या से पिटने से पहलेवाला राम। अपने मर्म में चोट खाया हुआ राम। कौसल्या तो सोच रही थीं कि वह अब अयोध्या का राजा हो गया है। उनके लिए अजनबी बन गया है राम। नहीं, इतने वर्षों बाद भी तनिक भी तो नहीं बदला है वह। राजपद पा कर भी कहीं से तो बदला नहीं लगता उनका राम। पर आज अपने मौन से, अपनी गहन आत्मग्लानि भरी उपेक्षा से उन्होंने राम को जितनी निष्ठुरता से पीटा है, उतनी निष्ठुरता से क्या वह उसके शैशव में कभी पीटने चली थीं!

सीता को निष्कासित करने के पीछे जाने क्या तर्क हो। वह सूचना सच है भी या नहीं, यह कौन जाने, पर राम का यह विषाद कृत्रिम नहीं है, यह कौसल्या जानती हैं। उन्होंने अपनी आँखें भरपूर खोलीं और एकटक राम को देखती रहीं जो अभी तक उसी अवस्था में खड़े थे। उसी तरह चुपचाप। वह अपार वात्सल्य से उन्हें निहारती जा रही थीं और उनकी आँखें नम होती जा रही थीं। आँसुओं की एक पतली सी धार उनकी आँखों के कोनों से नीचे बही जा रही थी, "सीता को छोड़ दिया?"

राम चुप हैं। वह केवल कौसल्या को निहार रहे हैं। कौसल्या के अतिरिक्त कोई नहीं पढ़ सकता आँखों की इस भाषा को। कोई दूसरा नहीं! वह इसे राम के बचपन से ही समझती आई हैं। नहीं राम ने सीता को छोड़ा नहीं है। छोड़ने की कल्पना भी नहीं कर सकते।

"कहाँ है, बहू?" कौसल्या ने दूसरा प्रश्न किया।

"जहाँ भी हैं सकुशल हैं। मेरी आँखों के सामने हैं।" राम इससे अधिक कुछ नहीं कह सकते।

कौसल्या के तोष के लिए राम का इतना कहना ही पर्याप्त है। राम न तो उनसे झूठ बोल सकते हैं, न अतिकथन कर सकते हैं।

कौसल्या ने राम को अपने पास बैठने का संकेत किया और उनके बैठ जाने के बाद वह अपने दुर्बल हाथों से उनका माथा सहलाने लगीं—धीरे-धीरे, आशीष की मुद्रा में।

10

भरत की आँखों के रंग और पाँवों की हल्की-सी अस्थिरता से यह समझना कठिन नहीं था कि वह इस समय भी मैरेय की तरंग में हैं। बोले तो इसकी पुष्टि उनके स्वर में भी हो गई।

"माताजी कुलगुरु का कुशल-क्षेम जानने के लिए उनके आश्रम जाने की अनुमति चाहती हैं।" उन्होंने अभिवादन के बाद निवेदन किया।

भरत को सभा के शिष्टाचार का भी ध्यान नहीं रहता। वह अनुमति भी कुछ इस स्वर में माँग रहे थे मानो कोई घोषणा कर रहे हों।

राम ने संकेत से ही उन्हें विदा कर दिया और एक सभासद को आदेश दिया कि राजमाता के लिए वाहन और सुरक्षा सैनिकों की व्यवस्था कर दें। एक क्षण के लिए उनका मन भरत के व्यवहार से खिन्न हो गया था।

राम को भरत पर क्रोध नहीं आता। करुणा आती है। बचपन में भी जब दूसरे लोग भरत की उद्दंडता के लिए उसकी निन्दा करते तो राम को भरत के दुर्भाग्य पर

चिन्ता होती थी। इस बेचारे का क्या दोष जो मन्दबुद्धि तो जन्म से ही था, पर जिसे सबसे अधिक आघात अपने ही स्वजनों ने पहुँचाया है। जिसे दूध पिलाना था उसने विष पिलाया। जिन्हें ज्ञान देना था उन्होंने उसकी बुद्धि पर दया न करके उसे और विकृत बनाया। जिन्हें अनुशासित करना चाहिए था उन्होंने भय से या स्नेह के अतिरेक से उसे दुर्व्यसनी बना कर छोड़ दिया। इस पूरे चक्र में राम को यदि कोई सबसे अधिक निरीह लगता है तो भरत। इसलिए भरत पर राम को क्रोध नहीं आता। सभी जानते हैं कि राम को केवल एक ही बात की चिन्ता रहती है कि भरत के हाथों किसी का अनिष्ट न होने पाए। वर्जना और नियन्त्रण के मामले में भी वह बहुत कठोर नहीं हैं। जो व्यक्ति जलपान के समय से ही मैरेय का सेवन आरम्भ कर देता हो और इसके न मिलने पर विक्षिप्तों जैसा आचरण करने लगता हो, उसे वर्जित क्या करना! वह तो सामान्य होता ही, मैरेय पान के बाद है।

जिसे दूसरे सभी राम का दुर्भाग्य मानते थे, उसे ही राम अपना परम सौभाग्य मानते हैं। अच्छा ही हुआ राम का पालन एक राजकुमार के रूप में नहीं हुआ। उस स्थिति में क्या उनकी दशा भरत से अधिक भिन्न होती?

मन्त्रियों और पुरोहितों ने राजकुमारों के विकृत और अर्धविक्षिप्त बनाने की एक ऐसी व्यवस्थित आचार और व्यवहार संहिता का निर्माण कर रखा है जिसे लिखित रूप में कहीं नहीं पाया जा सकता पर जिसका अपवाद शायद ही देखने में आता हो। शैशवावस्था से ही स्वल्प मात्रा में मादक द्रव्य का सेवन–कुछ इस कारण कि यदि राजकुमार को किसी ने रोते देख लिया तो धाई की छुट्टी और इसलिए उसे रोने से बचाने के लिए उसका अधिक-से-अधिक समय सोने में बीतना चाहिए, कुछ धाइयों के आलस्य और कुछ मन्त्रियों के सुझाव से कि शत्रु राजा प्रायः सैन्य शक्ति के स्थान पर राजा के प्राण लेने के लिए विषकन्याओं का प्रयोग करते हैं। राजकुल में राजपद के आकांक्षी भी राजा को विष देने का प्रयत्न कर सकते हैं। इन दोनों से बचने का सबसे सरल उपाय यह है कि भावी राजा को शैशवकाल से ही विष का कुछ अभ्यस्त बना दिया जाए। इससे विष प्रयोग से सुरक्षा रहती है। विष की सुरक्षित मात्रा क्या है, और इसे कैसे देना है, इसे धाइयाँ अच्छी तरह जानती थीं। धाइयों से अधिक अच्छी तरह चिकित्सक और मन्त्री जानते थे कि विष का उपचार विष ही है–विषस्य पिषमौषधम्।

कुछ और बड़ा होने पर मद्यपान। यूँ तो सम्पन्नता व्यक्ति को दुर्व्यसनों की ओर ले ही जाती है, बड़े होने की उत्कंठा में किशोर अपने को बड़ा दिखाने के लिए सबसे पहले बड़ों की दुर्बलताओं को अपनाते हैं और उनकी वय के जो बच्चे ऐसा नहीं कर पाते उनका उपहास करते हैं। अतः यदि परिवार में कोई मद्यपान भी करता हो और मद्य की व्यवस्था हो सकती हो तो किशोर छिप कर इसका सेवन

कर ही लेते हैं। उनके ऊपर एक ही बन्धन रहता है—गुरुजनों की दृष्टि। परन्तु युवराज को किशोर वय से मद्यपान की भी छूट होती है। यदि उसे इसका अभ्यास न हो तो राजाओं और सामन्तों के साथ पानोत्सवों में पीछे हट जाना, या बेकाबू हो जाना, प्रतिष्ठा की हानि होगी और नशे में रहस्य की बातें उगल देना राज्य के हित में न होगा।

और फिर राजा को द्यूत क्रीड़ा का मर्मज्ञ होना ही चाहिए। काल यापन के लिए इससे अच्छी कोई क्रीड़ा नहीं है, पर अनाड़ी होने पर फँस कर वह राज्य की बहुत बड़ी हानि कर सकता है। उसे साहित्य-कला-संगीत में पारंगत होना चाहिए और यदि यह संभव न भी हो तो भी इनका अच्छा ज्ञान तो होना ही चाहिए, अन्यथा उसके कवि और कलाकार भी उसका उपहास करेंगे। स्वयंवर, विजय के अवसर पर उपहार या मित्र राजा द्वारा अतिथि सत्कार के रूप में उसे अनेकानेक स्त्रियाँ मिलती हैं जिनकी तुष्टि करने के लिए उसे कामकला का ज्ञान होना चाहिए और इसके लिए किशोरावस्था से ही प्रख्यात और प्रवीण वारांगनाओं से व्यावहारिक शिक्षा ग्रहण करनी चाहिए।

इस तरह यदि कोई व्यक्ति स्वयं भ्रष्ट, विलासी, सुरापी, जुआड़ी न भी होना चाहे तो भी एक युवराज के रूप में उसे शिक्षित और प्रशिक्षित करनेवाले उसे इन व्याधियों में डाल ही देते हैं।

गुरुदेव कहते, "राजा और उसके पार्षदों-मन्त्रियों के बीच एक कूटयुद्ध चलता रहता है जिसका आरम्भ भावी राजा के शैशवकाल से ही हो जाता है और जो उसके अन्तिम क्षण तक बना रहता है। यह युद्ध मैदानों में नहीं लड़ा जाता, न ही हथियारों से लड़ा जाता है। यह मन्त्रियों और पुरोहितों द्वारा राजा को अयोग्य और दुर्बल बनाकर, अपने ऊपर अधिक-से-अधिक निर्भर बनाते हुए, सत्ता का उपयोग करने और इस कुचक्र को भाँपकर इससे अपने को बचाए रखने का एक लुकाछिपी का युद्ध है।"

लोक में जो कहानियाँ कही जाती हैं उनमें राजा को प्रायः एक सिंह के रूप में दिखाया जाता है और शक्तिशाली सिंह को उसी को घेरनेवाले चालाक सियारों और लोमड़ियों द्वारा अपने स्वार्थ के लिए बलि बनते हुए दिखाया जाता है, वे इन राजाओं और उनके चाटुकारों की ही कहानियाँ हैं। इन चाटुकारों के पास अपनी कोई शक्ति नहीं होती। राजा में दम्भ और आत्मस्फीति पैदा करके ही वे अपना काम बना सकते हैं। वह राजकुमार भाग्यशाली है जिसकी माँ ने उसे धाइयों के ऊपर छोड़ कर मातृत्व का कर्तव्य पूरा नहीं मान लिया और आगे भी उसका ध्यान रखती रही। एक राजकुमार को सबसे पहले अपने चाटुकारों से अपनी रक्षा करनी चाहिए और इसका एक ही उपाय है, आत्मप्रशंसा की व्याधि से अपने को बचाना। विलासिता से दूर रहना।

बेचारा भरत एक साथ सारी व्याधियों का शिकार हो गया। बुढ़ापे की सन्तान पर पितरों का यूँ ही अतिरिक्त स्नेह रहता है और इससे उनके बिगड़ने की सम्भावना पैदा हो जाती है। कारण, उनका लाड़ गुण-दोष विवेक से शून्य होता है। बुढ़ापे की कतिपय सन्तानें मनोदुर्बल भी होती हैं। मनोदुर्बल बालकों के साथ पितरों का स्नेह स्वयं एक व्याधि का रूप ले लेता है। उनकी दुर्बलता के लिए वे स्वयं अपने को ही दोषी मानते हैं और साथ ही उसे अपने ही ऊपर पूरी तरह निर्भर पा कर वे उसे किसी तरह दुखी या असन्तुष्ट नहीं देखना चाहते। इस तरह वे उसकी मनोदुर्बलता को दूर करने के स्थान पर उसे और बढ़ाते चले जाते हैं। भरत के प्रति स्वयं महाराज का स्नेह कुछ इसी प्रकार का था। वह उसके विरुद्ध कोई दोष-अभियोग सुनने को तैयार ही नहीं होते थे।

भरत बचपन में ही उद्दंड हो गया था। ऊपर से युधाजित का प्रश्रय। राजकुल से अपना परिचय बढ़ाने को उत्सुक श्रेष्ठीपुत्रों का साथ। वह छोटी अवस्था में ही इतना उद्दंड हो गया था कि राम का भी सम्मान नहीं करता था, यद्यपि राम उसकी इन उद्दंडताओं को उसकी नासमझी मानकर इनकी उपेक्षा कर जाते थे। इस विषय में उन्होंने कभी कोई परिवाद महाराज से भी नहीं किया। माता कौसल्या से भी वह स्वयं कुछ आ कर नहीं कहते, पर जब-तब उन्हें लक्ष्मण या किसी अन्य व्यक्ति के माध्यम से वास्तविकता का पता चल जाता। जब वह उस विषय में कुछ पूछतीं तो राम या तो कोई दूसरा बहाना बना कर इसे उड़ा देते, या उसे एक नितान्त मामूली-सी घटना बता कर हँस कर टालने का प्रयत्न करते।

जब-तब उसकी बातें और कार्य इतने अतर्क्य और अकारण लगते कि सोच कर विस्मय होता। लगता कोई उसे कुछ सिखाता है। वह राम से दस वर्ष छोटा था और इसलिए किसी भी दृष्टि से उसकी समता नहीं कर सकता था, फिर भी अकारण कलह कर बैठता। यदि उसे इसके बाद मौखिक रूप में भी झिड़क दिया जाता तो वह इस तरह रोने और चीखने लगता मानो उसी पर अन्याय हुआ हो। ऐसी स्थितियों में उसे छोटा होने का लाभ भी मिल जाता।

वसिष्ठ के लिए शिक्षा का आदर्श था शास्त्रों को कंठस्थ कर जाना। भरत को वसिष्ठ से कैसी शिक्षा मिली होगी, इसकी याद आने पर उनके होंठों पर इस तनाव के क्षण में भी हँसी कौंध गई। विश्वामित्र और वसिष्ठ दोनों की शिक्षा-पद्धतियों में बहुत अन्तर था।

विश्वामित्र कहते, "शिक्षा गुरु और शिष्य दोनों के लाभ के लिए होती है, परन्तु कुछ गुरु केवल अपने लाभ के लिए ही शिक्षा देते हैं, और ऐसे गुरु मनुष्य के रूप में अपने शिष्यों को ग्रहण करते और शास्त्रमण्डित पशु बना कर विदा करते हैं।" गुरुदेव अपने विचारों को प्रायः पैनी, व्यंग्यात्मक शब्दावली में प्रकट करते हैं।

"शिष्य तो ज्ञानार्जन के लिए आता है, अतः उसके लाभ की बात तो समझ में आती है, परन्तु गुरु को क्या लाभ होता है, गुरुदेव?" राम ने प्रश्न किया था।

"शिष्य को ज्ञान प्राप्त होता है या पगहा इसे इस बात से समझा जा सकता है कि शिक्षा उसे मुक्ति देती है या बाँधती है। वह शिष्य में सोचने और समझने की क्षमता पैदा करती है, या सोचे और जाने हुए को मानने और उसी में बँध कर रहने को बाध्य करती है। किसी भी गुरु को कीर्ति, सम्मान और दक्षिणा का लाभ तो होता ही है, पर अपने छात्रों को बाँध कर रखनेवाले और ज्ञान को प्रग्रह के रूप में प्रयोग में लानेवाले गुरुओं को तो शिष्य के रूप में आजीवन दास भी मिल जाते हैं। ऐसे गुरुओं को गुरु नहीं दासविक्रयी होना चाहिए, पर दुर्भाग्य से ऐसे गुरुओं की संख्या ही अधिक है।" गुरुदेव की पहले की मुस्कराहट कातर चिन्ता का रूप ले सकती थी।

वसिष्ठ दासविक्रयी न भी सही तो दासजीवी गुरुओं में तो आते ही थे। उनकी शिक्षा-पद्धति में आख्यान को तो स्थान मिलता था, पर व्याख्या उनकी दृष्टि में पातक थी। वह अपने छात्रों को अक्षर ज्ञान से पहले ही मन्त्र कंठस्थ कराना आरम्भ कर देते थे और इस बात पर बल देते थे कि जिसने शास्त्र को रट लिया और वेद मन्त्रों का शुद्ध पाठ करना सीख लिया, वह विद्वान् हो गया। उनकी मान्यता थी कि एक मनुष्य के लिए जो कुछ भी ज्ञेय है वह सब ग्रन्थों में लिखा जा चुका है। प्राचीन ऋषियों को अपना अतीत और वर्तमान तो ज्ञात था ही उन्हें यह भी पता था कि भविष्य में क्या होनेवाला है, अतः अपनी ओर से कुछ सोचने और बदलने की आवश्यकता तो है ही नहीं, शास्त्रलिखित के विपरीत जाने पर अपराध भी हो सकता है। वसिष्ठ का दिया हुआ शास्त्रीय ज्ञान एक दुर्वह बोझ था, जिसे जीवनपर्यंत रोते-खीझते ढोते रहना पुण्य का काम था। वह कर्मकाण्ड पर इतना बल देते थे कि उनके यहाँ प्रणाम और आशीर्वाद जैसे सामान्य शिष्टाचारों और उठने, बैठने और चलने तथा हँसने जैसे सामान्य कार्यों की भी कठोर नियमावलियाँ थीं। किस वर्ण का व्यक्ति, किन-किन वर्णों को, कितनी दूरी से, कितना झुक कर, क्या कहते हुए, कितनी देर तक उसी मुद्रा में रह कर प्रणाम करेगा और दूसरा किन शब्दों में और किस मुद्रा में आशीर्वाद देगा; या दातौन किस वृक्ष की, कितनी पतली टहनी की, कितनी लम्बी होगी, उसे कितनी बार कूँचा जाएगा, दाँतों पर कितनी बार फिराया जाएगा, कितनी बार कुल्ली की जाएगी, इसके चिट्ठे को किस दिशा में, क्या कहते हुए, कितनी दूरी पर, फेंका जाएगा आदि बारीक बातों को जानना उससे भी अधिक महत्त्वपूर्ण था, जितना शास्त्रोक्त ज्ञान को कंठस्थ करना। उनकी दृष्टि में सब कुछ यज्ञ था, अतः हर क्रिया का यज्ञ के समान ही एक विस्तृत कर्मकाण्ड था, जिसमें चूक होने पर अनिष्ट हो सकता था। यदि कर्मकाण्ड का ठीक-ठीक पालन किया जाए तो दैव नियम के विपरीत भी

इच्छित फल पाया जा सकता था।

वह बड़े गर्व से कहते कि वृष्टि, अनावृष्टि, अतिवृष्टि, जन्म, मरण सब कुछ यज्ञ और मन्त्र से कराया जा सकता है। इतना ही नहीं, सन्तान में इच्छित गुण भी कर्मकांड के विधिवत पालन से उत्पन्न कराया जा सकता है। उन्होंने पाखंड को एक विकसित विज्ञान बना रखा था जिसमें वर्गों, उपवर्गों, जातियों, प्रजातियों की अनगिनत कोटियाँ थीं। इस तरह एक ही जाति के अनगिनत भेद हो जाते। ब्राह्मणों में ही वह कितने सारे भेद यज्ञविधान, शाखा, गोत्र, विश्वास आदि के अनुसार करते और फिर "जो इनमें से उपनयन करा कर रह जाता है वह व्रती, जो वेद के दो-चार मन्त्र जान लेता है वह ब्राह्मण, जो एक शाखा को याद कर लेता है वह श्रोत्रिय, एक अंग का ज्ञान पा लेता है वह अनूचान, जो कल्प का अध्ययन कर लेता है वह ऋषितुल्य, जो सूत्र और प्रवचन का अध्ययन कर लेता है वह भ्रूण, जो चारों वेदों को जान लेता है वह ऋषि होता है और जो इससे भी ऊपर चला जाता है वह देवता हो जाता है।"

अब यदि कोई चाहता है कि उसे पुत्र पैदा हो, और पैदा भी अमुक योग्यतावाला हो, तो उसे अमुक नक्षत्र में, अमुक मन्त्र पढ़ते हुए, संयम बरतना चाहिए। उसे और उसकी पत्नी को अमुक आहार, इतने दिनों तक करते हुए, अमुक वेश-भूषा आदि के साथ रहना चाहिए, अमुक रात्रि को, अमुक वेला में, अमुक मन्त्र पढ़ते हुए, लेलिहान होना चाहिए। फिर जो सन्तान होगी वह पुत्री तो हो ही नहीं सकती, पुत्र भी उन्हीं गुणोंवाला, उतनी ही शिक्षा पानेवाला होगा।

वसिष्ठ की शिक्षा-पद्धति में ज्ञान अज्ञान से भी अधिक काला और अपारदर्शी था और उनसे प्राप्त ज्ञान से मुक्ति ज्ञानान्धता से मुक्ति का पर्याय थी। पर उनमें हर कमी को पूरा करनेवाला एक ऐसा आत्मविश्वास था, जिसके सामने विश्वामित्र सचमुच बौने लगते थे। वह अपने प्रत्येक कार्य और विधान के फल का इतने आत्मविश्वास से दावा करते थे कि सुननेवाला उनके चंगुल से बच नहीं पाता था। उनके इसी आत्मविश्वास ने महाराज को अभिभूत कर दिया था। इसी के भरोसे वह एक लोकोत्तर बालक के जन्म की कामना कैकेयी से करने लगे थे जो उनकी कीर्ति चारों दिशाओं और तीनों लोकों में फैला देनेवाला था। जो पुत्र पैदा हुआ वह भरत निकला—जड़ भरत। क्या उस पर क्रोध किया जा सकता है?

राम सचमुच सौभाग्यशाली थे कि कैकेयी के मन में चिन्ता समा गई थी कि यदि वसिष्ठ ही राम के गुरु रहे तो वह अपने शिष्य को राज्य का उत्तराधिकारी बनाने का प्रयत्न करेंगे। राम और भरत दोनों को शिक्षा देने की स्थिति में भी उनका झुकाव अपने योग्य शिष्य की ओर ही होगा, अतः वह चुपके से इसका विरोध करने लगी थीं। वसिष्ठ उनके मायके से आए थे। उनसे उनका कोई परदा नहीं था। उन्हें बुलवा कर उन्होंने अपनी इच्छा प्रकट कर दी थी, "जिस तेजस्वी

पुत्र की माँ मैं आपके मन्त्र और विधान से बनी हूँ, उसके भविष्य की आपको कोई चिन्ता नहीं?" वसिष्ठ ने आश्चर्य प्रकट किया था, तो कैकेयी ने स्पष्ट कर दिया था, "राम और भरत दोनों आपके शिष्य नहीं हो सकते।"

वसिष्ठ ने अपनी सीमा पहचान ली थी। उन्होंने महाराज के सम्मुख अपनी असमर्थता प्रकट कर दी थी। किसी अन्य गुरु द्वारा दीक्षित छात्र को शिक्षा देने में उनका शास्त्र आड़े आ गया था। और "सच कहें तो इससे छात्र को भी हानि हो सकती है। उसके मन में दुचित्तापन पैदा हो जाएगा। वह कोई निर्णय कभी ले ही नहीं सकेगा। अतः इसे विश्वामित्र से भी शिक्षा मिलनी चाहिए।"

गुरुदेव को इसके लिए जिस तरह अपमानित होना पड़ा उसका शूल राम के मन में जाने कब तक बना रहेगा, पर इससे उनका अपना तो उपकार ही हुआ।

गुरुदेव ने शिक्षा आरम्भ करने से पहले हँसते हुए कहा था, "यदि इस बीच तुम वसिष्ठ से भी कुछ सीखते रहे हो तो उससे पहले तुम्हारा ज्ञान-प्रक्षालन करना होगा।"

वह हँस तो रहे थे, पर यह बात उन्होंने केवल विनोद में नहीं कही थी। राम पहले तो उनका आशय समझ ही नहीं पाए थे, अतः उन्होंने अपना विस्मय ही प्रकट किया था, "ज्ञान-प्रक्षालन?"

गुरुदेव ने राम के विस्मय का आनन्द लेते हुए कहा था, "क्यों ज्ञानियों में योग्यतानुसार स्नात, निष्णात, तीर्थ और पारंगत की श्रेणियाँ हैं, यह तो जानते हो न? यदि जल निर्मल हो और धारा प्रवहमान तो तुम स्नात, निष्णात, तीर्थ और पारंगत कुछ भी हो सकते हो, पर यदि ज्ञानकीच में पड़ जाओ तो सबसे पहले प्रक्षालन ही तो करना होगा?" वसिष्ठ के प्रति उनके मन में तीव्र कटुता न होती तो सम्भवतः गुरुदेव इस सत्य को इतने कठोर रूप में व्यक्त न करते।

कटुता की बात अलग है, पर उनके कथन में सच्चाई थी। राम को जब-तब लगता वसिष्ठ और विश्वामित्र का विरोध मात्र व्यक्तिगत कटुता के कारण नहीं है, वैचारिक अलगाव के कारण भी है। सम्भव है वसिष्ठ और विश्वामित्र की शत्रुता के मूल में भी यह अन्तर ही रहा हो। दोनों का सह अस्तित्व सम्भव ही नहीं था। इसे वसिष्ठ ने कुछ ही समय में जान लिया था। गुरुदेव हर बात में न केवल उनके विपरीत थे, अपितु अपने दृष्टिकोण को रखने में संकोच भी नहीं करते थे। वह शिक्षा के समय भी अपने विचारों को कथाशैली में, अतीत और वर्तमान घटनाओं और रीतियों-व्यवहारों का सम्बन्ध उजागर करते हुए, उनकी भिन्नताओं के कारणों और कारकों को स्पष्ट करते हुए, सामने रखते थे। उन्होंने देश-देशान्तर का भ्रमण कर रखा था और विभिन्न समाजों की रीतियों-नीतियों, विश्वासों और सांस्कृतिक विशेषताओं की तुलना करते रहते थे। उनके पास कंठस्थ कराने को बहुत अधिक नहीं था, पर दृष्टिगम्य कराने को बहुत कुछ था।

वह उन ब्राह्मणों में से थे जो अपनी प्रतिभा पर असाधारण गर्व के कारण प्रतिभा को ही श्रेष्ठता का सर्वोपरि मानदण्ड समझते थे, अतः जातिगत और जन्मगत श्रेष्ठता के न केवल आलोचक थे, अपितु इस व्यवस्था से ही घृणा करते थे जो उन्हें मलिन और गली हुई प्रतीत होती थी। कहते, "दूसरों को बाँध कर प्रसन्न होनेवाला ब्राह्मण जानता ही नहीं कि वह स्वयं उससे भी तीन गुने बन्धनों में बँधा हुआ है जिससे उसने शेष तीनों वर्णों को बाँध रखा है। ब्राह्मण स्वयं वह खूँटा है जिससे शेष तीनों वर्ण पशुओं की तरह बँधे हुए हैं और इसलिए उनमें से प्रत्येक के गले का फंदा अन्त में आ कर इसके गले में भी फँसता है। बन्धन सुदृढ़ हो, इसके लिए एक-एक के लिए तीन-तीन बार फँसता है। वे तो मात्र पशु ही बन कर रह जाते हैं, पर यह पूरी तरह जड़ खूँटा जो अपने स्थान से हिलने का नाम तक नहीं लेता।"

एक बार इसी बात को समझाते हुए उन्होंने जोरदार ठहाका लगाया था, "अरे, कभी तुमने यज्ञोपवीत के धागों पर ध्यान दिया है? इसके तीन धागों में प्रत्येक के तीन धागे पुनः तीन तारों से बने होते हैं। ब्राह्मण का यज्ञोपवीत तक उसे स्थूल मान कर प्रत्येक वर्ण की ओर से तिहरे धागों में बाँधता है। वह अपने यज्ञ को भी एक स्थूण या स्थाणु या यूप के रूप में ही देखता है। जड़। विश्वास जड़!" वह देर तक हँसते रहे थे।

उन्हें फिर अनुताप होने लगा था, "मेरी यही बात वसिष्ठ की समझ में क्यों नहीं आती? वह कहता है, मैं ब्राह्मण ही नहीं हूँ। कहता है जो यज्ञ और कर्मकांड को नहीं मानता वह ब्राह्मण कैसे हो सकता है? मुझे अपमानित करने के लिए वह मुझे क्षत्रिय कहता है। अच्छा है! यदि चिन्तन में साहस से काम लेना, पुरानी मान्यताओं और विश्वासों को परखना क्षत्रिय हो जाना है, तो मैं इसे गौरव की बात मानता हूँ। मेरे लिए जाति का कोई अर्थ नहीं।"

एक बार वह कुछ अन्तर्मुखी हो गए थे, "मैंने देश-देशान्तर के जितने भी समाज देखे, उनमें से कोई मान्यताओं का इतना दास नहीं है, जितना हमारा अपना समाज। कोई इतना विखण्डित और पंगु नहीं जितना अपना समाज। परन्तु यह भी तो सच है कि कहीं भी स्वार्थों का टकराव इतना पेचीदा नहीं है! कहीं के आचार्य और गुरु इतने पराश्रयी भी तो नहीं हैं!"

"महाराज!"

राम ने चौंक कर देखा। देखने पर लगा वह सभासद कुछ समय से इसी प्रकार अनुमति की अपेक्षा में खड़ा था और जब राम ने उधर ध्यान नहीं दिया तभी उसने मुखर सम्बोधन किया है, "महाराज किन्हीं गम्भीर विचारों में खो गए थे!"

अनवधान रहना राम की आदत नहीं पर भरत के व्यवहार ने आज उन्हें भीतर से कुछ अधिक ही उत्तेजित कर दिया होगा, "कहिए, क्या कहना है?"

"महारानी अपने साथ रक्षक सैनिक ले जाने के पक्ष में नहीं हैं। कहती हैं, आश्रम में संकट की क्या बात!"

"ठीक है! पर यह उनकी रक्षा उनके लिए ही नहीं हमारे लिए भी आवश्यक है। अतः उनकी अनुमति के बिना भी कम-से-कम दो सैनिक, असैनिक वेश में, उनको बताए बिना, उनके पीछे लगे रहें तो ठीक हो।"

11

माँ की दशा में सुधार के बाद राम की चिन्ता कम हो गई। वह उनकी देखभाल की समुचित व्यवस्था करके सन्तुष्ट हो गए। उनकी सेवा के लिए एक और दासी की व्यवस्था कर दी। लौट कर पुनः शासकीय समस्याओं में उलझ गए। चैन कहाँ है एक क्षण को भी।

कौसल्या फिर अकेली रह गईं। अभी उनकी जो चिन्ता राम से यह जान कर दूर हो गई थी कि न तो राम ने सीता का त्याग किया है, न उनसे उदासीन हैं, न ही उनके प्रति कठोर, वह एक नये रूप में उभर आई है।

सीता राजा जनक के यहाँ नहीं गईं। फिर इस समय कहाँ हैं? राम की आँखों के सामने हैं, हृदय में भी होंगी, पर सशरीर राम के पास नहीं हैं। 'सामने हैं आँखों के' यह कह कर राम क्या उन्हें अयोध्या में ही कहीं दूसरों से बचा कर रखने का संकेत दे रहे थे? सीता के लिए पृथक् और गुप्त आवास की व्यवस्था क्यों करनी पड़ी राम को? यह कोई साधारण बात नहीं है। कोई बहुत बड़ा संकट या धर्मसंकट होगा इसके पीछे। कोई उनसे कुछ बताता क्यों नहीं! यह बात भी उन्हें न तो राम ने बताई, न ही उनकी अपनी दासियों ने। पता चला सुमित्रा से। सभी उनसे कुछ छिपाने का प्रयत्न करते हैं। दिखाई अधिक तो नहीं देता पर अनेक बार उन्होंने किसी आगन्तुक के आने पर अपनी ही दासी को होंठों पर उँगली रख कर उसे बरजते देखा है। राम का ही निर्देश होगा। बहुत कुछ है जो रहस्यमय है—उन्हें छोड़ कर सभी जानते हैं उसे। उनसे ही क्यों छिपाया जा रहा है, यह सब? अवश्य कुछ अप्रिय ही होगा।

कहीं राम भी तो अपने पिताजी के चरणचिन्हों पर नहीं चलना चाहता! यदि ऐसा हुआ तो उनके जीवन भर की तपस्या व्यर्थ चली जाएगी। राम को जिस रूप में उन्होंने पाला है और जिन सपनों में ढाला है, सब व्यर्थ हो जाएगा! उनके सामने फिर अपने पुत्र राम और राजा राम के बीच का अन्तर वेधक बन कर उभर आया। उन्होंने अपनी पूरी शक्ति लगा कर इस विचार को अलग फेंक देना चाहा, पर इसमें सफल नहीं हो पा रही थीं। यदि कहीं ऐसा हुआ तो? वह कातर हो उठीं। नहीं मेरा राम ऐसा नहीं हो सकता।

"अब जी कैसा है दीदी?" सुमित्रा आज फिर आ गई थीं, कौसल्या का हाल-चाल जानने।

कौसल्या हँसीं तो उनके पोपले मुँह पर एक बालसुलभ आभा छा गई, "आओ मझली, बड़े अच्छे समय पर आई हो।" उन्होंने अपने पास बैठने का संकेत किया तो दासी एक आसनी वहीं रख गई। उन्होंने उसे छुट्टी दे दी, "अब तू जा, थोड़ा घूम-फिर ले।" कुछ देर रुकने के बाद उन्होंने सुमित्रा से पूछा, "क्यों मझली, तुझे कैसा लगता है? क्या अपना राम भी अपने पिता जैसा ही बनने जा रहा है?"

"मैं समझी नहीं।" कौसल्या सचमुच नहीं समझ पाई थीं कि बड़ी दीदी महाराज के किस गुण या दुर्गुण की बात कर रही हैं।

"समझना क्या है इसमें। अरे, महाराज ने छोटी के आने पर मुझे निर्वासित तो नहीं किया पर मेरा अपना जीवन किसी निर्वासिता से कम कष्टकर था? और राम ने..." वह वाक्य पूरा करना भूल कर इधर-उधर देखने लगीं कि दासियों में से किसी की आहट मिल भी रही है या नहीं। छुट्टी का पूरा लाभ उठाते हुए तीनों ड्योढ़ी में बैठी किसी विषय पर बातें कर रही थीं। कौसल्या को सन्तोष हुआ कि वहाँ तक उनकी आवाज नहीं पहुँचेगी पर वाक्य उन्होंने फिर भी पूरा नहीं किया।

"कैसी तुलना ले बैठीं दीदी, आप भी! राम कमल हैं, दीदी, रघुकुल के कमल।" सुमित्रा ने वाक्य पूरा किया और हठात् रुक गईं। उनके रुकने का ढंग कुछ ऐसा था जैसे किसी दौड़ते रथ को एक झटके के साथ रोका गया हो। कौसल्या का ध्यान उस सम्भावित कारण की ओर चला गया जिससे सुमित्रा रुकी थीं।

"पुत्र स्नेह में अपने कुल को ही कीचड़ मान रही हो, मझली?" कौसल्या ने एक फीकी-सी मुस्कान के साथ कहा, पर भीतर ही भीतर इस वाक्य ने उन्हें एक ऐसी तृप्ति दी जिसकी कोई तुलना नहीं हो सकती थी।

कीचड़ शब्द का अपने ही कुल के लिए प्रयोग कितना कष्टकर लगता है, पर इससे अधिक उपयुक्त उपमा और हो भी क्या सकती थी। रघुवंशियों ने और किया ही क्या है जिससे उनका मस्तक ऊँचा हो। ब्राह्मणों को प्रसन्न करके झूठी प्रशस्तियाँ बटोरने के अतिरिक्त कोई महान् कार्य किसी के नाम से जुड़ा तो दिखाई देता नहीं।

"कीचड़ नहीं, दीदी। वह तो किसी के वंश का नहीं होता। वह तो धरती का हिस्सा होता है जिसने सब कुछ अपने ऊपर और अपने भीतर धारण कर रखा है। जल भी नहीं। वह भी किसी महाविराट का ही हिस्सा है। सेवार। रघुकुल सेवार है और उसके बीच हमारे राम, कमल। यदि कभी बाद में लोग रघुकुल को याद करेंगे तो केवल इसलिए कि राम उसमें पैदा हुए थे। राम को कोई इसलिए याद नहीं करेगा कि वह रघुकुल में पैदा हुए थे।"

"सुमित्रा!" कौसल्या से अपना आह्लाद दबाया नहीं जा रहा था। उन्होंने उन्हें

सीधे उनके नाम से ही पुकारा जो बहुत उत्तेजित होने पर ही वह करती थीं, यह सुमित्रा को पता था। "सुमित्रा", उन्होंने दुहराया और अपना हाथ बढ़ा कर सुमित्रा का हाथ अपनी मुट्ठी में ले लिया। आगे किसी ने कुछ नहीं कहा। दोनों बूढ़ियाँ इसी तरह जाने कितनी देर तक बैठी रहीं।

मझली ठीक कहती है। राम की महाराज से ही क्यों, रघुवंश के किसी भी व्यक्ति से कोई तुलना सम्भव नहीं। वह आश्चर्य कर रही थीं कि मझली ने कितनी अद्‌भुत उपमा ढूँढ़ी है। कमल और सेवार। कौसल्या जानती थीं कि सुमित्रा प्रियवादिनी है और अपनी वाणी की मधुरता और चतुरता से वह किसी का मन मोह सकती है, पर आज उन्हें लग रहा था कि सुमित्रा ने यह बात मात्र कौसल्या का मन रखने के लिए नहीं कही है। यह उसके भीतर से फूटी वाणी है। यदि यह सच है तो कहाँ से संचित हुआ होगा मझली के मन में इतना विष! महाराज के व्यवहार से वह स्वयं भी कुछ कम दुखी नहीं रही होगी।

महाराज देखने में कितने प्रतापी लगते थे। उनके जवानी के दिनों के विषय में उनके असाधारण पराक्रम की कहानियाँ गढ़ ली गई थीं, परन्तु सभी कहानियाँ किसी-न-किसी स्वयंवर में अपने प्रतिस्पर्धियों को पराजित करके उपहार स्वरूप किसी नई सुन्दरी को अपने अन्तःपुर की नारी-वाहिनी में सम्मिलित करने तक सीमित रह गई थीं। किसी राजा के पास रानियों की संख्या कितनी है, यह उसके शौर्य और समृद्धि का मानदण्ड माना जाता है। सम्पन्नता का एक अन्य मानदण्ड यह है कि राजा ब्राह्मणों को कितना दान देता है। बदले में ब्राह्मण उसकी झूठी प्रशस्तियाँ गढ़ कर, उसके कदाचारों और व्यभिचारों को भी किसी-न-किसी युक्ति से गौरवमण्डित करके प्रचारित करते रहते हैं।

महाराज स्वयं भी इन चाटुताओं के वशीभूत थे। कौसल्या को लगता रहा है कि जैसे युद्ध बन्दी होते हैं जो दास बनने को बाध्य किए जाते हैं, और अपने विजेता के हर सही-गलत आदेश को मानने के नैतिक कर्तव्य से जकड़ दिए जाते हैं, उसी तरह प्रशस्तिवंदी भी होते हैं जिन्हें उनकी प्रशस्तियों से जकड़ दास की तरह अपने प्रशंसकों की प्रत्येक उचित-अनुचित इच्छा और प्रस्ताव को मानने को बाध्य कर दिया जाता है। सुमित्रा ने ठीक ही उपमा सोची है। रघुवंश की सबसे बड़ी दुर्बलता रही है प्रशस्ति-कामना। सड़ी उपमाओंवाली प्रशस्तियों के सड़ते तड़ाग-जल में दबे, स्वच्छ वायु और खुले प्रकाश के लिए अकुलाते सेवारों की तरह रहे हैं रघुवंशी राजा। राम अकेला ऐसा है जो इस प्रशस्ति-जल से ऊपर उठा दिखाई देता है। जल की पहुँच से ऊपर मस्तक उठाए वायु की तरंगों में झूमता और खुले प्रकाश को सहस्रदल हो कर पीता, अपनी निजी सुगन्ध से वातावरण को सुगन्धित करता।

महाराज विषयपरायण तो थे ही। उनके चाटुकारों ने इसे भी उनकी विरुदावली

में सम्मिलित कर लिया था। इस उन्माद में उनकी कामासक्ति ने लंपटता का रूप ले लिया था। जिस भी सुन्दर बालिका पर उनकी दृष्टि पड़ गई वह उनकी वासना का शिकार होने से बच नहीं सकती थी और फिर एक बार का भोग उसे जीवन भर के लिए राजभवन की वंदिनी बनाने के लिए पर्याप्त था। अतिसंग ने उन्हें निवीर्य और क्लीव बना दिया था।

कौसल्या ने अपनी ओर से कई बार महाराज को समझाने का प्रयत्न किया था। इसे वह कौसल्या का अपना स्वार्थ और ईर्ष्याजन्य उपदेश मान कर टाल देते थे। पत्नी की सलाह मानना उन्हें अपने पुरुषत्व का अपमान प्रतीत होता था। महाराज का कामाचार इतना बढ़ गया था कि शरीर शिथिल हो जाने के बाद भी कोई असाधारण सुंदरी दिखाई दे जाती तो उसे अपने अंतःपुर की शोभा बढ़ाने के लिए उठा ही लाते। महाराज का अहंकार वास्तविकता को स्वीकार करने को तैयार ही नहीं था और वह निपट मूढ़ों की तरह दूसरों को यह विश्वास दिलाना चाहते थे कि वह बूढ़े हुए ही नहीं हैं। उनके चाटुकारों का वश चलता तो वे महाराज को यह विश्वास दिला देते कि यदि अपनी चिता पर भी एक नई नवेली से विवाह कर लें तो वह परलोक के रास्ते में काम आएगी।

उनकी कामुकता ने ही उन्हें उस अमोघ पाश में बाँध दिया था जिससे छूटने के लिए वह आजीवन तड़पते रहे, पर छूट नहीं पाए। उल्टे वही उनकी मृत्यु का भी कारण बना।

"कहाँ खो गई हो दीदी?" सुमित्रा ने टोका तो कौसल्या एक झटके के साथ अतीत से पुनः वर्तमान में लौट आईं।

"महाराज के अन्तिम दिनों की याद आ गई थी, मझली।" कौसल्या ने कुछ झेंपते हुए कहा।

सुमित्रा के मुँह से एक करुण उच्छ्वास फूटा। कुछ देर चुप रहने के बाद सुमित्रा ने कहा, "अच्छा एक बात बताओगी, दीदी?"

"ऐसी कौन सी बात है जिसे पूछने से पहले ही तुम्हें शंका हो रही है कि मैं उसे बताने में आना-कानी करूँगी?" कौसल्या ने चुटकी ली।

"क्या तुम्हें लगता है महाराज को विष दिया गया था?" सुमित्रा ने कई बार यह प्रश्न करना चाहा था, पर कभी उनका साहस नहीं हुआ था।

"इस प्रश्न को न ही किया होता तो ठीक था, मझली! अब इतने लम्बे समय के बाद इस तरह के प्रश्नों से क्या लाभ?" कौसल्या इस प्रश्न का उत्तर देने से सचमुच बचना चाहती थीं।

"मैं इसीलिए तुमसे वचन लेना चाहती थी, दीदी। यह प्रश्न मेरे मन को बार-बार सालता रहता है।" सुमित्रा कुछ देर चुप रहीं, कुछ सोचती हुई, "पाँवों में कभी का चुभा हुआ ऐसा शूल जो निकल न पाया हो और जब-तब इतने जोर से

करक उठे कि अपने को खड़ा रख पाना कठिन हो जाए, कुछ उसी तरह।" सुमित्रा ने अपनी कसक के लिए भाषा तलाश कर ही ली।

"क्या जान लेने से कसक दूर हो जाएगी?"

"हो जाएगी। काँटा निकल जाएगा। चुभन की याद भले बनी रह जाए पर इस तरह की कसक नहीं रहेगी जैसी आशंका के कारण बार-बार होती है।" सुमित्रा ने कौसल्या की भुजा पकड़ कर कुछ मचलते हुए अनुरोध किया, "पहले पूछते हुए डरती थी। अब जब पूछ ही दिया तो तुम्हें बताना भी होगा।"

"तो सुनो सुमित्रा, महाराज ने स्वयं कहा था कि उन्हें विष दिया गया है। और यह काम धोखे से नहीं किया गया था। महाराज को बता कर कहा गया था कि वह सम्मान के साथ मरना चाहते हों तो विषपान कर लें।" कौसल्या का चेहरा क्रोध से ऐंठने लगा था।

"कहा गया था, 'अब तो आपको अपनी परमप्रिया कौसल्या को भी अपना दर्शन दे ही देना चाहिए।' और उन्हें मेरे महल में पहुँचाया गया था, पर इस चेतावनी के साथ कि 'यदि कौसल्या ने इस बात का आभास भी होने दिया कि महाराज को विष दिया गया है तो स्वयं उसी पर यह आरोप लगाया जाएगा कि पुत्र के वनवास से क्रुद्ध हो कर कौसल्या ने बदला लेने के लिए महाराज को विष दे दिया और इस अपराध के लिए उसे तो कुत्तों के सामने डाल ही दिया जाएगा, उसके वंश को भी निर्मूल कर दिया जाएगा!' और महाराज ने मुझसे वचन लिया था कि उनके मरने से पहले मैं उनके प्राणों के संकट की घोषणा नहीं करूँगी और किसी वैद्य को बुला कर उनका उपचार कराने की चेष्टा भी नहीं करूँगी।" कौसल्या काँप रही थीं। वह बैठी हुई थीं फिर भी उन्हें सहारे की आवश्यकता थी। उनके चेहरे पर पसीने की बूँदें चमकने लगी थीं। उन्होंने दोनों हाथों से अपना माथा पकड़ लिया था। उनका सिर चकरा रहा था, शायद।

सुमित्रा ने उन्हें सँभाला। वह स्वयं भी बहुत उद्विग्न हो गई थीं, पर इस समय बड़ी दीदी को सँभालना अधिक जरूरी था। उन्हें अब सचमुच खेद हो रहा था कि उन्होंने इस विषय को छेड़ा ही क्यों।

कौसल्या के कुछ शान्त हो जाने के बाद सुमित्रा ने कहा, "क्षमा करना दीदी। मैं नहीं जानती थी कि तुम्हारा विषाद इतना प्रखर हो जाएगा।"

"तुमने अच्छा ही किया मझली। मैं स्वयं भी इस रहस्य को अपने मन में रख कर अर्धविक्षिप्त-सी बनी रहती थी। मन हल्का हो गया।" कौसल्या गलत नहीं कह रही थीं। उनके शब्दों की पुष्टि उनका चेहरा भी करने लगा था।

सुमित्रा का सन्देह पुष्ट हो गया था। सन्देह सभी को था। महाराज का शव नीला पड़ गया था। उनकी आँखों की पुतलियाँ उलट-सी गई थीं जिनसे लगता था कि उनकी मृत्यु असाधारण यन्त्रणा में हुई होगी। चेहरे पर भी ऐंठन थी। आश्चर्य

सभी को केवल इस बात का था कि कौसल्या इस विषय में चुप क्यों थीं। जो लोग कौसल्या को जानते थे वे इस बात का क्षीण-से-क्षीण सन्देह नहीं कर सकते थे कि विषय प्रयोग में परोक्ष रूप से भी कौसल्या का हाथ हो सकता है। परन्तु उनका मौन? यह एक ऐसा अन्धकार था जिसके पीछे आशंका के एक हजार साँप फुफकारते हुए सुनाई पड़ते थे, पर दिखाई कुछ नहीं देता था।

कितने धीरे-धीरे पर कितनी मजबूती से और कितने योजनाबद्ध रूप में अपना पंजा कसती चली गई थी, कैकेयी! सोच कर आश्चर्य होता है सुमित्रा को, "तुम्हें क्या लगता है, दीदी, क्या कैकेयी अपनी पूरी योजना पहले से ही तैयार करके अयोध्या आई थी?" सुमित्रा का मन अब कैकेयी को 'छोटी' कहने को भी नहीं हो रहा था।

"कौन जाने। इतनी कोमल-सी, भोली-सी, पवित्रता की प्रतिमा-सी तो लगती थी, आरम्भ में सम्भव है उसको माँ ने ही सिखा दिया हो। उसके रक्त में भी रहा हो सकता है कुछ। कहते हैं, माँ ने स्वयं भी अपने पति की हत्या की थी। इन बातों को सोचते भी डर लगता है।" कौसल्या को सचमुच समझ में नहीं आ रहा था कि दोष किसे दिया जाए, "नियति ही खींच कर ले गई थी महाराज को।"

नियति! हर असाध्य या दुःसाध्य समस्या से बच कर भागने का अन्तिम चोर दरवाजा!

अभी महाराज अतिवृद्ध और अशक्त नहीं हुए थे। गन्धार और कम्बोज की ओर जाने वाले व्यापारिक सार्थों को उस क्षेत्र के असुर लूटने और सताने लगे थे। वहाँ बसे भारतीय व्यापारिक केन्द्र भी सुरक्षित नहीं थे। स्थिति स्थानीय सामन्तों की सँभाल में नहीं आ रही थी। यह स्थिति पहली बार नहीं आई थी। ऐसी स्थिति आने पर वहाँ के सामन्तों और श्रेष्ठियों की ओर से भारतीय राजाओं के पास सहायता के लिए निमन्त्रण आता था। मित्र राजाओं और सामन्तों की सहायता के लिए अपनी सेना ले कर जाना एक गौरवशाली परम्परा थी, जिसका निर्वाह न कर पाना लज्जा की ही बात मानी जाती थी। ऐसे राजा की शक्ति को भी समाप्तप्राय समझा जाता था। वास्तव में राजाओं की महानता इस बात से नहीं मापी जाती थी कि उनका राज्यविस्तार क्या है, अपितु इससे कि कितनी विशाल और जुझारू सेना के साथ ऐसे अवसरों पर सम्मिलित होते हैं। अयोध्या राज्य इस दृष्टि से बहुत विख्यात था। स्थायी सेना बहुत अधिक नहीं थी, पर राजकीय बुलावा मिलने पर राष्ट्र का प्रत्येक तरुण ऐसे अभियानों पर अपने राजा के नेतृत्व में जाने के लिए तैयार हो जाता था। महाराज रघु के समय से यह क्रम चला आ रहा था और महाराज दशरथ ने भी इसका निर्वाह किया था।

इन अभियानों पर जानेवाले सैनिकों को सामान्य प्रजा को लूटने-खसोटने की पूरी छूट तो होती ही थी श्रेष्ठियों की ओर से भी भारी पुरस्कार मिलता था। पैदल

जानेवाले घोड़ों पर सवार हो कर लौटते थे। इन्हें स्वर्ग में होनेवाला युद्ध कहा जाता था, जिनमें इन्द्र पक्ष भरतीय केन्द्रों के व्यापारियों का माना जाता था और भारत से जानेवाले सामन्त और राजा इन्हीं के पक्ष में वहाँ आतंक मचाते थे। इन अभियानों में जितनी निर्ममता से असुरों का संहार किया जाता था, उसकी याद करके वे लम्बे समय तक सिर उठाने का साहस नहीं करते थे। महाराज को ऐसे ही एक अभियान का निमन्त्रण मिला था और वह अपनी सेना के साथ गए हुए थे।

विजय के बाद लौटते समय वह अश्वपति के अतिथि बने थे। अश्वपति स्वयं भी इसी क्षेत्र के राजा थे और राजस्व से अधिक आय उन्हें घोड़ों के व्यापार से थी। गन्धार का क्षेत्र मुख्य रूप से चरागाहों से भरा था और इसकी आय का मुख्य स्रोत, भेड़ें, घोड़े और बकरियाँ थीं जिनमें से घोड़ों का निर्यात भारत के सुदूर स्थलों तक होता था। अश्वपति न केवल इस व्यापार का नियन्त्रण करते थे, अपितु उनकी प्रतिस्पर्धा में कोई अन्य व्यापारी आने का साहस करता तो उसे उजाड़ने की शक्ति भी रखते थे। इस आतिथ्य में ही दशरथ की दृष्टि उनकी किशोरी कन्या पर पड़ गई थी और जब दृष्टि पड़ ही गई तो उसे किसी भी मूल्य पर प्राप्त करना ही था।

"जानती हो मझली, अश्वपति ने जान-बूझ कर ऐसी योजना बनाई थी कि महाराज की दृष्टि उनकी रूपसी कन्या पर पड़े बिना न रहे। वह महाराज की दुर्बलता को जानते थे।" कौसल्या ने एक लम्बी चुप्पी के बाद कहा।

"दुर्बलता ही मालूम थी! यह नहीं कि उनके अन्तःपुर में सैकड़ों तरुणियाँ दासियों से भी अधिक दयनीय जीवन बिता रही थीं?" सुमित्रा ने उत्तर पाने के लिए नहीं, अपनी कटुता प्रकट करने के लिए कहा।

"मालूम थी और यही उनके मोलभाव का आधार बना था। अश्वपति प्रशासक जैसे भी रहे हों, व्यापारी बहुत अच्छे थे। वह हर वस्तु की भरपूर कीमत वसूलना जानते थे, जिसके लिए यह जानना जरूरी होता है कि कौन-सा ग्राहक किस वस्तु का सबसे अधिक मूल्य दे सकता है।" कौसल्या को अब सचमुच लगने लगा था कि कैकेयी के प्रत्येक कार्य के पीछे एक बहुत सुविचारित और पूर्वनिर्धारित योजना थी।

"अश्वपति ने तो स्वयं इतना विपुल उपहार अपनी पुत्री के विवाह पर दिया था जिसे देख कर अयोध्यावासियों की आँखें फटी जा रही थीं। उन्हें कौन-सा मूल्य वसूलना था, अपनी पुत्री का, दीदी?" सुमित्रा इतनी भोली नहीं थीं कि वह यह न समझ सकें कि दीदी का संकेत किधर है। वह आज इसे उनके ही मुँह से सुनना चाहती थीं। किसी के पेट से बातें निकलवाने की कला सुमित्रा को आती है।

"बनिया दो ही अवसरों पर तो अपनी सम्पन्नता प्रकट करता है—लड़की का ब्याह और भवन। यह उसके लिए आवश्यक है। इस अवसर पर यदि वह हाथ

तंग कर बैठा तो बाजार में उसकी साख गिर जाएगी। व्यापारी मान बैठेंगे कि अब वह भीतर से खोखला हो गया है। अश्वपति उपहार और सत्कार में कोताही क्यों करते। वह सब उन्होंने एक बनिये की तरह किया। बनिया केवल उसी का सौदा करता है जिसका सौदा वह करना चाहता है। शेष मामलों में तो वह अपनी ओर से उदारता ही दिखाता है।" कौसल्या को अश्वपति को बनिया सिद्ध करने में इतना तोष मिल रहा था कि वह आगे भी इसी बिन्दु पर चिपकी रह सकती थीं।

"वह तो ठीक है, पर सौदा किस वस्तु का किया उन्होंने?" सुमित्रा कुछ अधीर हो रही थीं।

"उनकी दृष्टि अपने निर्बाध व्यापार पर थी। 'यदि अवध के महाराज से उनकी पुत्री का विवाह हो जाता है तो इस पूरे क्षेत्र में कोई दूसरा प्रतिस्पर्धी व्यापारी पनपने नहीं पाएगा।' परन्तु उनकी पत्नी उनसे भी चालाक थी।" कौसल्या अपनी थकान मिटाने के लिए रुकीं, "उनकी दृष्टि अयोध्या के राज्य पर थी।" उन्होंने एक बार चारों ओर दृष्टि डाली और फिर आश्वस्त होकर कि कोई व्यक्ति आसपास नहीं है, कहा, "आगे की योजना उसी ने बनाई होगी।"

"आगे की योजना?" सुमित्रा ने अबोध बनते हुए जिज्ञासा प्रकट की।

"हाँ, आगे की। अयोध्या के राज्य को अपनी मुट्ठी में लेने की। अपनी पुत्री को ही इसकी सम्राज्ञी बनाने की। महाराज को प्रभावहीन करने की और प्रतिरोध की स्थिति में उनको रास्ते से हटा देने की।" कौसल्या ने लगभग फुसफुसा कर कहा।

"मैं समझी नहीं दीदी।" सुमित्रा का अबोधता का नाटक जारी था।

कौसल्या हँसने लगीं, "समझती तो मुझसे भी अधिक अच्छी तरह है। तू मुझसे समझदार भी अधिक है। पर आज जब कह रही हूँ तो सुन ही ले," उन्हें सुमित्रा पर सचमुच लाड़ आ रहा था, जैसे वह उनकी सौत नहीं, छोटी बहन हो। "उसने यह देख कर कि महाराज कैकेयी के पीछे पागल हो चुके हैं, यह शर्त रख दी थी कि अयोध्या का राज्य उसकी लड़की के लड़के को ही मिलेगा।"

"और मान लो यदि लड़का न होता तो?" सुमित्रा ने फिर छेड़ा।

"उसकी भी व्यवस्था उसी ने की होगी, यह मेरा अनुमान है।" कौसल्या ने यह अनुमान इससे पहले कभी नहीं लगाया था। यह उन्हें ठीक इसी समय सुमित्रा से बात करते हुए ही सूझा था, पर एक बार सूझ जाने पर यह अकाट्य लगने लगा था।

"तुम्हारा सिर छूकर कहती हूँ, दीदी, यह व्यवस्थावाली बात मुझे सच समझ में नहीं आ रही है।" सुमित्रा ने अपना हाथ कौसल्या के सिर पर लगा भी दिया।

"छोटी के साथ जो दासियाँ आई थीं, जो उसके अपने रक्षक सैनिक आए थे वे अयोध्या से क्यों नहीं लौटे और उन्हें महाराज का अंगरक्षक क्यों बनाया गया? पहले तो छोटी का कहना था कि उसे इस देश की भाषा समझ में नहीं आती अतः

उसका जी लगाने के लिए इन दासियों का यहीं रहना आवश्यक था। अंगरक्षक सैनिक दासियों के पति बताए गए, अतः वे यहाँ से अपनी पत्नियों के बिना कैसे लौट सकते थे?" कौसल्या ने कहना आरम्भ किया।

"फिर उसे महाराज के जीवन की चिन्ता सताने लगी। अकेले वही छोटी के जीवनाधार थे और यदि उन्हें कुछ हो गया तो उसका तो जीवन ही नष्ट हो जाएगा। अतः उसने उन्हीं दासों-दासियों को महल के बाहर और भीतर उनका अंगरक्षक बना दिया।" सुमित्रा ने बाकी कहानी स्वयं पूरी कर दी। यह बात सभी को खटकी थी।

"और उसका वह लंपट भाई युधाजित?"

"हाँ, उसका अपनी बहन के बिना जी ही नहीं लगता था।" सुमित्रा के चेहरे पर एक चमक उभर आई थी, "तुम ठीक कहती हो दीदी। उसके उपद्रव को देखते हुए उसे सेनापति के पद पर रखना तो महाराज की बहुत बड़ी अदूरदर्शिता थी। जो मात्र राजा का साला होने के कारण इतना उपद्रव कर सकता था, वह शक्तिशाली हो जाने के बाद तो संकट का मूर्तिमान रूप था।" सुमित्रा ने अपना समर्थन जताया।

"पर इन सबसे अधिक बड़ी सफलता छोटी को विश्वामित्र के स्थान पर वसिष्ठ को कुलगुरु नियुक्त कराने में मिली थी। वसिष्ठ ने अपना जादू सुनते हैं गिरिव्रज में ही कर दिया था और महाराज स्वयं ही उन्हें ससम्मान ले कर आए थे। पर उनके आने पर उन्हें कुल पुरोहित बनाया जाएगा, यह विचार महाराज के मन में निश्चय ही नहीं रहा होगा। वह विश्वामित्र का हृदय से सम्मान करते थे।" कौसल्या कुछ सोचने लगी थीं। उनके मन में कोई ऐसा विचार आ रहा था जिसे प्रकट करने में उन्हें झिझक हो रही थी। फिर इस दुविधा का एक स्थान एक निश्चय ने ले लिया।

"मुझसे महाराज को क्या क्षति हो सकती थी? पर छोटी बार-बार यह शंका प्रकट करने लगी कि मेरा राजभवन में रहना तक उचित नहीं। इससे महाराज के जीवन पर संकट आ सकता था। उसने आग्रह करके मेरे लिए अलग भवन की व्यवस्था कराई।" मन में जमी हुई कोई गाँठ आज जाने क्यों कौसल्या की अनिच्छा के बावजूद ढीली पड़ती जा रही थी, "और फिर मेरी आवश्यकता की वस्तुओं में भी कमी की जाने लगी..."

"परन्तु..."

"अभी मेरी बात पूरी कहाँ हुई!" कौसल्या ने बीच में टोक दिया। उनके स्वर में कुछ खरखराहट आ गई थी, "एक अन्तिम बाधा राम के राज्याधिकार की रह गई थी। वैध अधिकार। शास्त्रसम्मत। वसिष्ठ ने भी उसे भी दूर कर दिया। ऊपर से देखने में कितना भोला-सा प्रस्ताव कि महारानी अलग रहती हैं और कई बार

उन्हें इस बात से कष्ट हो जाता है कि उनको राजकीय भंडार से अपेक्षित वस्तुएँ नहीं मिल पातीं, अतः उनके निर्वाह के लिए यदि कुछ गाँव अलग कर दिए जाएँ तो उनको किसी तरह का कष्ट न हो। और महाराज ने एक हजार गाँव मेरे निर्वाह के लिए अलग कर दिए थे। अब यदि राम का अधिकार हो सकता था तो, वसिष्ठ के अनुसार, केवल इन्हीं हजार गाँवों पर।" कौसल्या ने सुमित्रा की ठोढ़ी को ऊपर उठाते हुए पूछा, "अब पूरी योजना समझ में आई?"

"मेरे प्रश्न का उत्तर नहीं दिया, तुमने दीदी।" सुमित्रा ने कृत्रिम रोष से कहा।

"कौन-सा प्रश्न?"

"पुत्र के अभाव में अवध का शासन अपने हाथ में लेने की कैकेयी की युक्ति?" सुमित्रा ने याद दिलाया।

"महाराज के जीवन काल में ही कैकेयी ने पूरा शासन अपने हाथ में नहीं ले लिया था क्या? कोई ऐसा निर्णय था जिसे महाराज का निर्णय कहा जा सके?" कौसल्या ने अपनी उत्तेजना को रोका, "एक निर्णय को छोड़ कर। बस एक निर्णय को छोड़ कर और उस निर्णय ने उनकी जान ले ली।" कौसल्या का स्वर हिचकियों में बदल गया था। वह रो रही थीं। बच्चों की तरह। बुढ़ापे का दैन्य उनके आँसुओं को और भी करुण बना रहा था। महाराज के प्रति उनके मन में कितना गहरा अनुराग अभी तक शेष था!

दासियाँ अवश्य कहीं से छिप कर बीच-बीच में इनकी बातें सुन रही होंगी, अन्यथा कौसल्या के सिसकने की आवाज सुन कर उनकी दासी दौड़ी नहीं चली आती, "क्या हुआ रानी माँ को? आज भी कुछ..."

कौसल्या ने अपने को सँभाल लिया, "मुझे कुछ नहीं हुआ। तू जा।" और फिर सुमित्रा की ओर मुड़ीं, "कैकेयी को पुत्र की नहीं, शासन करने के लिए एक ओट की आवश्यकता थी। वह इसे कहीं से भी ढूँढ़ सकती थी। कूड़े पर से भी। महाराज जब तक ओट बने रहे जीवित रहे। दूसरा कोई भी ओट तभी तक रह सकता था जब तक वह चाहती।"

अब उनके पास कहने को कुछ नहीं रह गया था।

12

"अब क्या होगा, आचार्य?" कैकेयी ने कुशलोपचार के बाद पहला प्रश्न किया। उनका मन भय से काँप रहा था पर वह इस पर काबू पाने का प्रयत्न भी कर रही थीं, यह बात वसिष्ठ से छिपी नहीं थी।

'अब क्या होगा?' यही आशंका तो वसिष्ठ को भी ग्रसे जा रही थी। दैन्य

और कातरता कुहासे की लहरों की तरह उनके मन को बार-बार घेर लेते हैं और आँखों के सामने एक चमकती हुई धुंध छा जाती है जिसमें छोटी से छोटी वस्तु इतनी विकराल और विशाल लगने लगती है, समतल मैदान में भी गहरी खाइयों का भ्रम होने लगता है, कि चारों ओर अपने मूर्तिमान भय के विविध रूपों के अतिरिक्त कुछ दिखाई नहीं देता। आगे बढ़ना चाहते हैं और बढ़ने का साहस नहीं होता। डर इसलिए अधिक बढ़ जाता है कि अपने निपट एकान्त में भी उन्हें लगता है कि चरों की दृष्टि किसी अज्ञात और अदृश्य कोने से उन्हीं पर टिकी हुई है। दीवारों के पीछे उन्हें सदा किसी-न-किसी व्यक्ति के कान लगाए सटे होने का भ्रम होता है। जब वह इस बात की पुष्टि कर लेते हैं कि पीछे कोई नहीं है तो भी सन्तोष नहीं हो पाता। वह उनकी आहट पा कर छिप भी तो सकता है। नहीं, जब-तब तो लगता है वह दीवारों के भीतर ही छिपा बैठा हो सकता है। उनकी इस चेतना ने कुछ दिनों से इतना उग्र रूप धारण कर लिया है कि उन्हें लगता है कि वह जो कुछ करते और कहते हैं केवल उसी का नहीं अपितु वह जो कुछ सोचते हैं उसका भी पता, जाने कैसे, राम को लग जाता है।

वसिष्ठ स्वयं भी जानते हैं कि अपराध-चेतना उग्र रूप लेने पर इस मनोदशा में पहुँचा देती है और इसलिए वह अपनी भीति को बार-बार झटक कर अलग भी कर देते हैं, पर इसमें उन्हें सफलता नहीं मिलती। उनका प्रयत्न उतना ही विफल होता है जितना अपनी हथेलियों से हवा को दूर हटाने का प्रयत्न हो सकता है। उनकी यह विवशता उनके आत्मविश्वास को और भी तोड़ देती है। उन्हें आश्चर्य इस बात पर होता है कि उनकी भीति और इससे जुड़ी आशंकाओं का रूप मूलतः एक ही रहता है और इसके बावजूद उनके अवकाश का प्रत्येक क्षण इन्हीं से जूझते हुए बीतता है। ये उनके जीवन की ऐसी ठोस सच्चाइयाँ बन चुकी हैं कि इनके सामने वास्तविकता भी भ्रम प्रतीत होती है।

कैकेयी के प्रश्न के उत्तर में वसिष्ठ ने कैकेयी पर एक कातर दृष्टि डाली। उनके होंठ खुले और फिर बंद हो गए। या तो उन्हें अपने विचारों के अनुरूप शब्द नहीं मिल रहे थे या कुछ कहने का साहस नहीं हो रहा था। कुछ देर अनिश्चय की इसी स्थिति से जूझने के बाद उनके मुँह से एक दबी हुई ध्वनि फूटी, “डर...” पर इससे आगे कुछ सुनाई नहीं पड़ा। ‘डर’ यह एक पूरी उक्ति थी। इससे आगे या पीछे कुछ भी जोड़ने से उसका अर्थ बदल जाता। इसकी मूर्ति खण्डित हो जाती। इसका उच्चारण भी कुछ इस ढंग से किया गया था कि लगा यह शब्द है ही नहीं, मात्र मुखोच्छ्वास है।

कैकेयी को इस समय वसिष्ठ एक शिकारी को देख कर दुबकने के प्रयास में अपने सिर को अपनी ही काया में धँसाते हुए आतंकित खरगोश जैसे लगे थे। उन्हें आश्चर्य हो रहा था कि क्या यह वही आचार्य हैं जिनकी वाणी के आत्मविश्वास

और जिनकी सूचना के भंडार को देख कर कैकेयी को लगता था सृष्टि से प्रलय तक कुछ भी ऐसा नहीं जो उन्हें ज्ञात न हो, अन्ध-गह्वर से लेकर मन की गुहा तक कुछ भी ऐसा नहीं जो उनकी दृष्टि में न हो और सृजन से ले कर ध्वंस तक कुछ भी ऐसा नहीं जिसे वह अपने ज्ञान, मन्त्र और संकल्प से न कर सकते हों। राम के सत्ता ग्रहण के क्षण से ले के आज तक कैकेयी कभी पूरी तरह आश्वस्त नहीं रहीं, परन्तु आचार्य की इस दशा को देख कर उन्हें लग रहा था कि ठंडी लहरें उनकी गर्दन से उठ कर मेरूरज्जु से होती हुई नीचे की ओर दौड़ रही हैं और उनके हाथ-पाँव ठण्डे होते जा रहे हैं। उन्होंने कुछ कहा नहीं, न ही कुछ पूछा। वह केवल वसिष्ठ को देख रही थीं। वसिष्ठ के चेहरे पर होनेवाले परिवर्तन उनके उच्चार की अर्थवत्ता प्रकट कर रहे थे।

वसिष्ठ को अपने सामने बैठी कैकेयी नहीं राम दिखाई दे रहे थे। एक बार उन्होंने पूछा था, "यदि किसी गुरु या ब्राह्मण की हत्या हो जाए या करनी पड़ जाए तो उसका कुछ उपचार तो आपके शास्त्रों में होगा ही, आचार्य?"

यह प्रश्न इतने अयाचित ढंग से किया गया था कि प्रश्न से अधिक इसकी प्रसंगहीनता ने वसिष्ठ को चौंका दिया था। राम ने 'आप के शास्त्रों' पर कुछ विशेष बल भी दिया था। कुछ देर तक तो वह यह स्थिर ही नहीं कर पाए थे कि इसका क्या उत्तर दें, दें भी या नहीं। उत्तर न देने का साहस नहीं था और देते हुए घबराहट हो रही थी। उन्होंने इस विषय को ही टाल जाना चाहा था, "ब्रह्महत्या केवल पातक ही नहीं है, महाराज, यह कुल घातक भी है। पूरी वंश-परम्परा का उच्छेद होते देखा गया है। अतः ऐसी स्थिति किसी भी तरह आने ही नहीं देनी चाहिए जिसमें ब्रह्महत्या करनी पड़े।"

"यह शिक्षा तो मुझे बचपन से ही मिलती आ रही है, आचार्य। माँ कहतीं, 'प्राणिवध घोर पातक है' और गुरुदेव..." राम अपना वाक्य अधूरा छोड़ कर वसिष्ठ की ओर कुछ पैनी आँखों से देखने लगे थे। 'गुरुदेव' का स्मरण करने पर रुक कर वसिष्ठ की प्रतिक्रिया पर ध्यान देना उनकी आदत बन चुकी थी। वसिष्ठ इसे तो जानते ही थे, वह इसका कारण भी जानते थे। जब-तब तो उन्हें लगता राम विश्वामित्र का उल्लेख केवल यह प्रकट करने के लिए करते हैं कि उनके सामने वह वसिष्ठ के विचारों और मान्यताओं को कोई महत्त्व देते ही नहीं।

"गुरुदेव कहते थे, ब्राह्मण या अब्राह्मण किसी भी मनुष्य की हत्या घोर निन्दनीय है और इससे बचना चाहिए।" राम ने वाक्य पूरा किया और फिर कुछ मुस्कराते हुए कहने लगे, "पर साथ ही वह यह भी कहते कि अपरिहार्य स्थितियों में गुरु और ब्राह्मण तो क्या यदि साक्षात् इन्द्र भी आ जएँ तो उनका वध किया जा सकता है। जहाँ विकल्प न हो वहाँ पातक भी नहीं लगता। पर उनके विचार तो उनके विचार हुए, आपके शास्त्रों का कथन क्या है, इसे भी तो जानना चाहिए।

जाने कब अवसर आ जाए।"

वसिष्ठ को उस दिन यह निश्चय हो गया था कि जिस व्यक्ति की ओर राम का संकेत है वह उनके अतिरिक्त कोई दूसरा नहीं हो सकता। उस रात उनकी आँख लगते ही दुःस्वप्न उन्हें घेर लेते थे और उनकी नींद टूट जाती थी। उनको स्थिरचित्त होने में कुछ समय लगा था और तब राम ने एक दूसरा प्रश्न उछाल दिया था, "जब यह कहा जाता है कि पृथ्वी, सूय, चन्द्रमा, ग्रह, नक्षत्र, यहाँ तक कि स्वयं विधाता भी मर्यादा में बँधे हैं और नियमों का उल्लंघन नहीं कर सकते तो फिर ब्राह्मण स्वयं अपने ही बनाए सामाजिक नियमों को क्यों नहीं मानते। अपने को उनसे ऊपर क्यों समझते हैं?"

"जिस रस्से से हाथी को बाँधा जाता है उसी से बकरी को तो नहीं बाँधते, राजन्। मनुष्यों के लिए बने नियम देवताओं पर कैसे घटित हो सकते हैं।" ब्राह्मण आकृति मात्र से मनुष्य होता है पर वह है तो साक्षात् देवता। पृथ्वी पर आने पर तो भगवान को भी मनुष्य रूप धारण करना होता है। यही ब्राह्मण की बाध्यता है अन्यथा वह तो अग्नि का रूप है। आहुताद है वह। जैसे देवताओं का भाग अग्नि में डाल कर देवताओं तक पहुँचाया जाता है वैसे ही ब्राह्मण के मुख में पहुँच कर भी वह देवों, पितरों और पुण्यकोशों में पहुँचता है। नियमबाह्य तो ब्राह्मण रहेगा ही।" वसिष्ठ को उस दिन राम के उस आक्षेप का जवाब देने का अच्छा अवसर मिल गया था जिसमें उन्होंने कहा था कि दंडमुक्ति के कारण ही ब्राह्मण आततायी हो कर राक्षस बन जाते हैं।

"तो आप भी ब्राह्मणों को मनुष्येतर कोटि में रखते हैं?" राम हँसने लगे थे। वसिष्ठ को यह आशा नहीं थी कि उनके इतने सारगर्भित भाषण के बाद राम देवतुल्य ब्राह्मणों के लिए 'मनुष्येतर' शब्द का प्रयोग करके उनकी सारी गरिमा ही समाप्त कर देंगे।

वसिष्ठ को अकेला पा कर ही राम इस तरह के प्रश्न विशेष रूप से क्यों पूछ बैठते हैं?

"आप कुछ कहने जा रहे थे, आचार्य।" कुछ देर प्रतीक्षा करने के बाद कैकेयी ने छेड़ दिया था।

"कुछ घुटन-सी हो रही है।" वसिष्ठ ने कहा और अपनी कमजोरी के बावजूद उठ कर खड़े हो गए और धीरे-धीरे द्वार की ओर बढ़ने लगे। कैकेयी उनके साथ हो लीं। वहाँ बैठे रहने की कोई तुक नहीं थी और आचार्य को इस तरह अकेले जाने देना भी ठीक नहीं था। यदि उनके पाँव लड़खड़ा गए तो उन्हें सँभालेगा कौन? उन्होंने गुरुपत्नी को पुकारा, "माताजी!"

अरुंधती की अवस्था कैकेयी से कुछ कम ही होगी पर ब्राह्मण की पत्नी समवयस्क होने पर भी माताजी तो हुईं ही। ब्राह्मण आदरणीय होता है और आदर

में वह पिता नहीं पिता के भी पिता के बराबर होता है, भले अभी बोलना भी न जानता हो। वह बाबा पैदा होता है, बाबा बन कर जीता है, और बाबा रहते ही मर जाता है। और ब्राह्मणी दूसरों के लिए माता बन कर ही जन्म लेती है।

गुरुपत्नी उपस्थित हो गईं। उन्होंने वसिष्ठ को सहारा देना चाहा पर उन्होंने इसकी आवश्यकता नहीं समझी। धीरे-धीरे वह अपने भवन से आगे निकल आए और वज्रकूट के उस चबूतरे के पास आ कर, उसका एक सिरा पकड़ कर, बैठ गए। गुरुपत्नी को अब ध्यान आया कि उन्हें मृगचर्म ले कर ही आना चाहिए था। वह भीतर गईं और मृगचर्म के साथ एक कुशासनी भी लेती आईं। बिछाकर कैकेयी की ओर मुड़ते हुए उन्होंने कहा, "बैठो बेटी।" माताजी के अधूरे दायित्व में यदि कोई कमी रह गई थी, तो वह भी पूरी हो गई। वह स्वयं चली गईं। वसिष्ठ का आदेश था कि, पुरुष हो या स्त्री, किसी भी अन्य व्यक्ति की उपस्थिति में वह उनसे दूर रहा करें और इस बात का भी ध्यान रखा करें कि कहीं कोई छिप कर उनकी बातें सुन तो नहीं रहा है।

वसिष्ठ सूने-से-सूने आवास को भी मन्त्रणा के उपयुक्त नहीं समझते। मन्त्रणा के लिए वह खुले मैदान को अधिक पसन्द करते हैं। यदि स्थान घिरा हुआ हो तो वह अपर व्यक्ति से सूचनाएँ तो ले लेंगे पर अपनी ओर से एक-दो अस्पष्ट शब्दों से अधिक कुछ नहीं कहेंगे। इन शब्दों का भी चुनाव कुछ ऐसा होगा कि उनका दुहरा अर्थ निकले। धीरे से फुसफुसा कर बात करने को वह दोष मानते हैं। गोपनीय विषय पर बात करते समय भी बैठने की मुद्रा, अपर व्यक्ति से दूरी और स्वर सर्वथा स्वाभाविक होना चाहिए जिससे दूर से देखनेवाले को लगे कि किसी सामान्य विषय पर चर्चा हो रही है। वह कौए की तरह इधर-उधर गर्दन घुमा कर देखते हुए बात करने को भी गुप्तिदोष मानते हैं। यदि अपर व्यक्ति सामने बैठा हो तो पुतलियों को तनिक-सा घुमा कर देख लेना या यदि गर्दन घुमानी ही हो तो स्वाभाविक बातचीत के क्रम में जिस तरह घूम जाती हैं उस तरह घुमाना ही ठीक है।

आसन ग्रहण करने के बाद वसिष्ठ ने अपनी आँखें मूँद लीं मानो ध्यान में लीन हो गए हों। उनके दोनों हाथ जुड़े और माथे से लग गए। सिर आकाश की ओर तना और फिर एक दीर्घ निःश्वास के साथ गर्दन झुकी और दोनों हाथ घुटनों पर आ टिके। उन्होंने एक दृष्टि अपने उद्यान की ओर घुमाई और कुछ खिन्न स्वर में बोले, "सब कुछ कितना बदला हुआ लगता है।"

इस वाक्य में एक हल्का-सा पश्चात्ताप था, पर यह पश्चात्ताप प्रकट करने से अधिक सामान्य होने के प्रयत्न में कहा गया एक वाक्य था। यूँ बदल तो सब कुछ गया ही था। मालियों की संख्या घट जाने के कारण उद्यान की शोभा ही नहीं घट गई थी, राजकीय उदासीनता से इसकी गरिमा भी समाप्त हो गई थी। कभी इसी

आश्रम में भोर से ले कर संध्या तक लोगों की भीड़ लगी रहती थी और राजकीय निर्णय तक प्रायः यहीं लिए जाते थे।

"आप डर..." कैकेयी ने पुनः उकसाया।

"मुझे अब डर लगने लगा है, राजमाता। राम से नहीं...राम से उतना नहीं।" उन्होंने अपना वाक्य सुधारा, "राम के भीतर बैठे विश्वामित्र से। राम हँसते हैं, व्यंग्योक्तियाँ करते हैं तो मुझे अक्सर लगता है यह उनकी नहीं, विश्वामित्र की हँसी है, उनकी व्यंग्योक्ति है। वह अपना प्रतिशोध लेना चाहते हैं, अब।" सहसा उनकी गर्दन में जोर की खुजली महसूस होने लगी थी और उनका बायाँ हाथ उस पर पहुँच भी गया था।

"सच कहो तो मुझे अपने आप से भी डर लगने लगा है। जैसे कोई आरे से लकड़ी को चीरे उसी तरह, लगता है, मेरे संशय मुझे चीर रहे हैं, मेरे मस्तिष्क को। मन टिकता ही नहीं किसी बात पर। लगता है, मैं स्वयं अपना साथ नहीं दे पा रहा हूँ।" वह कुछ इस तरह बोल रहे थे मानो जो कुछ कह रहे हों उस पर स्वयं उन्हें भी विश्वास न हो, पर साथ ही जिसके पीछे कोई बनावट या दूसरे किसी को भ्रम में रखने का प्रयत्न भी न हो। उनकी यह आत्मस्वीकृति किसी ऐसे व्यक्ति को विस्मय में डाल सकती थी, जो वसिष्ठ को पहले से जानता रहा हो, और इसलिए कैकेयी को उनकी बातों पर एक साथ आश्चर्य और अविश्वास दोनों हो रहा था।

"मुझे लगता है..." यह वाक्यांश उनके मुँह से यूँ ही निकल आया था, जिसके आगे उन्हें क्या कहना है, यह उनकी समझ में नहीं आ रहा था। कुछ देर सोचने के बाद उन्होंने इसे एक प्रश्न में बदल दिया, "जानती हैं। कैसा लगता है मुझे?...लगता है मैं जो कुछ सोचता हूँ उसका प्रतिवाद करनेवाला, जो कुछ गढ़ता हूँ उसे मिटानेवाला, जिसे मिटाना चाहता हूँ उसे बचानेवाला, मैं जो कुछ भी करता या करना चाहता हूँ उससे ठीक उल्टा करने और चाहनेवाला, कोई इतर मुझमें ही दुबक कर बैठा है, और वह मुझसे अधिक सक्रिय, अधिक सक्षम और अधिक अप्रमाद है। उसका एक ही लक्ष्य है। मुझे नष्ट करना। यह वही है जो मेरे गूढ़ रहस्यों को भी महाराज तक पहुँचा देता है। मेरे ही मुख से ऐसे अटपटे और अयाचित प्रश्नों या समाधानों के रूप में जिनसे किसी को मेरे मन के गहन अँधेरे में भी देखने की खिड़की मिल जाए। जब-तब मैं स्वयं आश्चर्यचकित रह जाता हूँ, इसकी कूट योजनाओं पर।" वसिष्ठ की इस दशा पर तरस तो खाया जा सकता था, पर अविश्वास नहीं किया जा सकता था। उनकी समझ में सचमुच यह नहीं आता था कि अपनी ओर से कई बार यह निश्चय करने के बाद भी अब भविष्य में वह कभी राम के सम्मुख यज्ञ, दान, ब्राह्मण-सत्कार आदि का न तो कोई प्रस्ताव रखेंगे, न ही उनके किसी प्रस्ताव का प्रकट विरोध करेंगे, वह ठीक उस अवसर पर असावधान हो जाते थे, जब उनको सबसे अधिक सावधान रहना चाहिए था, और

अपना अपमान करा बैठते थे। वह जानते हैं कि अपने अतीत कृत्यों को देखते हुए वह न तो राम का विश्वास अर्जित कर सकते हैं, न ही यथेष्ट सम्मान, पर वह अपनी ओर से यह दिखाने को क्यों लालायित हो जाते हैं कि वह महाराज के सबसे बड़े हितैषी हैं।

कैकेयी वसिष्ठ के स्वास्थ्य के विषय में कुछ आश्वस्त होने के बाद ही आई थीं। वह रुग्ण वसिष्ठ से मिलने नहीं आई थीं, न ही डरे हुए वसिष्ठ से सहानुभूति प्रकट करने आई थीं। वह इस वसिष्ठ को अभी तक जानती ही नहीं थीं। वह तो उस वसिष्ठ से मिलने आई थीं जो योजनाएँ बनाता है, युक्तियाँ सुझाता है, रणनीति तैयार करता है और पूरे जीवट से लड़ता है और चोट खाकर भी रोता नहीं, अपितु नए हथियार उठा कर लड़ने को तैयार हो जाता है। वसिष्ठ ने कैकेयी को निराश कर दिया, "आपको किससे डर लगता है आचार्य, यह तो आप ही जानें, पर आपकी इन बातों से मुझे अवश्य डर लगने लगा है। दूसरे सभी तो मेरा साथ छोड़ ही गए, लगता है आप भी छोड़ने का बहाना ढूँढ़ रहे हैं।" कैकेयी कह तो गईं, पर उनका अपना वाक्य ही उनके हृदय में एक गर्म सलाख की तरह चुभ गया। वह न केवल अपनी असहायता का उद्घोष कर रही थीं, अपितु वसिष्ठ जैसे अनन्य हितैषी और सहभागी के ऊपर एक गम्भीर आरोप भी लगा रही थीं, और वह भी यह जानते हुए कि आरोपों और अभियोगों से किसी को पाया नहीं जा सकता, गँवाया अवश्य जा सकता है।

वसिष्ठ न तो कैकेयी पर क्रुद्ध हुए, न ही रुष्ट। वह सम्भवतः इससे भी अधिक तीखी प्रतिक्रिया के लिये तैयार थे। उनका स्वर अनुद्विग्न था, "राजमाता का साथ तो मैं जीवनपर्यंत नहीं छोड़ूँगा, पर अपना साथ दे पाऊँगा या नहीं, यही समझ में नहीं आ रहा।"

वह भीतर से अवश्य बहुत आहत हुए थे। उन्हें अपने को सँभालने के लिए आयास करना पड़ रहा था, "जीवन की सबसे बड़ी विडम्बना जानती हैं, राजमाता, क्या है?" उन्होंने कैकेयी की आँखों में अपनी आँखें गड़ाते हुए कहा, "इसकी सबसे बड़ी विडम्बना यह है कि यह दुबारा जिया नहीं जा सकता। हर व्यक्ति अपने चौथेपन में आ कर यह सोचने को बाध्य होता ही है कि यदि उसे एक बार पुनः जीने का अवसर मिल जाता तो वह उन भूलों से अवश्य बचता जो उससे हुईं। पर यह बीता हुआ जीवन हमें अपने सुधार का कोई अवसर नहीं देता। वह हमारे ऊपर हँसता तक नहीं, हमारी ओर लौट कर देखता तक नहीं। यह हमें सीधे नकार देता है।"

वसिष्ठ कहना क्या चाहते हैं? कैकेयी के मन में व्यग्रता-सी पैदा होने लगी, वसिष्ठ के इस पलायनवादी स्वर से, "क्या आपको भरत का पक्ष लेने पर पछतावा है आचार्य?"

वसिष्ठ ने चौंका दिया कैकेयी को, "भरत का पक्ष मैंने कभी लिया ही नहीं, राजमाता, उसका पछतावा क्यों होने लगा। मैंने तो सदा अपना पक्ष लिया। पछतावा है तो इस बात का कि मैंने राम के महत्त्व को हर बार बहुत कम आँका और अपने विरोधी के हाथ में इतना बड़ा हथियार दे दिया। उसे राज्यवंचित और निष्कासित करने में सफलता मिली थी तो भरत के राज्य को अकंटक बनाने का काम डरते हुए और अधूरे मन से किया, अन्यथा न राम का जीवन होता, न पुनरागमन और न हमारा यह निरादर। मुझे राम की उपेक्षा की उतनी पीड़ा नहीं है, जितनी इस बात की कि विश्वामित्र ने मुझे अन्ततः पराजित कर ही दिया और वह राम के माध्यम से अपने एक-एक अपमान का बदला तिल-तिल कर वसूलने जा रहे हैं।"

कैकेयी चिन्ता के एक गहरे जमकातर में डूबते-डूबते न केवल ऊपर, बल्कि, एक झटके के साथ, किनारे भी आ लगी थीं, "विश्वामित्र आपको मात नहीं दे सकते, आचार्य। आपकी प्रतिभा के सामने मुझे वह बौने दिखाई देते हैं। यह सच है कि पासे का एक हाथ उनके पक्ष में चला गया है, पर यह तो एक लम्बा खेल है। इसे पूरी शक्ति और सूझ से, अन्तिम साँस तक, जीतने का प्रयत्न करना होगा। बस।"

"अन्तिम साँस तक" वसिष्ठ को स्खलक्षर जैसा लगा। उन्होंने दुहराया, "अन्तिम साँस तक तो लड़ना ही है। खेलना नहीं, लड़ना। जीवन-मृत्यु का द्वन्द्व।" उन्हें हठात् राम का वह प्रश्न याद आ गया जो प्रश्न से अधिक एक कठोर चेतावनी था, "सारे राक्षस ब्राह्मण ही क्यों होते हैं, आचार्य?" और फिर वह वाक्य "यदि ब्राह्मण या गुरु की हत्या हो ही जाए या करनी ही पड़े तो..." वसिष्ठ ने लाख चाहा हो कि कैकेयी के अतिरिक्त भरत और शत्रुघ्न तक को उनकी गतिविधियों का पता न चले, पर राम से कुछ छिपा नहीं रह गया था, यह तो स्पष्ट हो ही चुका था। 'कोई अन्य विकल्प न रहने पर हत्या हो या ब्रह्महत्या या देवहत्या, किसी तरह का पातक नहीं लगता।' वसिष्ठ की सिहरन इस बार कैकेयी से छिपी नहीं रह सकी।

कैकेयी किसी निर्णय पर पहुँचना चाहती थीं। वह भयजनित सिहरन और रोमांच देखने वसिष्ठ के पास नहीं आई थीं, "राम मेरा या आपका क्या कर सकते हैं, आचार्य? आप ब्राह्मण हैं। मैं स्त्री हूँ। डर मुझे भरत को ले कर होना चाहिए, पर उससे राम को कोई भय नहीं। राम का वध करने का यदि खुला साहस मुझे नहीं हुआ, तो उन्हें एक स्त्री और मातृस्थानीया होते हुए मेरे, या गुरुस्थानीय होते हुए आपके, अपघात का साहस कैसे हो सकता है। उन्हें तो अपने उज्ज्वल यश की चिन्ता किसी से भी अधिक रहती है।"

वसिष्ठ ने उत्तर में कुछ कहा नहीं। एक व्यंग्यपूर्ण मुस्कराहट उनके होंठों पर

आ कर लुप्त हो गई। वह कैसे समझाते, कैकेयी को, कि राम क्या कर सकते हैं।

"मैंने अयुक्त क्या कह दिया, आचार्य?" कैकेयी को वसिष्ठ की उपेक्षा और व्यंग्यपूर्ण मुस्कराहट कहीं चुभ-सी गई थी।

"आप राम को कुछ कम जानती हैं, राजमाता।" वह कुछ सोचने लगे थे। उनके स्वर का फीकापन और फीकेपन में कैकेयी की सूझ की उपेक्षा दोनों कैकेयी को खल रही थी। वसिष्ठ ने उसी वाक्य को पुनः दुहराया जैसे पाठ याद करा रहे हों, "राम को कुछ कम जानती हैं आप। वह उसी तरह नहीं सोचते जैसे हम सोचते हैं। उनके काम का ढंग भी निराला है। कोई अकीर्तिकर काम वह या तो स्वयं नहीं करते, या करना ही पड़े तो सामने आ कर नहीं करते। बालि का वध छिप कर किया गया था। उसके पुत्र को राम ने मारा नहीं था, अपना दास बना लिया था। लंका का दहन हनुमान ने किया था। रावण का शक्तिक्षय विभीषण को प्रलोभन दे कर, अपने पक्ष में कर के, किया था। सीता तक को उन्होंने अपनी ओर से तो पितृगृह को भेजा है, यदि मार्ग में कुछ हो गया तो उसके उत्तरदायी वे हैं जिन पर इसका भार था। प्रकट रूप से तो वह केवल प्रीतिकर कार्य ही करते हैं।" वसिष्ठ कैकेयी पर होनेवाली प्रतिक्रिया को बहुत ध्यान से देख रहे थे।

"राम कुछ भी कर सकते हैं। उन्हें केवल यह विश्वास होना चाहिए कि अब इसके लिए उपयुक्त समय आ गया है। उनमें अपार धैर्य है, और यही मुझे चिन्तित रखता है। राम को जानने के लिए केवल राम को जानना पर्याप्त नहीं है, राजमाता, विश्वामित्र को भी जानना उचित है। वह शास्त्र की मर्यादा को नहीं मानते।" वसिष्ठ कैकेयी को पूरी तरह सचेत कर ही देना चाहते थे। ऐसा करना जरूरी हो गया था। वह उनके मानसिक द्वन्द्व को विश्वासघात समझने की भूल जो कर बैठी थीं।

कैकेयी ने अपनी झेंप मिटाने के लिए दुहराया, "शास्त्र को नहीं मानते, आप कहते हैं? शास्त्र को नहीं मानते राम?"

"नहीं। कहते हैं; कृत्याकृत्य की कसौटी शास्त्र नहीं, मनुष्य का अपना विवेक है। कहते हैं कोई व्यक्ति किसी को वह परामर्श नहीं देता जो उसके लिए हितकर है। वह उसके हित की आड़ में, चोरी से, अपने स्वार्थ को भी घुसा देता है। शास्त्र ही इसके अपवाद नहीं हैं। इनमें उचित-अनुचित से भी ऊपर उन लोगों का अपना स्वार्थ है जिन्होंने इनकी रचना की। कहते हैं उचित-अनुचित की कसौटी मनुष्यता है। पूरा समाज है। इसका कोई एक वर्ग या उपवर्ग नहीं। और इसका निर्णय देश काल के अनुसार मनुष्य को स्वयं करना होगा। उसका अपना ज्ञान, अपनी सम्वेदना, अपने अनुभव और अपनी सहानुभूति की अन्तिम कसौटी है। शास्त्रों की सार्थकता ज्ञान के एक स्रोत के रूप में तो है, पर शासनादेश के रूप में नहीं।"

वसिष्ठ कैकेयी को डराने के लिए, अपने मन से गढ़ कर, ये बातें नहीं कह

रहे थे। अपनी ग्लानि मिटाने के लिए, जब उन्होंने उपयुक्त अवसर पा कर, राम से यह जानना चाहा था कि वह जिस नए शास्त्र की बात कर रहे हैं, वह कैसा होगा, तो उन्होंने स्वयं यह कहा था। और अपनी बात समाप्त करते हुए कहा था, "जैसे यह समस्त चराचर जगत् धरती से उत्पन्न होता और नष्ट हो कर इसी में समा जाता है, वैसे ही सभी नियम और विधान मानवता से आरम्भ होते हैं और इसी में इनकी परम गति है। जैसे सभी ग्रह-नक्षत्र, सूर्य-चन्द्र इसी धरती की परिक्रमा करते हैं, वैसे ही समस्त ज्ञान-विज्ञान, कला-दर्शन मानवता को घेर कर ही चलते हैं। यही निर्धारक तत्त्व है।"

"और मानवता का निर्णय कौन करेगा, महाराज?" वसिष्ठ ने टोका था।

"विवेक। स्वार्थ रहित विवेक।" राम ने कहा था।

वसिष्ठ की दृष्टि आश्रम के द्वार की ओर चली गई। कोई आ रहा है। कौन हो सकता है? कोई भी हो, वह अपने प्रवचन में लग गए।

"राम जैसा राजा न तो कभी पहले कोई हुआ न भविष्य में होगा। प्रजा के लिए महान्-से-महान् त्याग कर सकते हैं वह। दुर्वह-से-दुर्वह कष्ट झेल सकते हैं वह।" उन्होंने कनखियों से देखा, वह व्यक्ति इधर ही आ रहा था। पुरुष नहीं, स्त्री थी। मन्थरा। अब तो उसकी चाल से स्पष्ट पहचाना जा सकता था।

"कितनी शान्ति छा गई है महाराज राम के राज्य में! मेरा तो इतना आदर करते हैं, राजमाता, कि कहीं से सुन लिया, मेरा स्वास्थ्य ठीक नहीं तो राजवैद्य को लिए स्वयं चले आए। धन्य हैं। दो राजकर्मियों को भी लगा दिया सेवा के लिए। वह तो मैंने ही उन्हें छुट्टी दे दी। अभी स्वास्थ्य ठीक है। संध्या को फिर पता लगा लेना। दिन भर बैठे-बैठे मक्खियाँ मारने से क्या लाभ! और अब रहा नहीं गया तो कुशल जानने के लिए आप को भेज दिया। धन्य हैं।"

मन्थरा अब बिल्कुल निकट आ गई थी। वह उस रथ के साथ ही आई थी जिससे कैकेयी स्वयं आई थीं। रथ, सारथी, और मन्थरा को आश्रम के बाहर ही छोड़ कर कैकेयी आश्रम में घुसी थीं। यह कोई नया नियम भी नहीं। मन्थरा को अपनी इच्छा या निर्णय से भीतर आने का साहस नहीं हो सकता था। उसके निकट आ जाने पर कैकेयी ने उसकी ओर दृष्टि उठा कर देखा।

"जिन दो व्यक्तियों को राजगुरु की सेवा में नियुक्त किया गया था उनकी सेवा में प्रमाद के लिए भर्त्सना हुई है और उन्हें अनवरत गुरुदेव की सेवा में रहने का आदेश हुआ है। उपस्थित होने से पूर्व वे आपको सूचित करना चाहते हैं, आचार्य।"

"सूचित! चले क्यों नहीं आए।" वसिष्ठ ने सहज भाव से कहा।

"आ रहे थे। मैंने ही रोक दिया।" मन्थरा ने स्पष्ट किया। इतना संकेत उसके लिए पर्याप्त था। वह वापस लौट गई।

"अवसर मिला तो पुनः दर्शन करूँगी।" कैकेयी ने सिर झुका, करबद्ध हो कर कहा और उठ खड़ी हुईं।

13

कैकेयी वसिष्ठ के यहाँ से लौटने के बाद अपने को पहले से कुछ और दुर्बल अनुभव करने लगीं। वसिष्ठ बदल नहीं सकते। कैकेयी ने ऐसा कुछ नहीं किया है जिसमें उनकी प्रेरणा या प्रत्यक्ष हाथ न रहा हो, अतः वह अकेले अपनी मुक्ति नहीं पा सकते। पर वह टूट रहे हैं–भीतर से भी और बाहर से भी। सम्भव है यह बीमारी का प्रभाव हो। पर वह जो अपनी सबसे बड़ी भूल की बात कर रहे थे! क्या हो सकती है उनकी यह सबसे बड़ी भूल जिसे उन्होंने कैकेयी से भी प्रकट नहीं किया।

कैकेयी बार-बार इस एक ही वाक्य पर लौट आती हैं। सबसे बड़ी भूल। एक ऐसी भूल, जिसे सुधारने के लिए पूरी जिन्दगी नए सिरे से जीने की लालसा पैदा हो। कैकेयी वसिष्ठ के जीवन के तार-तार उधेड़ने लगती हैं।

वह तरुण जिसे अश्वपति ने युधाजित की शिक्षा के लिए नियुक्त किया था, गिरिव्रज का ही रहनेवाला था, या कहीं अन्यत्र से आया था, इस विषय में कैकेयी ने कभी जिज्ञासा नहीं की। उसके व्यक्तित्व में बहुत कुछ ऐसा था, जिससे कोई भी व्यक्ति प्रभावित हो सकता था और उसके ज्ञान की धाक अश्वपति पर ऐसी थी कि उसके मुख से निकले हुए वाक्य को वह देववाक्य मान लेते थे। उसके जन्म और कुल के विषय में कुछ ऐसा अवश्य था कि इसकी चर्चा आने पर कैकेयी की माँ मुस्कराए बिना नहीं रहती थीं और अश्वपति के लाख आग्रह के बाद भी वह पारिवारिक अनुष्ठानों में उसे पुरोहित बनाने को तैयार नहीं होती थीं। पुरोहित का पद उसकी सबसे बड़ी आकांक्षा थी। अश्वपति इसके लिए तैयार भी थे, पर कैकेयी की माँ इसका जमकर विरोध करती थीं।

उसके व्यवहार में एक विशेष तरह की कृत्रिमता थी। वह दुराग्रही था, पर जिन बातों को ले कर उसके मन में बहुत कठोर आग्रह होते उन्हें भी अपनी तुष्टि होने पर एक नए रूप में मोड़ सकता था। उसका दावा था कि अब तक जो भी ज्ञान है, वह उसे कंठस्थ है, और मनुष्य के जानने योग्य जो कुछ भी है, वह शास्त्रों में लिख दिया गया है। उसका दावा था कि यज्ञ के समुचित विधान से कुछ भी किया जा सकता है। महाराज अश्वपति उसके इस दावे की परीक्षा लिए बिना भी सच मानते थे और एक सीमा तक उसकी इस शक्ति से आतंकित भी रहते थे।

महाराज दशरथ जब उनके अतिथि बने थे तो उन्होंने इसकी जिन शब्दों में मुक्त प्रशंसा की थी उसे सुनकर कैकेयी की माँ ने अश्वपति का उपहास करते हुए

कहा था, "महाराज, आपको तो चारण होना चाहिए था। राजा तो आपके सामने वह वसिष्ठ ही मालूम हो रहा था।"

महाराज विचलित नहीं हुए थे, "जानती हो, महाराज दशरथ को उसने भूत और वर्तमान की जो भी बातें बताईं उनसे वह इतने प्रभावित हुए हैं कि उन्हें अपने साथ अयोध्या ले जाने का आग्रह कर रहे हैं। वह केवल इस जन्म की ही नहीं, पूर्व जन्मों की भी बातें जानते हैं। महाराज ने अपनी कुछ समस्याएँ बताईं तो उन्होंने तुरन्त बता दिया कि पूर्व जन्म में उन्होंने कहाँ जन्म लिया था, उनसे क्या पाप हुआ था और उसका क्या परिणाम उन्हें इस जन्म में भोगना पड़ रहा है।"

पता नहीं अश्वपति उसे अपने यहाँ से हटाना चाहते थे इसलिए उन्होंने उसे महाराज दशरथ के सिर मढ़ दिया था, या महाराज को वसिष्ठ ने सचमुच बहुत प्रभावित कर दिया था। महाराज ने वसिष्ठ को सम्मान भी बहुत दिया था। ऐसी स्थिति में गिरिव्रज से अयोध्या आने को तो वह अपनी भूल कदापि नहीं मान सकते थे। यहीं आ कर तो राजपुरोहित बनने की उनकी महत्वाकांक्षा भी पूरी हुई थी, यद्यपि इस पद तक उनको पहुँचाने में कैकेयी की भूमिका वसिष्ठ की योग्यता और ज्ञान से भी अधिक थी।

महाराज की दृष्टि में कैकेयी ने वसिष्ठ को जितना भी ऊपर क्यों न उठा दिया हो, उनकी अपनी दृष्टि में आरम्भ से ही वह एक चतुर और सिद्धान्तहीन व्यक्ति थे जो अपने अहंकार को ही अपना स्वाभिमान समझते थे, और जिनके आग्रह एक चतुर सौदागर के दिखावटी आग्रह से भिन्न नहीं थे, जिसका लक्ष्य अपनी पूरी कीमत वसूल करना होता है। इसके बावजूद वह उनके प्रति महाराज से भी अधिक नम्रता और आदर का प्रदर्शन करती आई थीं। वसिष्ठ को कभी इस बात का आभास हुआ भी हो कि वह उन्हें अपने एक सम्मानित सेवक से अधिक कुछ नहीं समझतीं, तो भी अपना असन्तोष प्रकट करने का अवसर कभी नहीं मिला।

कैकेयी के आने के बाद से महाराज कौसल्या के प्रति पूरी तरह उदासीन हो गए थे पर राम के प्रति उनका आकर्षण बहुत प्रबल था। कैकेयी को विश्वामित्र से भी बहुत जल्द ही डर लगने लगा था। कैकेयी ने उन्हें प्रचुर उपहार और दान आदि से अपने अनुकूल बनाने का प्रयत्न किया था पर वह अपनी ओर से दान-दक्षिणा के आयोजन सुझाते ही नहीं थे और जो कुछ उपहार स्वरूप भेजा जाता था उसका कुछ अंश स्वीकार करके शेष राजपुरुषों के हाथों ही दूसरों में बँटवा देते थे। वह महाराज से भी डरते नहीं थे और आवश्यक होने पर उनकी भी आलोचना कर बैठते थे। उन्होंने ही इस अवस्था में महाराज के विवाह की भी आलोचना की थी और राज्य के वाग्दान को तो सर्वथा अनुचित बताया था। महाराज के रोष की चिन्ता किए बिना उन्होंने कहा था, "यदि महाराज ने कोई नया देश जीता होता तो उसका राज्य आप किसी को भी सौंप सकते थे, परन्तु वंश-परम्परा से प्राप्त

राज्य का उत्तराधिकारी अपनी इच्छा से चुनने का अधिकार महाराज को नहीं है। इसके विषय में जो प्राचीन मर्यादा चली आई है वह इसकी अनुमति नहीं देती।"

कैकेयी को जब महाराज ने विश्वामित्र की प्रतिक्रिया से अवगत कराया था तो उसने अपना रोष या क्षोभ प्रकट नहीं होने दिया था, मुस्करा कर बोली थीं, "कुलगुरु की राम पर कुछ विशेष अनुकम्पा है।" महाराज एक क्षण तक कैकेयी के मनोभाव को पढ़ने के लिए उनकी ओर देखते रह गए थे।

"आप इस तरह मुझे निहार क्यों रहे हैं?" और कैकेयी लज्जा का अभिनय करती हुई, "जाइए, मैं आपसे नहीं बोलती" कह कर अपनी गर्दन मोड़ कर दूसरी ओर देखने लगी थी। यदि महाराज ने इस समय उसके चेहरे पर उभरी घृणा को भी देख लिया होता तो जाने उन पर क्या बीतती। कुछ प्रतीक्षा करने के बाद जब उन्होंने स्वयं बढ़ कर उसके चिबुक पर हाथ लगाते हुए उसका मुँह अपनी ओर मोड़ा था तो उसकी आँखों में केवल आँसू थे और इन आँसुओं की गहराई वह माप पाते इससे पहले ही कैकेयी महाराज के वक्ष में अपना मुँह छिपा कर उनसे लिपट गई थी।

विश्वामित्र के विरुद्ध अभियान वसिष्ठ ने नहीं, कैकेयी ने आरम्भ किया था। वसिष्ठ तो मात्र फलाकांक्षी की मुग्ध आँखों से उस पद को जब से वह अयोध्या में आए निहार भर रहे थे। वह गिरिव्रज से आए थे और इसलिए कैकेयी से मिलने की उन्हें छूट थी, जबकि इस प्रकार की छूट उनके अन्तःपुर के विषय में किसी अन्य को नहीं थी। यहाँ से ही आरम्भ हुआ था वह छद्‌मयुद्ध जिसमें वसिष्ठ की मेधा, कैकेयी के सौन्दर्य, यौवन और नारीसुलभ मर्मज्ञता ने महाराज से धीरे-धीरे उनके सिंहासन और मुकुट को छोड़ कर उनका सब कुछ छीन लिया था और जब तक महाराज को इसका पता चले वह, दूसरों की तो दूर, स्वयं अपनी भी रक्षा करने योग्य नहीं रह गए थे।

कैकेयी को यह सोच कर तोष मिल रहा था कि वसिष्ठ यदि दुर्बल भी पड़े तो वह अकेले अपनी मुक्ति की बात नहीं सोच सकते। यदि कैकेयी ने कोई अपराध किया है तो वसिष्ठ भी उसके सह-अपराधी हैं। यदि उनके द्वारा कोई चूक हुई है तो उस चूक के लिए वह स्वयं भी उत्तरदायी रहे हैं। ऐसी स्थिति में वह केवल अपनी भूल की बात कैसे कर सकते हैं?

वसिष्ठ भले भूल का रोना रोएँ, कैकेयी जानती है कि उसने कोई भूल नहीं की। असफलता के बाद मूर्खों और कायरों को पीछे लौट कर देखने पर केवल एक ही चीज दिखाई देती है—भूलों की एक अटूट शृंखला। सफलता के मद में ऐसे लोग अपने अनसोचे कार्यों, आकस्मिक प्रतिक्रियाओं और दैवपतित सुयोगों को भी अपनी असाधारण बुद्धिमानी का ही प्रमाण बताते हैं और विफल होते ही वे कार्य तक जिनके पक्ष-विपक्ष पर वे पहले पूरी तरह विचार कर चुके रहते हैं, पर जो

किसी नए घटक के सामने आ जाने के कारण विफल हो जाते हैं, उनके लिए मूर्खता और क्षुद्रता के अभिलेखों में बदल जाते हैं। सफल मनुष्य से कोई भूल होती ही नहीं, असफल व्यक्ति भूलें छोड़ और कुछ करता ही नहीं। परन्तु कैकेयी सफलता या असफलता को भूल नहीं मानती। उसकी दृष्टि में सबसे बड़ी भूल एक ही हो सकती है—अपने जीवन की अन्तिम घड़ी से पहले अपना विश्वास खो बैठना। नारी होने की विवशता ने उसे शक्ति, सफलता, असफलता और भूल-चूक की ठीक से ही परिभाषाएँ नहीं पढ़ाई हैं जो पुरुषों को पढ़ने को मिलती हैं। वह रोती हुई, सहायता की याचना करती हुई, अपने सबसे शक्तिशाली हथियार का प्रयोग कर सकती है, और जो स्त्री ऐसा नहीं कर सकती उससे पुरुष जीने का अधिकार भी छीन लेंगे। वसिष्ठ के पोथे कुछ भी कहें, कैकेयी जानती है कि कूटनीति के राजभवनों में जन्म लिया है, अन्तःपुरों में इसका विकास हुआ है और केवल स्त्रियाँ ही इसका भरपूर उपयोग कर सकती हैं। राजसभाओं और मन्त्रिपरिषदों में जिस कूटनीति का मन्थन होता है वह तो स्त्री की कूटज्ञता की भूसी है जो अन्तःपुर से उड़ कर वहाँ पहुँची है—फटक कर उड़ाये जाने के बाद और अपने दम्भ के कारण पुरुष इसका भी प्रयोग करने में चूक कर जाता है। कूटनीति अपनी दुर्बलता को ही शक्ति में रूपान्तरित करने का विज्ञान, अपनी शक्ति को भी नम्रता और न्याय की पुकार से ढकने की कला, अपनी शक्ति पर दम्भ करनेवालों की समझ में पूरी आ भी कैसे सकती है। असफल कैकेयी भी हुई है पर वह हारी नहीं है, वसिष्ठ हारे हुए-से लग रहे हैं।

"रानी माँ!"

कैकेयी अपने विचारों में इस तरह खो गई थीं कि उन्हें इस बात का ध्यान ही नहीं रहा कि मन्थरा कितनी देर से उनके सामने ही खड़ी उनको ही निहार रही है। उन्होंने दृष्टि उठा कर सवाल भरी आँखों से उसकी ओर देखा।

"सिर में पीड़ा हो रही है क्या?" मन्थरा ने चिन्तित स्वर में पूछा। वह स्वयं भी जानती थी कि यह पीड़ा है भी तो सिर की नहीं, पर वह और पूछ भी क्या सकती थी।

"नहीं तो।" कैकेयी की दृष्टि मन्थरा पर ही टिकी हुई थी।

"आप रो क्यों रही हैं, रानी माँ?" उसने कुछ ऐसा भाव अपना रखा था मानो कैकेयी की उस अज्ञात पीड़ा की सबसे अधिक चुभन उसे स्वयं हो रही हो।

कैकेयी ने अपना हाथ आँखों से लगा कर देखा तो पाया उनकी उँगलियाँ गीली हो गई हैं। आँसू गालों को भी गीला कर चुके हैं और स्वयं उन्हें इसकी अनुभूति ही नहीं हो पाई थी।

"सिर कुछ भारी है। बस।" कैकेयी ने बहाना बनाया। उनके सिर में जितना भी भारीपन रहा हो, स्वर का भारीपन स्पष्ट था। मन्थरा के लिए इतना ही पर्याप्त

था। वह उनका सिर दबाने लगी।

कैकेयी को लगा अभी तक वह अपने को छल रही थी। अपनी पराजय को छिपाने के लिए वह अपने विगत निर्णयों और कार्यों पर पुनर्विचार करने से कतरा रही थी और इसके लिए वसिष्ठ को ढाल की तरह प्रयोग में ला रही थी। उसे लगा केवल वसिष्ठ के भीतर ही उनका शत्रु नहीं छिपा है, स्वयं उसके भीतर भी वह काम कर रहा है। उसकी भी आत्मा दो फाँकों में बँट चुकी है जिनमें से एक दूसरी के विपरीत काम कर रहा है। एक वह है जो उसके मनोबल को बढ़ाने के लिए, उसे लड़ने की शक्ति देने के लिए, उसके अपने अतीत पर दृष्टि ही नहीं डालना चाहता था; दूसरा उसके अनजाने की उसकी दुर्बलता का विज्ञापन कर रहा था। भूलें हुई हैं और कैकेयी से भी हुई हैं। वसिष्ठ ठीक ही कहते हैं कि इतिहास अपनी भूलों को पहचानने और वर्तमान और भविष्य में उन भूलों से बचने का विज्ञान है, न कि भूलों का औचित्य ढूँढ़ने, उन पर परदा डालने और उसी प्रकार की भूलें बार-बार करते रहने का पागलपन। यदि वसिष्ठ ऐसे प्रत्येक कार्य और निर्णय से जुड़े हुए हैं जिनसे कैकेयी स्वयं जुड़ी हैं, और यह मानते हैं कि उनसे कुछ भूलें हुई हैं, तो यह कैसे सम्भव है कि कैकेयी से भूलें न हुई हों। कैकेयी केवल उन्हें देखने से बच रही हैं, जबकि वसिष्ठ में उन पर दृष्टि डालने का साहस है। वसिष्ठ उन्हें देख रहे हैं, अतः उन पर उन्हें अनुताप भी है। उन भूलों से बचने की लालसा भी है।

वसिष्ठ असफलता को ही सबसे बड़ा अपराध मानते हैं। कहते हैं, अच्छे और बुरे, इष्ट और अनिष्ट की एक ही कसौटी है, राजमाता। वह है सफलता। इतिहास सफल लोगों के सुकृत्यों की आराधना और कुकृत्यों के औचित्य-स्थापन का ही दूसरा नाम है। ऐसा व्यक्ति यदि विफल होने पर अपने अतीत पर दृष्टि डाले और इसे भूलों की एक लम्बी शृंखला से अधिक कुछ न पाए तो उसे दोष कैसे दिया जा सकता है? क्या कैकेयी स्वयं भी यही नहीं मानती आई हैं? आज जब उन्हें इस विषाद में भी अपने अनन्य सहयोगी से सहानुभूति होनी चाहिए, वह अपनी हताशा में उसकी भर्त्सना कर रही थीं।

कैकेयी को लगा यदि वसिष्ठ डरे हुए हैं तो वह स्वयं उनसे भी अधिक डरी हुई है। वह तो अपने डर के कारणों को जानते भी हैं, पर उसके अपने डर ने उसकी चेतना पर एक पर्दा-सा डाल दिया है, जैसे मूर्च्छा वेदना के असह्य होने पर वेदना पर पर्दा डाल देती है। इस बोध ने उसे अधिक कातर बना दिया। अब अपने आँसुओं को रोक पाना कैकेयी के लिए असम्भव हो गया था। उन्होंने अपनी साड़ी का पल्ला अपने मुँह में लगा लिया और फूट-फूट कर रोने लगीं।

मन्थरा का हाथ रुक गया, "माँ! रानी माँ!" उसकी समझ में नहीं आ रहा था कि वह क्या करे। कैकेयी ने कुछ कहा नहीं। अपना हाथ बढ़ा कर उसे हल्के से

परे धकेल दिया। मन्थरा उन्हें अकेली छोड़ कर वहाँ से हट गई।

मन्थरा कैकेयी की रुलाई का कारण न समझ पाने के कारण कुछ चकित-सी रह गई थी, पर यदि वह उसी कक्ष में कुछ समय तक और टिकी रह गई होती, या किसी कोने से उसने केवल झाँक कर ही देख लिया होता, तो उसे इस बात पर पहले से भी अधिक विस्मय होता कि कितनी जल्द कैकेयी ने अपनी सिसकियों पर काबू पा लिया था। उनकी आँखें किस तरह सूख गई थीं और होंठों पर एक व्यंग्य और विषाद भरी मुस्कराहट उभर आई थीं।

भूलों के इतिहास की ओर एक बार फिर लौट पड़ी थीं कैकेयी।

एक पुरोहित के रूप में वसिष्ठ की पात्रता, यज्ञ और अनुष्ठान में उनकी असाधारण दक्षता और उनके ज्ञान की धाक जमा कर और विश्वामित्र की अहंमन्यता और राजकीय दानों और उपहारों तक की अवज्ञा करके परोक्ष रूप से महाराज की भी अवज्ञा करते रहने की रट लगा कर वसिष्ठ को पुरोहित के पद पर नियुक्त कराने और विश्वामित्र को हटाने में तो कैकेयी को सफलता मिल गई थी, पर विश्वामित्र के प्रति महाराज के आदर भाव को कम कराने में उसे सफलता नहीं मिली थी। उनके अयोध्या से विदा हो जाने के बाद भी महाराज जितने सम्मान से उनको स्मरण करते थे उससे कैकेयी को सन्देह होता कि उनके हटाये जाने का खेद उनके मन में बना रह गया है और उनको अपदस्थ करने में इतनी जल्दी करके कैकेयी ने समझदारी नहीं की है। सम्भव है यही बोध इस विषय में वसिष्ठ को भी होता रहा हो।

जहाँ विश्वामित्र का अपदस्थ किया जाना एक मामूली-सी चूक थी वहाँ राम की शिक्षा का भार पुनः उन्हें ही सौंपना उससे भी बड़ा प्रमाद। कैकेयी को डर था कि यदि वसिष्ठ ही राम के भी शिक्षक रहे तो उचित अवसर आने पर वह कैकेयी की ओर से मुँह फेर कर राम के युवराजत्व का समर्थन कर सकते हैं अतः राम की शिक्षा किसी अन्य को सौंपी जानी आवश्यक थी। यदि वह शिक्षक अयोध्या का ही निवासी होता या बाहर से अयोध्या में बुलाया जाता तो भी वह महाराज के सम्पर्क में रह कर उनके निर्णयों को प्रभावित कर सकता था। अतः शिक्षा के लिए उन्हें दूर भेजना आवश्यक था, परन्तु यह काम विश्वामित्र को ही सौंपा जाए, यह तो कदापि आवश्यक नहीं था। यह निर्णय स्वयं वसिष्ठ का था। एक बार यह जान लेने के बाद कि कैकेयी यह नहीं चाहतीं कि वसिष्ठ स्वयं राम को शिक्षा दें, वसिष्ठ ने ही इसका उपाय ढूँढ़ा था। पर उनकी अदूरदर्शिता यह थी कि उन्होंने विश्वामित्र को बुलाने के लिए बल प्रयोग का मार्ग अपनाया था, "विश्वामित्र ने महाराज के अनुरोध को ठुकरा दिया तो राजपुरुषों को उनके साथ बल-प्रयोग करना ही पड़ेगा। अब यदि उनके साथ जाते समय, या सिद्धाश्रम में रहते हुए, राम को कुछ हो गया तो महाराज को यह विश्वास दिला पाना कठिन न होगा कि इसके

पीछे विश्वामित्र का हाथ है।" वसिष्ठ ने बड़े भोलेपन से कैकेयी से कहा था।

"राम को ही क्या सकता है?" कैकेयी ने वसिष्ठ के आशय को आधा भाँपते हुए अनजान बन कर पूछा था।

वसिष्ठ की आँखों में एक कुटिलता उभर आई थी, "इतना लम्बा रास्ता है। प्राकृतिक आपदा से ले कर वनचरों-जलचरों के अनेक संकट होते हैं।"

"महाराज क्या विश्वामित्र को बल प्रयोग से लाने की अनुमति देंगे?" कैकेयी के मन में सन्देह था।

हँसने लगे थे वसिष्ठ, "समस्त राज-काज राजा की अनुमति और सहमति से ही नहीं होता। बहुत कुछ राजपुरुषों के अपने विवेक पर निर्भर करता है। वे राजाज्ञा की अवहेलना नहीं सहन कर सकते और उसका परिपालन कराने के लिए जो कुछ भी करते हैं उसका उत्तरदायित्व राजा को लेना ही पड़ता है।"

"और यदि विश्वामित्र सहर्ष आने को तैयार हो गए तो?" कैकेयी ने आशंका प्रकट की थी, "कोई ऐसा भी गुरु है जो ज्येष्ठ राजकुमार की शिक्षा के लिए उत्सुक न रहता हो?"

"यह सब दंडधरों के विवेक पर छोड़ दें, महारानी।"

और महारानी ने युधाजित को संकेत कर दिया था।

विश्वामित्र का बन्दी बना कर लाया जाना भूल नहीं थी। मूर्खता थी। महाराज को पता चला तो उन्होंने विश्वामित्र से हाथ जोड़ कर क्षमायाचना तो की ही थी, उन सैनिकों को आजीवन कारावास दे दिया था। विश्वामित्र का क्रोध तो शान्त होना ही था। महत्त्वपूर्ण बात यह हुई थी कि विश्वामित्र इस विषय में चौकन्ने हो गए थे कि केवल वह नहीं महाराज भी धीरे-धीरे एक कुचक्र में फँसाए जा रहे हैं। बहुत कुछ उनकी अनुमति और सहमति के विपरीत किया जा रहा है। उनकी इस सावधानी ने ही ताड़का के प्रयत्नों को भी विफल कर दिया था। आश्रम में पहुँच कर वह राम की सुरक्षा के विषय में अधिक सावधान रहने लगे थे। आश्रम जाने के मार्ग में ही राम के प्राणघात का प्रयत्न स्वयं में एक बहुत बड़ी भूल थी। इसमें इतनी शीघ्रता की क्या आवश्यकता थी। इसी के कारण मारीचि और सुबाहु के प्रयत्न भी बेकार हुए थे।

विश्वामित्र के साथ राम और लक्ष्मण के विदा होने के बाद एक बार महाराज ने कहा, "राजगुरु को यज्ञ-अनुष्ठान और वेद-शास्त्र का ही ज्ञान नहीं है, वह राजनीति के भी पंडित हैं।"

कैकेयी को पहली बार लगा था यह वाक्य वसिष्ठ की प्रशंसा में कहा गया है। इस वाक्य का अर्थ समझने में उसे बहुत लम्बा समय लगा था। वसिष्ठ के प्रति महाराज की दान-दक्षिणा की उदारता कुछ बढ़ गई थी, पर इसके बाद से वह वसिष्ठ के किसी भी प्रस्ताव को सन्देह की दृष्टि से देखने लगे थे और महत्त्वपूर्ण

निर्णयों से उन्हें प्रयत्नपूर्वक दूर रखने लगे थे। यह मात्र संयोग नहीं था कि महाराज ने भरत को ननिहाल भेजने की योजना कैकेयी तक से पूछे बिना ही बना ली थी और उसके साथ ही युधाजित को भी विदा कर दिया था। वसिष्ठ से इस विषय में राय लेने का तो प्रश्न ही नहीं था। आश्चर्य की बात यह अवश्य थी कि राम के राज्याभिषेक जैसे महत्त्वपूर्ण निर्णय को भी वसिष्ठ को पूर्वसूचना नहीं मिली थी, जबकि राज्याभिषेक के लिए उपयुक्त मुहूर्त आदि का विचार करने के लिए उनकी सेवाओं का बहुत अधिक महत्त्व था।

"रानी माँ!" मन्थरा पुनः उपस्थित हो गई थी।

वसिष्ठ जिसे भी अपनी सबसे बड़ी भूल मानते हों, पर कैकेयी ने जो सबसे बड़ी भूल की वह है भरत की ओर से असावधानी। वह राम जैसा कुशाग्र नहीं है, यह तो आरम्भ से ही स्पष्ट हो गया था। वह अपने विकास के प्रत्येक चरण पर कुछ पिछड़ा हुआ था। उसके बोलने और चलने के लिए भी वसिष्ठ के अनुष्ठानों का सहारा लेना पड़ा था। महाराज का उस पर अत्यधिक स्नेह था और यह अकेली बात थी जिस पर कैकेयी को सबसे अधिक भरोसा था। महाराज की दृष्टि में उसकी दुर्बलता ही जैसे उसकी सबसे बड़ी योग्यता बन गई हो। वह उसकी प्रत्येक माँग को पूरा करने का प्रयत्न करते। कभी-कभी तो कैकेयी को स्वयं ही उनके अतिरिक्त स्नेह से भय लगता। भरत की अपेक्षा वह राम की ओर कम ध्यान देते थे। भरत की कुछ माँगें तो इतनी अटपटी होतीं कि इन्हें पूरा करने में महाराज को बहुत कठिनाई का सामना करना पड़ता था। ऐसे ही वह एक बार एक बंदर का खेल देख कर हठ कर बैठा था कि वह बंदर के साथ खेलेगा। उसे एक बंदर चाहिए। यदि पिंजड़े में बंदर को बन्द कर देने या बंदर को बाँध कर रख देने तक की बात होती तो महाराज इसके लिए तैयार थे। उन्होंने बंदर मँगा भी लिया था, पर वह उससे खेलने, उसे पकड़ने और मारने के लिए जिद पकड़े था।

भरत के प्रति महाराज के स्नेह के विषय में कैकेयी को कभी सन्देह नहीं हुआ। यह इतना अकृत्रिम था कि कभी-कभी उसे सन्देह होता कि महाराज भरत को उसकी अपेक्षा अधिक प्यार करते हैं। यदि किसी स्थिति में उन्हें कैकेयी और भरत में से किसी एक का चुनाव करना पड़े तो वह भरत का चुनाव करेंगे। और इस लाड़ ने ही कुछ समय तक उसे इस भ्रम में रखा कि महाराज कैकेयी को विवाह के समय दिए गए अपने वचन को भूले नहीं हैं। उनका प्यार उसे अपने अयोग्य पुत्रों के प्रति, और विशेषतः सबसे छोटे पुत्र के प्रति, मनुष्य के स्वाभाविक प्रेम का ही रूप था जिसका उत्तराधिकार से कोई सम्बन्ध नहीं था। पर यह बात कैकेयी की समझ में कुछ विलम्ब से आई थी।

भरत को नियन्त्रित और उसमें अपेक्षित योग्यताओं का विकास न करना कैकेयी की सबसे बड़ी भूल थी और महाराज पर पूरी तरह भरोसा न करके अपनी

तैयारी में कभी ढील न आने देना, उसकी सबसे बड़ी समझदारी थी।

कैकेयी ने एक और भूल की थी जिसका परिणाम था राम की वापसी। बस अन्य सभी भूलों से ऊपर उसकी ये दो ही सबसे बड़ी भूलें थीं।

"रानी माँ!" मन्थरा पुनः उपस्थित हो गई थी।

कैकेयी ने सुन कर भी अनसुना कर दिया। वह सोच नहीं रही थीं। वह एक विचार-स्वप्न में खोई हुई थीं, जिससे बाहर आने का जी नहीं हो रहा था। कुछ देर तक प्रतीक्षा करने के बाद मन्थरा ने कुछ और निकट आ कर दुहराया, "रानी माँ!"

कैकेयी ने एक खीझ भरी दृष्टि उसकी ओर डाली। मन्थरा का बीच में टोक बैठना उन्हें अच्छा नहीं लगा था। वह अभी कुछ समय तक अपने विचारों में ही खोई रहना चाहती थीं।

"भद्र, माँ। वह पूजा के फूल ले कर आया है।" मन्थरा ने कहा।

भद्र पूजा के फूल ले कर आया है। सामान्यतः यह काम उसकी पत्नी करती है। स्वयं उसके फूल लाने का कुछ विशेष अर्थ होता है। वह कैकेयी के पास उसी तरह बिना किसी पूर्वसूचना के नहीं आ सकता जैसे उसकी पत्नी आती है।

"भेज दो।" कैकेयी को भद्र के आने की सूचना से सचमुच प्रसन्नता हुई।

और जब भद्र आया तो उसने फूल भेंट करते हुए एक लिपटा हुआ भूर्जपत्र भी दे दिया, "आपके पाठ के लिए यह नया स्त्रोत लिखा है आचार्य ने।"

भद्र को देखकर कैकेयी को जितनी प्रसन्नता होती है उतनी प्रसन्नता भरत को देखकर भी नहीं होती। वह भरत का ही समवयस्क है। उसकी माँ तब कैकेयी की निजी मालिन थी। और उसके साथ ही भद्र भी चला आता था और भरत को तरह-तरह से रिझाने का प्रयत्न करता रहता। उसको यह नाम भी वसिष्ठ ने ही दिया था। कैकेयी के दिन बदल चुके हैं। वह उसे उन्हीं सेवाओं के लिए पुरस्कृत भी नहीं कर पाती, जिनके लिए दूसरों को मुँहमाँगा मूल्य देना पड़ सकता है। एक-आध बार कैकेयी ने प्रयत्न किया तो उसे भद्र की साधिकार झिड़की सुननी पड़ी, "माँ से बच्चे का क्या यही सम्बन्ध होता है, माँ? यदि आपने फिर पुरस्कार का नाम भी लिया तो मैं कभी आपके सामने नहीं आऊँगा।" भद्र को न सही, उसकी पत्नी को भद्र की सेवा का लाभ मिल ही जाता था।

वसिष्ठ का स्तोत्र बहुत संक्षिप्त-सा था, "वसिष्ठ अभी मरे नहीं हैं। आप निश्चिन्ति रहें।"

14

लक्ष्मण को क्रोध नहीं आता। क्रोध के दौरे पड़ते हैं। जब रोष में होते हैं तो राम को भी नहीं छोड़ते, पर यह रोष राम के सामने आने पर अधिक समय तक टिका

नहीं रह पाता। राम के सामने पड़ते ही उनकी दशा उफनते हुए दूध जैसी अवश्य हो जाती है जो अपनी पूरी उफान पर पहुँच कर उस आग को ही बुझा देता है जिससे ताप ले कर वह उफन रहा था और धीरे-धीरे शान्त होने लगता है, और उनके ओझल होते ही जाने उस उफने हुए दूध के स्नेहिल अंश से, या अन्य किसी युक्ति से, बुझी हुई आग फिर लहक उठती है, और फिर वही उफान-दर-उफान।

इन दिनों उन्हें क्रोध इस बात पर आता है कि एक ओर तो राम ने सीता को इतनी बड़ी यातना दे दी और स्वयं भी वैसी ही यातना अपने ऊपर लाद ली है—राज भवन में वह संन्यासियों की भाँति कुशासन बिछा कर सोते, रूखा-सूखा एकाहार करते हैं और राजसभा में इस तरह अनवलिप्त बैठ कर राज्य-कार्य का संचालन करते हैं जैसे उन पर किसी बात का प्रभाव ही न पड़ा हो—दूसरी ओर दुर्भाग्य की उन जड़ों को इस तरह सींचते जा रहे हैं जैसे उनके द्वारा किए गए अपकार का उन्हें बोध तक न हो। उनकी समझ में नहीं आता कि भरत, कैकेयी और वसिष्ठ आज भी जीवित क्यों हैं? क्यों?

उनका आज का क्रोध तो इसलिए भी इतना उग्र था कि सुमित्रा ने बुला कर उन्हें ऐसी फटकार लगाई, जैसी जीवन में कभी नहीं लगाई थी। सच्चाई तो यह है कि लक्ष्मण को यह याद ही नहीं आता कि सुमित्रा को उन्होंने पहले कभी क्रोध करते भी देखा था। पर आज, "यदि राम की मति मारी गई थी, तो तुमने इस अपकार्य में उसका साथ दे कर मेरे दूध को लांछित क्यों किया?"

इतना कठोर अभियोग! प्रौढ़ तो हो चुके हैं लक्ष्मण, पर सुमित्रा के सम्मुख किसी अपराधी बच्चे की तरह सहमे खड़े थे। उत्तर में कुछ कहना चाहते थे पर गला इस तरह फँस सा रहा था कि लगता था प्राणवायु स्वरतन्त्र तक पहुँच कर पुनः वक्ष में लौट जा रही है और किसी गुफा में प्रविष्ट प्रभंजन की भाँति दीवारों से टकराती हुई भीतर-ही-भीतर गूँज रही है। लक्ष्मण कहना चाहते थे, "माँ, यदि लांछित होने का ही प्रश्न आए तो मैं चाहूँगा कि राम के अपकार का भी लांछन अपने ऊपर ले लूँ, पर उनकी कीर्ति को मलिन न होने दूँ। वन जाते समय तुम्हीं ने तो कहा था, 'राम के किसी भी आदेश की अवज्ञा करके मेरे दूध को लांछित न करना। आज से इस जीवन के लिए मैं तुम्हें राम को सौंपती हूँ।' हाँ, इस घटना की सूचना तुम्हें न देने का अपराधी मैं अवश्य हूँ पर इसका निर्णय भी तो राम को ही करना था कि वह इसे कब दूसरों पर प्रकट करना उचित समझते हैं। जहाँ तक मेरी बात है, मैं तो चाहता था कि इस मर्मांतक घटना को सुनने की पीड़ा तुम्हें और बड़ी माँ को, इस जीवन में, न सहनी पड़े।" पर उनसे कुछ कहा नहीं गया था। कुछ देर तक वह अपने को सँभालने का प्रयत्न करते रहे थे और फिर जब स्थिति सँभाल से बाहर लगने लगी थी तो चुपचाप बैठ गए थे और माँ के घुटने पर सिर रख कर एक बच्चे की निरीहता से कहा था, "महाराज का यही आदेश था,

माँ।" फिर अपने माथे पर रखे माँ के दुर्बल हाथों की महाशक्ति के तले सब कुछ भूल कर, माँ की एक क्षण पहले की आमर्ष-विगलित भर्त्सना को भी भूल कर, उस महादशा में पड़े रहे थे जिसमें मनुष्य अनुभव करता है कि वह सभी अवलेपों से मुक्त हो गया है।

वहाँ से निकलने के बाद उन्हें इस बात की ग्लानि तो हो ही नहीं सकती थी कि उन्होंने राम के इस अप्रिय आदेश का पालन क्यों किया, पर इस बात पर प्रचंड क्रोध आ रहा था कि राम अनिष्ट की इन विषग्रन्थियों को सदा के लिए निर्मूल क्यों नहीं कर देते? अब कौन-सा अनिष्ट देखना शेष है? क्रोध का यह उफान ही था जिसने उन्हें राम के सम्मुख ला खड़ा किया था। यदि लक्ष्मण राम के समक्ष उत्तरदायी हैं तो आज उन्हें भी लक्ष्मण को उत्तर देना ही होगा। आज लक्ष्मण को किसी की चिन्ता नहीं, राम की भी नहीं! हाँ, राम की भी नहीं! अपनी निरपराध पत्नी के साथ उन्होंने ऐसा निष्ठुर व्यवहार किया और जो वास्तविक अपराधी हैं उनकी छोटी से छोटी असुविधा पर किस तरह कातर हो उठते हैं। सुना वसिष्ठ कुछ अस्वस्थ हो गए हैं, तो राजवैद्य के लिए दौड़ पड़े, पर इस बात की तनिक भी चिन्ता है कि सीता पर इस समय क्या बीत रही होगी? और कुछ न सही, मच्छरों से भरे उस जंगल में, जिसमें दिन में बैठे रहना भी कठिन होता है, शीतज्वर तो हो ही सकता है। और शारीरिक कष्ट से अधिक मानसिक क्षोभ और ग्लानि!

राम लक्ष्मण के रोष पर मुस्कराने लगे तो उन्हें उनकी यह मुस्कराहट अपनी भावना का अपमान सी प्रतीत हुई। मुस्कराने की क्या बात है इसमें? इतना बड़ा अनिष्ट हो गया और आप हैं कि मुस्करा रहे हैं। लक्ष्मण का क्रोध प्रचंड हो गया। प्रचंड क्रोध अर्थात् लक्ष्मण चुप। भीतर-ही-भीतर छाती से लेकर मस्तक तक उबलता और उछलता हुआ लावा। महाज्वाला का अदृश्य अन्तर्दाह जिसकी छाया उनके मुख की तमक में और जिसकी पीड़ा उनके चेहरे के तनाव में देखी जा सकती है।

नहीं, मुस्कराहट से काम नहीं चलेगा। यह तो राम भी जानते हैं कि मुस्कराहट लक्ष्मण के क्रोध में घी का काम करती है, पर वह यह भी जानते हैं कि लक्ष्मण के मन में पड़े अवशिष्ट ज्वलनशील अंश को सुलगते रहने देने से अधिक अच्छा है इसे उकसा कर भस्म कर देना, अन्यथा क्रोध में तो वह कुछ भी सुनने के लिए तैयार नहीं होंगे। और अब जब लक्ष्मण उबल रहे हैं, उन्होंने जानबूझ कर एक तत्त्ववादी प्रश्न उछाल दिया है, "क्रोध कहाँ ले जाता है लक्ष्मण?"

"अन्याय और अकर्मण्यता से घृणा की ओर।" लक्ष्मण के मुँह से यह वाक्य हठात् निकल तो गया, पर तभी उन्हें लगा कि यदि वह मानते हैं कि कैकेयी और वसिष्ठ को दण्डित न करना अकर्मण्यता है तो क्या उनके कथन का आशय यह नहीं होता कि वह राम से ही घृणा करते हैं। यह कितनी बड़ी अभद्रता हो गई उनसे। पर

क्रोध का आवेग इतना प्रबल है कि मन इस बोध के बाद भी झुकने का नाम नहीं लेता।

राम को क्रोध नहीं आता। वह उसी तरह मुस्करा रहे हैं मानो लक्ष्मण के उत्तर से उनका मनोरंजन हो रहा हो, "और घृणा कहाँ पहुँचाती है, लक्ष्मण?"

"अन्याय और अकर्मण्यता के स्रोतों के उन्मूलन की ओर।" लक्ष्मण जानते हैं कि उनसे घोर अभद्रता हो रही है, पर उन्हें अपने ऊपर नियन्त्रण नहीं रह गया है। यह उनके भीतर से कोई दूसरा लक्ष्मण बोल रहा है, जो उस लक्ष्मण को रौंद कर खड़ा है, जिसकी राम के सामने पड़ने पर घिग्घी बँध जाती है। यह लक्ष्मण राम को आहत करना चाहता है और इसलिए यह जानते हुए भी कि वह जो कह रहा है वह अनुचित है, इस अनुचित में ही उसे रस आ रहा है। सीता के निर्वासन और इसके बाद राम द्वारा अपनाई गई जीवन-पद्धति के सम्मिलित प्रभाव के साथ ही माँ की आज की भर्त्सना ने, जो एक तरह से स्वयं राम की भर्त्सना थी, उन्हें क्रोधमूर्छित कर दिया है।

"लक्ष्मण!" एक कृत्रिम क्रोध से तन गई हैं राम की आँखें और इसके साथ ही लक्ष्मण का सारा क्रोध, सारा बड़बोलापन एकदम लुप्त हो गया है। घबराए हुए बच्चे की तरह वह राम को देख रहे हैं। काठ मार गया है, उन्हें।

बस इतना ही। इसे अधिक झेल नहीं पाएँगे लक्ष्मण, यह राम भी जानते हैं। राम ने उनके दोनों हाथों को अपने हाथों में ले लिया है, "लक्ष्मण!" वह दुहराते हैं, पर इस बार स्वर बदल गया है, उनका। आँखों का कृत्रिम रोष पिघल कर आत्मीय कोमलता में बदल गया है। कौन कहता है राम राजा हो गए हैं। उनके भीतर का मनुष्य उन्हें राजा बनने दे तब तो राजा बनें।

"लक्ष्मण, मेरे प्यारे भाई, सीता के बिछोह का अकेले तुम्हें ही तो दुख नहीं है। मैं भी तो झेल रहा हूँ। मेरे प्रति तो निष्ठुर मत बनो।"

अनन्यता और आत्मीयता स्थापित करने की राम की यही तो शक्ति है जिससे लक्ष्मण अभिभूत और अचेत हो जाते हैं, "धृष्टता हुई, महाराज।" लक्ष्मण एकाएक आकाश से धरती पर आ जाते हैं। अब राम उन्हें केवल राम नहीं महाराज बनकर भी दिखाई दे रहे हैं और वह भी तब जब राम महाराज न रह कर मात्र राम बने रहना चाहते हैं।

"क्रोध में विवेक नहीं रहता, इसलिए बलाबल का ज्ञान भी क्षीण हो जाता है। एक जलते हुए अंगारे की तरह दूसरों को झुलसाने की चेष्टा में क्रोधी व्यक्ति सबसे पहले अपने को जलाता और नष्ट करता है। उसके बाद भी यदि कुछ ज्वलनशीलता बची रही, और वह शत्रु की प्रहार या प्रतिरोध शक्ति से अधिक हुई, तभी वह उसे कोई हानि पहुँचा सकता है अन्यथा स्वयं जल कर नष्ट हो जाता है। तुम क्रोध में अन्धे हो जाते हो और अपनी आग को छोड़कर और कुछ देख ही नहीं पाते।" राम के समझाने का अपना ढंग है। लक्ष्मण को दूसरा समझा भी कौन

सकता है! पर लक्ष्मण की समझ में यह बलाबल वाली बात नहीं आती। बलाबल के बोध से पीछे हटने का अवसर तो तब था जब उन्हें अयोध्या छोड़ कर जाना पड़ा था। तब सैन्यबल कैकेयी के हाथ में आ गया था और महाराज बन्दी बनाए जा चुके थे। सारे निर्णय कैकेयी द्वारा लिए और सारे आदेश कैकेयी द्वारा दिए जा रहे थे। पूरे कौसल्या परिवार की और स्वयं अपनी प्राणरक्षा के लिए चिन्तित महाराज को वही सब कहना और दुहराना पड़ रहा था, जो वह चाहती थीं। सच्चाई का पता न होने के कारण तब अवश्य लक्ष्मण को महाराज पर सन्देह हुआ था कि वह स्त्रैण भाव से कैकेयी के संकेत पर स्वयं ऐसा कर रहे हैं। उनके मुँह से कुछ दुर्वचन भी निकल गए थे और उस समय राम ने इस बात की निन्दा भी नहीं की थी, क्योंकि उस दशा में वास्तविकता प्रकट करते ही घटनाचक्र और भी अनिष्टकर रूप ले सकता था। लक्ष्मण को अपने उस दुर्वचन का क्लेश जीवन भर बना रहेगा। परन्तु आज? आज तो सेना हमारे अधिकार में है। राज्य संचालन राम स्वयं कर रहे हैं। उनकी सत्ता को चुनौती देने का कोई साहस नहीं कर सकता। आज किस बलाबल की बात कर रहे हैं, राम? आज वह केवल अपने ही नहीं, पूरे अवध राज्य के इन विषव्रणों की शल्यक्रिया करने से क्यों हिचक रहे हैं? लक्ष्मण के मुँह से यदि यह सारी बात निकले तो उनकी अपनी ही दशा हास्यास्पद हो जाएगी। उनके मुँह से केवल एक शब्द निकला, "बलाबल?"

"हाँ, बलाबल और देश-काल का ज्ञान। आवश्यक तो ये सभी के लिए हैं, पर कोई राजा तो इनके विषय में प्रमाद कर ही नहीं सकता। उसकी छोटी सी भी चूक केवल उसके ही नहीं, उसकी प्रजा में से भी हजारों के प्राण ले सकती है।" वह शान्त और अकम्प स्वर में समझा रहे हैं। राम को आत्मवान, नियतात्मा, देश-कालविद और सर्वशास्त्रार्थतत्त्वज्ञ कहनेवाले मात्र चाटुकारिता में ऐसा नहीं कहते।

"किन्तु..." लक्ष्मण को अपना वाक्य पूरा करने का साहस नहीं होता। सच कहें तो वह जानते ही नहीं कि उन्हें कहना क्या है। विचार उनके मन में अव्यक्त रूप में, एक तरल घोल के रूप में हलक रहे हैं और अपनी शब्दहीनता के कारण बहुत महत्त्वपूर्ण और शक्तिशाली प्रतीत हो रहे हैं। यदि कोई बात स्पष्ट है तो केवल यह कि राम के वाक्यों से उन्हें सन्तोष नहीं हो रहा है। वह उस अन्धे और लम्बे दार्शनिक विवर में प्रवेश नहीं करना चाहते जिसमें राम, उनसे चर्चा करते हुए प्रायः खींच ले जाना चाहते हैं। राम को वहाँ जो कुछ भी दिखता हो पर लक्ष्मण को रात के तमिस्र आकाश की तरह जहाँ-तहाँ प्रकाश के कुछ बिन्दुओं के अतिरिक्त कुछ दिखाई नहीं देता और विराटता के एक धूमिल बोध के अतिरिक्त कुछ समझ में नहीं आता। सब कुछ सुन लेने के बाद शुद्ध लाभ के रूप में केवल सिर की एक भन्नाहट बची रह जाती है जो लक्ष्मण को कहीं पहुँचाती नहीं। परन्तु यदि राम कुछ कह रहे हों तो वह उन्हें रोक भी कैसे सकते हैं।

"शक्ति रहने पर भी हर काम हर समय तो नहीं किया जा सकता, लक्ष्मण। इस प्रकृति को ही देखो जिससे हम सभी शक्ति ग्रहण करते हैं। कितनी अनन्त शक्तियाँ और सम्भावनाएँ इसमें अव्यक्त रूप में विद्यमान रहती हैं। इनमें से कुछ को ही यह व्यक्त करती है और करती है देश-काल के अनुरूप, ऋतुचक्र के रूप में, फूलों और फलों के रूप में, वर्षा और वात्या के रूप में, हमारे विचारों, भावों और क्रियाओं-प्रतिक्रियाओं के रूप में। जो इनके उपयुक्त देश और काल को जानता है वही अपनी शक्ति का प्रयोग करके इच्छित फल प्राप्त कर सकता है। अधीर व्यक्ति जब अनुचित स्थान और समय पर अपनी पूरी शक्ति लगा देने के बाद भी विफल होता है तो दैवज्ञों के जाल में फँस जाता है जो उसे धरती के काल से उठा कर आकाश के देश-काल में पहुँचा देते हैं। जो यहाँ सामने की उपयुक्त परिस्थितियों की पहचान में असमर्थ हैं, वे ही वहाँ नक्षत्रों की स्थितियों की गणना करने लगते हैं।

"ग्रहों-नक्षत्रों की गणना बहुत सरल है, लक्ष्मण। उनकी नियत कक्षाएँ हैं और नियत गतियाँ। अंक ज्ञान से एक मूर्ख भी इनकी स्थितियों का पता लगा सकता है। पर यहाँ, इस धरती पर, मनुष्यों और मानव समूहों की गतिविधियों और इनसे नित्य परिवर्तित होने वाली परिस्थितियों की गणना गणित के जटिलतम सूत्रों से भी सम्भव नहीं और इनका सूक्ष्म अध्ययन और विचार किए बिना कोई कदम उठाना निरापद नहीं है।"

जाने क्या-क्या बोलते चले जाते हैं राम। लक्ष्मण को कुछ सुनाई नहीं दे रहा है। इस तरह के व्याख्यान लक्ष्मण ने इतनी बार सुने हैं कि वह इन्हें अक्षरशः दुहरा सकते हैं, पर न तो समझना चाहते हैं, न मानना। राम की अनुपस्थिति में यदि सीता के साथ विनोद का कोई प्रिय प्रसंग होता तो मुख्य रूप से राम के इन उपदेशों का ही। इन्हें लक्ष्मण इतने कौशल से, राम की एक-एक मुद्रा की नकल उतारते हुए, सुनाते कि सीता हँसते-हँसते बेहाल हो जातीं। वह स्वयं छेड़तीं, "हाँ तो लखन, जब तुम परशुराम पर उबल पड़े थे तो भाई ने क्या कहा था?" और फिर लक्ष्मण का अभिनय आरम्भ हो जाता और राम की आहट मिलते ही दोनों सन्न! जैसे चोरी करते हुए पकड़ लिए गए हों। जब-तब राम के कान में भी कुछ पड़ ही जाता और वह दोनों की ढिठाई का आनन्द लेते हुए अपनी मुस्कराहट को दबाने के प्रयत्न में भी यह प्रकट कर ही देते कि उनसे छिपने-बचने की कोशिश बेकार है।

जब-तब तो सीता स्वयं लक्ष्मण को उकसा कर उनको अन्त में धमकातीं भी, "आने दो भाई को तब बताती हूँ।"

वह लक्ष्मण को लखन, लक्खन, लक्खू जाने किन-किन नामों से पुकारतीं और लक्ष्मण तब राम को महाराज नहीं, 'भाई' ही कहते थे, पर अब...सीता की याद ने लक्ष्मण के चेहरे को फिर कैसे विकृत कर दिया है! वह अपने को नियन्त्रित करते हुए पुनः दुहराते हैं, "परन्तु..."

राम ने अपनी बात पूरी ही कहाँ की है, "लक्ष्मण, बलाबल का विचार करते समय केवल सैन्यशक्ति ही नहीं देखी जाती। उस निगूढ़ शक्ति पर भी ध्यान देना होता है जो उत्तेजित कर दी जाने पर ज्वालामुखी की भाँति विस्फोटक रूप ग्रहण कर सकती है और अपने ध्वंस के साथ-ही-साथ अपने साथ असावधानी बरतनेवाले को भी ध्वस्त कर देती है।"

लक्ष्मण की समझ में फिर-भी कुछ नहीं आ रहा था। वह मूढ़ की भाँति राम को निहार रहे थे।

"तुम वसिष्ठ को केवल एक व्यक्ति समझते हो?" राम ने अपनी लम्बी भूमिका के बाद पहला ऐसा प्रश्न किया जिसे लक्ष्मण भी समझ सकते थे।

"वह अकेले नहीं हैं, यह तो मैं भी जानता हूँ। उनके साथ षड्यन्त्रकारियों का एक पूरा दल लगा हुआ है।"

राम जो अपनी व्याख्या के क्रम में कुछ गम्भीर हो चले थे, लक्ष्मण के उत्तर पर मुस्करा भी नहीं सकते थे, "मैं षड्यन्त्रकारियों के किसी गिरोह की बात नहीं कर रहा हूँ। उसके लिए तो राज्यशासन हर तरह से समर्थ है। पर वसिष्ठ एक विराट् व्यवस्था के, एक विशाल प्रचार तन्त्र के सूत्रधार भी हैं। वह एक ऋषि हैं। जिस शिलीभूत विचारधारा के वह शीर्ष पुरुष हैं, वह जितनी भी रोधक और जड़ क्यों न हो, अपनी कालदीर्घता के कारण यह शिला की तरह ही दृढ़ भी हो चुकी है। वह जिस प्रचारतन्त्र के सूत्रधार हैं, उसकी व्यापकता अवध के राज्य से कई सौ गुनी है। उनकी संस्था अयोध्या के राज्य से अधिक पुरानी है और, वसिष्ठ की बात मानें तो, यह सृष्टि से भी पुरानी है। उनकी शक्ति की अनदेखी करना, या उन्हें मिटाने का प्रयत्न करना, समझदारी नहीं है।"

"मुझे आपकी सभी बातें समझ में नहीं आतीं, महाराज। जो एक दो-बातें अब तक समझ में आई हैं, उनमें से एक यह है कि सत्य और धर्म से अधिक सुदृढ़ कोई आधार नहीं है और अन्याय और अनीति का पहाड़ ही क्यों न हो, उससे दुर्बल कोई अन्य वस्तु नहीं। यह तो अपने जड़ भार से स्वयं अपने आपको ही तोड़ देता है। आप यह भी मानते हैं कि वसिष्ठ उस षड्यन्त्र के मूल में हैं जिसका परिणाम सीता जैसी साध्वी का निर्वासन है। आप फिर भी उनकी शक्ति और अपनी अशक्ति की बात करते हैं तो आश्चर्य होता है।" लक्ष्मण ने पहली बार अपने विचारों को पूरे विश्वास और अधिकार से प्रकट किया।

राम कुछ चिन्ता में पड़ गए थे। यह सच है कि आज तक राम अपने विषय में यही आदर्श अपनाए रहे हैं और अपने स्वजनों को बार-बार यही उपदेश देते आए हैं, पर क्या यह एकांगी सत्य नहीं है। सच तो यह है कि सत्य और धर्म मात्र उच्च आदर्श हैं जिनके पालन से ही मनुष्य अपने को मनुष्य कह सकता है, पर वास्तव में मानव समाज आज भी मानव रूप धारी हिंस्र जीवों से आबाद एक

जंगल का ही दूसरा नाम है, जिसमें सच्चे मनुष्य अपवाद रूप में ही मिलते हैं और इसलिए इन वन्य मानवों की उपेक्षा करना या उनको बिना सोचे-विचारे उत्तेजित करना संकट का कारण बन जाता है। वह अपनी बात कैसे समझाएँ, लक्ष्मण को? सहसा उन्हें एक क्षीण प्रकाश दिखाई पड़ा, "सत्य और धर्म का आधार दृढ़ तो होता है लक्ष्मण, पर जैसे मूलगामी वृक्षों के ऊपर आकाशवेलि फैल जाती है वैसे ही सत्य के ऊपर मानवीय स्वार्थजन्य झूठ का अंबार छा जाता है और कुछ समय के लिए सत्य और धर्म को ढक ही नहीं लेता, अपितु सत्य और धर्म को सुखा कर ही स्वयं सूखता है। आकाशवेलि की ही तरह। वह मूल वृक्ष का रस उस सीमा तक चूसती और उसी पर फलती बढ़ती चली जाती है कि वह अपने पोषण के लिए पर्याप्त आहार बचा ही नहीं पाता और सूख जाता है। धर्म और सत्य के साथ प्रायः व्यावहारिक जगत् में यही होता है। अतः सत्य और सत्याभास, धर्म और धर्माभास के बीच विवेक करना आवश्यक है। सत्य के मूल पर छानेवाली आकाशवेलि सत्य का पोषण नहीं शोषण और हनन करती है; धर्म के नाम पर स्थापित संस्थाएँ और केन्द्र धर्म का पालन नहीं हनन करते हैं और हम प्रायः सत्य और आभास में भेद न कर पाने के कारण ठगे भी जाते हैं। इन संस्थाओं और केन्द्रों के पुरोधा और पुजारी धर्म के लिए नहीं होते; धर्म इनके लिए होता है। धर्म इनकी चरागाह है। धर्म चर का यह एक अपना ही अर्थ करते हैं।

"जो ब्राह्मण सत्य और धर्म की सबसे अधिक दुहाई देती है, वही इसके मार्ग में सबसे बड़ी बाधा है। हम जब किसी अपकारी और व्यभिचारी व्यक्ति की भर्त्सना करते हैं तो उसे कुलांगार कहते हैं, पर ब्राह्मण स्वयं अपने मुँह से अपने को आगे कहता है। वह अपनी निर्मात्री शक्ति की नहीं विध्वंसकारी भूमिका का आतंक दिखा कर अपनी श्रेष्ठता बनाए रखना चाहता है। उसकी श्रेष्ठता का सारा इतिहास शापों और दुरभिसंधियों का इतिहास है—दुष्प्रचार करने की उसकी क्षमता और इसके लिए बनाए गए विशाल तन्त्र की शक्ति है, जिसकी पहुँच दुनिया के सुदूर कोनों तक है। सवर्ण समाज का कोई व्यक्ति ऐसा नहीं है जिसके प्रत्येक वयस्क को किसी न किसी गुरु से दीक्षित न होना पड़ता हो और जो मन्त्रणा के लिए इन पर निर्भर न करता हो और क्षुब्ध होने पर जिसे ये स्वयं भड़का सकते हों। अयोध्या नरेश राम को जितने लोग जानते हैं उससे अधिक लोग वसिष्ठ को जानते हैं; और अयोध्या नरेश के विषय में भी वे अच्छा-बुरा जो कुछ जानते हैं वह इनके ही माध्यम से जानते हैं। बहुत थोड़े लोग, जिनकी प्रचारशक्ति पर भरोसा नहीं किया जा सकता, राजा को उसके कल्याणकारी कामों से जानते हैं। जो राजा पुजारियों और पुरोहितों को प्रसन्न रख सकता है, अपनी ही प्रजा को उत्पीड़ित करके भी प्रसन्न रख सकता है, उसे ये परम धार्मिक, परम न्यायी आदि कह कर अपने समय में यशस्वी तो बना ही सकते हैं, बाद के लिए अमर भी बना सकते

हैं। इसीलिए, लक्ष्मण, हम जिन महान् पूर्वजों की कथाएँ पढ़ते हैं उनकी सारी महानता इस बात में निहित है कि उन्होंने कितने यज्ञ किये, ब्राह्मणों को कितना दान दिया और ब्राह्मणों के सामने किस तरह माथा रगड़ा।

"वसिष्ठ अनर्थ करने की अपनी इस शक्ति को जान कर ही कहते हैं कि क्षात्र शक्ति तो बेकार है, असली शक्ति ब्रह्मतेज में है–धिग्बलं क्षत्रिय बलं ब्रह्मतेजो बलम्। ब्रह्मतेज, अनर्थ और दुष्प्रचार करने की, लोगों को भड़काने, बहकाने और आतंकित रखने की शक्ति का ही दूसरा नाम है, जो उस वर्णवाद में निहित है। इसका विकास ब्राह्मणों ने बहुत सूझ-बूझ से किया है, पर इसके शिकार दूसरे वर्णों की ही भाँति ब्राह्मण स्वयं भी हैं।"

अपनी बात पूरी करके राम जब रुके तो उत्तेजना में उनका चेहरा कुछ लाल हो आया था। वह स्वयं इस विषय में सचेत थे कि वह कुछ उत्तेजित हो चले हैं। अब कुछ रुक कर, शान्त स्वर और नपे-तुले शब्दों में उन्होंने अपने विचारों को सूत्रबद्ध किया, "प्रचारतन्त्र अपने आप में सैन्यशक्ति से कम शक्तिशाली नहीं होता और जब तब तो अधिक शक्तिशाली होता है। तुम क्रुद्ध हो कर वसिष्ठ का वध तो कर सकते हो, पर एक बार इसका प्रचार तो दूर, सन्देह तक हो जाने पर पूरे साम्राज्य में हलचल मच जाएगी। इससे तुम्हारा शासन भी उलट सकता है। बचने का एक ही उपाय है, भारी प्रतिदान। महायज्ञ। वसिष्ठ ने एक बार कहा था, 'वृत्र जैसे कुख्यात ब्राह्मण का वध करने पर इन्द्र तक को अश्वमेध करना पड़ा था।"

राम ने वसिष्ठ की शक्ति का जो विवरण प्रस्तुत किया था उससे लक्ष्मण सचमुच घबरा उठे थे, परन्तु उनके अन्तिम वाक्य में उन्हें प्रकाश की एक क्षीण आभा दिखाई देने लगी, "अश्वमेध तो राज्यविस्तार का यज्ञ है, महाराज। आवश्यकता हुई तो कर लेंगे।"

अपनी हँसी को रोक पाना राम के लिए कठिन हो गया, "यज्ञ कोई भी हो वह राजा के या प्रजा के कल्याण या राज्य के विस्तार का यज्ञ नहीं होता। कहते हैं जब महाराज रघु ने विश्वजित् यज्ञ किया था तो उन्होंने अपना कोष ही नहीं व्यक्तिगत उपयोग की वस्तुएँ तक दान में दे डाली थीं और उनके पास पानी पीने के लिए भी मिट्टी का एक पात्र ही बचा रह गया था। जानते हो, अश्वमेध में राजा अपने राज्य का पूर्वी भाग होता को, पश्चिम का भाग अध्वर्यु को, दक्षिण का भाग ब्रह्मा को और उत्तर का भाग उद्गाता को दान कर देता है। फिर वे राजा से अनुरोध करते हैं कि महाराज इस भूमि का पालन करना हमारे वश का नहीं, अतः आप इसका निष्क्रय दे कर इसे वापस ले लें।"

"निष्क्रय?" लक्ष्मण चौंक पड़े।

"हाँ, निष्क्रय। समुचित मूल्य चुका कर किसी को बेची हुई वस्तु पुनः वापस लेना।" राम ने लक्ष्मण के सन्देह को दूर करते हुए कहा।

"परन्तु समूचे राज्य का निष्क्रय क्या हो सकता है, महाराज?" लक्ष्मण का आश्चर्य कम नहीं हुआ था।

"पूरा राजकोष। उसके अन्तिम सिक्के और अन्तिम दाने तक।" राम लक्ष्मण की आँखों को देख रहे थे जो फटकर बाहर निकल आना चाहती थीं।

"परन्तु यह तो दान नहीं, लूट है, महाराज!" लक्ष्मण लगभग चीख रहे थे।

राम पूर्ववत मुस्करा रहे थे, "तुम ठीक समझते हो। पूरे देश की लूट। नहीं, देश की ही क्यों, पड़ोस के छोटे-मोटे राज्यों की भी लूट। अश्वमेध में अपनी प्रभुता की स्वीकृति सीमान्त के राजाओं से कराने के लिए जो अश्व छोड़ा जाता है, उसे निर्बाध आगे जाने देने वालों को उस राजा को उचित बलि तो देनी ही होगी, अपने से आगे के उस राजा के विरुद्ध लड़ने में उसका साथ भी देना होगा जो अश्व को रोकेगा या उसकी सम्प्रभुता को चुनौती देगा। यदि वह पराजित हुआ तो उसे अपने राज्य को वापस पाने के लिए अपना राजकोष अश्वमेधी राजा को सौंपना होगा। राजकोष ही क्यों, अपने अन्तःपुर की सुन्दरियाँ और अपने कुल की किशोरियाँ भी। इस तरह सिद्ध किया जाता है कि उसके राज्य को घेर कर बसे राज्य उसके वशवर्ती हैं, उसके करद हैं और संघर्ष की स्थिति में वे इसका साथ देंगे न कि अपने दूसरे पड़ोस के राजा का। इस तरह एक चक्र बनता है उसके राज्य के चारों ओर अधीनस्थ राजाओं का जिनके भीतर उसका राज्य शत्रुओं से पूरी तरह सुरक्षित हो जाता है और उसे चक्रवर्ती सम्राट का विरुद मिलता है। पर सार रूप में यह पुरोहितों द्वारा राजकोष की, पड़ोस के शान्तिप्रिय राज्यों की और उनसे आगे के स्वाभिमानी राज्यों की और अपने राज्य के श्रीमन्तों और सामन्तों की लूट है..."

"अपने देश के सामन्तों की भी?" लक्ष्मण की समझ में यह बात नहीं आई थी।

"अपने देश के सामन्तों की भी। वे अश्वमेध के अवसर पर राजा के प्रति अपनी अनन्य निष्ठा प्रकट करने और दूसरे सामन्तों से अधिक प्रतिष्ठा अर्जित करने के लिए उपहार के रूप में अपनी सम्पदा राजा को अर्पित कर देते हैं और फिर लौट कर इसे पूरा करने के लिए प्रजा को उत्पीड़ित करते हैं। राजा स्वयं अपने कोष को भरने के लिए नए सिरे से प्रजा का दोहन करता है। और जानते हो, पुरोहितों को दिए जानेवाले इस निष्क्रय में गाएँ, घोड़े, अन्न, मणि और रत्न ही नहीं, युद्ध में जीती गई स्त्रियाँ भी होती हैं—नारी रत्न सभी रत्नों से ऊपर जो ठहरा।" राम की मुस्कराहट कड़वे व्यंग्य में बदल गई थी।

लक्ष्मण ने घोर सन्ताप की मुद्रा में अपने दोनों हाथ अपने माथे पर लगा लिए थे और धरती की ओर देखने लगे थे।

राम का स्वर आवेग से कातर हो रहा था, "कोई चोर या लुटेरा केवल हमारी सम्पत्ति लूटने आता है और लूट कर ले जाता है, पर आग लगने पर उसमें सब

कुछ जल जाता है। विदेशी आक्रमणकारी देश की सम्पत्ति का एक अंश लूट कर ले जाता है, पर यज्ञ की इस आग में राजकोष, राजा की गरिमा, प्रजा का–निरीह और निःसहाय प्रजा का–सब कुछ होम कर दिया जाता है। और जो राजा पुरोहितों की प्रशस्ति की भूख के कारण बार-बार अश्वमेध करते रहे हैं वे अपनी प्रजा को और अपने पड़ोसी देशों को–उन्हीं देशों को जो पहले से ही उनकी अधीनता मान चुके थे और जिनसे उन्हें कोई भय नहीं था–बार-बार निर्ममता से लूटते रहे हैं। लोभी से लोभी, विलासी से विलासी और लंपट से लंपट व्यक्ति भी इन दान-लुब्धकों को देख कर अपना सिर लज्जा से झुका लेगा। ये अपनी परजीविता की क्षतिपूर्ति समाज के सभी वर्णों और सभी अंगों को अपमानित और तिरस्कृत करके करते हैं।" राम के चेहरे पर गहरी वितृष्णा उभर आई। एक क्षण तक वह सोचते रहे और फिर कहा, "स्वयं उस राजा का भी अपमान जो अश्वमेध करता है और इसी कारण जिसकी कीर्तिगान करते थे थकते नहीं हैं।"

"राजा का भी? अश्वमेध करनेवाले राजा का भी?" लक्ष्मण ने झटके से गर्दन उठाई तो लगा जैसे सचमुच कोई सर्प फन तान रहा हो, पर उनकी आँखों में क्रोध या क्षोभ नहीं, मात्र विस्मय था।

राम ने हामी में सिर हिलाया, "छोड़ो! यज्ञ का बहुत कुछ इतना गर्हित और घृणित है कि उसके लिए शिष्ट व्यक्ति की भाषा में शब्द नहीं मिल सकते। जब मैं सोचता हूँ कि झूठी प्रशस्ति का लोभ मनुष्य को कितने नीचे गिरा सकता है, उसे कितना विवेकशून्य बना सकता है तो आश्चर्य होता है। मनुष्य में बहुत सम्भावनाएँ हैं, लक्ष्मण, कीड़ा बनने से लेकर देवता बनने तक और मानव समाज मानव आकृति में एक साथ इन अनन्त योनियों में भटकते हुए जीनेवाले प्राणियों का विचित्र जमघट है। एक राजा के रूप में मेरा लक्ष्य किसी एक वसिष्ठ या कैकेयी की हत्या करके उससे मुक्ति पाने का नहीं है, लक्ष्य है इन विविध योनियों में रुके और चिपके हुए लोगों को मनुष्य योनि में स्थिर करने का।"

लक्ष्मण को पता ही नहीं चला कि श्रद्धाभिभूत होने के कारण कब और कैसे उनके दोनों हाथ संपुटित हो गए थे और उनका माथा उसी तरह झुक गया था जैसे सूर्य को नमस्कार करते झुक जाता है।

राम शान्त हो गए थे। देर तक लक्ष्मण के मुँह से भी कोई शब्द नहीं फूटा था। वह लगातार कुछ सोच रहे थे और फिर बड़े दीन स्वर में, डरते-डरते पूछा था, "यदि वसिष्ठ इतने शक्तिशाली हैं और आप अकेले वसिष्ठ को दंड देना न उचित समझते हैं न पर्याप्त, तो क्या हमें उनके षड्यन्त्रों से कभी मुक्ति नहीं मिलेगी? महारानी को क्या इसी तरह आजीवन निर्वासन में रहना होगा?"

"यह तो मैंने नहीं कहा। वसिष्ठ के वसिष्ठत्व से मुक्ति वसिष्ठ नाम के एक शरीरधारी से मुक्ति से भिन्न है, लक्ष्मण! वसिष्ठ ठीक कहते हैं कि ब्राह्मण आग

की तरह होता है। अपने प्रचारतन्त्र के बल पर वह ऐसा है भी। आग को डंडा मार कर नहीं बुझाया जाता। इससे तो वह और प्रचंड होती है। और फैलती है। उसे पानी से बुझाना होता है। उस पर धूल और मिट्टी डाल देनी होती है। उसके आसपास से ज्वलनशील पदार्थ हटा दिए जाते हैं कि उसे भड़कने का अवसर ही न मिले। उपेक्षा और ऐसी उपेक्षा जिसमें उन्हें यह कहने का भी अवसर न मिले कि उनकी उपेक्षा की जा रही है, वसिष्ठ के लिए सबसे उपयुक्त दंड है और वह उन्हें बराबर मिल रहा है।" राम ने लक्ष्य किया कि उनकी बात का असर लक्ष्मण पर नहीं हो रहा है। वह रुक गए।

उनका अनुमान सही था। इसकी पुष्टि तत्काल हो गई, "पर इससे उनकी प्रकृति तो नहीं बदल जाएगी। यदि उनके पास इतना विशाल प्रचार तन्त्र है तो वह उसका उपयोग अपने दूषणकारी उपक्रमों के लिए करने से तो विरत नहीं हो सकते! किया भी है।"

"उसका भी उपाय है लक्ष्मण। अब हम असावधान नहीं हैं। कुटिल और दूषक व्यक्ति की प्रकृति हिंस्र पशुओं जैसी होती हैं। वे उजाले में आँखें चुरा लेते हैं। छिपते-फिरते हैं। उनकी आँखों में आँख डाल कर देखो तो सहम जाते हैं। वसिष्ठ और कैकेयी दोनों पर दृष्टि रखी जा रही है और उन्हें इस बात का बोध भी होने दिया जा रहा है कि उन पर हमारी दृष्टि है। अभी इतना ही पर्याप्त है।" राम ने अपनी बात समाप्त करने के ढंग से कहा, पर लक्ष्मण के मन में तो अभी कुछ और शंकाएँ बनी रह गई थीं।

"यही पर्याप्त और अन्तिम उपाय है, महाराज ?" उन्होंने कुछ उखड़े हुए मन से पूछा।

"नहीं। यह मात्र इहकालिक उपाय है। जब मैं देशकाल और बलाबल के विचार की बात कर रहा था जो निराश या हताश हो कर नहीं। वसिष्ठ की शक्ति का सही मूल्यांकन कर लेने के बाद अब हमारे लिए उस शक्ति को बढ़ाना आवश्यक है जो आज उनके और केवल उनके पास है।"

लक्ष्मण के चेहरे पर एक चमक सी आ गई। उन्होंने कहा कुछ नहीं पर इतने उत्सुक भाव से राम की ओर देखने लगे कि राम को लगा, लक्ष्मण से इस योजना को छिपाना अन्याय होगा। आज या कल इसे उनके सामने तो आना ही था पर पहले वह इस पर कुछ और सोच लेना चाहते थे।

"हमें एक समानांतर प्रचारतन्त्र का विकास करना होगा, लक्ष्मण। ऐसा प्रचारतन्त्र जिसकी पहुँच सभी वर्णों और सभी जनों, यहाँ तक कि स्त्रियों और शूद्रों तक भी हो सके।" राम ने कहा।

"क्या यह सम्भव है, महाराज?"

"वह प्रचारतन्त्र पहले से विद्यमान है। उसे केवल उचित प्रोत्साहन देने और

अधिक विकसित करने की आवश्यकता है। एक बार विकसित हो जाने पर इस पर उन जनों का अधिकार हो जाएगा जिनके विरुद्ध पण्डितों और पुरोहितों का प्रचारतन्त्र काम करता है। यह है कुशीलवों और गाथाकारों की परम्परा। नाटकों, गायनों और स्वांगों की परंपरा। कथावाचकों और कथाकारों की परंपरा। नर्तकों, विटों और भांड़ों और भाटों की परम्परा। इससे उन सभी सम्भावित दूषकों और दुष्प्रचारों को निरस्त किया जा सकेगा, लक्ष्मण।"

लक्ष्मण के मुख पर एकाएक लाली आ गई थी या राम को मात्र भ्रम हो रहा था! वह प्रसन्न थे यह तो कोई भी लक्ष्य कर सकता था।

15

सुमंत्र के मन में उस दिन से ही अनेक प्रश्न घुमड़ रहे थे जब उन्हें राम ने सीता को तमसा तक पहुँचाने के लिए रथ का सारथी बनकर जाने को कहा था। उनकी अवस्था का भी ध्यान न रख कर महाराज ने उन्हें ही इस काम के लिए क्यों चुना? मन्त्री का सारथी बन कर जाना अति विशेष परिस्थितियों में ही हो सकता था, पर यहाँ तो कोई विशेष परिस्थिति थी नहीं। महारानी मातृ-गृह को जा रही थीं। बस। फिर इसके लिए प्रस्थान काल आधी रात का क्यों चुना गया? नदी मार्ग तमसा को क्यों बनाया गया जबकि सरयू से यात्रा करना अधिक सरल था? उस स्थिति में रथमार्ग भी बहुत छोटा पड़ता। फिर यदि महारानी के लिए तमसा का मार्ग चुना गया तो उपहार की वस्तुओं के लिए सरयू का मार्ग क्यों? सबसे विचित्र बात यह कि लक्ष्मण जो सीता के साथ जा रहे थे रास्ते भर इतने मौन और उद्विग्न क्यों लग रहे थे मानो कोई अपराध करने जा रहे हों? और अब जब पता चला कि सीता तो मिथिला गईं ही नहीं, रास्ते में ही उतार ली गईं तो सब कुछ खुली धूप की तरह साफ हो गया। यह भी क्या संयोग है कि दो सबसे अप्रिय अवसरों पर सारथी का धर्म सुमन्त्र को ही निभाना पड़ा।

महाराज दशरथ ने राम वनवास के अवसर पर उनको बुला कर राम को छोड़ कर आने को कहा था, तब महाराज के प्रस्ताव मात्र से सुमन्त्र को अपने दायित्व का बोध हो गया था। महाराज की आँखों में उस समय केवल विषाद नहीं था, एक आर्तनाद भी था, जिसे सुमन्त्र अच्छी तरह पढ़ सकते थे। किसी ब्राह्मण की तुलना में उनका चुनाव उस अवसर के लिए क्यों किया गया था, यह अपने आप में एक गूढ़ संकेत था, जिसे यह कायस्थ मन्त्री अच्छी तरह समझता था। जब नगर से बाहर पहुँच कर राम ने उनसे कहा था, "तात, आप कहाँ तक चलेंगे हमारे साथ? हमारा मार्ग तो अनन्त है। अब आप लौट जाएँ" तो सुमन्त्र ने कहा था, "महाराज ने मुझे सप्रयोजन भेजा है, राम। वह प्रयोजन पूरा होने पर कहीं से भी लौट जाऊँगा।"

राम ने सुमन्त्र की ओर प्रश्नाकुल आँखों से देखा था। सुमन्त्र अपना वाक्य पूरा करके एक दृष्टि चारों ओर डालने के बाद, राम की ओर मुड़े बिना ही कहने लगे थे, "ये सँपेरे, मदारी और वन से पक्षियों और पशुओं के बच्चे पकड़ कर लानेवाले, मधु निकालने वाले, नट और मदारी, जड़ी-बूटियाँ बेचनेवाले, उन्हीं नियमों और नैतिक बन्धनों को नहीं मानते जिन्हें हम मानते हैं।"

यह बात कोई भी समझ सकता था कि सुमन्त्र राम आदि का ध्यान बँटाने के लिए कोई बात छेड़ना चाहते हैं। चुप्पी ने रास्ते को सचमुच भारी कर दिया था। रास्ते को ही नहीं, उन सभी के मन-मस्तिष्क को भी। यह एक स्थूल बोझ की तरह उनके सिर पर लदी प्रतीत हो रही थी, पर इसे उतारकर फेंकने का साहस किसी में नहीं था। राम ने सुमन्त्र के आशय को समझ कर प्रश्न किया, "क्या उनके नियम और नैतिक बन्धन होते भी हैं।"

"होते हैं और जो होते हैं उनका पालन भी ये इस तरह नहीं करते जैसे हम करते हैं, जो अपने नियमों को चोरी-छिपे तोड़ने के उपाय भी निकालते रहते हैं। इसके नियम और बन्धन इनकी आत्मा के साथ जुड़े होते हैं।" सुमन्त्र ने कहा। वह कुछ देर सोचते रहे, फिर बोले, "इनमें सभी समान होते हैं। आयु और लिंग के कारण भी भेद इतना नहीं होता कि पुत्र अपने ही पिता का दास और पत्नी अपने ही पति की दासी प्रतीत हो। स्त्री उतनी ही स्वतन्त्र होती है जितना पुरुष—हर बात के लिए स्वतन्त्र। बच्चा उतना ही स्वतन्त्र होता है, जितना पिता। सुरक्षा एक मात्र चिन्ता है जो एक पूरे जत्थे को परस्पर, और पूरे गण को एक दूसरे से, जोड़े रहती हे। इनके सारे नियम अपने गण तक सीमित होते हैं। इससे बाहर के किसी व्यक्ति के प्राण लेना, उसकी सम्पत्ति चुरा लेना, उसे धोखा देना, लूटना, स्वयं उसका अपहरण करना, कुछ भी इनकी दृष्टि में अनैतिक है ही नहीं।"

"वह बात तो हमारे समाज पर भी लागू होती है, तात। हम अपने राज्य से बाहर के देश पर आक्रमण करते हैं, वहाँ के निरपराध लोगों की हत्याएँ करते हैं, उनकी सम्पत्ति और भूमि हड़प लेते हैं और इस पर गर्व भी करते हैं। हम इन वन्य जनों को जिन पर हमारे नियम न तो लागू होते हैं न ही जिन पर हम इन्हें लागू कर सकते हैं, उनसे घृणा करते हुए अंत्यज कहते हैं, उनके प्रति किसी भी अपराध को अपराध नहीं मानते, उनको अस्पृश्य मानते हुए भी हमारे ऋषि मुनि तक उनकी स्त्रियों का अवमर्दन निःसंकोच होकर करते हैं उस समय वे ही असपृश्याएँ अप्सराएँ बन जाती हैं। कहें हम उनके साथ ऐसा कुछ भी करने में संकोच नहीं करते जिसे अपने समाज के साथ करने में हमें लज्जा नहीं आएगी और हम दूसरों की नजर में गिर नहीं जाएँगे। हम एक तरह के जंगल में रहते हैं और वे दूसरी तरह के जंगल में।" राम के मन की घुटन सचमुच कुछ कम होती प्रतीत हो रही थी। लक्ष्मण और सीता दोनों अपने दुख और अपमान में इस सीमा तक डूबे लग

रहे थे कि ये शब्द उनके कानों में पड़ते हुए भी नहीं पड़ रहे थे। उन पर न तो सुमन्त्र के कथन की कोई प्रतिक्रिया हुई थी, न ही राम के विचारों की।

सुमन्त्र ने जाने क्या सोच कर विषय बदल दिया, "कोई किसी को निर्वासन या वनवास इसलिए नहीं देता कि वह एक निश्चित अवधि तक बाहर रहने के बाद लौट कर आएगा और तब सत्ता उसके हाथों में सौंप दी जाएगी। इस तरह की कल्पना या तो शिशु कर सकते हैं, या मूर्ख। तनिक भी बुद्धि रखनेवाला व्यक्ति यह सोच भी नहीं सकता कि किसी ने जिस व्यक्ति को अन्यायपूर्वक दंडित किया है, उसे ही बाद में सत्ता सौंप देगा ताकि दंडित व्यक्ति उससे अपना प्रतिशोध ले सके।"

सुमन्त्र के इस कथन ने लक्ष्मण और सीता को एकदम चौकन्ना कर दिया था। वे कुछ विस्मय और अविश्वास से सुमन्त्र की ओर देखने लगे थे। उनकी दृष्टि फिर राम की ओर चली गई थी जिनके चेहरे से लग रहा था कि यह उनके लिए कोई नई सूचना नहीं है। लक्ष्मण संयत नहीं रह सके थे, "परन्तु वनवास की अवधि तो चौदह वर्ष रखी गई है। उसके समाप्त होने पर कोई हमें अयोध्या लौटने और अपना अधिकार प्राप्त करने से कैसे रोक सकता है, तात?"

सुमन्त्र ने कोई उत्तर नहीं दिया था। उनका ध्यान हठात् घोड़ों की ओर चला गया था और उन्हें लगा था वे बहुत मंद गति से चल रहे हैं। उन्होंने उन पर एक-पर-एक कई कोड़े बरसा दिए थे यद्यपि इस धूल भरी लीक पर रथ की गति इसके बाद भी पहले जैसी ही रह गई थी।

"ऐसा तो अपराधियों के साथ भी नहीं किया जाता, तात। दंड की अवधि समाप्त हो जाने पर तो उन्हें भी छोड़ दिया जाता है, अपने पुराने जीवन में लौटने के लिए।" लक्ष्मण ने अपना प्रश्न नए ढंग से दुहराया था।

"अपराधी अपने अपराध का दंड भोगता है, वत्स। तुमने कौन-सा अपराध किया है? राम ने या सीता ने कौन-सा अपराध किया है?" सुमन्त्र के स्वर में कुछ खरखराहट आ गई थी। उनका गला सूख रहा था।

लक्ष्मण इस प्रश्न का क्या उत्तर देते?

"अपराधी जिस व्यक्ति के प्रति अपराध करता है, क्या उसको अपने प्राण सौंप सकता है?" सुमन्त्र ने एक नया प्रश्न कर दिया।

इस प्रश्न का उत्तर भी सर्वविदित था। यह प्रश्न के रूप में एक तथ्यकथन था, न कि उत्तर की अपेक्षा में किया गया प्रश्न।

"किसी राजकुमार के निर्वासन या वनवास की न तो यह पहली घटना है, न ही इसके प्रयोजन और परिणाम के विषय में बहुत अधिक अटकलबाजी की आवश्यकता है।" सुमन्त्र की आँखों में कुछ पड़ गया था! वह अपनी आँखें मलने लगे थे। धूल उड़कर नाक, आँख और मुँह में जो पहुँच रही थी। उन्हें नाक

सुड़कनी पड़ी और जोर लगा कर गला साफ करना पड़ा। ऐसी स्थिति में वह आगे बोलते भी तो क्या! घोड़ों पर कोड़े अवश्य फटकार सकते थे, और वही करने लगे थे।

"ये जो नट, निषाद, पुंजिष्ठ, चांडाल आदि हैं ये बहुत छोटे प्रलोभन पर भी किसी के प्राण ले सकते हैं, या वन में निर्वासित व्यक्ति की गतिविधि की सूचना भेजते और तरह-तरह के उपद्रव करते रह सकते हैं। मैं इनकी नैतिकता की बात इसीलिए कर रहा था।" सुमन्त्र फिर कुछ देर के लिए चुप हो गए थे। रथ का पहिया धूल में कुछ अधिक धँसा रहा होगा! वह लगाम पकड़े ही रथ से नीचे उतर गए थे और पैदल ही साथ-साथ चलने लगे थे।

राम उनकी मनोदशा को समझ रहे थे। वह स्वयं भी नीचे उतर गए और उनके उतरते ही लक्ष्मण को उतरना ही था, "सचमुच घोड़ों को बहुत कष्ट हो रहा होगा। धूल बहुत अधिक है। पहिया-एक-एक हाथ लीक में धँसा जा रहा है।" वह भी सुमन्त्र के समानान्तर चलने लगे।

उस विषाद की घड़ी में भी सुमन्त्र के होंठों पर एक हल्की-सी मुस्कराहट तैर गई, "चलो बैठो राजकुमारो, तुम्हारे साथ मैं भी बैठता हूँ।" सुमन्त्र दोनों को साथ लेकर रथ पर पुनः आ बैठे थे। इस बीच वह अपने ऊपर नियन्त्रण तो कर ही चुके थे। अभी तक उनका ध्यान उसी बिन्दु पर टिका हुआ था जहाँ उन्होंने पिछले वाक्य को छोड़ा था, "वनवास हुआ ही है तो जीवक तुम्हारे पीछे भी लगाए जा चुके होंगे। नहीं लगाए गए होंगे तो अब लगा दिए जाएँगे।" वह कुछ सोचने लगे थे, "इनकी दृष्टि बहुत प्रखर होती है। घ्राणशक्ति दृष्टि से भी प्रखर। जैसे कुछ जानवर गन्ध को पहचान कर घंटों बाद भी यह जान लेते हैं कि वहाँ उपस्थित प्राणी वहाँ से किधर और कहाँ गया है उसी तरह पाँवों के चिह्न, मुड़ी हुई घास, पाँवों के दबाव से टूटे हुए सूखे पत्तों, सोने-बैठने के लिए साफ की गई भूमि, सोने से भूमि पर पड़े निशान और इन सबमें छूटी शरीर की गन्ध से ये घंटों बाद भी अपने लक्ष्य तक पहुँच जाते हैं और सौंपे गए काम को पूरा करने में समर्थ हो जाते हैं।"

"देखने में तो बड़े अनाड़ी मालूम होते हैं।" लक्ष्मण ने बीच में टोका था।

"ऊपर से देखने पर हर आदमी हाड़-मांस का एक पुतला मालूम होता है। दूर से देखने पर एक जड़ वस्तु। वह सचमुच क्या है इसे समझने के लिए उसके निकट आना होता है। वह सोचता क्या है, यह जानने के लिए उसके भीतर प्रवेश करना होता है, प्रेम और सहानुभूति के साथ उससे जुड़ कर लम्बे समय तक रहना और उसके कार्यों, प्रतिक्रियाओं और भावनाओं का अध्ययन करना होता है। दूर से किसी को समझा नहीं जा सकता।" वह कुछ रुक कर बोले थे, "यह ध्यान रखो कि जो साँपों और बिच्छुओं को जीवित पकड़ लेते हैं, मधुमक्खियों के डंकों की चिन्ता किए बिना उनके छत्ते उतार सकते हैं, अपने शत्रुओं से निरन्तर सावधान

रहनेवाले वन्य पशुओं को जीवित पकड़ सकते हैं, आकाश में उड़नेवाले पक्षियों, पेड़ों पर उछलनेवाले वानरों, भयंकर रीछों, शेरों, हाथियों तक को पकड़ कर अपने वश में कर सकते हैं, एक तनी रस्सी और बाँस के सहारे अधर में दौड़ते हुए चल सकते हैं, वे निपट मूर्ख नहीं हैं और कुछ ऐसे काम करने में तो सफल होते ही हैं जिनमें से कोई भी हमारे वश का नहीं है। सच कहो तो जैसे हम उन्हें मूर्ख समझते हैं वैसे ही वे भी हमें मूर्ख समझते हैं। परस्पर अपरिचितों का संसार, एक दूसरे के सम्मुख खड़े पशुओं और मूर्खों का ही संसार तो होता है! अपरिचय में एक नर समूह दूसरे की हत्या तो कर सकता है, पर उसे समझ नहीं सकता। इसीलिए हम उनके प्रति सदय नहीं रहते और वे हमारे प्रति सदय नहीं हो पाते।"

सीता के मन में पहली बार जिज्ञासा पैदा हुई थी, "वे साँपों, शेरों, हाथियों, रीछों आदि को जीवित पकड़ कैसे लेते हैं, तात?"

सुमन्त्र की पिछली बात ही पूरी नहीं हुई थी इसलिए तत्काल यह भी पता नहीं चला कि उन्हें सीता का प्रश्न सुनाई भी पड़ा या नहीं। वह बोल भी कुछ संकोच के साथ बहुत धीमी आवाज में ही रही थीं।

"अपने आपको तो पशु और कीड़े-मकोड़े भी समझते हैं और अपने आसन्न परिवेश से उनका लगाव अधिक गहरा होता है, उसके प्रति वे हमसे अधिक त्वरित प्रतिक्रियाएँ करते हैं, पर हम कहते हैं उनमें ज्ञान नहीं होता, तो ऐसा क्यों कहते हैं?" सुमन्त्र राम की ओर देखने लगे थे।

राम की स्थिति कुछ बोलने की नहीं थी। वह सुमन्त्र की बातों को ध्यान से सुन रहे थे पर उनकी पूरी बातें सुनाई भी नहीं पड़ रही थीं। चित्त बार-बार विचलित हो कर कहीं और चला जा रहा था और उसे बलपूर्वक खींच कर ही वह कुछ समय के लिए केन्द्रित कर पाते थे। सुमन्त्र ने उनकी ओर देखा तो उस समय उनका ध्यान इस ओर तो गया कि वह कुछ पूछ रहे हैं पर क्या पूछ रहे हैं यह उनकी समझ में नहीं आ सका था। उनकी आँखों के रीतेपन को भाँप लेना सुमन्त्र के लिए कठिन नहीं था।

"मैं यह नहीं जानता कि महाराज मेरे माध्यम से आपको क्या सन्देश भेजना चाहते थे, कुमार, पर उनकी आँखों को देखकर मुझे यह लगा था कि उन्होंने कुछ सोच कर ही मुझे सारथी के रूप में भेजा और वह सन्देश सौंपा जो एक क्षण के लिए उनकी आँखों में उभरा था। अपने अनुमान से जो कुछ समझ सका उसे ही तुम्हें सुना रहा हूँ राम। इसे महाराज का सन्देश समझ कर ध्यान से सुनते जाओ।" सुमन्त्र के स्वर में झिड़की नहीं, कातरता थी।

"सुन रहा हूँ, तात। चित्त-विक्षेप हो गया था।"

"मैं कह रहा था, स्व के नहीं अपर के बोध का ही दूसरा नाम ज्ञान है। स्व का ज्ञान भी उसी के ज्ञान के अनुपात में होता है। और अपर का ज्ञान–अपर का

गहन ज्ञान सहानुभूति, प्रेम और निकटता के बिना कैसे सम्भव है! इसलिए कई बार तो मुझे लगता है ज्ञान भी प्रेम का ही दूसरा नाम है। और यह ज्ञान ही हमें मनुष्य बनाता है। तो इन वन्य गणों के बीच रहते हुए उनसे प्रेम और निकटता का सम्बन्ध रखोगे तो ही उन्हें समझ सकोगे, उनका हृदय जीत सकोगे, उनके बीच रहते हुए भी अनुभव करोगे कि अयोध्या का तुम्हारा राज्य भले हाथ से निकल गया हो, राजपद तुमसे नहीं छिना है। प्रेम और मैत्री से स्वयं अर्जित किया गया वह साम्राज्य जो किसी की कृपा से नहीं अपने पौरुष से अर्जित होगा। इन प्राणघाती जीवकों से अपनी सुरक्षा का सबसे बड़ा और अभेद्य कवच भी यही है।" सुमन्त्र ने देखा सामने एक नाला आ गया है और वह बोलते-बोलते रुक गए थे। अब हमें नीचे उतरना होगा। नाला है।

पानी अधिक नहीं था। ढलान और उठान अवश्य कुछ तीखे थे, यद्यपि घाट होने के कारण इतने तीखे भी नहीं कि रथ के उतरने या चढ़ने में अधिक कठिनाई हो। सुमन्त्र, राम और लक्ष्मण के बाद सीता भी उतरने लगीं तो सुमन्त्र ने रोक दिया। बैठी रहें। नाले के पार निकल आने के बाद उन्होंने पहले घोड़ों की पीठ पर बड़े स्नेह से हाथ फेरा था और राम व लक्ष्मण के चढ़ने तक घोड़ों को ही निहारते रहे थे और फिर स्वयं भी अपने आसन पर बैठ गए थे। राम के कानों में अभी तक सुमन्त्र का एक ही शब्द गूँज रहा था। 'अभेद्य कवच'। वह अपने प्रयत्न के बाद भी अपने ध्यान को सुमन्त्र के कथन पर केन्द्रित नहीं कर पाए थे और जब उनके कानों में यह शब्द पड़ा था तो उन्हें खेद हुआ था कि कोई महत्त्वपूर्ण बात उनसे छूट गई है।

"आप किसी अभेद्य कवच की बात कर रहे थे।" राम ने सुमन्त्र को याद दिलाया था।

"हाँ, मैं कह रहा था, मनुष्य की सबसे बड़ी शक्ति उसकी शारीरिक शक्ति नहीं है, हथियारों की भी शक्ति नहीं। सबसे बड़ी शक्ति है अपने आसपास के लोगों का स्नेह और विश्वास प्राप्त करना। अपनी शक्ति का गर्व करनेवाला अकेले अपनी ही शक्ति का तो प्रयोग करता है, पर जब उसे स्वजनों और परिजनों का स्नेह और विश्वास प्राप्त होता है तो किसी संकट की घड़ी में उसे उन सभी की शक्ति और समर्थन प्राप्त होता है और अपनी शक्ति तो फिर भी उसके साथ होती ही है। अब उसकी शक्ति कई गुना हो जाती है। अतः अपने बल पर अधिक भरोसा करके कभी एकान्त में नहीं रहना चाहिए। जीवकों की दृष्टि चट्टानों को भी भेद देती है। सदा मनुष्यों से घिरे रहना और जिनके बीच रहना उनके अनुसार अपने को ढालने में प्रमाद न करना। स्नेह करनेवाले मनुष्यों का यह घेरा ही मानव दुर्ग है जिसमें मनुष्य हर प्रकार के संकट से सुरक्षित रहता है, वह शत्रु का आक्रमण हो या हिंस्र पशुओं का, प्रकृति का प्रकोप हो या व्याधि। अपने को

मनुष्य बनाए रखने के लिए भी तो मनुष्यों के पास रहना, उनके साथ रहना होता है!" सुमन्त्र कुछ सोचने लगे थे।

"तुम पूछ रही थीं, बहू कि ये हिंस्र पशुओं को कैसे पकड़ लेते हैं?" सुमन्त्र सीता की ओर मुड़े थे।

सीता अब तक निराश हो चुकी थीं। सुमन्त्र के वाक्य से उन्हें विस्मय मिश्रित प्रसन्नता हुई। उन्होंने केवल 'हाँ' में सिर हिलाया।

"ये प्रत्येक जीव की प्रकृति का बहुत अच्छा ज्ञान रखते हैं। वह कब उत्तेजित होता है और उत्तेजित होने पर क्या करता है, कितनी शीघ्रता से वह आघात करता है, किधर मुड़ने में उसे कठिनाई होती है, कितनी देर बाद थक जाता है, इसका प्रजनन काल क्या है, अपने बच्चों को कहाँ रखता है, अण्डों को कहाँ और कैसे छिपाता है, शिशुओं को कैसे चारा खिलाता या दूध पिलाता है, किन औषधियों या गन्धों की उस पर क्या प्रतिक्रिया होती है, वह किन चीजों से डरता है और कब सोता है, किस घाट पर पानी पीता है, किन मार्गों से होकर प्रायः आता-जाता है, उसकी कौन-सी इन्द्रिय अधिक प्रखर होती है, आदि अपने इस ज्ञान के बल पर ही वे किसी को उस समय धर दबोचते हैं जब वह सबसे अधिक असावधान अथवा अरक्षणीय होता है। पर इन सभी बातों से भी अधिक महत्त्वपूर्ण है इनका धैर्य और ध्यान। ये अपने लक्ष्य की प्राप्ति के लिए अपने शिकार के कोटर, गुफा, मांद या राह पर अविचलित घंटों और कभी-कभी दिन के दिन घात लगाए बैठे रह सकते हैं और जब इस बात का पूरा विश्वास हो जाता है कि उनका शिकार सो गया है, या पूरी तरह असावधान है, या अपने शिशुओं को छोड़कर आहार आदि जुटाने चला गया है, तभी वे उसे दबोचने का प्रयत्न करते हैं।

"कभी-कभी ये मादक पदार्थों का प्रयोग करते हैं। आम की बौर से मछलियाँ अचेत हो जाती हैं अतः तालाबों आदि में ये बौर डाल देते हैं। बेहोश मछलियाँ जब भागने में असमर्थ हो जाती हैं या ऊपर आ जाती हैं तो उन्हें हाथ से ही पकड़ लेते हैं। उनकी उपस्थिति का पता उनके शिकार को न चलने पाए इसके लिए ये तरह-तरह की युक्तियों का सहारा लेते हैं, जैसे यदि हवा उस दिशा में बह रही है जिधर शिकार है तो अपने शरीर की गन्ध को दबाने के लिए ये अपने पूरे शरीर में कीचड़ लपेट लेते हैं। इससे दुहरा लाभ होता है। गन्ध तो छिप ही जाती है; आकृति भी बदल जाती है और शिकार इनकी उपस्थिति से तभी सावधान हो पाता है जब ये उसके बहुत निकट पहुँच जाते हैं। ये वन्य पशुओं, पक्षियों की विविध अवस्थाओं में की जानेवाली ध्वनियों से भी परिचित होते हैं। कोई नर या मादा अपने संगी को बुलाने के लिए जिस प्रकार की पुकार जिस ऋतु में करता है उस प्रकार की ध्वनि किसी स्थान पर छिप कर करते हुए वे उसे बहुत निकट तक बुलाने में समर्थ होते हैं। इन सबके बाद इनके डंडे, जाल, फंदे आदि तो हैं ही।"

उन्हें आशा थी कि सीता या कोई दूसरा उनके विवरण पर कोई प्रश्न करेगा। जब किसी ने ऐसा नहीं किया तो बोले थे, "वन में रहनेवाले किसी भी व्यक्ति को पशुओं की भाषा और विद्या को तो जान ही लेना चाहिए।"

प्रश्न अब आया, लक्ष्मण की ओर से, "पशुओं की भी भाषा और विद्या होती है क्या, तात? तब तो फिर आप कहेंगे उनके विद्यालय भी होते हैं।"

"पशुओं की भाषा का अर्थ है विभिन्न पशुओं की बोलियों का ज्ञान, एक ही पशु द्वारा विभिन्न अवस्थाओं की पुकारों और क्रन्दनों का ज्ञान, एकाधिक पशुओं द्वारा किन्हीं अवस्थाओं में बोलने के आशय का ज्ञान। यह वन में बसनेवालों के लिए बहुत उपयोगी है। और उनकी विद्या के ज्ञान का अर्थ है उनके आचार, व्यवहार, आपसी सम्बन्धों और विभिन्न स्थितियों में उनकी क्रियाओं और प्रतिक्रियाओं का ज्ञान। यह न केवल जीविका के लिए बहुत आवश्यक है बल्कि अपनी जीवन रक्षा के लिए भी आवश्यक है। पहली बार जब मुझे भी इनकी भाषाओं और विद्याओं के ज्ञान की बात बताई गई थी तो चौंका था, पर जब समझा तो गुरुकुल का काल बहुत सुख से बीता। मैं कुछ आगे बढ़ कर वनस्पति विद्या का अध्ययन करने की भी सलाह दूँगा। वन्य गणों को इनका अच्छा ज्ञान होता है।" सुमन्त्र को पुनः लगा था कि घोड़े कुछ मन्द गति से चल रहे हैं। वह उन्हें उकसाने लगे थे।

मार्ग समतल था और लीक भी उतनी धूलभरी नहीं थी। इसका लाभ उठाते हुए वह अधिक-से-अधिक दूर निकल जाना चाहते थे कि यदि कोई जीवक पीछे लगाया भी जाए तो वह जल्द इन्हें पकड़ न पाए।

"तात, आप कह रहे थे वनवास की यह प्रथम घटना नहीं है और वनवास के दिनों में निर्वासित राजकुमारों की हत्या के प्रयत्न किए जाते हैं, समय की मर्यादा तो मात्र एक बहाना है, तो यह काम तो वनवास का नाटक कराए बिना सीधे प्राणदण्ड दे कर भी कराया जा सकता है?" राम ने प्रश्न किया। उनका वश चलता तो वह उन सभी प्रसंगों को लेकर प्रश्न करते जाते जिनकी चर्चा सुमन्त्र ने की थी। उन्हें अपनी अनवधानता पर सचमुच खेद हो रहा था।

"अन्यायी व्यक्ति को भी यह दिखाने की चिन्ता रहती है, राम, कि वह जो कुछ कर रहा है उसके लिए बाध्य कर दिया गया है। इसीलिए वह आघात करने से पहले कोई न कोई बहाना तैयार करता है। यदि ऐसा न करे तो उसे परिजनों और अपने सेवकों तक के रोष का सामना करना पड़ सकता है। यदि शक्ति रहने पर कुछ भी करना उचित हो और शक्ति ही अन्तिम कसौटी बन जाए तो जिस सेना के बल पर राजा अपनी शक्ति का प्रदर्शन करता है, उसका सेनापति स्वयं उसका वध करके राजा क्यों न बन जाए।"

राम ने बीच में ही टोका, "मैंने तो सुना है कि अनेक सेनापतियों ने अनेक देशों में ऐसा किया भी है।" वह अब बीच-बीच में प्रश्न करके अपने मन को

विषय में लगाए रखना चाहते थे।

सुमन्त्र ने खाँस कर अपना गला साफ किया था, "होता है। अनेक बार ऐसा भी होता है पर वहीं जहाँ राजा स्वयं अत्यन्त दम्भी, मूर्ख, अन्यायी, दुर्व्यसनी और अयोग्य होता है। सेनापति को राजा बनते ही यही घोषित भी करना पड़ता है कि प्रजा को अन्याय और उत्पीड़न से बचाने के लिए, या देश को विदेशी शत्रुओं से बचाने के लिए, उसे बाध्य हो कर ऐसा करना पड़ा है।"

सुमन्त्र कुछ समय तक चुप रहे फिर जैसे अपनी चुप्पी से ही थक कर कहने लगे, "कैकेयी ने भी तुम्हारे निर्वासन का बहाना पा लिया। एक तो यह कि राज्य पर अधिकार उसके पुत्र का है, तुम्हारा नहीं। इसके बदले उसे अपने पुत्र का अधिकार चाहिए जो तुम्हारे राज्याभिषेक से छिन रहा था। दूसरा यह कि उसके साथ विश्वासघात करके भरत को ठीक इस अवसर से पूर्व ननिहाल भेज दिया गया। क्यों किया गया ऐसा? राज्याभिषेक को अकंटक बनाने के लिए ही न? वह कहती हैं यदि भरत को ननिहाल भेजा जा सकता है तो भरत के राज्य को अकंटक बनाने के लिए राम को वनवास क्यों नहीं दिया जा सकता! उसने इसी न्याय से वनवास की माँग की है। इसी तरह के बहाने पहले के निर्वासनों और वनवासों में भी किए जाते रहे हैं। इससे अधिक कठोर दंड से जनता में क्षोभ पैदा हो सकता है। सैनिक विद्रोह कर सकते हैं। सेनापति को अन्यायी राजा की सत्ता छीनने का बहाना मिल सकता है। मन्त्रियों को उसे विष दे कर मारने का बहाना मिल सकता है। अतः प्रकट रूप में इतना ही किया जाता है।"

"परन्तु सीता को वनवास देने का क्या औचित्य था, तात?" सीता का निर्वासन राम को अपने निर्वासन से भी अधिक पीड़ा दे रहा था।

"यदि अयोध्या का उत्तराधिकारी उसकी कोख में पल रहा हो तो?" सुमन्त्र ने कहा और चुप हो गए। उन्होंने मुँह को एक ओर किया और थूक दिया। उनके चेहरे पर उभरी घृणा चित्रलेख की भाँति पढ़ी जा सकती थी।

लक्ष्मण अरसे से चुप थे। इसी चुप्पी को तोड़ते हुए उन्होंने फिर वही वाक्य दुहराया, "यदि महाराज स्वयं कैकेयी के..."

राम ने उन्हें क्रोध भरी दृष्टि से देखा था और वह अपना वाक्य पूरा नहीं कर पाए थे। सुमन्त्र ने राम की इस मुद्रा को देखा था और झट आँख हटा ली थी मानो कुछ देखा ही न हो और दूर सामने अपने मार्ग पर दृष्टि टिका बैठे थे, "धूप कितनी तीखी है।" उन्होंने कहा था और आगे केवल पेड़ों, पौधों, गाँवों, बस्तियों के बारे में, दृष्टि में आने वाले पक्षियों और उनकी आदतों के बारे में ही बातें करते रहे थे।

सुमन्त्र को आज भी लक्ष्मण का वह वाक्य और राम की वह दृष्टि याद आती है तो एक सादृश्य की ओर ध्यान जाता है, कँटीले वृक्ष छोटे ही रह जाते हैं और उनके कंटक पशुओं और प्राणियों से अपने को और अपने फल को बचाने के क्षुद्र

लक्ष्य तक सीमित रहते हैं पर महावट के तने से भी दूध बहता है। राम महावट हैं। महावट का दूध ही उसकी एक-एक शाख से दौड़ता है धरती की ओर और वह उसकी शक्ति का एक नया स्तम्भ बन ज़ाता है। राम का स्नेह, संयम और उदारता अनन्य है, यही उनकी परम शक्ति भी है। वह व्यर्थ क्रोध नहीं करते, न ही उनका क्रोध व्यर्थ जाता है। परन्तु सीता को उन्होंने दंड क्यों दिया? केवल लोकप्रवाद के भय से।

परन्तु क्या महाराज दशरथ ने राम को स्वेच्छा से वनवास दिया था? राजा की शक्ति यदि लोकोत्तर है तो उसकी विवशता भी तो लोकोत्तर ही होती है। कोई प्रबल कारण तो होगा ही। महाराज दशरथ से भी अधिक गुप्तमंत्र हैं राम। महाराज स्वयं भी तो कहते थे कि राम उनसे हर दृष्टि से श्रेष्ठ हैं!

दूरदर्शी और मन्त्रगोप्ता महाराज भी कम नहीं थे। पराक्रम भी कम नहीं था पर विलासिता और चाटुप्रियता ने ही उन्हें उस अधोगति को पहुँचा दिया था जिसमें उन्हें निरन्तर स्खलित ही होते जाना पड़ा और अपने अन्तिम दिनों में तो उन्हें अपने आप पर भी दया आने लगी होगी। परन्तु यदि महाराज ने परिस्थितियों के सम्मुख पूरी तरह समर्पण न कर दिया होता तो क्या उनकी वह दशा होती और उस तरह अपमानित होना पड़ता?

कैकेयी के वरण के समय राम दस वर्ष के हो चुके थे और उन पर महाराज का अनुराग भी कम नहीं था, फिर भी महाराज ने राज्यशुल्क दे कर उन्हें प्राप्त किया। इतना बड़ा विनिमय! सुमन्त्र के कानों में जब यह बात पड़ी थी तो अवसर देख कर उन्होंने पूछा था, "क्या सुन रहा हूँ, महाराज? क्या कुल मर्यादा का उल्लंघन होगा?"

महाराज कुछ समय तक चुप रहे थे फिर कुछ मुस्कराते हुए एक अटपटा प्रश्न कर बैठे थे, "कामशास्त्र का ज्ञान है, मन्त्रिवर को?"

समस्त शास्त्रों में अब कामशास्त्र ही शेष रह गया था! महाराज अपने प्रश्न से सुमन्त्र को चौंकाना चाहते थे। वह इसमें सफल भी हुए थे। कुछ समय बाद स्वयं ही बोले थे, "प्रणय प्रतिश्रुति केवल भूलने के लिए ही होती है, मन्त्रिवर। रूपगर्विताओं और मानिनी युवतियों को तुष्ट करने के लिए आकाश के तारे तोड़ कर लाने का वचन देने वाले सचमुच आकाश के तारे तोड़ने नहीं जाते।" सम्भवतः यह सोच कर कि सुमन्त्र की ही तरह अनेक दूसरे पार्षदों के मन में भी यह भ्रम हो सकता है, एक दिन स्वयं भरी सभा में महाराज ने यही बात दुहरा दी थी।

और यहीं महाराज से बहुत बड़ी त्रुटि हो गई थी। कैकेयी के बुद्धिकौशल को समझने में उनसे निश्चय ही भूल हुई थी। कोई अन्य कुछ भी कहे, सुमन्त्र यह नहीं मान सकते कि महाराज कैकेयी के प्रणयदास बन गए थे और उन्हें प्रजा के हित का और कुल की परम्परा का ध्यान ही नहीं रह गया था। परन्तु उनकी एक भूल ने अनर्थ के एक ऐसे जाल की सृष्टि कर दी जिसमें फँस कर वह पूरी तरह

अशक्त हो गए थे। कैकेयी ने उन्हें सत्ता संघर्ष में मात दे दी थी और अन्त तक वह उनके कसते हुए फंदे से निकलने का कोई उपाय नहीं निकाल सके।

महाराज ने कामशास्त्र भी अधूरा ही पढ़ा था। वह यह मानने के लिए तैयार ही नहीं थे कि कोई युवती अपने पिता की उम्र के पुरुष को प्रसन्न करने का प्रयत्न तो कर सकती है, परन्तु उससे प्यार नहीं कर सकती। प्रेमाभिनय को ही वह हार्दिक प्रेम मान बैठे और इसी के साथ अपने पुरुषोचित दम्भ में कि स्त्रियाँ ज्ञान और बुद्धि में पुरुषों से सदा हीन ही होती हैं, कैकेयी का मन रखने के लिए युधाजित को सेनापति नियुक्त कर बैठे। यहीं से आरम्भ हुआ वह मोड़ जिसने महाराज को भटका दिया।

कुछ दिनों तक तो महाराज को पता ही नहीं चला कि एक-एक करके कितने कैकेय सैनिक ऊँचे पदों पर नियुक्त किए जा चुके हैं। पता चला तो विलम्ब हो चुका था। पर इससे भी बड़ी भूल थी कैकेयी द्वारा महाराज के जीवन को लेकर जताई जानेवाली चिन्ता को दूर करने के लिए अपने अंगरक्षकों में कैकेय युवकों और युवतियों की नियुक्ति। पुरोहित के पद पर वसिष्ठ की नियुक्ति। कैकेयी ने महाराज के चारों ओर कितने कौशल से एक घेरा डाल दिया था! अब महाराज के सभी निर्णय कैकेयी के संकेत पर होने लगे थे तो इसमें आश्चर्य ही क्या था।

विश्वामित्र के साथ हुए दुर्व्यवहार ने पहली बार महाराज को अपनी प्रमाद निद्रा से जगाया था, और पहली बार उनमें वह छटपटाहट दिखाई देने लगी थी जो किसी पिंजरबद्ध सिंह में दिखाई देती है। वह अब चारों ओर संकटों से घिरा अनुभव करने लगे थे और उस पिंजरे से बाहर निकलने की चिन्ता से ग्रस्त रहने लगे थे। वह प्रायः अपने थकने और बूढ़े होने और राजकार्य के निष्पादन में होनेवाली त्रुटियों को प्रकट रूप में स्वीकार करने लगे थे। उनके ऐसा कहने पर वसिष्ठ उन्हें उनकी प्रतिश्रुति की याद दिलाए बिना न रहते, "भरत के वयस्क होने तक तो महाराज को यह गुरुभार वहन करना ही पड़ेगा।" वसिष्ठ कहते और महाराज चुप हो जाते।

राजकुमारों के विवाह के बाद मिथिला से लौटने के बाद महाराज पुनः उल्लसित रहने लगे थे। वह बात-बात पर परिहास करते रहते। इसी तरह परिहास करते हुए महाराज ने एक बार वसिष्ठ से कहा था, "मुनिवर आपके ग्रह-नक्षत्र तो लगता है सदा मनुष्यों के कामों में बाधा डालने के विचार से ही इधर से उधर उछल-कूद करते रहते हैं। अमुक लग्न में अमुक काम मत करो और अमुक लग्न में अमुक काम रोक दो। आप लोग कोई ऐसा लग्न क्यों नहीं ढूँढ़ते जिसमें किसी भी प्रकार का शुभ काम करने पर आपके नक्षत्रों-ग्रहों में से किसी को आपत्ति न हो?"

महाराज की टिप्पणी पर सभी सभासद हँस पड़े हैं। वसिष्ठ तो सभाचतुर के

रूप में विख्यात ही थे। मुस्कराते हुए बोल उठे थे, "महाराज, ग्रहों-नक्षत्रों को भी समादर तभी तो मिलता है जब वे दृष्टि वक्र करें। उनका शमन करने के लिए कितना जप-योग करना पड़ता है! यदि उनका भाग सहज रूप में दान-दक्षिणा के द्वारा सद्ब्राह्मणों के माध्यम से पहुँचता रहे तो उनको कुदृष्टि फेरने की आवश्यकता ही न पड़े।"

हँसी का एक और दौर! हँसी रुकने के बाद महाराज ने कटाक्ष किया था, "दान-दक्षिणा में राज्य की ओर से तो कोई कमी कभी आने नहीं पाई। यदि ब्राह्मण पुरोधा नक्षत्रों को उनका हिस्सा न पहुँचाएँ और उसे भी स्वयं डकार जाएँ तो भला इसमें राजा क्या कर सकता है?"

वह दिन सभासदों को कभी नहीं भूलेगा। हँसते-हँसते लोगों के पेट में बल पड़ गए थे। महाराज फिर कुछ गम्भीर हो गए थे, "सचमुच क्या ज्योतिषशास्त्र में ऐसा कोई मुहूर्त होता ही नहीं जब बिना सोच-विचार के सभी प्रकार के शुभ कार्य किए जा सकें?"

"हैं, महाराज, अनेक हैं। एक तो पुष्य नक्षत्र का योग ही उपस्थित होने जा रहा है, अगले मास।" वसिष्ठ ने कहा था और फिर विनोद पर आ गए थे, "महाराज हमारा वश चले तो हम तो प्रतिदिन ही नहीं, प्रतिक्षण शुभ मुहूर्त निकालते रहें। इसमें तो हमारा भी लाभ है, पर ये नक्षत्र तो यजमानों से अधिक पुरोहितों से ही शत्रुभाव रखते हैं।"

"प्रतिक्षण शुभ हो जाएगा तो लोग ज्योतिषियों के पास क्यों दौड़ेंगे, आचार्य? आप का गौरव उनको मना कर सही कक्षा में लाने के कारण ही तो है!" महाराज ने भी हँस कर कहा था। उस दिन किसी को यह आभास तक नहीं होने पाया था कि महाराज की जिज्ञासा के पीछे कोई गम्भीर प्रयोजन भी है।

दो दिन बाद उन्होंने सुमन्त्र से पूछा था, "मन्त्रिवर, आपके कोष की क्या स्थिति है?"

सुमन्त्र को आशंका हुई थी कि महाराज पुरोहितों की तुष्टि के लिए दान-दक्षिणा का कोई बृहद् आयोजन करने जा रहे हैं, पर ऐसे आयोजनों में उनकी अनुमति-विमति का महत्त्व ही क्या था! बिना माँगे परामर्श देने की मूर्खता तो कर नहीं सकते थे, "कोष भरा-पूरा है, महाराज।"

"राजकोष का अर्थ केवल अन्न, धन, काष्ठ, चर्म, रत्न ही नहीं होता। किसी भी वस्तु का अभाव नहीं होना चाहिए। कुशा से लेकर तीर्थजल तक सब कुछ सदा उपलब्ध होना चाहिए।" महाराज ने हँसते हुए ही कहा था।

इधर इस तरह के हलके-फुल्के प्रश्न करके महाराज प्रायः भूल भी जाते थे। इनका कहीं कोई सम्बन्ध जुड़ नहीं पाता। दूसरों को भी आश्चर्य होता कि गम्भीर विषयों के बीच महाराज ऐसे असम्बद्ध प्रश्न क्यों कर बैठते हैं। कुछ को यह

लगने लगा था कि महाराज पर अवस्था का प्रभाव पड़ने लगा है।

नियत तिथि से ठीक एक सप्ताह पूर्व महाराज ने प्रस्ताव रखा था कि भरत को युधाजित के संरक्षण में गिरिव्रज जा कर अपने मातुल कुल के गुरुजनों का आशीर्वाद लेना चाहिए। विवाह के अवसर पर वहाँ आमन्त्रण भेजने का अवसर नहीं मिला था, अतः अब अवश्य चले जाना चाहिए।

भरत अपनी अनिच्छा नहीं प्रकट कर सके। यद्यपि किसी नव विवाहित के लिए इससे अप्रिय प्रस्ताव क्या हो सकता था! उन्होंने एक हल्का-सा प्रतिरोध अवश्य किया, "वहाँ की भाषा तो जानता नहीं, तात! कोई बात करनेवाला भी नहीं होगा। मन लगेगा, वहाँ?"

महाराज के पास इसका समाधान था, "भाषा और साथ की कठिनाई तो है! इसके लिए शत्रुघ्न भी तुम्हारे साथ चले जाएँगे।" और इस पर भरत की प्रतिक्रिया का शत्रुघ्न के मतामत की चिन्ता किए बिना उन्होंने तत्काल आदेश दे दिया था, "भरत और शत्रुघ्न के गिरिव्रज जाने की व्यवस्था की जाए। मार्ग में सुरक्षा के लिए युधाजित कुछ कैकेय सैनिकों के साथ जाएँगे। इन सैनिकों को भी इस बहाने स्वदेश यात्रा का सुख मिल जाएगा।"

इस आदेश पर पुनर्विचार का प्रश्न ही नहीं था। उनको अगले दिन ही प्रस्थान करना पड़ा था।

एक दिन बाद ही महाराज ने कहा था, "पहले मैं स्वयं अश्वारोहण करके दूर-दूर तक चला जाता था, अकेले ही। जनता के सुख-दुख का पता चलता रहता था। अवस्था ढलने के कारण अब यह सम्भव भी नहीं हो पाता कि उनके बीच जा कर यह पता लगा सकूँ कि मेरे न्याय और शासन-व्यवस्था से उनको कोई कष्ट तो नहीं। कितना समय हो गया प्रजा से सीधे मिले हुए। आज से चार दिन बाद दूरस्थ गाँवों के प्रधानों, राज्य के सामन्तों, श्रेष्ठियों और सम्भ्रान्त जनों की एक सभा बुलाई जाए। मैं स्वयं उनसे मिल कर जानना चाहता हूँ कि किसी को कोई कष्ट तो नहीं है!"

अब इस विषय में सन्देह की सम्भावना नहीं थी कि महाराज कुछ झक्की होते जा रहे हैं। इस तरह की कोई सभा तो उन्होंने आज तक कभी बुलाई नहीं थी। कुछ का विचार था कि महाराज को अपने राजकर्मियों के विरुद्ध कुछ शिकायतें मिली होंगी। इन्हीं की पुष्टि करने के लिए वह इतनी विशाल सभा का आयोजन कर रहे हैं। सुमन्त्र को लगा था कि यह सब महाराज जनक से सम्बन्ध जुड़ने का परिणाम है। वह अपनी प्रजा से इतना आत्मीय सम्बन्ध रखते हैं कि जनता उन्हें अपने पिता तुल्य मानती है। महाराज स्वयं भी उन्हीं की तरह प्रजा-वत्सल बनना चाहते हैं।

जब सभा जुटी थी तो महाराज ने सभा को सम्बोधित करते हुए कहा था,

"सज्जनो, मैं अब वृद्ध हो चुका हूँ। आपसे सम्पर्क करने की प्रबल लालसा होते हुए भी आपके दुख-सुख से अवगत नहीं हो पाता। आज आप सभी को यह जानने के लिए ही कष्ट दिया कि हमारे शासन में आप में से किसी को कोई कष्ट तो नहीं है?"

"धन्य, धन्य" के उद्घोश के बाद सबने स्वीकार किया था कि महाराज के शासन में तो सिंह और हिरन एक ही घाट पर पानी पीते हैं। इसमें किसी को कष्ट हो ही कैसे सकता है।

"यह क्रम आगे भी बना रहे, यही मेरी हार्दिक कामना है। मेरा तो चौथा पन है, मैं इसीलिए जानना चाहता हूँ कि मेरे बाद मेरे पुत्रों में कौन ऐसा दिखाई देता है जो इस परम्परा को आगे बनाए रख सके? आप निर्भीक और निष्पक्ष हो कर अपना मत प्रकट करें।"

महाराज के इस प्रश्न के लिए कोई तैयार नहीं था। इस प्रकार का प्रश्न सामने आ जाएगा इसका अनुमान किसी ने किया ही नहीं था। यदि राजा प्रजा का इतना अधिक ध्यान रखता है कि उत्तराधिकारी के प्रश्न पर भी उसका मत जानना चाहे तो प्रजा का भी कर्तव्य होता है कि वह अपने राजा की भावनाओं का आदर करते हुए उसे प्रीतिकर लगनेवाला ही विचार प्रकट करे। महाराज स्वयं क्या चाहते हैं? इस तरह का कोई प्रश्न आज से पहले तो किसी ने उठाया नहीं। गणराज्यों की बात अलग है। इस पर गम्भीरता से विचार करना आवश्यक था, अतः कुछ प्रभावशाली व्यक्तियों ने विचार-विमर्श के लिए महाराज से कुछ समय माँगा। सभा कुछ समय के लिए स्थगित कर दी गई।

उपस्थित जनों में कुछ समय तक विचार-विमर्श चलता रहा। प्रिय और पथ्य के बीच चुनाव सदा आसान होता भी नहीं। एक प्रहर बाद सभा पुनः जुटी तो यह विचार एक स्वर से प्रकट किया गया कि महाराज के शासन में सभी सुखी और सन्तुष्ट हैं। अभी वह शासन के लिए सक्षम भी हैं। उत्तराधिकारी के चयन का समय तो अभी आया नहीं है, पर यदि महाराज ने यह प्रश्न किया ही है तो राम से अधिक योग्य और सर्वगुण सम्पन्न युवराज किसी भी राजकुल में बड़े भाग्य से ही उत्पन्न होते हैं।

महाराज अपने उल्लास को रोक नहीं पा रहे थे। इसका प्रभाव महाराज के पार्षदों पर भी स्पष्ट था, पर वसिष्ठ कुछ चिन्तित लग रहे थे। उनके लिए इस अवसर पर जनमत के विपरीत कुछ कहना सम्भव नहीं था, पर चुप लगा जाना तो आत्मघात था। उन्होंने संकट मोल लेते हुए कहा, "पर महाराज की प्रतिश्रुति का क्या होगा?"

महाराज ने स्थिर स्वर में कहा था, "मैं या मेरी प्रतिश्रुति प्रजाहित में बाधक न बने इसीलिए तो यह अधिकार प्रजा को सौंप दिया है कि वह अपने राजा का

चयन स्वयं करें। कहते हैं महाराज मनु को भी प्रजा ने ही अपना राजा चुना था। वही सर्वोपरि है। राजा के रूप में इन्द्र तक का वरण उनकी देव-प्रजा ने ही किया था। मैं प्रजा के इसी अधिकार को उसे सौंप रहा हूँ।" एक लम्बे समय के बाद महाराज के स्वर में यह अधिकार और आत्मविश्वास दिखाई दे रहा था यद्यपि महाराज ने यह बात बड़े शान्त और इतने मन्द स्वर में वसिष्ठ की ओर मुड़ कर कही थी कि वसिष्ठ और कुछ निकटस्थ पार्षदों के अतिरिक्त शायद ही किसी अन्य को सुनाई पड़ी हो। उन्होंने पुनः सभा को सम्बोधित किया था, "राम ही क्यों प्रिय हैं आप लोगों को? भरत या अन्य कोई क्यों नहीं? मैं इस विषय में आपका निष्पक्ष और निर्भय मत जानना चाहता हूँ।"

"क्योंकि राम सबसे ज्येष्ठ हैं और उनका राज्य पर वैध अधिकार है।" एक कोने से आवाज आई थी। महाराज पर इसका कोई प्रभाव नहीं पड़ा था।

"वह प्रजा के सुख-दुख को अपने सुख-दुख जैसा मानते हैं।" नगरश्रेष्ठि का स्वर था। महाराज की प्रसन्नता कान्ति में बदल गई थी।

"उनमें सभी राजोचित गुण हैं...वह धीर और वीर हैं...सर्वशास्त्रविद् हैं...शान्त प्रकृति...जितेन्द्रिय हैं...न्यायपरायण हैं..." अलग-अलग कोनों से लोग अपनी सूझ-बूझ के अनुसार राम के ज्ञात और अज्ञात गुणों की प्रशंसा करने लगे थे। पहले जो बात कुछ संकोच से कही गई थी अब एक-दूसरे के प्रोत्साहन से अधिक विश्वास से कही जाने लगी थी।

"और भरत?" महाराज ने प्रश्न किया था।

सभा में मौन छा गया था। नगरश्रेष्ठि अपना सिर खुजलाने लगे थे मानो उसे खरोंच कर कोई दबा हुआ विचार बाहर लाने का प्रयत्न कर रहे हों। कुछ सामन्त एक-दूसरे को देख कर अपना मंतव्य प्रकट करने के लिए साहस जुटाने लगे थे।

"भरत?" महाराज ने लोगों को प्रोत्साहित करते हुए कहा था।

किसी का साहस कुछ कहने का नहीं हो रहा था। कुछ ने अपने हाथ कुछ कहने के लिए जोड़े थे पर शब्द मुँह से नहीं निकला था। एक सामंत ने साहस जुटा कर कहा था, "बालिश हैं।"

उपस्थित जनों की दृष्टि उसकी ओर मुड़ गई थी, कौन है यह व्यक्ति जिसने इतना बड़ा दुस्साहस कर दिया। राजकुमार अच्छे हों या बुरे, हैं तो राजकुमार। उनके लिए इस तरह का सम्बोधन क्या उचित है! परन्तु महाराज ने उसके वाक्य की प्रतिक्रिया में एक उड़ती हुई दृष्टि वसिष्ठ पर डाली थी और फिर गम्भीर पर हर्षविगलित हो कर कहा था, "आप लोगों का निर्णय शिरोधार्य है। कल प्रातः ही राम का राज्याभिषेक कर दिया जाएगा। आप सभी इसमें सम्मिलित होंगे। सबके भोजन-विश्राम की समुचित व्यवस्था कर दी गई है।"

"कल ही?" यह किसी ने कहा नहीं, पर निर्णय इतना आपातिक था कि

लोगों के चेहरे पर यह प्रश्न उनके अविश्वास के रूप में अंकित हो रहा था। कहीं सुनने में कोई चूक तो नहीं हो गई?

लोगों का विस्मय अकारण भी नहीं था। राजतिलक जैसा विराट् आयोजन जिसमें पड़ोसी मित्र राजाओं से लेकर सम्बन्धी राजाओं तक को निमन्त्रित करना होगा, विविध पदार्थों और निष्पादकों को जुटाना होगा। तीर्थ जल मँगाने की आवश्यकता होगी। यह जब एक रात में सम्भव कैसे था। संशय और हर्ष के मिश्रित भाव से उठे हुए लोगों के चेहरों को देखकर महाराज ने पुनः दुहराया था, "कुलगुरु वसिष्ठ के विचार से कल पुष्य नक्षत्र है जो अत्यन्त शुभ है। उनसे अनुरोध है कि वह प्रातः सूर्योदय के साथ ही राम के राज्याभिषेक की व्यवस्था करें। समय पर्याप्त नहीं है। मित्रों और सम्बन्धियों को दूर देशों से बुलाना सम्भव नहीं, अतः इस शुभ समाचार की सूचना उन्हें बाद में भेज दी जाएगी। दुख यही है कि हमारे अपने ही दो पुत्र भरत और शत्रुघ्न ननिहाल गए हुए हैं, परन्तु राम को राजपद पर प्रतिष्ठित देखकर उन्हें जो सुख होगा वह इस अवसर पर उपस्थित न रह पाने की क्षतिपूर्ति कर देगा।"

चकित सभी थे पर सबसे अधिक चकित वसिष्ठ थे। चकित भी और आहत भी। सुमन्त्र को अपेक्षित वस्तुओं की तालिका बनाते और राजकोष से इन्हें अपेक्षित मात्रा में निकलवाते हुए वह उद्विग्न से अनुभव कर रहे थे। इनकी व्यवस्था हुई कब? कैसे?

16

एक दासी के जीवन में गर्व करने की दो ही बातें होती हैं, स्वामिनी का स्नेह और विश्वास तथा ऐसी अन्तरंग बातों की जानकारी जिनके लिए मन्त्री और महत्त्वपूर्ण राजकर्मी तब उसे प्रसन्न करने के प्रयत्न में रहते हैं। मन्थरा इस रहस्य को किसी अन्य दासी से अधिक अच्छी तरह जानती है और वह यह भी जानती है कि बहुत सी बातें ऐसी होती हैं जिन्हें स्वामिनी का अनन्य विश्वास पाकर भी नहीं जाना जा सकता। वह जानती है कि अपनी स्वामिनी से भी अनेक रहस्य तभी उगलवाए जा सकते हैं जब उसे दूसरों के भेद बताते हुए सही ढंग से उकेरा जाए। दूसरों के रहस्य भी अपने कुछ रहस्य दे कर ही पाए जा सकते हैं। अतः रहस्यमय बातों की टोह में रहना उसकी जरूरत भी है और शौक भी। वह दूसरों की ही नहीं, कैकेयी की भी जासूसी करती रहती है। यह बात दूसरी है कि वह किसी को न तो कोई ऐसी बात बता सकती है जिससे कैकेयी का अहित हो, न ही कोई ऐसा काम कर सकती है जिससे उनकी हानि हो। वह प्राण दे सकती है पर ऐसा नहीं कर सकती।

जो लोग उसे मन्थरा कहते हैं उन्हें उसकी उस चुस्ती का पता ही नहीं जिससे वह छिप कर बातें सुनते समय स्वामिनी द्वारा पुकारी जाने पर खिसक कर परे चली जाती है और वहीं से उत्तर देती है, "आई माँ।" आवाज में ऐसी शिथिलता मानो इसमें उठने का आयास भी जुड़ गया हो। वास्तव में उसकी मन्थर चाल का भी एक रहस्य यही है कि दूर हटाई जाते समय वह अधिक से अधिक समय लेकर वस्तुस्थिति को ताड़ने का प्रयत्न करती है और अब यह उसकी आदत बन गई है। पर यदि समाचार ऐसा हो जिसका विशेष महत्त्व हो तो वह आज भी बिल्ली की-सी तेजी से दौड़ लगा सकती है—इस बुढ़ापे में भी।

कैकेयी आज कल जितनी चिन्तित रहने लगी थीं उतनी चिन्तित इससे पहले वह दो ही अवसरों पर दिखाई दी थीं। एक तब जब राम के अभिषेक का आयोजन आरम्भ हुआ था और दूसरा जब उनके दल बल सहित लौट कर आने की सूचना मिली थी। अतः कैकेयी को किसी गम्भीर संकट ने आ घेरा है यह तो वह सूँघ कर भी बता सकती थी। आज कल उस की चिन्ता में एक नई बात जुड़ गई थी और वह थी कैकेयी की कातरता। मन्थरा ने कैकेयी की फुफकार तो देखी थी, मान के आँसू भी देखे थे, पर अपमान और कातरता के आँसू उसे पहली बार देखने को मिल रहे थे। रानी माँ पहले से भी अधिक संकट में दिखाई दे रही थीं। नहीं, पहले के दोनों अवसरों से तुलना का कोई प्रश्न ही नहीं था।

मन्थरा को आज भी याद है कि महाराज ने भरत को शिष्टाचार के नाते गिरिव्रज जाने का आदेश दिया था तो वह सीधे कैकेयी के पास ही आए थे। उनके चेहरे पर असन्तोष हीं नहीं कुछ रोष भी झलक रहा था। मन्थरा ने जान लिया था कि स्थिति कुछ असामान्य है। वह भरत के बैठने के लिए आसन दे कर स्वयं भी वहीं बैठ कर कैकेयी के पाँव दबाने लगी थी कि इस बहाने उसे पास रहने का अवसर मिल जाएगा।

भरत ने कुछ खिन्न स्वर में कहा था, "महाराज को गिरिव्रज जाने का सुझाव आप ने दिया था, माँ?"

कैकेयी कुछ समझ नहीं पाई थीं, "महाराज गिरिव्रज जा रहे हैं?"

"स्वयं नहीं। मुझे भेज रहे हैं।" भरत ने कहा था।

कैकेयी ने कुछ कहा नहीं था। वह केवल अपने को संयत कर रही थीं और इस क्रम में ही उनका होंठ दाँतों के बीच दब गया था और श्वास-गति बढ़ गई थी।

"कहते हैं..." भरत ने आगे कहना आरम्भ किया, पर कैकेयी ने हाथ उठा कर बरज दिया।

"साथ में कौन-कौन जा रहा है?" कुछ देर सोचने के बाद कैकेयी ने प्रश्न किया।

"शत्रुघ्न और मामाजी। शत्रुघ्न मेरा जी बहलाने के लिए और कैकेय सैनिकों के साथ मामाजी मेरी रक्षा के लिए।" भरत के स्वर में कुछ खरखराहट आ गई थी। उन्हें निराशा हो रही थी कि कैकेयी ने महाराज के आदेश को बदलवाने के आश्वासन के स्थान पर केवल मार्ग की व्यवस्था का प्रश्न उठाया था।

कैकेयी भरत से अधिक विस्तार से बातें नहीं करतीं। वह इतने भोले हैं कि अपने मन में कोई बात रख ही नहीं सकते। डींग में या प्रशंसा में वह गोपनीय से गोपनीय बात को दूसरों के सामने प्रकट कर देते हैं। कैकेयी ने बरज कर भी देखा है। कोई लाभ नहीं। भरत आज तक नहीं बदले हैं। आज भी वह उन्हें केवल यह आदेश देती हैं कि उन्हें क्या करना है। कैकेयी के मन में क्या है इसे वह चाह कर भी नहीं जान सकते। आग्रह करें तो उत्तर मिलेगा, "यह तुम्हारे जानने की बात नहीं है। तुम केवल वह करो जो तुमसे कहा जा रहा है।" राजपद पर रहते हुए भी अधिकांश बातें ऐसी ही होती थीं जो उनके जानने की नहीं, केवल करने की होती थीं।

"युधाजित से कहना मिल लें।" कैकेयी ने एक वाक्य में भरत को टालते हुए कहा था। भरत इसके बाद भी रुके रह गए थे तो उन्होंने स्नेह से झिड़कते हुए कहा था, "तुम जाओ। युधाजित को भेज देना।"

युधाजित के आने के बाद कैकेयी ने कहा था, "रहने दे मन्थरा!" जिसका अर्थ था कि महारानी को अब एकान्त चाहिए था। मन्थरा अपनी स्वाभाविक मन्थरता के साथ झूमती हुई बाहर निकली थी। उसने भरत के भवन की दासी को ऊँची आवाज में डाँट लगाई थी, "तू दिन भर बैठी ही रहती है कि बहूरानी की कुछ सेवा भी करती है" ताकि कैकेयी को विश्वास हो जाए कि वह दूर चली गई है और फिर बिल्ली जैसी चुस्ती से बिना किसी आहट के वह आ कर ड्योढ़ी में कान रोप कर बैठ गई थी। यदि महारानी ने दूर जाने का संकेत किया था तो निश्चय ही बात भी उतनी ही महत्त्वपूर्ण होगी और इसलिए इसे सुने बिना तो मन्थरा को वायुशूल हो जाएगा।

युधाजित के साथ जो बातचीत हुई थी उससे स्थिति स्पष्ट नहीं हो पाई थी, पर मन्थरा को यह अनुमान तो हो ही गया था कि महाराज के आदेश से न केवल रानी माँ प्रसन्न नहीं थीं अपितु वह इसके पीछे कुछ और भी देख रही थीं। महाराज के प्रत्येक कार्य की गहराई से छानबीन करना उनकी आदत बन चुकी थी। यदि महाराज किसी दूर देश से कोई उपहार भी उन्हें प्रसन्न करने को मँगाते जिसे वह कृतार्थ भाव से स्वीकार करतीं, और जिसके लिए महाराज से शिकायत करतीं कि वह उनके लिए कितना कष्ट करते हैं, उन्हें भी उनके जाने के बाद वह कुछ इस तरह जाँचने-परखने का और इसके पीछे किसी रहस्य को भाँपने का प्रयत्न करतीं कि कोई भी व्यक्ति यह जान सकता था कि उन्हें महाराज पर तनिक भी विश्वास

नहीं है। पहली नजर में उस दिन के आदेश पर महारानी की प्रतिक्रिया भी मन्थरा को ऐसी लगी थी, पर जल्द ही यह स्पष्ट हो गया कि आज बात कुछ विशेष है।

"आपको गिरिव्रज जाना पड़ रहा है?"

उत्तर सुनाई नहीं पड़ा था। सम्भव है सिर हिला कर सहमति जताई गई हो।

"आशीर्वाद के लिए ननिहाल कोई और भी जा रहा है? विवाह तो सभी का हुआ है।"

"किसी और के जाने की बात सुनने में नहीं आई।"

"शत्रुघ्न के नानाजी तो वहाँ नहीं हैं।"

यह प्रश्न तो था ही नहीं, विस्मय का प्रकाशन भी नहीं था। यह एक दबी हुई फुफकार थी और मन्थरा ने कल्पना की आँखों से देखा था कि इस समय रानी माँ का सिर भी तन गया है।

"रास्ता लम्बा है और युवराज की सुरक्षा का प्रश्न है।" इसके आगे एक दीर्घ मौन यह प्रकट कर रहा था कि कुछ संकेतों में भी कहा जा रहा है।

उत्तर सुनाई नहीं पड़ा था पर एक लम्बा उच्छ्वास जो युधाजित का ही हो सकता था, मन्थरा के कानों में पड़ा था।

"आपको तो जाना ही है पर आपकी अनुपस्थिति में सेना का भार किस पर होगा?" कैकेयी का स्वर सामान्य हो गया था। अब वह अपने को संयत कर चुकी थीं।

"मास-दो मास की बात है। कोई अन्य व्यवस्था नहीं की गई है। महाराज तो हैं ही और किसी गम्भीर अवस्था में..." युधाजित ने अपना वाक्य पूरा नहीं किया था।

"हाँ, हाँ, किसी गम्भीर अवस्था में?" कैकेयी का स्वर सामान्य से कुछ अधिक ऊँचा हो गया था।

"किसी ने कुछ कहा नहीं। यह मेरा अनुमान मात्र है। किसी गम्भीर स्थिति के लिए राम तो हैं ही।" युधाजित ने हिचकते हुए कहा था। वह जानते थे कि उनका इच्छित प्रभाव मुखरता से नहीं, हिचक से ही पैदा हो सकता था। मन्थरा कैकेयी से भी अधिक आसानी से युधाजित की प्रतिक्रियाओं को समझ सकती थी। वह उसका प्रणययाचक भी तो रह चुका था।

"ठीक है। महाराज के आदेश का पालन तो करना ही होगा। हाँ, सुरक्षा के लिए अधिक-से-अधिक सैनिक ले कर जाना ही उचित होगा। इतने दुर्वह क्षेत्रों से हो कर जाना है और युवराज के जीवन का प्रश्न है। हर स्थिति के लिए तैयार हो कर जाना ठीक रहेगा। और सुनिए...।" 'सुनिए' कह कर महारानी रुकी थीं। सुनिए कुछ विशेष बल दे कर कहा गया था। इस बीच कोई संकेत किया गया या लिखित रूप में कुछ दिया गया हो सकता था। या अन्य कोई विनिमय। यह

मन्थरा का अनुमान था। वह जानती थी कि निपट एकान्त में भी कैकेयी बातचीत में पूरी सावधानी बरतती हैं कि भूल से भी कोई बात किसी के कान में पड़ जाए तो उनके इरादे को भाँपा न जा सके।

"अवध की सीमा पार करने के बाद यात्रा के कष्ट से या जलवायु के परिवर्तन से किसी को रोग-व्याधि भी हो सकती है। उस दशा में आगे बढ़ना उचित नहीं। लौटना भी पड़ सकता है।" महारानी रुक गई थीं। कुछ देर तक कुछ भी सुनाई नहीं पड़ा था। सम्भव है पुनः संकेत में कुछ और भी कहा गया हो। फिर केवल एक शब्द मन्थरा के कानों में पड़ा था, "समझ गए न?"

"समझा।" युधाजित ने अपनी समझ को मुखर बना दिया था।

और इसके बाद महारानी को महाराज की चिन्ता हो गई थी, "मुझे सबसे अधिक चिन्ता तो महाराज के जीवन को ले कर रहती है। वह इस विषय में कितने तो असावधान रहते हैं! एक वही तो मेरे अवलम्ब हैं। यदि उन्हें कुछ हो गया तो मैं तो लुट जाऊँगी। आपके रहते विशेष चिन्ता नहीं थी, पर अब?"

"युधाजित ने भी अनुमोदन किया था, "सो तो है।"

"ऐसा करें कि महाराज के प्रधान अंगरक्षक को निर्देश दे दें कि महाराज की सुरक्षा के विषय में आपके आने तक सारे आदेश-निर्देश मुझसे ही लिए जाएँ। इस विषय में महाराज कुछ बुरा भी मानें तो कोई बात नहीं। उन्हें अपनी असावधानी के कारण अपना जीवन संकट में डालने का तो अधिकार नहीं दिया जा सकता।" महारानी ने कहा था।

"ठीक है।" युधाजित ने कहा था।

"और एक बात और। इतने लम्बे समय के लिए जा रहे हैं तो आचार्य वसिष्ठ से भी आशीर्वाद लेते जाएँ।" कैकेयी ने अपनी बात पूरी कर ली थी।

"चलूँ?" युधाजित ने विदा लेने से पहले इस विषय में आश्वस्त हो लेना चाहा था कि महारानी को कोई और बात तो नहीं कहनी है।

"ठीक है। आपकी यात्रा मंगलमय हो।" कैकेयी के मुँह से निकला था। मन्थरा फिर उसी चौकसी से खिसक कर भरत के आँगन की ओर बढ़ गई थी और जब युधाजित उसके सामने से गुजरे थे तो उनके हाव-भाव को ध्यान से देखती रही थी और फिर महारानी की सेवा में उपस्थित हो गई थी।

उस दिन तो इन सूचनाओं का तालमेल बैठाने के बाद भी मन्थरा की समझ में इनका पूरा अर्थ नहीं आया था पर बाद की घटनाओं से पता चला था कि उस समय कहा गया एक-एक वाक्य कितना सार्थक था। यदि युधाजित ने आचार्य वसिष्ठ का दर्शन नहीं किया होता तो सब कुछ के बाद भी एक छोटी सी कमी रह ही जाती। उन्होंने ही सुझाया था कि युवराज के स्वास्थ्य और कल्याण को लेकर महारानी के मन में चिन्ता बनी रहेगी, इसलिए प्रतिदिन एक सन्देशहर महारानी

के पास उनका कुशल क्षेम लेकर आता रहे, जिसे इस बात का भी पता रहे कि अगला पड़ाव कहाँ पड़ेगा। यही वह सूत्र था जिससे कैकेयी ने यह सूचना पा कर ही कि महाराज पौर जनों, सामन्तों और ग्रामणियों की एक महासभा का आयोजन कर रहे हैं, युधाजित को यह सन्देश भेजा था कि अगला निर्देश मिलने तक आगे न बढ़ें और कोई उचित कारण तलाश कर अयोध्या की ओर प्रस्थान करें।

सभा में क्या निर्णय लिया गया इसकी सूचना कैकेयी को महाराज के प्रधान अंगरक्षक से ही मिल गई थी। उसे अन्य बातों के अतिरिक्त यह लाभ भी था कि उसकी पैशाची को समझनेवाला यहाँ कोई नहीं था। मन्थरा से ही उसने कहा था, "अब तो महारानी से कहो कि वह पुरस्कारों और न्यौछावरों की व्यवस्था करें। कल प्रातः ही रामचन्द्र को राजपद प्राप्त हो जाएगा।"

यह समाचार मन्थरा ने कैकेयी को दिया था तो उनका चेहरा तन गया था। उन्होंने मुस्कराने का प्रयत्न किया था, पर इस प्रयत्न के साथ खिंचाव और बढ़ गया था। अपने को संयत करते हुए उन्होंने कहा था, "अन्त आ ही गया!"

मन्थरा यह निश्चय नहीं कर पाई थी की महारानी किसके अन्त की बात कर रही हैं। महाराज के मनोभावों को कैकेयी अच्छी तरह जानती थीं पर उन्होंने यह अनुमान नहीं लगाया था कि नौबत एक ही झटके में राम के राजतिलक की आ जाएगी। इसके लिए एक लम्बी तैयारी की आवश्यकता थी और कैकेयी की कल्पना में भी यह बात नहीं आ सकी कि भरत और शत्रुघ्न की अनुपस्थिति में महाराज राम के राजतिलक का आयोजन कर डालेंगे। उन्हें जिस बात की पूरी आशंका थी वह यह कि युधाजित की अनुपस्थिति का लाभ उठा कर महाराज सेनापति का पद राम को सौंप देंगे और सैन्य-शक्ति हाथ में आ जाने के बाद उनका उत्तराधिकार स्वतः निश्चित हो जाएगा। इसी स्थिति को ध्यान में रख कर उन्होंने युधाजित को अधिक से अधिक सैनिक लेकर जाने का निर्देश दिया था जिससे अवसर आने पर निर्णायक युद्ध किया जा सके। महासभा के आयोजन की बात सुन कर वह अवश्य कुछ अधिक चिन्तित हो चली थीं। उन्होंने जिस सम्भावना को ध्यान में रख कर अपनी तैयारी की थी उसे महाराज ने अपने ढंग से विफल कर दिया था। सम्भव है सन्देशहरों के माध्यम से निरन्तर सम्पर्क को ध्यान में रख कर ही उन्होंने यह निर्णायक कदम उठाया हो पर कैकेयी इस स्थिति में यदि उद्विग्न हुई भी थीं तो भी वह इसे अपनी दासी पर प्रकट करना नहीं चाहती थीं, "प्रधान अंगरक्षक से जा कर कहो, वह अविलम्ब मुझसे आ कर मिलें।"

और जब महाराज के प्रधान अंगरक्षक उपस्थित हुए थे तो उन्होंने कैकेयी को पीड़ा से छटपटाते हुए पाया था। अपनी असह्य पीड़ा में ही उन्होंने कराहते हुए कहा था। "मुझे प्राणांतक वेदना हो रही है। महाराज इस समय समारोह में व्यस्त हैं। उन्हें अवकाश नहीं होगा, पर उनका मुझसे मिलना आवश्यक है। सम्भव है

यह मेरा अन्तिम समय ही हो। महाराज यदि प्रतिवाद करें तो भी उन्हें यहाँ लाना ही होगा। उनका दर्शन किए बिना मैं शान्ति से मर भी नहीं सकती।"

अंगरक्षक जाने लगा था पर तभी उन्होंने उसे हाथ के संकेत से अपने निकट बुला लिया था, "और सुनो, भरत का पड़ाव आज यहाँ से दो हरियोजन की दूरी पर है। सबसे पहले उन तक मेरा सन्देश पहुँचाने की व्यवस्था करो। वह मुझे जीवित देखना चाहते हों तो अविलंब लौटें।"

एक बार को तो मन्थरा को भी सन्देह हुआ था कि कहीं महारानी ने राम के राजतिलक की सूचना से व्यथित होकर विषपान न कर लिया हो, पर जब उन्होंने मन्थरा को भी अपने कक्ष से बाहर जाने को कहा था, तो उसकी समझ में नहीं आया था कि इस अवस्था में वह ऐसा आदेश क्यों दे रही हैं। उसे कुछ सन्देह हुआ था पर फिर अपने को समझा लिया था कि विष के प्रभाव में हतचेत होने के कारण ही वह ऐसा अटपटा आदेश दे रही होंगी।

महाराज का मुख्य अंगरक्षक शक्तिपाल स्वयं भी धोखा खा गया था। उसे महारानी से आदेश लेने का आदेश तो था, पर यह तो संकट की स्थिति थी, जिसमें महारानी के प्राणों पर ही बन आई थी। वह कुछ मूर्ख भी था। उसने जब महाराज को यह समाचार दिया था तो उन्होंने बहुत चिन्तित हो कर कहा था, "कौन लाया है यह समाचार? वैद्यराज को सूचित किया गया या नहीं।"

उस मूर्ख ने कह दिया था कि महारानी ने स्वयं उसे बुलवाया था और यह भी कि वैद्यराज को बुलाने से पहले उसने महाराज को इसकी सूचना देना अधिक उचित समझा।

महाराज ने आश्चर्य से उसकी ओर देखा था, पर सन्ताप के इस क्षण में वह चीख पड़े थे, "तुरन्त जाओ। तुम स्वयं आओ और वैद्यराज को लेकर आओ।"

मन्थरा स्वयं भी शक्तिपाल के पीछे-पीछे भागी चली गई थी, "महाराज, महारानी की दशा सचमुच बहुत बिगड़ चली है!"

महाराज क्रोध से काँपने लगे थे, "तुमने उनको इस दशा में अकेला क्यों छोड़ दिया? जाओ! राजवैद्य को लेकर मैं अभी उपस्थित हुआ।" महाराज ने दूसरा आदेश दिया था, "राम को शीघ्र बुलाया जाए।"

आदेश सुन कर दूत स्वयं भी विस्मय में पड़ गया था। अभी एक क्षण पहले ही तो राम महाराज के पास गए थे। उसे मूर्ख की भाँति अपनी ओर देखते देख कर महाराज ने कुछ रोष के साथ कहा था, "राम को शीघ्र बुलाओ। पुनः।"

अब वह केवल चिन्तित ही नहीं अधीर भी लग रहे थे। उन्हें महारानी के स्वास्थ्य से भी अधिक चिन्ता इस बात की सता रही थी कि कहीं कुछ अघट घटने के कारण राम का राजतिलक न रोकना पड़ जाए।

कैकेयी से भी एक भूल हो गई थी। महाराज को शीघ्रातिशीघ्र अपने वश में

करने की जल्दी में उन्हें इस बात का ध्यान ही नहीं रहा कि शक्तिपाल को यह निर्देश दे दें कि वह स्वयं महाराज को यह समाचार न दे। वह शक्तिपाल से पहले मन्थरा को भी भेज सकती थीं, परन्तु उस दशा में शक्तिपाल महाराज को हर दशा में कैकेयी के पास जाने को बाध्य नहीं कर सकता था। एक तो अन्तःपुर से पुरुष अंगरक्षकों का कोई सम्पर्क होता नहीं, अतः महारानी की रुग्णता का समाचार उन तक प्रतिहारी, कंचुकी या महारानी की अपनी प्रधान दासी के माध्यम से पहुँचना चाहिए था। दूसरे समाचार कहीं का भी हो इसे महाराज तक पहुँचाना दूत या द्वारपाल का काम है, न कि अंगरक्षकों का। अंगरक्षक तो मानव दुर्ग होते हैं—महाराज को चतुर्दिक से सुरक्षा के घेरे में रखनेवाले भट जो उनके लिए अपने प्राण तक निछावर करने के लिए तैयार रहते हैं।

अंगरक्षक का काम होता है अपलक चौकसी। यदि कोई व्यक्ति राजसभा में आ रहा है तो यह देखना कि वह हथियार लेकर न आए। यदि पदमर्यादा के अनुसार उसका हथियार ले कर आना आवश्यक ही है तो उसकी ओर अपलक दृष्टि रखना कि जहाँ उसका हाथ म्यान की ओर बढ़े, उस पर प्रहार करके उसे समाप्त कर दिया जाए। राजा को यदि कोई भी खाद्य या पेय लेना है, तो स्वयं उसे चख कर सुनिश्चित करे कि वह विषाक्त नहीं है। यदि कोई आक्रमण हो ही जाए तो उसका आघात अपने ऊपर लेकर जब तक प्राण शेष हों, राजा की जीवन-रक्षा करे। पर सन्देश लाना या ले जाना, उसका काम नहीं। उसका सीधा सम्बन्ध राजा को छोड़ कर अन्य किसी से हो ही नहीं सकता। अतः शक्तिपाल के मुँह से यह सुन कर कि अपनी बीमारी का समाचार देने के लिए महारानी ने स्वयं उसे बुलाया था, महाराज एकाएक चौंक उठे थे। यह संकेत महाराज के लिए पर्याप्त था कि वह बीमारी कुछ असाधारण और विचित्र है। वह प्रकट रूप से इस सूचना की उपेक्षा भी नहीं कर सकते थे, और एक मूर्ख की तरह सुझाए हुए ढंग से, हड़बड़ा कर, दौड़ भी नहीं सकते थे। इससे भी बड़ी बात यह कि वह राम को इस असाधारण स्थिति से अवगत कराए बिना अपने स्थान से हिल तक नहीं सकते थे। इसीलिए उन्होंने उसी राम को तत्काल बुला भेजा था जिसे एक क्षण पहले ही आशीर्वाद देकर विदा किया था। राम के आने पर महाराज देर तक उन्हें जाने क्या-क्या समझाते रहे थे।

मन्थरा को बाद में पता चला था कि वैद्यराज के आ जाने के बाद भी महाराज अन्य व्यस्तताओं के बहाने महारानी के भवन में स्वयं जाने से बचना चाहते थे, पर इस बार शक्तिपाल से कोई चूक नहीं हो सकती थी। उसकी निष्ठा महाराज के प्रति थी अवश्य, पर इससे भी पहले महारानी के प्रति थी। वह एक अंगरक्षक बाद में, और कैकेय पहले था। उसने आदेश के स्वर में कहा था, "महारानी का आदेश है। महाराज को चलना ही होगा।" और इसके साथ ही महाराज को लगा था

मानवदुर्ग की दीवारें उसके संकेत पर उन्हें ही कसती जा रही हैं। यदि उन्होंने अब भी अपनी रक्षा नहीं की तो, या तो वह इस दबाव में ही पिस जाएँगे, या उन्हें अपमानित हो कर जाना पड़ेगा। वह उठ खड़े हुए थे।

17

कैकेयी नहीं मानती कि उसने कभी किसी पर अन्याय किया। वह तो स्वयं अपने आप को दूसरों के अन्याय से बचाती रही है। उसका अब तक का संघर्ष केवल अपने अस्तित्व की रक्षा का संघर्ष रहा है। इससे भागने का अर्थ है मिट जाना। वह भागेंगी नहीं।

वसिष्ठ कहते हैं उनके भीतर और बाहर एक दरार पैदा हो गई है। यह दरार स्वयं कैकेयी के भीतर और बाहर के बीच भी है। यह दरार महाराज के भीतर और बाहर के बीच भी थी और राम भी इसके अपवाद नहीं हैं। भरत और लक्ष्मण जैसे लोग सुखी हैं कि उनके साथ दरार का संकट नहीं है। वसिष्ठ सदा अपने आपको त्यागी और उदारचरित दिखाने का प्रयत्न करते रहे हैं और हर प्रकार के लाभ पर गिद्ध की तरह टूटते रहे हैं। वह कैकेयी के प्रति अपनी अनन्य निष्ठा को प्रकट करते रहे हैं, महाराज के परम हितैषी होने का दावा करते रहे हैं, जबकि कैकेयी जानती हैं कि उनकी निष्ठा केवल अपने प्रति है।

कैकेयी को वसिष्ठ पर कभी पूरा विश्वास नहीं रहा और वह जानती थीं कि वसिष्ठ से यह बात छिपी नहीं है। वसिष्ठ स्वयं भी कैकेयी पर पूरी तरह विश्वास नहीं करते, यह उन्हें मालूम है। इसके बाद भी दोनों को पता है कि वे एक-दूसरे के बिना जीवित नहीं रह सकते। स्वार्थ के सम्बन्ध शुद्ध निष्ठा और आदर्श के सम्बन्धों से अधिक प्रबल होते हैं। इनके टूटने की तब तक सम्भावना नहीं पैदा होती जब तक दोनों में से कोई एक, अपने एकाकी लाभ के लिए, दूसरे को धोखा नहीं दे देता। यह बात भी दोनों को मालूम है। इसलिए न तो कैकेयी कभी वसिष्ठ से असावधान रही हैं, न ही उनके अपने लाभ-लोभ के प्रति उदासीन। एक चतुर वणिक की तरह वह जानती हैं कि बिना कुछ दिए कुछ पाया नहीं जा सकता। इससे भी आगे वह ऐसे पाने को अनैतिक भी मानती रही हैं। एक तरह की लूट या धोखा। यह संस्कार उन्हें अपने पिता से अपनी घुट्टी में मिला है।

वसिष्ठ ने कभी अपने मन की दरार की बात आज से पहले नहीं उठाई। अब उठा रहे हैं तो इसका कारण भी होगा। वसिष्ठ कहते हैं, मनुष्य का अकेलापन एक भयानक अन्धकार की तरह है, अज्ञान, रात्रि और मृत्यु के अन्धकार से भी गहन। वह भाग कर निकलने का कोई रास्ता ढूँढ़ रहे हैं शायद, पर ऐसा कह कर वसिष्ठ ने कैकेयी को एक झटके के साथ इसी अन्धकार में फेंक दिया है जहाँ कैकेयी को

हवा की सरसराहट भी साँप की फुफकार जैसी प्रतीत हो रही है। वह एक-एक चीज को टटोल कर और छू कर अपने आपको इस विषय में आश्वस्त कर रही है कि आज भी उसके पास वह है या नहीं और टटोलते और छूते समय डर भी लग रहा है।

वसिष्ठ बुद्धिभट हैं। भाड़े के बुद्धिजीवी। उनकी निष्ठा अपनी दक्षिणा के स्रोत के प्रति है। जब तक इस निष्ठा का मूल्य चुकाने की शक्ति और साधन कैकेयी रखती थी तब तक उसे वसिष्ठ की निष्ठा के डिगने का भ्रम तक नहीं हो सकता था। वह जब-तब वसिष्ठ को तौलकर देख चुकी थी कि वह उन आदर्शवादी मूर्खों में नहीं हैं जो हर डग पर सिद्धान्त और मर्यादा के नाम पर संकट खड़ा करते रहते हैं। उनके लिए ये दूकान में सजी वस्तुओं की तरह है। जो मोल दे सकता है, वह इन्हें खरीद सकता है।

एक बार कैकेयी ने पूछा था, "बड़ी रानी के यहाँ क्या कभी तप-याग नहीं होता आचार्य?"

वसिष्ठ का उत्तर दो टूक था, "बड़ी रानी के पास है ही क्या!" अपना और अपने स्वजनों का पेट पाल लें उतना ही बहुत है। जिसके पास धन नहीं होता, धर्म भी उसका साथ छोड़ देता है। जिसके पास धर्म नहीं है, वह सुखी कैसे हो सकता है—धनात् धर्मं ततः सुखम्। और दान और धर्म तो एक ही चीज के दो नाम हैं।"

उस समय कैकेयी को सुन कर भला लगा था। कौसल्या के विरुद्ध कोई बात उन्हें आज भी अच्छी लगती है। उस समय अपने सौभाग्य पर गर्व भी हुआ था। उत्साह में उन्होंने दान-दक्षिणा बढ़ा भी दी थी। तब सोचा भी नहीं था कि वसिष्ठ के अनुसार कभी धर्म उनका भी साथ छोड़ देगा और दान-दक्षिणा के साधन उनके पास रहेंगे ही नहीं।

कैकेयी को वह दिन याद आ रहा है जब महाराज ने उन्हें अपना सभा भवन दिखाया था। सेठों के घर और दूकान के दोनों ओर जैसे 'शुभ-लाभ' लिखा रहता है, वैसे ही उसके द्वार पर 'सत्यं वद-धर्मं चर' लिखा था। आज कैकेयी को इसका स्मरण आते ही लगा, पुरोधा जन 'चर' का एक अर्थ हमें समझाते हैं और एक दूसरा अपने लिए सुरक्षित रखते हैं। धर्म उनके लिए एक चरागाह है और यजमान उस चरागाह के घास-तिनके, जिन्हें ये जी लगा कर चरते रहते हैं। किसी अन्य पर यह घटित हो या नहीं; वसिष्ठ पर अक्षरशः घटित होता है। शुद्ध परपिंडोपजीवी!

एक बार उन्होंने बड़े गर्व से कहा था, "पुरोधा का काम वास्तुनिर्माण नहीं, वास्तुकृति पर सुधालेप करके उसे पवित्र और धवल बनाना है। वह भवन को सौध बनाता है और सुधा लेप भी सुधाचूर्ण से तैयार करके नहीं वाग्लेप से करता है।" कैकेयी जानती थी, वास्तुकृति सौध बनेगी या ध्वांत यह दक्षिणा की राशि पर निर्भर करता है।

नहीं, यूँ तो पुरुषों की कोई नैतिकता नहीं होती। नैतिकता, पवित्रता, सत् निष्ठा, विनय, दया, क्षमा ये सभी स्त्रियों के लिए पुरुषों द्वारा गढ़े गए शब्द हैं जिनकी महिमा वे अपने को पवित्र दिखाने के लिए गा लेते हैं, पर पालन कदापि नहीं करते। उनका सबसे परिचित शब्द है पशुता, परन्तु अपने पवित्र शब्दों का शूल की तरह प्रयोग वे उन स्त्रियों के विरुद्ध करते हैं जिनका सारा जीवन इन मर्यादाओं के पालन में बीतता है।

इन पुरुषों में भी ये ब्राह्मण और ब्राह्मणों में भी ये पुरोहित! इनके एक साथ सैकड़ों तो यजमान होते हैं। ऐसे में इनसे निष्ठा की अपेक्षा करना मूर्खता है। ये तो उन अभागिनों से भी दयनीय हैं जिनका उपहास ये रूपाजीवा कह कर करते हैं। वे तो केवल अपना रूप और शरीर टके के लिए बेचती हैं, पर ये अपनी बुद्धि और आत्मा तक को बेच कर जीविका कमाते हैं। इनका स्वार्थ जिधर भी सिद्ध होगा, उधर ही फिसल पड़ेंगे। ये बुद्धि से नहीं, लोभ से सोचते हैं। इनके सारे नियम, सारे विधान इनके लोभ के ही मूर्त रूप हैं।

एक साथ कितने मोर्चों पर लड़ना पड़ा है कैकेयी को! उसकी सबसे बड़ी लड़ाई पुरुषों की भ्रष्ट और दम्भी जाति से रही है। संसार में केवल दो ही जातियाँ हैं—एक उत्पीड़क और दूसरे उत्पीड़ित। अन्य सभी जातियाँ, सभी वर्ण नकली हैं। कैकेयी उसी उत्पीड़ित जाति की है—अबला, असहाय, स्त्री। दशरथ हों या राम या भरत या उसके अपने पिता अश्वपति, ये सभी सबल, समर्थ उत्पीड़क पुरुष जाति के प्रतिनिधि हैं। पुरुष न पिता होता है, न भाई, न पति, न पुत्र। वह यह सब कुछ होने से पहले और अन्त में एक पुरुष होता है। कैकेयी की माँ ने उसे यही सिखाया था और उसने अपने अनुभवों से यही जाना था। उसे इसीलिए पूरी पुरुष जाति से ही चिढ़ है।

कैकेयी के पिता जो एक पिता के रूप में इतने वत्सल थे कि उसकी किसी भी इच्छा को पूरा करने के लिए आकाश-पाताल एक कर सकते थे, उसके कैशोर्य के साथ पिता कम और पुरुष अधिक होते गए थे। अन्ततः उनकी पुत्री का न तो अपना कोई जीवन रह गया था, न ही आकांक्षा। वह मात्र उनके सम्मान और मर्यादा को बनाए रखने का साधन, या इसे बढ़ाने की विनिमेय वस्तु हो गई थी। इस बात की चिन्ता किए बिना कि महाराज दशरथ की आयु क्या है, उनके अन्तःपुर में कितनी विवाहिता और वंचिता वंदिनियाँ हैं, उस गतयौवन के साथ कैकेयी का जीवन किस यातना और अपमान में बीतेगा, अपनी सपत्नी के पुत्र की अनुकम्पा पर उसे अपने वैधव्य के कितने दिन काटने होंगे, उन्होंने स्वयं अपनी ही पुत्री के साथ छल करके उसे महाराज के साथ सम्बन्ध जोड़ने का साधन बना लिया था। उनके लिए रघुवंशियों के साथ विवाह सम्बन्ध असाधारण गौरव की बात थी। उन्हें केवल अपनी प्रतिष्ठा, अपने राजनीतिक लाभ और अपनी व्यापारिक

सुविधाएँ ही दिखाई दे रही थीं, अपनी पुत्री का जीवन नहीं।

कैकेयी की माँ को भी पता था कि इस समाज में किसी स्त्री को बहुत कुछ खोना पड़ता है परन्तु उसने स्वयं भी नियति से पूरी तरह समझौता कभी नहीं किया। वह अपनी पुत्री के भविष्य को भी जानती थी। उसी ने हठ किया था कि वह एक जरठ से अपनी पुत्री का विवाह नहीं करेगी, "एक बूढ़े कालग्रास से विवाह करके कौन-सा सुख मिलेगा, मेरी बेटी को?" आशु वैधव्य और सौतेले पुत्र के शासन में मृत्यु पर्यंत यातना! आपको सम्मान भी मिला, प्रतिष्ठा भी बढ़ी, सुरक्षा और लाभ भी मिला, पर इन सबका मूल्य मेरी बेटी को क्यों चुकाना पड़े? क्यों? नहीं चाहिए मुझे ऐसा सम्बन्ध।"

माँ की बातें सुनने के बाद पहली बार कैकेयी को यह बोध हुआ था कि वास्तविक विवाह गुड़ियों के ब्याह से कुछ भिन्न होता है। कैकेयी के जी में आया था कि अपनी माँ के साथ वह भी चीखे, "नहीं! नहीं करूँगी मैं यह विवाह।" परन्तु वह लड़की थी और लड़कियों के लिए बनाई गई पुरुषों की मर्यादा रेखा को पार कैसे कर सकती थी! एक सन्तोष यह भी था कि माँ तो हैं ही, वह तो उसको बचाएँगी ही नरक से परन्तु जो स्वयं अपने को नहीं बचा सकता, उसे उसके सगे भी नहीं बचा सकते।

कैकेयी की माँ के उत्कट प्रतिरोध को देखकर ही महाराज ने वचन दिया था कि राज्य का उत्तराधिकारी कैकेयी से जन्मा पुत्र ही होगा। माँ तुष्ट नहीं थी, पर उनका प्रतिरोध कमजोर पड़ गया था। अश्वपति फूले नहीं समा रहे थे। उनका अपना ही दौहित्र साकेत का उत्तराधिकारी बनेगा। अब और क्या चाहिए था।

कैकेयी की माँ ने एक क्षीण प्रतिरोध किया भी था,–"धेवते के राजा बनने से वैधव्य कट तो जाएगा, पर मिट तो नहीं जाएगा?"

"बरस!" अश्वपति को एकाएक याद आया था कि वह पिता और पति ही नहीं, पुरुष भी हैं। वह कब तक भूले रहते कि स्त्रियाँ दुराग्रही, क्षुद्रबुद्धि और अमर्यादित होती हैं! उन्होंने घोषणा कर दी थी कि अब इस समस्या पर कोई विवाद नहीं हो सकता। उन्होंने वसिष्ठ के पांडित्य का लाभ उठा कर लग्न भी मिलवा लिए थे, विवाह की तिथि भी नियत कर दी थी, विवाह करके कैकेयी को विदा भी कर दिया था। कैकेयी अपने साथ उपहार के रूप में जाने कितने घोड़े, स्वर्ण मुद्राएँ, रत्न, दास और दासियाँ ले कर आई थीं। सम्पन्नता में अश्वपति दशरथ से अधिक बड़े थे। घोड़ों का पश्चिमोत्तर से होने वाला व्यापार उन्हीं के संरक्षण में चलता था। यदि कोई व्यापारी अहंकार वश उनकी उपेक्षा या उनसे प्रतिस्पर्धा करता है, उसे अपने घोड़ों के साथ ही अपने प्राण भी गँवाने पड़ते। इस व्यापार से अपार धनसंचय कर लिया था, उन्होंने, परन्तु इसके बावजूद भारतीय राजाओं में उनको वह प्रतिष्ठा प्राप्त नहीं हो सकी थी जो काशी, कोसल, विदेह,

पांचाल, कुरु और मत्स्य नरेशों की थी और इस बार इस विवाह सम्बन्ध से उनकी प्रतिष्ठा में भी वृद्धि हो गई थी। वह अपने उपहारों से अवधवालों को दिखा देना चाहते थे कि अश्वपति ऐश्वर्य में किसी से कम नहीं। कैकेयी अपने साथ बहुत बड़ी सम्पदा लाई थी जिसे अवध के नागरिकों ने आँखें फाड़-फाड़ कर देखा था। पर वह इन सबके साथ एक और वस्तु भी लाई थी जिस पर किसी की दृष्टि नहीं पड़ी थी और वह थी पुरुष मात्र के लिए घृणा का बीज।

क्या ऐसी ही घृणा उसकी माँ के मन में भी संचित थी, पुरुष जाति के प्रति? कहते हैं उसकी माँ ने अश्वपति की हत्या कर दी। क्या उस हत्या के पीछे उसके मन में अपनी पुत्री के प्रति किए गए अन्याय के प्रतिकार की भावना भी रही हो सकती है? इतनी दूर अयोध्या में बैठी कैकेयी कैसे समझ सकती है इन बातों को। उसे तो पुरुषों द्वारा गढ़ी गई और उन्हीं के द्वारा प्रचारित कहानियाँ ही सुनने को मिलेंगी। स्त्री को अपने आसपास की सच्चाई तक को अपनी कल्पना से रँग कर ही समझना होता है, पर उसकी यह रँगी हुई सच्चाई पुरुषों द्वारा उसके मस्तिष्क में उतारी गई पाखंडपूर्ण सच्चाइयों से अधिक सच तो होती ही है।

कैकेयी राज्याधिकार के रूप में किसी से दान नहीं माँग रही थी। इसे वह प्राप्त करके आई थी और उचित समय आने पर उसकी यह धरोहर स्वयं महाराज दशरथ को उसे सम्मान सहित लौटा देनी चाहिए थी, पर उन्होंने उससे विश्वासघात किया। वह कृतसन्धि थे, और अब उस संधि का उल्लंघन करके उसके न्यास का अपहरण कर रहे थे। जिस राज्य के बदले उन्होंने कैकेयी का कौमार्य पाया था, उस कौमार्य को क्या वे उसी तरह लौटा सकते थे जिस तरह अपना दिया हुआ राज्य वापस लेकर राम को दे रहे थे? और मुकरना भी कितने गर्हित ढंग से। राम के राजतिलक की तैयारियाँ कैकेयी से छिपा कर, चोरों की तरह की जा रही हैं। भरत को उसकी इच्छा और कैकेयी की सहमति के बिना आदेशपूर्वक गिरिव्रज भेजा जा रहा है कि वह इस अभिषेक में बाधा न डाल सकें। महाराज ने स्वयं हँस कर भरी सभा में कहा था, "स्त्रियों को वचन पूरे करने के लिए नहीं दिए जाते, उनके हठ को दूर करने के लिए दिए जाते हैं।" बिना किसी ग्लानि के कितनी निर्लज्जता से यह बात उन्होंने कही थी। कैकेयी को इसकी सूचना मिली थी तो अपमान और क्षोभ से तिलमिला उठी थी। उसने उसी समय तय कर लिया था कि अपना अधिकार उसे याचनापूर्वक नहीं, लड़ कर लेना होगा। उसी समय से उसने आरम्भ कर दी थी उस रक्तहीन समर की तैयारी जिसकी अन्तिम बलि स्वयं महाराज भी बने, और बने भी अपनी मूर्खता और विश्वासघात के कारण। कैकेयी ने उसी समय ठान लिया था कि यदि स्त्रियों के साथ यही किया जाता है तो वह स्त्री नहीं है!

कैकेयी ने दशरथ से कभी प्रेम नहीं किया। कभी नहीं। कैकेयी अपने

'सौभाग्य' के पूरे दौर में दशरथ की चाटुकारिता करती रही। उन्हें मूर्ख बनाती रही। गणिकाओं की तरह। हाँ, गणिकाओं की तरह केवल उस प्रतिलाभ की आशा में जिसका वचन दे कर महाराज उसे अयोध्या लाए थे। अब उसे उसी प्रतिश्रुत लाभ से, उसी राज्य शुल्क से वंचित किया जा रहा था। कैकेयी ने लगभग चीखते हुए कहा था, "महाराज, ऐसा व्यवहार तो गणिकाओं तक के साथ नहीं किया जाता। उन्हें उनका शीलदेय तो मिलता ही है। आपने पुरुष होने के अहंकार में मेरे साथ गणिकाओं से भी अपमानजनक व्यवहार किया है। मैं आपको कभी क्षमा नहीं कर सकती।"

महाराज की घिग्घी बँध गई थी। अब तक उन्होंने अपनी जिस पत्नी से अपने पौरुष की झूठी प्रशंसा और रूप का गुणगान छोड़ कर और कुछ सुना ही नहीं था, उसके मुँह से इतने कठोर वचन सुनकर उनकी जिह्वा लड़खड़ाने लगी थी, "त्तुम्हें ल्लज्जा नहीं आती। अम्मैंने त्तुम्हें प्पत्नी का सम् सम्म् मान दिया और त्तुम..." वह अपने आक्रोश में अधिक दयनीय लग रहे थे।

"महाराज, अपने अन्तःपुर में वंदी अपनी पत्नियों की तुलना उन गणिकाओं से कभी की है आपने?" महाराज को अपनी पत्नी की तुलना एक गणिका से होती देख कर चोट पहुँच रही थी, इसे कैकेयी ने लक्ष्य कर लिया था। उन्हें चोट पहुँचाने के लिए ही वह इस तुलना को ओर खींच रही थी, "क्या किसी गणिका से उतना अपमानजनक व्यवहार कर सकते हैं आप जो इनके साथ किया जाता है? आपने पत्नी का सम्मान देने के नाम पर उन्हें केवल वन्दी बनाया है, केवल उनकी स्वतन्त्रता छीनी है और अपने लिए चिर उच्छृंखलता का वरण किया है।" कैकेयी जाने क्या-क्या कहती गई थी, इस समय तो वह याद करना भी चाहे तो याद नहीं कर सकती। पर इसके लिए उसे उत्तेजित भी तो स्वयं महाराज ने ही किया था।

कैकेयी ने तो उन्हें केवल अपने वचन की याद दिलाई थी और फिर माँग की थी, "आपने राम के अभिषेक को अकंटक बनाने के लिए भरत को ननिहाल भेजा था, अब आपको भरत के अकंटक राज्य के लिए राम को चौदह वर्ष का निर्वासन देना होगा।"

महाराज को अभी वास्तविकता का पूरा बोध नहीं हुआ था। उन्होंने पुरुषोचित दर्प और धृष्टता से कहा था, "मैं किसी वचन और प्रतिबन्ध को नहीं मानता।"

"महाराज, यह अबला कैकेयी नहीं बोल रही है जिसके प्रस्ताव को मानने न मानने का विकल्प अब भी आपके पास हो। यह एक सबला और कृतसंधि रानी बोल रही है, जिसने अपने सौन्दर्य को कौमार्य से आपका राज्य सत्रह वर्ष पूर्व जीत लिया था, और जो इस समय आपको बंदी बना चुकी है। मैं आपसे कुछ माँग नहीं रही हूँ। जो मेरा है उसे मैंने ले लिया है। अब केवल आपको आदेश दे रही हूँ।"

महाराज भय से काँपने लगे थे। उनकी दशा उस बच्चे जैसी हो रही थी जो

अपराध करने के बाद पकड़े जाने पर दंड भय से काँप रहा हो। महाराज को उनकी इच्छा के विरुद्ध जब अपने ही अंगरक्षकों के दबाव में आना पड़ा था, उसी समय उन्हें इस बात का एक क्षीण आभास हो गया रहा होगा कि उन्हें बंदी बनाया जा चुका है, परन्तु अपनी मूर्खता में वह यह समझ रहे थे कि जिस स्त्री ने कभी उनके किसी आदेश के विरुद्ध सिर नहीं उठाया, वह आज भी उनसे याचना और विनय के साथ ही कोई माँग करेगी। उन्हें इस बात की तो आशा थी ही नहीं कि राम के लिए वनवास का दंड भी नियत किया जा चुका है। अपनी ही स्त्री से यह सुनना कि अब उन्हें उनके आदेशों का पालन करना है, उन्हें बहुत अपमानजनक लग रहा था।

एक क्षण तक वह इसी घबराहट में पड़े रहे और तब उन्हें याद आया, वह एक राजा और पुरुष ही नहीं, एक पति भी हैं जिसे अपनी पत्नी की भर्त्सना का जन्मजन्मांतर सिद्ध अधिकार है। इस बोध ने उनमें नए सिरे से प्राणों का संचार कर दिया था। अभी जहाँ लग रहा था कि उनके शरीर का सारा रक्त किसी अदृश्य नली से खींच लिया गया है, उसमें पुनः रक्त का संचार हो गया था, यद्यपि पहलेवाला दर्प समाप्त हो गया था और इसका स्थान पराजयजन्य खीझ ने ले लिया था, "तू इतनी कुलटा निकलेगी यह तो मैंने सोचा भी नहीं था। अपने पति से ही विश्वासघात! इसी पर सतीत्व का इतना ढोंग करती थी और पति के कल्याण के नाम पर व्रत-उपवास, दान-दक्षिणा के आयोजन करती थी!" उनके मुँह से झाग निकलने लगा था।

कैकेयी हँसने लगी थी, "आप किस कुल और सत की बात कर रहे हैं, महाराज? मैं तो इन्हीं की रक्षा कर रही हूँ। अपने कुल की और आपकी उस सत्यप्रतिज्ञा की जिसने अपना उत्तराधिकार मेरे पुत्र को दिया था। आप पुरुष हैं। आप सत, कुल, धर्म की बातें करते अच्छे नहीं लगते। आप अपनी वैध पत्नी के रहते हुए अपने अन्तःपुर को रखैलों से भर सकते हैं। उनसे ही आपका मनोरंजन नहीं होता तो आप नर्तकियों और वेश्याओं को आमन्त्रित कर सकते हैं। इतने से भी सन्तुष्ट न रह कर, कहीं भी दीख जानेवाली किसी ऐसी युवती का शीलभंग कर सकते हैं जो अपनी रक्षा करने में समर्थ न हो—वह किसी भी कुल, किसी भी वर्ण की क्यों न हो। लंपटता की हालत यह है कि आपकी वंदिता रानियों को भी अपनी दासियों के रूप में लंगड़ी, कुबड़ी, कानी और कुरूप महिलाओं को ही रखना पड़ता है, क्योंकि यदि ऐसा न हो तो आप उन्हें भी छोड़ेंगे नहीं और इस पर भी अपनी उन्हीं वंदिता रानियों में से किसी अतृप्त और कामविक्षिप्त युवती द्वारा जिसकी तुष्टि करना आपका कर्तव्य है, पर कर नहीं सकते, तनिक भी शिथिलता हो जाए तो वह कुलटा और असती हो गई और आप धर्मशील और सत्यपरायण!

"आपके सारे शास्त्र, सारे पण्डित और पुरोधा, सारी व्यवस्था इस विवशता को

समझने से इनकार कर देगी और पाशविक क्रूरता से स्वयं अपने स्वभाव की सारी दुर्बलताएँ केवल उस विवश स्त्री पर ही नहीं, अपितु पूरी स्त्री जाति पर लाद देगी। स्त्री निष्ठुर होती है, निर्लज्ज, निर्बुद्धि, कपटी, प्रपंची, कामी सब कुछ कहने के बाद भी सन्तुष्ट नहीं होंगे तो अपनी बौखलाहट में उसे पशु भी कह देंगे। वाह! कैसे-कैसे प्यारे शब्द गढ़ रखे हैं आपने उसे पुकारने के लिए भी। रमणी, रमा, रामा, कामिनी, रम्या, भोग्या, काम्या। नहीं महाराज, नैतिकता की बात पुरुष के मुँह से शोभा नहीं देती। वह केवल शक्ति की बात कर सकता है और इसी की भाषा समझता है। इस शक्ति का पाशविक प्रयोग करके ही आपने अपनी आदर्श नारी को पति की दासी बनाया है और अपने महल की अबलाओं पर वृद्ध, कुरूप, कुब्ज, गैरिक वसन कंचुकियों का पहरा बैठा रखा है। आप स्वयं जिन नियमों का पालन नहीं करते, उनके पालन की आशा दूसरों से क्यों करते हैं?"

महाराज ने पुनः अपने स्वामित्व का प्रदर्शन किया था, "कुलीन स्त्रियाँ इस तरह की भाषा का व्यवहार नहीं किया करतीं। तुम सचमुच क्रोध में विक्षिप्त हो रही हो।"

और अब उसे महाराज को इस बात का बोध करा देना भी आवश्यक लगा था कि इस समय शक्ति उसके हाथ में है, "आप इस समय अपनी पत्नी के सम्मुख नहीं अवध की राजमाता के सम्मुख खड़े हैं। यदि इस बात का ध्यान रखें कि यहाँ खड़ी अंगरक्षिकाओं के हाथ में विषतृपा कटारें भी हैं, जिनकी एक खरोंच से आपका प्राणांत हो सकता है, तो आपको शालीनता का निर्वाह करने में सुविधा होगी।"

महाराज की आँखों में आँसू आ गए थे। उन्होंने हाथ जोड़ लिए थे। उनके मुँह से केवल एक शब्द निकला था, "महारानी!"

"हाँ इस तरह बात कर सकते हैं। सुनिए महाराज, यदि मैं पुरुष होती तो आप कब के परलोक सिधार गए होते। आप भी और आपके प्रिय पुत्र राम भी। कौसल्या का पूरा परिवार! परन्तु मैं स्त्री हूँ और जीवन का मूल्य समझती हूँ। वह हमारे भीतर पलता और हमारे भीतर से जन्म लेता है और हमारी गोद में बढ़ता है, इसलिए मैं इसका विनाश सहन नहीं कर सकती, अन्यथा राम के लिए वनवास की आवश्यकता नहीं होती।" कैकेयी ने अपना निर्णायक वाक्य महाराज को सुना दिया था और उसने उन्हें कुछ देर को सन्नाटे में सोचने का अवसर दे दिया था। राम के वध का संकेत देकर कैकेयी ने दशरथ को इतना डरा देना चाहा था कि वह आगे उसके कठोर निर्णयों को भी कृपा मान कर स्वीकार करते चलें।

महाराज सोच नहीं रहे थे। कैकेयी की ओर देख रहे थे, दीन, हीन और अश्रुविगलित। वह कैकेयी के मन में करुणा उपजाने का व्यर्थ प्रयत्न कर रहे थे। कैकेयी को एक कुटिल आनन्द आ रहा था महाराज को त्रस्त करने में। उसकी

योजना का अंग था यह। वह बाहर से अपने को उत्तेजित दिखाते समय भी भीतर से बिल्कुल शान्त थी, "सुनिए महाराज। आप कामी, कृपण, दुराचारी और कपटाचारी ही नहीं हैं, मूर्ख भी हैं। आपको अपना पासा फेंकना नहीं आया। यदि आपने चारों राजकुमारों को अपने नाना-नानी का आशीर्वाद लेने भेजा होता तो उसका भी परिणाम वही होता जिसकी आशा आप भरत को अकेले ननिहाल भेज कर कर रहे थे। विवाह चारों का हुआ था और चारों में से किसी के मामा-नाना आमन्त्रित नहीं हो पाए थे। शिष्टाचार की माँग सबके लिए एक ही थी। गिरिव्रज यहाँ से बहुत दूर है जबकि राम और लक्ष्मण और शत्रुघ्न के ननिहाल पास ही हैं। शिष्टाचार का दिखावा करके दूसरे सभी लौट सकते थे, जबकि भरत को महीने-दो महीने से पहले लौटने का अवसर नहीं मिलता। परन्तु आप चूक गए। जब आपने केवल भरत को और वह भी शत्रुघ्न और युधाजित के ही नहीं, कैकेय सैनिकों के भी साथ, उसकी इच्छा के विपरीत और मुझे इसकी भनक तक दिए बिना, ननिहाल भेजने का आदेश दिया और वह भी इस निर्णय के अगले ही दिन, तो मुझे सन्देह हो गया कि यह अवसर किसी कूट योजना का है। उस समय मैंने आपके आदेश की अवज्ञा नहीं होने दी, पर युधाजित को यह निर्देश दे दिया कि वह यहाँ से जाने का नाटक तो करें पर अवध राज्य की सीमा पर ही किसी बहाने पड़ाव डाले रहें।

"भरत के जाने के तुरन्त बाद आपने जब महासभा बुलाने का विचार किया तो मेरा सन्देह पक्का हो गया और मैंने उन्हें सूचना भेज दी कि सभा के लिए नियति तिथि अर्थात् आज तक वे इस तरह बढ़ते रहें कि आधी रात तक नगर सीमा पर पहुँच जाएँ और इस समय वे मेरे आदेश की प्रतीक्षा कर रहे हैं। राम के राज्याभिषेक की घोषणा करके आपने अपने को बंदी बना कर लाए जाने के लिए भी बाध्य कर दिया। स्त्रियों की बुद्धि के विषय में आप की राय यदि अभी तक न बदली हो, तो अब भी समय है।" कैकेयी मुस्करा रही थी पर यदि वह शूल चुभो रही होती तो दशरथ को उससे कुछ कम चुभन महसूस होती, जो इस समय हो रही थी।

"और महाराज..." कैकेयी जाने क्या कहने जा रही थी कि इसी समय प्रतिहारी ने प्रवेश किया था और उसका वाक्य अधूरा ही रह गया था, "क्या समाचार है?"

"सन्देशहर आया है, महाराज! राजकुमार भरत नगर की सीमा पर आ गए हैं और नगर में प्रवेश करने से पूर्व आपकी अनुमति चाहते हैं।" प्रतिहारी ने सिर झुकाकर महाराज को सूचित किया था।

उत्तर महाराज के स्थान पर कैकेयी ने दिया था, "सूचना भेज दी जाए कि आगे आदेश मिलने तक नगर को घेर कर रुके रहें।"

कैकेयी ठीक ही कह रही थी कि महाराज उससे छल करने चले और उसमें ही

मूर्ख सिद्ध हो गए। उसने अपनी योजना का हर तार इस तरह मिला रखा था जैसे मछुआरे अपने जाल के धागे मिलाते हैं। न तो युधाजित नगर सीमा पर पहुँचा था, न ही कैकेयी को उस समय स्वयं पता था कि भरत को लौटने में अभी कितना समय लगेगा। यदि पहली सूचना सही थी और वे दो हरियोजन की दूरी पर थे तो उन्हें आने में कम से कम चार दिन का तो समय लगना ही था–दो दिन सूचना पहुँचने में और दो दिन लौटने में सन्देशहर की कूट व्यवस्था और उसके उपस्थित होने की घड़ी उसने स्वयं निश्चित की थी। महाराज को यह बता कर कि नगर का घेरा डाला जा चुका है, वह महाराज को आतंकित करना चाहती थी। उनको अपनी कटूक्तियों और व्यंग्योक्तियों से पहले ही अपमानित करके उनके मनोबल को गिरा चुकी थी और उन पर यह प्रकट करके कि उनकी और कौसल्या परिवार की प्राणरक्षा के लिए वह नैतिक रूप से न तो बाध्य है, न ही आवश्यकता पड़ने पर वह किसी का प्राण लेने में संकोच करेगी, उसने इस बात की पक्की व्यवस्था कर ली थी कि महाराज राम को स्वयं बुला कर उन्हें बताएँ कि उन्होंने अपना निर्णय बदल दिया है, "अब राज्याभिषेक भरत का होगा और स्वयं राम को सीता सहित चौदह वर्ष तक वनवास करना होगा।"

महाराज को यह विश्वास दिला लेने के बाद कि केवल वही बंदी नहीं हैं, अपितु उनके नगर पर भी घेरा डाला जा चुका है, कैकेयी महाराज दशरथ की ओर मुड़ी थी, "महाराज, आप यहाँ बंदी हैं। आपके पुरुष अंगरक्षक इस समय कौसल्या के भवन की रक्षा कर रहे हैं। संकेत मिलते ही वे भरत के मार्ग को सदा के लिए अकंटक बना देंगे। कल प्रातः उसी सामग्री से भरत का अभिषेक होना है जिसे आपने राम के लिए जुटाया था।"

महाराज ने कुछ कहना चाहा, "महारानी..."

कैकेयी ने उनकी ओर एक कठोर दृष्टि डाली थी और महाराज को अपना वाक्य पूरा करने का अवसर दिए बिना आगे कहने लगी थी, "मेरी केवल एक ही इच्छा है कि भरत का राज्याभिषेक केवल नदियों, सरोवरों और समुद्रों के तीर्थ जल से, अक्षत, चंदन, रोली और धूप-दीप से हो। मंगलध्वनि और शंखनाद हो मेरे पुत्र के राज्याभिषेक पर। मैं उस रक्ताभिषेक को, उस आर्तनाद को रोकना चाहती हूँ, जिसके लिए आपने मुझे विवश कर दिया है।"

महाराज अपने को सँभाल नहीं पाए थे। वह उत्तेजना में चीख पड़े थे "तू नीच है! महानीच!"

कैकेयी दशरथ से इस समय उसी तरह खेल रही थी जैसे बिल्ली चूहे को दबोचने और उसके प्राण लेने के बीच की अवधि में करती है, "महाराज मेरा अपमान कर रहे हैं। किसी सत्री की भर्त्सना में केवल एक अपशब्द का प्रयोग करना न तो किसी पुरुष को शोभा देता है, न ही उस स्त्री को जिसके लिए इसका

प्रयोग किया गया है। जब स्त्री पुरुष के लिए हेय होती है तो, मैंने बताया था न, वह नीच, दुष्ट, दुर्बुद्धि, क्रूर, चपल, दुस्साहसी सब कुछ एक साथ होती है, अन्यथा वह देवी के ऊँचे आसन के एक अंगुल भी नीचे न तो लाई जाती है, न आने को तैयार होती है। आपको यदि शास्त्रीय शब्दावली का ज्ञान नहीं था, तो मुझसे सुन कर तो कंठस्थ कर लेनी चाहिए थी। परन्तु महाराज को अपनी समझ के बल पर जान लेना चाहिए था कि कैकेयी नीचता में कभी उनकी समकक्षता में नहीं आ पाई है और साथ ही मान लेना चाहिए था कि अवध का शासन उनसे अधिक दूरदर्शी और कुशल व्यक्ति के हाथों में आ रहा है।"

"किन्तु तुम तो..." महाराज का स्वर बदल गया था, पर इन दो शब्दों के बाद ही गला फँस भी गया था। वह कुछ देर तक खाँसते रहे और फिर कुछ झुक कर अपने हाथों से ही अपनी छाती सहलाने लगे थे। कैकेयी के संकेत पर एक दासी ने पीठ सहलाने के लिए हाथ बढ़ाया तो हाथ के स्पर्श से ही इस तरह चौंके कि गला उनके उचकने के साथ ही खुल गया। वह उसकी ओर इस तरह भयातुर हो कर देख रहे थे मानो उसने उनकी पीठ पर हाथ से नहीं, गर्दन पर नंगी कटार से स्पर्श किया हो।

कैकेयी को यह देखकर आह्लाद सा हो रहा था कि अपने को परमवीर, अप्रतिभट, सूर्यप्रतिम तेजस्वी, चक्रवर्ती महाराजाधिराज कहनेवाला जिसकी भौंहें टेढ़ी होने पर राजाओं और सामंतों को पसीना आने लगता था, उसके सामने थर-थर काँप रहा था।

अपने को कुछ सँभाल लेने के बाद उन्होंने डरते-डरते ही प्रश्न किया था, "भरत का राज्याभिषेक कराकर शासन तुम करोगी, महारानी?"

"हाँ महाराज, शासन मैं करूँगी नहीं, करना आरम्भ कर दिया है। मुकुट तो मेरे भरत की शोभा है। उसे बचपन से ही कितना सजा कर रखती आई हूँ! आगे भी रखूँगी, पर सत्ता तो, आप ही कहते हैं, बेचारा सँभाल नहीं सकता। और महाराज सत्ता जीत कर ली जाती है, और यह जीतनेवाले की ही होती है। उसे दिया नहीं जाता। इस राज्य के लिए मैंने अपने जीवन को होम किया है, महाराज, भरत ने नहीं। एक मनुष्य के रूप में भरत जो भी चाहेगा उसे मिलेगा। बस। मैं यह कभी नहीं भूल सकती, महाराज, कि भरत भी एक पुरुष ही है। यदि मैं अपने पति द्वारा छली जा सकती हूँ, तो पुत्र के द्वारा नहीं छली जाऊँगी, इसका विश्वास कैसे कर सकती हूँ। उसका पुरुष होने का अहंकार सत्ता मिलने पर यह नहीं देखेगा कि उसे सत्ता दिलाने के लिए मैंने कितना बड़ा त्याग किया है, और कितना लम्बा युद्ध लड़ा है। सत्ता पाने के बाद वह मेरी अवज्ञा अवश्य करेगा और मैं अपनी बुद्धि, धैर्य और कौशल से जीते हुए राज्य को उसे सौंप कर स्वयं अवज्ञा क्यों सहन करूँ? आपको आश्चर्य इसलिए हो रहा है, महाराज, कि आपकी पूरी

व्यवस्था और आपके समस्त शास्त्र यह मान कर चलते हैं कि स्त्री दासी हो सकती है, पर शासिका नहीं। मैं उस विधान को, उन शास्त्रों और व्यवस्थाओं को नहीं मानती जिन्हें पुरुषों ने अपने को केन्द्र में रख कर, और अपने को ही सर्वोपरि रखने के लिए तैयार किया है। हाँ, उसके अहम् को मैं अवश्य तुष्ट करूँगी और इसलिए राज्याभिषेक भरत का ही होगा, मुकुट वही पहनेगा। सिहांसन पर मुकुट पहने बैठ कर वह कितना सुन्दर लगेगा, यह सोचती हूँ तो मन प्रसन्न हो जाता है। पर वह एक मातृभक्त बालक है और उसे जीवन भर मातृभक्त बने रहना होगा।"

"और मेरी नियति?" अब महाराज को अपना अन्त स्पष्ट दिखाई देने लगा था।

"इसका निर्णय आपको करना है। आप ही को क्यों, हम दोनों को करना है, इसका निर्णय। आप चाहें तो इस महल के भीतर आपको वे सारी सुविधाएँ मिल सकती हैं जो एक राजमहिषी को मिलती हैं। उत्तम भोजन, वस्त्र, आभूषण, सेवक-सेविकाएँ। यदि यह स्वीकार नहीं हुआ तभी कुछ और सोचना पड़ेगा।" अन्तिम वाक्य पर कैकेयी का स्वर इतना आवेगहीन हो गया था कि उसकी आवाज महाराज की हड्डियों तक पहुँच रही थी।

"और राम? सीता? क्या उनके लिए वन के अतिरिक्त कोई दूसरा उपाय नहीं?" महाराज वनवास का शब्दार्थ और व्यंग्यार्थ दोनों जानते थे, यद्यपि उन्हें इस बात का भरोसा भी था कि राम को इस संकट से उबरने का कोई रास्ता मिल गया तो वह स्वयं अपनी ही नहीं, उनकी भी रक्षा का कोई उपाय निकाल ही लेंगे।

"राम को भी गुरुजनों की इच्छा का पालन करना ही चाहिए। यदि उसने अविनय से काम लिया तो आपके सामने ही..." कैकेयी ने जान-बूझ कर अपना वाक्य अधूरा छोड़ दिया था। उसने किसी इंगित से भी अपने वाक्य का अर्थ स्पष्ट नहीं किया था। इस बार वह मुस्कराई भी नहीं थी। वह एकदम गम्भीर हो गई थीं मानो उस अप्रिय कार्य से उन्हें भारी कष्ट होनेवाला हो।

"मुझे प्राणों का भय नहीं, रानी। मेरे प्राण तुम अभी ले सकती हो, पर मैं तुम्हारे पाँव पड़ता हूँ, अपने इस वृद्ध पति की केवल एक प्रार्थना मान लो। राम को राज्य से वंचित भले कर दो पर..." हिचकियों के वेग के कारण वह अपना वाक्य पूरा नहीं कर पाए थे।

"यदि कोई अप्रिय निर्णय करना ही पड़ा महाराज, तो इतना तो जानती ही हूँ कि आपको नरक में भी राम की ही याद सताएगी। आप वहाँ जी लगा सकें, इसके लिए मार्ग तैयार करते हुए पहले राम को जाना होगा और फिर आप जाएँगे। आपका प्रिय राम वहाँ आपको कोई कष्ट नहीं होने देगा।" कैकेयी के अवसाद का नाटक समाप्त हो गया था और उसके होंठों पर एक कड़वा व्यंग्य खेल रहा था।

महाराज से आगे कुछ बोला भी नहीं गया था। वह सचमुच भूमि पर गिर पड़े थे और कैकेयी के पाँवों को सचमुच पकड़ लिया था। वह कैकेयी के पाँवों को कसते जा रहे थे, जैसे पकड़ ढीली होने पर उन्हें कैकेयी के भाग कर कहीं अन्यत्र चले जाने का भय हो।

"सुनिए महाराज, न तो मैं आपको अधिक अपमानित देखना चाहती हूँ न ही आप के प्राण लेना। केवल भरत के राज्य को अकंटक देखना चाहती हूँ। आरम्भ में जनता के रोष का सामना तो करना ही पड़ेगा और फिर जो विद्रोह सम्भव है उसे शान्त करने और अपने राज्य की जड़ें गहरे उतारने में बारह-चौदह वर्ष का समय तो लग ही जाएगा। तब तक राम का अवध में कहीं भी रहना भरत के शासन को स्थिर नहीं होने देगा। मैं इस संकट से बचना चाहती हूँ। बस।" कैकेयी के सवर में फिर गम्भीरता आ गई थी।

"मैं वचन देता हूँ" महाराज ने गिड़गिड़ाते हुए स्वर में कहना आरम्भ किया था। अभी तक वह कैकेयी के पाँवों को पूर्ववत पकड़े हुए थे।

"वचन नहीं, अनुपालन, महाराज! यदि आप राम की जीवनरक्षा चाहते हैं तो आप को वही और उसी तरह करते जाना होगा जो मैं कहती हूँ। आप स्वयं राम को बुला कर उसे वनवास का आदेश दें। ऐसा लगना चाहिए कि आपका विचार इस बीच बदल गया है। यह प्रकट नहीं होना चाहिए कि उसके लिए आपको प्राण-भय दिखाया गया है—न वाक्यों से, न मुद्रा से।" कैकेयी अब इस विषय को अधिक बढ़ाना नहीं चाहती थी।

"मैंने सार्वजनिक रूप से राम के राज्याभिषेक की घोषणा की है यदि इसके विपरीत कुछ कहूँ भी तो मानेगा कौन? इस महल में बैठ कर कहूँ तो कोई भी कैसे मान लेगा कि मैं ऐसा किसी भय या संकट में पड़ने के बाद नहीं कह रहा हूँ। लोगों को विश्वास दिलाने के लिए तो इसकी सार्वजनिक घोषणा करनी होगी।" महाराज कैकेयी की सावधानी से कुछ आशान्वित हो चले थे और इसमें उन्हें अपने मुक्त होने का एक अच्छा अवसर दिखाई दे रहा था।

कैकेयी इतनी अनाड़ी नहीं थी, "ठीक है, आप इसका दोष मेरे ऊपर डाल दीजिए। कहें कि आप मुझे पहले वचन दे चुके थे और उन्हें ही मैंने माँगा है और आप धर्मसंकट के कारण, पर अपने विवेक से, ऐसा कर रहे हैं, आप इस प्रस्ताव को स्वयं भी स्वीकार करने को बाध्य हैं, यह अवश्य प्रकट होना चाहिए।"

"परन्तु कैसे? कोई कैसे मान लेगा कि जिस बात का निर्णय भरी सभा में हुआ है उसे अकेले तुम्हारे कहने से मैंने बदल दिया है?"

स्थिति उतनी सरल नहीं थी जितनी पहली झलक में दिखाई दे रही थी और यहीं पर मुनिवर वसिष्ठ की और उनके सुधालेप की आवश्यकता हुई थी।

मुनिवर आए किंचित घबराहट में ही थे पर यह जान लेने के बाद उनकी

चिन्ता दूर हो गई थी कि उपयुक्त बहाना मिलने पर महाराज यह कहने के लिए तैयार हैं कि राम के स्थान पर भरत का राज्याभिषेक होगा और राम को सीता सहित चौदह वर्ष वनवास के लिए जाना होगा। राज्याभिषेक की भूमिका तो गुप-चुप रूप में सर्वविदित तथ्य से भी तैयार हो सकती थी। यह बात तो राम को भी मालूम थी कि कैकेयी को विवाह के समय राज्यशुल्क दिया गया था। पर वनवास को तो उचित ठहराया नहीं जा सकता था। इसके लिए महाराज पहले सहमत कैसे हुए हो सकते थे!

वसिष्ठ की बुद्धि सचमुच चकरा गई थी। कुछ देर माथापच्ची करने के बाद एक बार तो उन्हें लगा कि इस वनवास के प्रस्ताव का कोई ऐसा औचित्य तैयार ही नहीं किया जा सकता जिसमें महाराज को भी सम्मिलित किया जा सके, पर तभी उनकी पुरोहिती बुद्धि ने उनका साथ दे दिया।

"महाराज महारानी का वरण करने के बाद युद्ध पर गए थे या युद्ध से लौटने के बाद महारानी का वरण किया था, यह बात राम को ज्ञात नहीं हो सकती। यदि यह प्रचारित किया जाए कि महारानी युद्ध में महाराज के साथ गई थीं और एक अत्यन्त विषम स्थिति में उन्होंने महाराज के प्राण बचाए थे जिससे प्रसन्न हो कर हमारे महाराज ने उन्हें दो वर माँगने को कहा था और उस समय उन्होंने केवल यह कहा था कि उचित अवसर आने पर माँग लेंगी, पर आज राम के राज्याभिषेक का आयोजन देख कर विमाता सुलभ ईर्ष्या से प्रेरित होकर उन्होंने पहले वर के प्रतिदान स्वरूप भरत का राज्याभिषेक और दूसरे के बदले में राम के लिए चौदह वर्ष का वनवास माँगा है और वचन हारे हुए हमारे सत्यप्रतिज्ञ महाराज के सामने इस तरह बहुत बड़ा धर्मसंकट पैदा कर दिया है, तो? संसार में कौन ऐसा है जो यह नहीं जानता कि रघुवंशियों को अपना दिया हुआ वचन और की हुई प्रतिज्ञा प्राणों से भी अधिक प्रिय है! उन्हीं के एक पूर्वज ने स्वप्न तक में दिए हुए दान को पूरा करने के लिए न केवल अपने आपको डोम के हाथों बेच दिया था, बल्कि अपने कर्तव्य का निर्वाह करने के लिए अपने मृत पुत्र पर भी ममता न जताते हुए पत्नी के शरीर का आधा वस्त्र तक श्मशान शुल्क के रूप में लेने में संकोच नहीं किया था। इस महान् परम्परा को स्मरण कर महाराज ने अपने वचन पूरे करने के लिए न केवल राजपद भरत को देने का निर्णय किया है अपितु अपने प्राणों से प्रिय पुत्र राम तक को चौदह वर्ष वन में रहने का आदेश दिया है।"

वसिष्ठ सचमुच कवि हैं। उनके पास हर स्थिति के लिए कोई न कोई समाधान निकल ही आता है। उनका यह सुझाव मान्य हो जाने के बाद उनकी प्रतिभा को जो उत्तेजना मिली उसमें उन्होंने एक और कथा रच डाली। लोक को अब यह पता भी चलने वाला था कि महाराज को पुत्रवियोग तो लिखा ही था, पुत्रवियोग में उनके प्राण भी निकलने थे। अपने पुत्र की हत्या उनसे अनजाने ही

हो जाने के बाद, उन्हें एक व्यक्ति ने ऐसा ही शाप दिया था, जिसे महाराज ने वसिष्ठ को स्वयं बताया था। हाँ, उन्होंने श्रवण कुमार की कहानी तब रची थी जब कैकेयी महाराज को किसी भी स्थिति में जीवित छोड़ने के लिए तैयार नहीं हुई थीं, परन्तु कितनी मार्मिक और बेधक थी उनकी कहानी। महाराज ने शब्दभेदी बाण मारा था यह सोच कर कि, कोई हाथी पानी पी रहा है और अन्धे माता-पिता को कन्धे पर कांवरी पर लादे तीर्थाटन करानेवाले युवक की जो उन्हें तृषातुर छोड़कर पानी भरने गया हुआ था, उस एक ही बाण से तत्काल मृत्यु हो गई और उस युवक ने प्राण त्याग करते हुए भी केवल एक ही अनुरोध किया कि महाराज उसके प्यासे माता-पिता को पानी अवश्य पिला दें।

एक साथ कितने अर्थ भर देते हैं मुनिवर अपनी कथाओं में। यदि एक वैश्यपुत्र इतना पितृभक्त हो सकता है कि वह अन्धे माता-पिता की इच्छा पूरी करने के लिए उन्हें कांवरी पर उठाए एक तीर्थ से दूसरे को ढोता रह सकता है, तो राम जैसा आदर्श राजकुमार अपने पिता की इच्छा पूरी करने के लिए वन क्यों नहीं जा सकता। आदर्श पुत्र को पिता के दुष्कर से दुष्कर आदेश का पालन करना चाहिए और उनकी इच्छा जानकर असम्भव काम भी पूरा कर डालना चाहिए और प्राण जाते समय भी केवल एक ही चिन्ता होनी चाहिए कि उसके पितरों को कष्ट न होने पाए।

कवि ही नहीं, आशु कवि हैं वसिष्ठ। अपनी कथाओं में यदि कुछ छिद्र बने रहने देते हैं तो यह तो हर कहानी में होता है। लोक इतना छिद्रान्वेषी नहीं होता, और जो लोग होते हैं उन्हें वसिष्ठ ब्रह्मराक्षस कहते हैं। पर ये तो संख्या में दो-चार ही होते हैं जिनके मानने या न मानने से कुछ नहीं बिगड़ता। करते रहें वे छिद्रान्वेषण—छिद्रं ही मृगयंतेस्म विद्वांसो ब्रह्मराक्षसा। हाँ रचनाकार को इन दुष्ट आलोचकों का ध्यान अवश्य रखना चाहिए कि उसकी कृति में कोई चूक न रहने पाए, अन्यथा ये दुष्ट उसके सारे किए-कराए पर पानी फेर देते हैं। अब यदि समूची सावधानी के बाद भी कविवर ने यह नहीं सोचा कि जिस निशाने पर तीर पहुँच सकता है उस पर दृष्टि अवश्य पहुँचेगी, इसलिए न तो शब्दभेदी बाण की आवश्यकता थी, न ही दशरथ यह जाने बिना रह सकते थे कि जहाँ से आवाज आ रही है वहाँ कोई हाथी है, या आदमी, तो कोई बात नहीं। उस अचूक शब्दवेधी बाण को आ कर सीधे उस पात्र पर लगना चाहिए था जिससे श्रवण कुमार को हानि नहीं हो सकती थी। फिर पात्र से पानी भरते समय निकलनेवाली आवाज बहुत दूर तक तो जा ही नहीं सकती थी। इतने निकट आने पर ही दशरथ का उसे यह न देख पाना कठिन था। सबसे बड़ी भूल कि यह युवक जो कांवरी पर माता-पिता को लिए देशदेशान्तर घूम सकता था, वह उस जंगल में, जिसमें हाथी और शेर आदि थे, उन्हें उनकी कृपा पर छोड़ कर पानी लेने नहीं जा सकता था।

पानी तक उन्हें भी ढो कर अवश्य ले जा सकता था। वह तीर्थ के रास्ते से भटक कर उस घने जंगल में क्यों चला गया इसका भी ध्यान उन्होंने नहीं रखा था और सबसे रोचक बात यह कि उन्होंने दशरथ को शब्दवेधी बाण चलानेवाला बताया तो उस बालक का नाम श्रवणकुमार रखना भी जरूरी समझा। पर वे सब छिद्रोन्वेषी ब्रह्मराक्षसों की चिन्ताएँ हैं। कैकेयी इन बातों पर इसलिए हँसती है कि वह जानती है कि उसकी इच्छा जान कर कविवर ने यह कथा गढ़ कर तैयार की है। पर सामान्य जनों को तो यह नहीं मालूम। उन्होंने वसिष्ठ की इस कथा को सत्य ही नहीं उपयोगी भी पाया। अपनी ही सन्तानों को मूक दास बना कर रखने का इससे अधिक सशक्त हथियार भद्र समाज को मिल भी कहाँ सकता था।

कवि पुरोधा ने दोनों अवसरों पर अपनी रचनाओं के लिए भरपूर पुरस्कार दान-दक्षिणा के रूप में वसूल भी किए थे और कैकेयी ने अपनी ओर से भी उन्हें मालामाल करने में कृपणता नहीं बरती थी। पहले अवसर पर उन्होंने राम, लक्ष्मण और सीता के समस्त वस्त्रों और आभूषणों को दान स्वरूप ले लिया था और दूसरे अवसर पर सीधे स्वर्ण मुद्राओं की माँग की थी।

अपने स्वार्थ और यजमान के हित के बीच अद्भुत तालमेल रखते हैं वसिष्ठ। आज ही यदि उन्हें राम समुचित सम्मान दे दें तो वह उन्हीं हथियारों को लेकर कैकेयी के विरुद्ध खड़े हो जाएँगे। आश्चर्य नहीं कि उनकी रुग्णता पर राम ने स्वयं जा कर उनका हाल पूछा, इस कृपा पर ही विचलित होने के कारण वसिष्ठ के मन में भीतर और बाहर का वह द्वन्द्व आरम्भ हो गया हो।

कैकेयी उन्हें मुट्ठी से निकलने नहीं देगी। वसिष्ठ आज तक उसके सबसे अचूक हथियार रहे हैं। आज तो साधनहीन होने के कारण उसके लिए यह हथियार और अधिक आवश्यक हो गया है।

18

महाराज इतने उत्सवप्रेमी थे कि जब उन्होंने अकस्मात् एक विशाल सभा का आयोजन किया और इस अवसर पर पूरे राज्य से आए सामन्तों, प्रमुखों और पौरजनों के स्वागत, विश्राम और मनोविनोद के लिए नाच और तमाशों की, विविध सुरुचिपूर्ण खाद्यों और पेयों की व्यावस्था होने लगी तो किसी को पहले इस बात का अनुमान भी नहीं था कि यह आयोजन इससे पहले के आयोजनों से असाधारण रूप में भिन्न है। उन्होंने राम को जब सभाकक्ष में बुलाया था और उनको अपने निकट एक आसन पर बैठने को कहा था तब भी राम हाथ जोड़े नमस्कार की मुद्रा में खड़े ही रह गए थे। महाराज के मुख से, "आसन ग्रहण करो पुत्र" सुनने के बाद भी एक क्षण को उन्हें विश्वास नहीं हुआ था कि यह आदेश उन्हें ही दिया

गया है। महाराज ने न तो उन्हें इससे पहले कभी सभा-भवन में बुलवाया था, न ही राम उस दिन इतने बड़े सम्मान के लिए मानसिक रूप में तैयार थे। राम ने विस्मय में महाराज की ओर देखा था तो उन्होंने हाथ से पुनः संकेत किया था और वह चुपचाप उस रिक्त आसन पर बैठ गए थे।

"आज इस महासभा के सदस्यों ने एक स्वर से तुम्हें युवराज के पद के लिए निर्वाचित किया है।" उन्होंने सभा में उपस्थित सदस्यों की ओर संकेत करते हुए अपना वाक्य पूरा किया था।

राम ने पुनः उठ कर उनका इस गौरव के लिए अभिवादन किया था, सभा की ओर दृष्टि डालते हुए कृतांजलि हो कर अपना धन्यवाद प्रकट किया था और फिर अपने आसन पर बैठ गए थे।

"कल प्रातः ही तुम्हारा राज्याभिषेक होगा। सूर्योदय के साथ ही।" उन्होंने आवेग-बोझिल स्वर में कहा था और यह सूचना अपनी आकस्मिकता के कारण इतनी विस्मयकारिणी थी कि राम मूढ़ भाव से सभा की ओर देखने लगे थे और उनके इस विस्मय पर उपस्थित पौरजन मुस्कराने लगे थे।

"अब जाओ और यह सूचना अपनी माताश्री को भी सुना दो। उन्हें सुन कर विशेष हर्ष होगा।" महाराज ने राम को असमंजस से उबारते हुए कहा था।

राम पुनः शीश झुका कर सभाकक्ष से बाहर हो गए थे। सभा विसर्जित हो गई थी और महाराज अपने भवन में चले गए थे।

राम ने माँ को जब महाराज के निर्णय की सूचना दी थी तो एक बार को वह भी विस्मय में पड़ गई थीं, "सच?"

कौसल्या को उत्तर हर्षातिरेक से काँपते राम के अधरों और चमकती आँखों से मिला था। कौसल्या ने राम के सिर को अपने दोनों हाथों में ले लिया था और उनके झुके हुए माथे पर अपने गालों को रगड़ने लगी थीं। वह उस गाय की तरह लग रही थीं जो स्नेह की अन्य कोई भाषा न जानने के कारण अपने बछड़े को चाटने लगती है और राम स्वयं भी बछड़े की ही तरह अवाक् स्तब्ध खड़े थे। माँ के हृदय की धड़कन उनके कानों में साफ सुनाई दे रही थी। उनका विस्मय अब हर्ष-जनित रोमांच के आन्तरिक कम्पन का रूप ले चुका था।

"तुम्हारे प्रतिस्पर्धियों को मुँह की खानी पड़ी।" अपने दोनों हाथों में राम के मुँह को सँभाले, उन्हें अपलक निहारते हुए, उन्होंने कहा था।

राम अभी पूरी तरह अपने आप पर काबू भी नहीं पा सके थे कि सूत ने प्रवेश किया था, "महाराज ने आपको अविलम्ब बुलाया है।" उसने राम को सम्बोधित किया था। वह उत्तर के लिए रुका नहीं था, "अपने मन्त्रणा कक्ष में," उसने अधूरी सूचना को पूरा किया था और मुड़ कर चल पड़ा था।

राम की समझ में नहीं आया था कि इतने शीघ्र ऐसा क्या हो गया कि

महाराज ने उन्हें पुनः याद कर लिया। उन्होंने लक्ष्य किया कि माँ सूत को देखकर कुछ घबरा गई हैं और अब लौटते हुए सूत को निहार रही हैं। राम माँ से बिना कुछ कहे मुड़ कर सूत के पीछे-पीछे चल दिए थे।

महाराज ने उन्हें अपने निकट ही बैठाया था। उन्होंने पुनः वही वाक्य दुहराया था, "कल प्रातः ही तुम्हारा राज्याभिषेक हो जाएगा पुत्र।" उन्होंने अपना एक हाथ राम के कन्धे पर रख दिया था मानो दिन भर की थकान के बाद उन्हें सहारे की आवश्यकता हो। उनके स्पर्श में ही इतना स्नेह और विश्वास था कि राम इससे मोहाच्छन्न हो रहे थे।

"तुमसे बहुत कुछ कहना है पुत्र।" उल्लास से भी थकान लगती है क्या! महाराज हाँफ से रहे थे।

राम ने कुछ कहा नहीं था। उत्सुक दृष्टि से महाराज की ओर देखने लगे थे।

"मेरे इस आकस्मिक निर्णय से तुम विस्मित हो रहे थे।" उन्होंने भूमिका बनाते हुए आरम्भ किया था।

राम का चेहरा संकोच से लाल हो गया था। उनसे कुछ कहते नहीं बना था।

"इसे मैं पूरे राजोचित समारोह के साथ करना चाहता था पुत्र, पर मैं चाह कर भी ऐसा नहीं कर पाया।" महाराज के स्वर में एक ऐसी लड़खड़ाहट थी जिससे स्पष्ट था कि वह कहना कुछ और चाह रहे थे, पर या तो वह अपनी बात कहने के लिए शब्द नहीं ढूँढ़ पा रहे थे, या इस पर आने का उनका साहस नहीं हो रहा था।

"मेरे पास समय अधिक नहीं है, पुत्र।" उनके इस वाक्य ने राम की चिन्ता को बढ़ा दिया था।

"आप कहें तात। संकोच क्यों कर रहे हैं।" राम ने उन्हें आश्वस्त करते हुए पहली बार एक वाक्य कहा था।

"मैंने तुम्हें यह कहने को बुलाया है कि आज की रात सामान्य रातों से अलग है। अभिषेक से पूर्व की रात्रि। इसमें कुछ भी हो सकता है। तुम आज की रात जाग कर बिताओगे और अपने साथ अपने कुछ विश्वस्त मित्रों को भी रखोगे। अभिषेक से पूर्व की रात्रि में जो राजा सावधान और जाग्रत रहता है वही जाग्रत रह कर प्रजा के हित में तत्पर रहता है, ऐसा लोक विश्वास है।" महाराज ने कुछ इस तरह सहमते हुए कहा था मानो कुछ छिपा रहे हों।

"आप स्नेहवश अपनी बात..." राम यह कहना नहीं चाहते थे कि महाराज उनसे कुछ छिपा रहे हैं।

"मैंने अपने जीवन को..." महाराज रुक गए थे। शायद वाक्य ठीक बन नहीं पा रहा था। उनका स्वर काँप रहा था और आँखों में आतंक की छाया उतर आई थी। उन्होंने अपने को सँभाला, 'मैं भीतर से बहुत टूट चुका हूँ, राम।" उन्होंने पहली बार राम को नाम से पुकारा था और फिर कुछ झिझक के बाद कहने लगे

थे, "जीवन में जो देखना था उससे अधिक देख लिया। जो भोगना था, उससे अधिक ही भोगा, और इसी ने मुझे तोड़ भी दिया। वर्षों से मैं इस दिन की प्रतीक्षा कर रहा था। मेरे साथ कुछ भी हो सकता है। जीवन का क्या ठिकाना! बुढ़ापे ने जर्जर तो कर ही दिया है। आज की रात किसी तरह कट जाए, बस।" और वह फिर रुक गए थे।

"महाराज!" राम के स्वर में अनुरोध भी था और शिकायत भी।

"कहता हूँ, पुत्र। कहता हूँ।" वह फिर साहस बटोरने लगे थे उस बात को कहने का जिसका एक क्षीण पूर्वाभास उन्होंने दे दिया था, "आज की रात। बस। मुझे कुछ ऐसी सूचना मिली है जिसकी प्रकृति अभी स्पष्ट नहीं है। मैं घिरा हुआ अनुभव कर रहा हूँ। घिरा हुआ और बँधा हुआ। वर्षों से। बड़े प्रयत्न से बाहर निकल पाया हूँ। भरत और युधाजित को मैंने इसी निमित्त यहाँ से विदा किया था। चरों से सूचना मिली है कि वे गिरिव्रज नहीं गए हैं और..." महाराज बीच में ही रुक गए थे। फिर उन्होंने एक लम्बी साँस ली थी, "जब तक भरत यहाँ नहीं आ जाते तभी तक तुम्हारा अभिषेक सम्भव है, पुत्र। उसके बाद कौन जाने मेरी ही मति बदल जाए। बूढ़ा आदमी ठहरा। इसीलिए इतनी शीघ्रता करनी पड़ी।" वह फिर बात की कड़ी छोड़ कर कल प्रातः ही अभिषेक का औचित्य बताने लगे थे।

"तुम्हारे साथ जो भी मित्र हों, वे ऐसे हों जो मदिरा का सेवन न करते हों। तुम या तुम्हारा कोई मित्र आज की रात तनिक भी असावधान न रहे। यदि मेरे साथ कुछ अघटित भी घट जाए तो विचलित न होना। अभिषेक का मुहूर्त टलना नहीं चाहिए।" उन्होंने अपनी बात पूरी कर ली थी, शायद। द्वार की ओर एक दृष्टि डाली थी और राम को विदा होने का संकेत किया था।

राम की समझ में यह तो आ रहा था कि कुछ है जो अनिष्टकर है, पर उसके तार मिलाने में वह सफल नहीं हो पा रहे थे। महाराज को छोड़ कर जाने का उनका जी नहीं हो रहा था, पर उन्होंने पुनः हाथ से संकेत किया और जब राम इस पर भी नहीं उठे तो कुछ कठोर पड़ते हुए कहा, "तुम जाओ।"

राम माँ के महल में लौटे तो पाया नगर की अनेक महिलाएँ उनके आँगन में उपस्थित हो चुकी थीं और माँ शान्ति पाठ कर रही थीं :

"शं नो मित्रः सं वरुणः शं नो भवतु अर्यमा।
शं न इंद्रो बृहस्पतिः शं नो विष्णुः उरुक्रमः।।
शं नो मित्र..."

शान्तिपाठ के नाम पर शायद एक यही मन्त्र उन्हें कंठस्थ था और सुन-सुना कर रटे होने के कारण उच्चारण भी वह लड़खड़ाते हुए कुछ अपने ही ढंग से कर रही थीं। राम को देखकर उनके होंठों पर प्रसन्नता की एक लहर दौड़ गई। उन्होंने अपने दोनों हाथ पहले हृदय से लगाए फिर माथे से और फिर राम की ओर मुड़ीं,

"क्या बात हो गई थी?" उनकी चिन्ता समाप्त हो गई थी।

"महाराज का कहना था कि आज की शुभ रात्रि में सोया नहीं जाता। जाग कर मित्रों के साथ बातें करते हुए बिताया जाता है।" वह माँ को सभी प्रकार की चिन्ताओं से मुक्त रखना चाहते थे। उन्होंने कुछ सोचते हुए जोड़ा, "और कहा कि लोकाचार का ध्यान भी आप रखेंगी। आज की रात मंगलगान गाते हुए ही बिताना चाहिए।"

कौसल्या हँसने लगी थीं, "महाराज को भी इन छोटी-छोटी बातों का ध्यान रहता है!" और फिर महिलाओं के बीच व्यस्त हो गई थीं।

राम को किसी इष्ट मित्र को बुलाने की आवश्यकता नहीं पड़ी थी। राजभवन में पहुँचने से पहले राम के राज्याभिषेक की सूचना नगर में उल्लास की एक लहर के रूप में फैल चुकी थी और राम के अनेक मित्र स्वयं राम का अभिनंदन करने आ पहुँचे थे। समस्या इन युवकों में से अल्पपरिचित और अल्पविश्वस्त मित्रों को धन्यवाद सहित विदा करने की थी। पर इससे भी कठिन समस्या उन दो कैकेय युवकों से मुक्ति पाने की थी जो महाराज के अंगरक्षकों में से थे और अब राजकुमार की रक्षा के लिए आ पहुँचे थे। उनका कहना था कि महाराज ने युवराज की सुरक्षा के लिए स्वयं उन्हें नियुक्त किया है।

राम को सुन कर कुछ अटपटा लगा था। महाराज ने इसका कोई संकेत तो दिया नहीं था। इस समय स्वयं उन्हें अंगरक्षकों की अधिक आवश्यकता थी। वह अपने जीवन को लेकर कुछ शंकित भी लग रहे थे।

"महाराज की अंगरक्षा में कितने सैनिक हैं?" राम ने मुस्कराते हुए ही पूछा था।

"महाराज को इस समय किसी अंगरक्षक की आवश्यकता नहीं। उनकी सुरक्षा अंगरक्षिकाएँ कर रही हैं।" कैकेय युवक ने उत्तर दिया था।

राम इस उत्तर से कुछ उलझन में पड़ गए थे। फिर सोचा, शायद महाराज ने बाहर रहना निरापद नहीं समझा होगा। यह भी अच्छा ही होगा। परन्तु वह कैकेय अंगरक्षकों के बीच पूरी तरह सुरक्षित और निश्चित नहीं अनुभव कर रहे थे। उन्होंने विदा कर दिया था, "आज की रात आप लोग भी जा कर नाच-रंग का आनन्द लें। मैं अपने मित्रों के साथ पूरी तरह सुरक्षित और प्रसन्न हूँ।"

युवक बिना किसी प्रकार का प्रतिवाद किए प्रसन्न भाव से चला गया था, मानो भीतर से वह भी यही कामना ले कर आया हो। उसकी इस प्रसन्नता से राम के मन में उसकी निष्ठा के विषय में उत्पन्न क्षीण सन्देह तो कम हो गया था, पर उन्हें यह बात समझ में नहीं आ रही थी कि यदि महाराज को भरत-कुल से ही अपने प्राणों के विषय में किसी प्रकार का संकट दिखाई दे रहा था, तो वह कैकेयी के महल में गए ही क्यों।

कौसल्या के भवन में इसके निर्माण काल से उस दिन तक उल्लास का ऐसा

कोई अवसर नहीं आया था। उस भवन की नींव ही कौसल्या के अवसाद-विषाद पर रखी गई थी। राजदुर्ग के भीतर ही, पर राजप्रासाद से अलग, निर्वासन का एक भवन जिसे महाराज ने भी गृहप्रवेश के अवसर पर ही एक बार पवित्र किया था। अब उसी भवन में दीपमालाएँ और दीपवृक्ष सजे हुए थे। मंगलगान की ध्वनि से इसका आँगन गूँज रहा था। बाहर से लोगों के नाचने, गाने, उल्लास में पक्षियों और वन्य पशुओं की ध्वनियों की नकल करते बोलियाँ बोलने की मिली-जुली ध्वनि, गूँज बनकर, चारों ओर फैल रही थी। भीतर जुटी मित्र मंडली भी इस समाचार के फैलने से सामान्य जनता के उत्साह और मुखर विचारों की अपनी देखी-सुनी कहानियाँ सुना कर अपने उल्लास को प्रकट कर रही थी। इस बीच राम उनके बीच बैठे हुए पर उनसे अलग इस उधेड़बुन में लगे हुए थे कि महाराज को आज की रात छोटी माँ के भवन में क्यों जाना पड़ा?

जहाँ सभी जन आनन्द और उत्तेजना की तरंगों पर झूम रहे थे राम का इस तरह अपने आप में खोए रहना दूसरों को कुछ बेतुका भी लग रहा है। लक्ष्मण की तो यह धारणा बन चुकी थी कि राम का स्वभाव ही दूसरों से कुछ उल्टा है। उनके जिस सुख और सौभाग्य पर राह चलता व्यक्ति भी झूम उठेगा उस पर वह इस तरह शान्त और अनुत्तेजित रह जाएँगे मानो सुख दूसरों का हो। उनके चेहरे पर उसकी आभा दूर से आ कर पड़ तो रही हो पर उसकी ऊष्मा से वह बिल्कुल अछूते हों और अपना जो दुख किसी दूसरे व्यक्ति को पागल बना देगा, उसमें वह इतने अविचलित दिखाई देंगे जैसे दुख भी किसी दूसरे का हो और वह उसके निवारण के प्रयत्न में लगे, एक तीसरे व्यक्ति हों। अतः दूसरे मित्रों को जहाँ आज के दिन की राम की यह गम्भीरता कुछ विचित्र लग रही थी लक्ष्मण को लग रहा था, वह इस समय अपने वर्तमान से आगे उन गम्भीर दायित्वों की कल्पना करते हुए इतने आत्मलीन हो गए हैं, जिनका निर्वाह उन्हें करना होगा।

राम के मन में केवल एक ही औचित्य दिखाई दे रहा था। इस समाचार के फैलने के साथ छोटी माँ की ओर से कोई विशेष उलाहना आया हो सकता है और महाराज उन्हें समझा-बुझा कर किसी तरह तुष्ट करने के लिए चले गए हो सकते हैं। पर मात्र एक विचार था जो बुलबुले की तरह बार-बार उठ भी रहा था और उसी की तरह अपनी निस्सारता को भी प्रकट कर रहा था। यदि महाराज ऐसा करना आवश्यक भी समझते तो वह आज की रात बिताने और कल प्रातः अभिषेक के बाद भी ऐसा कर सकते थे, जो उनकी आशंकाओं को देखते अधिक विवेकपूर्ण होता।

समय बीतने के साथ मन की आशंका कुछ कम होती जा रही थी। रात ढल चली थी। कहीं दूर से एक मुर्गे की बाँग की आवाज भी सुनाई पड़ी थी। राम के साथी-संगी अब तक के जागरण के बाद क्रमशः शिथिल होने लगे थे और वह भी

आँखों में भारीपन अनुभव कर रहे थे। इसी समय सुमन्त्र ने राम के भवन में प्रवेश किया था। दूर से उन्हें देख कर राम के मन में कुछ तोष हुआ था, अब सम्भवतः अभिषेक से पहले के आयोजन आरम्भ होनेवाले हैं। उन्होंने जो सूचना दी वह उनकी अपेक्षा के विपरीत थी, "महाराज ने आपको स्मरण किया है, राजकुमार।"

राम इस आह्वान का आशय स्पष्ट समझ नहीं पाए थे, पर अपनी दृष्टि में समाचार शुभ ही लगा था। अब तो महाराज के जागने का समय भी हो गया था। वह सकुशल हैं, उन्होंने कुछ आदेश निर्देश विशेष रूप से देने के लिए बुलाया है, यह जान लेना ही पर्याप्त था। आशंकाओं से भरी उस रात्रि का यह अवसान कितना आश्वस्तिकर लगा था, परन्तु इसके बाद जो दृश्य देखने में आया उसकी कल्पना तो राम ने घोर अनिष्ट की स्थिति में भी नहीं की थी।

बचपन से राम ने महाराज को एक ही रूप में देखा था। वह एक ऊँचे पहाड़ से लगते थे जिसे देख कर श्रद्धा भी होती थी और डर भी लगता था। अपने स्नेह के क्षणों में भी वह बहुत ऊपर और दूर लगते थे–अपनी ऊँचाई के कारण ही दूर, अग्राह्य और अगम्य। उनकी गरिमा को सबने अलग करके उनके बारे में सोचा ही नहीं जा सकता था। वही महाराज उस दिन कुम्हार की गीली मिट्टी की तरह कैकेयी के पैरों से रौंदे जा रहे थे और उनकी दशा देख कर राम को दया आ रही थी। राम ने बहुत-से भूखे, दुखी, रुग्ण लोगों को देखा था जिनकी दशा देख कर करुणा उपजती थी, पर उनमें से कोई इतना दयनीय कभी नहीं लगा था, जितने महाराज उस दिन लग रहे थे। अधिक ऊँचाई से गिरा आदमी टूटता नहीं है, पिस जाता है, अपनी ही पिछली ऊँचाई के पाटे से।

उस दिन महाराज बोल नहीं रहे थे। दीन भाव से देख रहे थे उस विषधर सर्प की तरह जिसका सिर कुचल दिया गया हो पर आँखें खुली रह गई हों।

कैकेयी के महल में पहुँचने पर कैकेयी ने राम से कहा था, "पुत्र, महाराज की इच्छा तुम्हारे स्थान पर भरत को राजा बनाने की है।" उन्होंने राम को रुकने, बैठने या सोचने का अवसर ही नहीं दिया था।

"यह तो और अच्छी बात हुई।" राम ने बिना हतप्रभ हुए, मुस्कराते हुए कहा था। उन्होंने अब पहली बार महाराज की ओर दृष्टि घुमाई थी। उनकी कातरता ही उनकी आँखों में आँसू बन कर उतर आई थी और वह राम को पूरी तरह देख भी नहीं पा रहे थे। वह विवश थे यह तो स्पष्ट था, पर उनकी विवशता का कारण क्या था, यह समझ में नहीं आ रहा था।

"तुमसे ऐसी ही आशा थी पुत्र!" कैकेयी के होंठों पर जो व्यंग्यपूर्ण मुस्कराहट थी उसका असर उनकी आवाज में भी देखा जा सकता था, "परन्तु उनकी एक और इच्छा है जिससे तुम्हें कुछ कष्ट भी हो सकता है।"

राम ने कुछ कहा नहीं था। उन्होंने यह जानने के लिए पुनः महाराज की ओर

दृष्टि डाली थी। इस बार उन्होंने अपनी आँखें बंद कर ली थीं और आँसू की दो बूँदें उनकी आँखों की कोरों से ढुलकती हुई नीचे बह चली थीं।

"महाराज तुम्हें इतना प्यार करते हैं कि यह कठोर बात उनके मुँह से निकल नहीं पाएगी। मुझसे सुनो।" कैकेयी ने उसी व्यंग्यपूर्ण स्वर में कहा था। 'सुनो' कहने के बाद वह राम को कुछ समय तक संशय में रखने के लिए रुक गई थीं।

ऐसी स्थितियों में केवल एक ही दुखद निर्णय हो सकता था। वास्तविक उत्तराधिकारी का वध। यह निर्णय क्यों किया गया है, यह जितना स्पष्ट था, उतना ही यह भी कि यह किसका निर्णय है, पर यह स्पष्ट नहीं हो रहा था कि वह कौन-सी विवशता है, जिससे महाराज इस निर्णय से सहमत होने को बाध्य हुए होंगे। उनकी आँखों का बंद होना और आँसुओं का बह चलना इस बात का प्रमाण तो था ही कि वह इससे अवगत थे। दैन्य से जीवन पाया नहीं जा सकता, सम्मान अवश्य गँवाया जा सकता है, यह तो महाराज की दशा से ही स्पष्ट था, अतः राम इस वाक्य को सुन कर भी विचलित नहीं हुए थे।

"जो बात पिताजी नहीं कह सकते उसे माताजी तो कह सकती हैं! कहें, राम को कष्ट हो तो भी उसके कारण पिताजी की इच्छा तो अधूरी नहीं रहनी चाहिए।" राम के वाक्यों में यदि व्यंग्य था भी तो उनका स्वर इतना स्थिर और नियन्त्रित था कि सन्दर्भ के कारण ही इसमें व्यंग्य का आरोप किया जा सकता था।

"महाराज चाहते हैं कि तुम सीता और लक्ष्मण सहित" कैकेयी इस बार पुनः अपने वाक्य को पूरा करने से पहले राम के त्रास का आनन्द लेने के लिए एक क्षण के लिए रुकी थीं और उन्हें निराश भी नहीं होना पड़ा था। अपने साथ सीता और लक्ष्मण के नाम को सुन कर अपने समूचे नियन्त्रण के बाद भी राम की आँखों में आतंक की छाया उभर आई थी, जो इसके साथ ही लुप्त हो कर एक आतुर जिज्ञासा में बदल गई थी।

"तुम सीता और लक्ष्मण के साथ चौदह वर्ष तक वनवास करोगे।" कैकेयी ने अपना वाक्य पूरा किया था।

राम के मुँह से हठात् निकला था, "क्यों?"

"महाराज की ऐसी इच्छा है।" कैकेयी ने उत्तर दिया था।

"परन्तु क्यों?" राम को याद नहीं आ रहा था कि इससे पहले उन्होंने कभी गुरुजनों के किसी आदेश पर आपत्ति की हो। उन्होंने कठोरतम दंड को भी आमन्त्रित करते हुए कुछ उत्तेजित स्वर में कहा था, "महाराज की इच्छा तो मैं कल ही जान गया था। इस समय मैं महाराज की उस विवशता को जानना चाहता हूँ, जिसमें उनके नाम पर उनकी इच्छा और निर्णय के विरुद्ध ये अशोभन और क्रूरतापूर्ण आदेश सुनाए जा रहे हैं?"

अब बारी वसिष्ठ की थी। उन्होंने खेद प्रकट किया था कि 'अयोध्या के

इतिहास में यह दुखद दिन आया।' यह स्वीकार किया था कि 'यह निर्णय महाराज का नहीं अपितु महारानी का है।' बताया था कि 'महाराज स्वयं भी इससे बहुत दुखी हैं परन्तु वह विवश हैं' और समझाया था कि 'किस तरह महाराज ने महारानी को दो वर दिए थे, जिन्हें उन्होंने बाद में कभी माँगने के लिए महाराज के पास धरोहर के रूप में रख छोड़ा था और आज जब पता चला कि राम को युवराज पद दिया जा रहा है, और इसीलिए भरत को यहाँ से हटा दिया गया है, तो क्रोध में आकर महारानी ने वे ही दो वर माँग लिए, जिनमें से एक के बदले तुम्हारे स्थान पर उसी यज्ञ सामग्री से भरत का राजतिलक होगा, जिससे तुम्हारा होना था, और दूसरे के बदले तुम्हें भरत के राज्य को निरापद बनाने के लिए चौदह वर्ष तक वन में रहना होगा।' और फिर वसिष्ठ राजतिलक की तैयारी करने चले गए थे। तिलक जिसका भी हो, उन्हें अपनी ओर से तो तैयार रहना चाहिए!

उन्हें तैयारी के बहाने बाहर जाते देख कर राम ने कहा भी था, "परन्तु महाराज तो शान्त हैं!" और सोचा भी था कि शायद वह इस प्रश्न को सुन कर इसका उत्तर देने के लिए रुक जाएँ, पर वह रुके नहीं थे।

"लज्जा और ग्लानि के कारण, पुत्र! लज्जा और ग्लानि के कारण।" कैकेयी ने मुँह बिराते हुए कहा था। उन्हें यह देख कर कुछ निराश भी होना पड़ा था कि उनके उपहास का राम पर इच्छित प्रभाव नहीं पड़ा। उनकी आँखों में कैकेयी के इस इतरोचित व्यवहार के प्रति तिरस्कार का एक ऐसा भाव उभर आया था जिससे कैकेयी, जो महाराज का मानमर्दन करने के बाद कुछ अधिक उमंग में आ चुकी थीं, एक क्षण के लिए बुझ-सी गईं।

राम ने कैकेयी के कथन की अवज्ञा-सी करते हुए कहा था, "जिसका आदेश है, उसके मुँह से ही सुनने के बाद मैं यह निर्णय कर सकता हूँ कि इसका पालन सम्भव है भी, या नहीं।" सच कहें तो राम ने कैकेयी के मुख पर आए उस क्षणिक भाव परिवर्तन को भी लक्ष्य कर लिया था और मन में निश्चय कर लिया था कि इस स्थिति में अपने मानसिक सन्तुलन और मनोबल को खोने से ही संकट बढ़ सकता है। वह महाराज की ओर मुड़े थे। वह जानते थे कि वरदान की जो बात गढ़ी गई है यह निराधार तो है ही, मूर्खतापूर्ण भी है। राम की तो बात ही अलग है, आज से एक हजार वर्ष बाद भी कोई यह मानने को तैयार नहीं होगा कि जो अयोध्या नरेश अपनी गतयौवना पत्नियों और उपपत्नियों को भी सात परदों और पहरों में रखते थे, वह अपनी नवोढ़ा पत्नी को ले कर युद्ध भूमि में गए होंगे। फिर वरदान वरदान होता है, कुछ भी माँग लेने की छूट। वह दो या चार नहीं होता।

राम के सामने यह भी स्पष्ट हो गया था कि राम को तो दुख भोगने को बाध्य किया जा रहा है पर दंड तो वास्तव में राम को नहीं, महाराज को इस बात के लिए दिया जा रहा है कि उन्होंने भरत के स्थान पर राम को राजपद देने का दुस्साहस

किया। सीता का वनवास भी महाराज को ही आहत और अपमानित करने के लिए किया गया था कि वह जो अपने महल की रानियों को सूरज की किरनों से भी बचा कर रखते थे, उन्हीं की बहू को वन-वन की ठोकरें खानी पड़ेंगी। वह उनके लिए प्राण-त्याग से भी अधिक कष्टकर था, यह राम जानते थे। अतः उन्हें यदि अपने भीतर से किन्हीं भावों का ज्वार रह-रह कर उठता हुआ प्रतीत हो रहा था, जिसे नियन्त्रित करने में राम को कठिनाई हो रही थी, तो वह अपनी मृत्यु या वनवास, यहाँ तक कि सीता और लक्ष्मण के वनवास का दंड भी नहीं, अपितु महाराज की उस अज्ञात विवशता पर उमड़नेवाली करुणा का था। अपनी विवशता को न तो महाराज स्वयं समझाने की स्थिति में थे न ही दूसरा कोई समझा सकता था। महाराज की ओर मुड़ते समय राम ने आशा की थी कि अब महाराज कुछ कहेंगे, पर उनकी आशा व्यर्थ सिद्ध हुई थी।

"महाराज!" राम ने जैसे महाराज को सोते से जगाते हुए और यह याद दिलाते हुए कहा कि उनके मन्तव्य को जाने बिना वह यहाँ से टलने का नाम नहीं लेंगे।

महाराज ने एक दबी हुई दृष्टि कक्ष के द्वार की ओर डाली जहाँ अंगरक्षिकाएँ अपनी कटारें लिए खड़ी थीं और फिर हारे हुए स्वर में कहा, "तुमने जो कुछ सुना है, वह पालनीय है, पुत्र। इसी में सबका भला है। मेरा भी, तुम्हारा भी। अयोध्या का भी।" उनका साहस राम की ओर देखने का नहीं हो रहा था। इस समय भी वह सिर झुकाए धरती की ओर ही देख रहे थे, पर सहसा उन्हें कुछ याद आया। उन्होंने पहली बार अपना सिर कुछ इस विश्वास से उठाया जिसे देख कर कहा जा सकता था कि यह महाराज दशरथ का ही सिर है, "मुझे अपने प्राणों की चिन्ता नहीं है, पुत्र। नहीं। मैं मृत्यु से नहीं डरता। मृत्यु से आँख मिचौली खेलने में ही जीवन बीता है।" महाराज के स्वर में आत्मविश्वास भी लौट आया था, पर फिर जैसे चलते-चलते एकाएक कोई तीखी चढ़ाई आ जाए, उनके स्वर में थकान और पराजय का बोध दोनों एक साथ उभर आए थे, "कुछ है जो प्राणों से भी प्रिय है। उसे ही बचाना है। इसे मेरी इच्छा और आदेश ही समझ लो पुत्र। और कोई विकल्प नहीं है।"

अब सुनने और जानने को कुछ शेष नहीं बचा था। राम ने महाराज और कैकेयी को नमस्कार करते हुए बड़े शान्त और अनुद्विग्न स्वर में कहा था, "महाराज के आदेश और इच्छा का पालन होगा।"

कैकेयी यह जान कर प्रसन्न हो गई थी कि राम ने वनवास के आदेश को भी मान लिया। महाराज ने भी एक हल्का निःश्वास लिया था कि एक बहुत बड़ा अनिष्ट टल गया। दोनों में से किसी ने इस बात पर ध्यान नहीं दिया था कि राम ने आदेश के बाद 'इच्छा' कहते हुए इस पर कुछ विशेष बल क्यों दिया था। इस वाक्य से पहले ही राम ने मन में यह संकल्प कर लिया था कि चाहे कुछ भी हो

वह महाराज की उस इच्छा को, अपने लिए नहीं तो पितृ ऋण से मुक्त होने के लिए ही सही, पूरा अवश्य करेंगे जिसे कैकेयी ने धूलिसात कर दिया है। उन्हें अपना राज्याधिकार लेना ही होगा। परन्तु यदि राम को उस समय पता चल गया होता कि अपने प्राणों से प्रिय जिस वस्तु की रक्षा महाराज करना चाहते थे, वह राम स्वयं ही थे, तो राम ने महाराज के जीवन को, अयोध्या के राज्य के साथ, कैकेयी के हाथों न सौंपा होता।

राम के लिए वनवास की कल्पना कैकेयी ने की थी, पर राम को वनवास महाराज के प्रगाढ़ पुत्र स्नेह ने दिया था। काश, वह राम को अपने प्राणों से अधिक प्यार न करते होते! परन्तु यह विश्वास कि वह महाराज का इतना स्नेह अर्जित कर सके थे, वनवास की दारुणा पीड़ा को भी कितना सह्य बनाता रहा।

19

"नहीं माँ, आप उन्हें नहीं समझ सकतीं। वह इतने सरल हैं कि उनकी सरलता ही उनके कार्यों और विचारों को आश्चर्यजनक बना देती है। उनके निकट रहनेवाले भी प्रायः उन्हें समझने में भूल कर बैठते हैं। वे उन सपनों पर विश्वास नहीं कर पाते जिन्हें केवल राम देखते हैं। उन्होंने दुख देखा और सहा है। जैसे कोई राहगीर पाँव में शूल चुभ जाने पर सोचे कि दुनिया को काँटों और शूलों से मुक्त होना चाहिए, वह लोक को दुखों से मुक्त देखना चाहते हैं। यहीं उनका विरोध उन लोगों से पैदा हो जाता है जो लोक-कंटक बन कर ही प्रसन्न रह सकते हैं।"

राम को तो मंगला ने देखा तक नहीं है। वह पुरुष भी हैं। उन्हें समझना तो कठिन होगा ही। उन्हें तो अपने सामने बैठी सीता को ही समझने में कठिनाई होती है, वह भी तब जब वह कुछ भी छिपा कर नहीं रखना चाहतीं। अभी अयोध्या का वर्णन करते-करते अपने को सँभाल नहीं पाईं तो हिचकियाँ ले कर रोने लगीं और इतनी देर तक पीठ और सिर पर हाथ फेरने के बाद संयत हुईं। पूछ दिया, "पति की निष्ठुरता की याद आ गई?" तो राम की प्रशंसा इस तरह कर रही हैं मानो इन्हें निर्वासित करके भी उन्होंने कोई भारी पुण्य किया हो।

"तुम्हें यहाँ कष्ट है, तो वह तो होगा ही बेटी।" मंगला को लगा सीता राजभवन के वैभव और इस आश्रम के कष्टों की तुलना करके अपने को सँभाल नही पाई होंगी।

"मुझे क्या कष्ट हो सकता है माँ! आप लोगों ने तो मुझे स्नेह से इस तरह अपनी गोद में उठा रखा है कि लगता है मैं पुनः अपने शैशव में लौट गई हूँ। हाँ कष्ट यह स्मरण होने पर अवश्य होता है कि यहाँ मैं इतने सुख और शान्ति से जी रही हूँ, और वह अपने शत्रुओं से घिरे दिन-रात संघर्ष कर रहे हैं। उनकी व्यथा को

समझनेवाला भी कोई वहाँ नहीं है।"

सीता यह कह नहीं सकतीं कि राम सीता की असुविधाओं की कल्पना करके स्वयं जितनी यातना अनुभव कर रहे होंगे, वही उन्हें विगलित कर देता है। युगों बाद जब लोग पत्नी के लिए अर्धांगिनी शब्द का प्रयोग करेंगे तो शायद ही सोच पाएँ कि पहली बार इसका प्रयोग सीता के लिए राम ने किया था और किया भी था उस व्यवस्था को चुनौती देते हुए जिसमें स्त्री को एक वस्तु समझा जाता था। संग्रहणीय वस्तु, रत्न। स्त्रीरत्न।

लक्ष्मण सीता से विदा के क्षणों में आवेग की सघनता के कारण राम की वेदना को व्यक्त करने के लिए शब्द ढूँढ़ना भी चाहते तो वे टूट और गल कर हिचकियों और आँसुओं का रूप लेने लगते थे। उस दिन उन्होंने बड़े जतन से केवल अपने को सँभाला था और यही उनके लिए बहुत बड़ी सफलता थी। पर आश्रम में आने के बाद उन्होंने बताया था कि राम ने कहा था, "लक्ष्मण, मेरी ओर से सीता से कहना कि निर्वासन सीता का नहीं राम का हो रहा है। यही राम की नियति है। शैशव में ही माँ के साथ राजभवन से निर्वासन, फिर अयोध्या से सिद्धाश्रम को निर्वासन, लौटा तो राज्याधिकार के स्थान पर दंडकारण्य का निर्वासन और वहाँ से विजयी हो कर लौटा तो अब सीता के आश्रमवास के कारण अपने महल में ही आत्मनिर्वासन! कहना उनसे मेरा वियोग नहीं हो रहा है। वियोग तो दो व्यक्तियों के बीच होता है। सीता तो मेरा ही अंग हैं। मेरी अर्धांगिनी। जैसे अपने को ही काट कर अपना ही विच्छेदन करना पड़े, वैसे ही विच्छिन्न और पंगु हो रहा हूँ मैं और उनके लिए तब तक तड़पता रहूँगा जब तक मेरी यह पंगुता मिट नहीं जाती। जब तक वह पुनः ससम्मान लौट नहीं आतीं।"

मंगला के सम्मुख राम के इस कथन को दुहराते समय सीता फिर विलख पड़ीं, "उनके इन शब्दों की याद आने पर लगता है माँ कि मैं छिप कर आघात करनेवाले किसी वधिक के वाण से आहत क्रौंची हूँ जो स्वयं तो वेदना से मुक्त हो गई है, पर उसका क्रौंच तड़पता हुआ आर्तक्रंदन कर रहा है।"

सच, सीता को प्रसन्न रखने के लिए आश्रम के बच्चे, स्त्रियों और पुरुष इस सेवाभाव से लगे रहते हैं कि सीता को लगता है इतना ऐश्वर्य तो उन्हें अयोध्या में महारानी के रूप में भी नहीं मिला था। यदि पीड़ा होती है तो केवल यह सोच कर कि राम को यह सोच कर कितनी पीड़ा हो रही होगी कि सीता को कष्ट हो रहा होगा। वह अपने कष्ट को हँस कर उड़ा देते हैं पर स्वजनों का छोटा-से-छोटा कष्ट उन्हें पहाड़ जैसा लगता है। स्वयं वन के लिए निर्वासित हो कर जाते समय भी उन्हें अपने, सीता के, या लक्ष्मण के कष्टों की चिन्ता नहीं थी। चिन्ता थी महाराज की पीड़ा की। उनके अपमान और अवसाद की। उनके जीवन की।

सीता की आँखों के आगे वे बीते हुए क्षण चित्रलेख की भाँति उभर आए।

राम के राज्याभिषेक के समाचार से कैसा तो उल्लास का ज्वार उमड़ पड़ा था और पूरा परिवार उसी पर झूल-सा रहा था। बीतते हुए हर क्षण के साथ सूर्य अयोध्या की ओर अपनी सारी आभा, सारी उजास, सारी किलक-कलरव और मलयगन्ध लिए खिंचता चला आ रहा था, पर उसके आने से एक पहर पहले ही सुमन्त्र ने प्रवेश किया था और सूचना दी थी कि राम को महाराज ने तत्काल याद किया है। वह रथ ले कर आए थे। और इसके एक घड़ी बाद राम जब लौटे थे तो उनके मुख पर एक व्यंग्य भरी मुस्कान थी, और था आँखों में कुछ ऐसा भाव जिसे छिपाने का वह प्रयत्न कर रहे थे।

तब तक सीता राम को उतनी गहराई से नहीं जानती थीं, अतः वह समझने का प्रयत्न कर रही थीं कि इसका आशय क्या हो सकता है, पर माँ कौसल्या का रंग कुछ उसी तरह नीला पड़ गया था जैसे मसल दिए जाने के बाद फूल नीला पड़ जाता है। राम को दूर से ही देख कर वह विकल हो कर दौड़ पड़ी थीं। उन्होंने अभी तो उनका चेहरा भी नहीं देखा था, उनकी चाल से ही लगा था कोई संकट है। यदि दुख अपना हो तो राम उसे ढकने के लिए कुछ इस तरह का उत्साह दिखाते हैं मानो वह एक खेल हो, ताकि आत्मीय जनों को यह जान कर कष्ट न हो कि उन्हें पीड़ा हो रही है। अपनी हँसी से जो उनकी खिन्नता को छिपा नहीं पा रही थी, वह यही कर रहे थे। पर जिसे माँ ने लक्ष्य किया था, वे थे उनके लम्बे-लम्बे डग, जैसे वह किसी काम को करने की जल्दी में हों। माँ उनके इस स्वभाव को ही नहीं जानती थीं, वह यह भी जानती थीं कि यह उत्साह दुख की गहनता के अनुपात में ही बढ़ भी जाता है।

"क्या हुआ, बेटे?" कौसल्या ने घबरा कर पूछा था।

राम ने मुस्कराने की चेष्टा की थी पर फिर उनकी पीड़ा उनके प्रयत्न से अधिक शक्तिशाली सिद्ध हुई थी, "महाराज की इच्छा है कि अभिषेक भरत का हो।"

कौसल्या अवाक् उनके चेहरे को देख रही थीं। उन्हें काठ मार गया था।

"और हमें चौदह वर्ष तक वन में रहना होगा?" उन्होंने कुछ इस तरह यन्त्रवत कहा था जैसे कोई शिशु जल्दी में रटा हुआ पाठ बोल गया हो।

"नहीं ऽऽऽ!" कौसल्या चीख पड़ी थीं। कुछ सँभल कर उन्होंने कहा था, "नहीं, तुम परिहास कर रहे हो!" और सहारे के लिए राम को पकड़ लिया था।

"चौदह वर्ष का समय बीतते देर क्या लगती है, माँ। इतना समय तो गुरुदेव के आश्रम में शिक्षा काल में ही बीत गया था। मेरी शिक्षा कुछ अधूरी रह गई तो एक बार और..."यह यन्त्र से निकलनेवाली आवाज थी, मनुष्य की आवाज नहीं। उसमें ध्वनि थी पर आवेग नहीं।

"तुम वन नहीं जाओगे बेटे! कह दो, वन नहीं जाओगे तुम। हम अपनी उसी तुच्छ आय पर अपना निर्वाह कर लेंगे। राज्य नहीं चाहिए मुझे, पर तुम अपनी माँ

के लिए, वन नहीं जाओगे बेटे।" माँ बोल नहीं रही थीं। विलाप कर रही थीं।

"महाराज का आदेश है, माँ।" राम ने कुछ नम्र स्वर में पर उस नम्रता में भी एक स्थिर निश्चय का आभास देते हुए कहा था।

"वह तुम्हारे पिता हैं तो मैं तुम्हारी माँ हूँ, पुत्र। क्या मेरे आदेश का कोई अर्थ नहीं?" कौसल्या के स्वर में उलाहना था, या याचना, या इन दोनों से अलग अपनी असमर्थता का आर्तनाद, यह समझ पाना सीता के बस का नहीं था।

"केवल माँ ही नहीं हो, तुम। तुम मेरी आत्मा भी हो, मेरी देवता भी, तुम मेरा कवच हो, माँ। पर कुछ ऐसा है, माँ, जिसे मैं भी पूरी तरह नहीं जानता और जो डरावना भी है। यह केवल महाराज का आदेश होता तो मैं एक बार को हठ कर जाता, माँ, और महाराज मेरे हठ को क्षमा भी कर देते, पर यह छोटी माँ का आदेश और उनकी कामना है, माँ। माँ तो वह भी हैं न!" राम ने अपने ढंग से पूरी बात कह दी थी और राजभवन के नियमों और व्यवहारों से उनसे भी अधिक लम्बा परिचय रखनेवाली कौसल्या को समझने में कठिनाई भी नहीं हुई थी।

रुदन वह अब भी कर रही थीं पर अब प्रतिरोध शेष नहीं रह गया था। मात्र अपनी करुण कहानी को ही बिलखती हुई दुहरा रही थीं। उन्हें पति के यौवन में भी उनकी उच्छृंखलता के कारण कभी सुख नहीं मिला था। अपने पद की गरिमा को वहन करती वह उन अपमान के दिनों को भी यह सोच कर काटती रहीं कि पुत्र के राजपद से उनके सारे कष्ट दूर हो जाएँगे। पर पुत्र का भी सुख उनसे छीन लिया गया। उसे पहले शिक्षा के लिए, इतने लम्बे समय के लिए, इतनी दूर भेजा गया और अब उसे उसका वैध अधिकार छीन कर दंड दिया जा रहा है। रो-रो कर सुनाती रहीं कि किस तरह कैकेयी उनके साथ अशोभन और अपमानजनक व्यवहार करती रहीं। कैकेयी तो दूर, उसके बेटे का भी इतना आतंक था कि उसे आते देख कर कौसल्या के अपने नौकर-चाकर उनकी बातों की अनसूनी करके चल देते थे। उन्हें कौसल्या की सेवा में तत्पर देख कर सताया भी तो जा सकता था। यह स्थिति तो तब थी जब राम के शिक्षा पूरी करके लौटने और राजा बनने की सम्भावना थी, पर अब? अब कैसे कटेंगे उनके दिन। उन्होंने और कोई उपाय न देख, कहा था, "यदि तुम वन जा ही रहे हो तो ठीक है, मैं भी तुम्हरे साथ चलूँगी।"

इस प्रस्ताव से राम सचमुच घबरा गए थे। बड़े प्रयत्न से समझाया था, "तुम चलोगी तो इस अवस्था में तुम्हें जो कठिनाइयाँ होंगी उनके कारण मेरा कष्ट बढ़ जाएगा। यदि तुम मुझे वन में चल कर अधिक कष्ट पहुँचाना चाहती हो तो बात दूसरी है।"

"पर मैं यहाँ रहूँगी भी किसके भरोसे? भरत को तुम नहीं जानते?" कौसल्या ने कुछ हारते हुए से स्वर में कहा था। उनकी काँपती हुई आवाज से ही प्रकट था

कि उन्हें यह विश्वास नहीं था कि उनका यह तर्क भी काम आएगा।

"भरत को एक राजा के रूप में जब पूरा आदर दोगी तो वह तुम्हें कष्ट नहीं देंगे। पहले उन्हें इस भय से कि राजपद मुझे मिल सकता है, मन में ईर्ष्या थी, पर अब सत्ता हाथ में आ जाने और मेरे वन में चले जाने के बाद वह स्वतः समाप्त हो जाएगी। उनका पूरे हृदय से आदर करना। यही एकमात्र उपाय है सम्मान से रहने का। राजा कोई भी हो आदर और आज्ञापालन तो चाहता ही है।"

यदि इसी बीच लक्ष्मण न आ गए होते और वह क्रोधोन्मत्त हो कर महाराज की भर्त्सना नहीं करने लगे होते तो कौसल्या ने अब लगभग हार मान ही ली थी, पर लक्ष्मण ने उनकी आशा के बुझते दीपक में पुनः तेल डाल दिया था।

"मैं कहता हूँ, महाराज स्त्रैण हैं। बूढ़े, क्लीव और अशक्त! वह न तो अपनी बुद्धि से सोच सकते हैं, न स्वयं किसी निर्णय पर टिके रह सकते हैं। उन्हें राजा बने रहने का कोई अधिकार ही नहीं है। उन्हें हमें बन्दी बना लेना चाहिए।" लक्ष्मण क्रोध में मर्यादा का भी ध्यान नहीं रखते।

राम ने अपने ऊपर कैसे नियन्त्रण किया था, यह तो वही जानें। कोई भी दूसरा उस स्थिति में अपना संयम अवश्य खो बैठता। उन्होंने लक्ष्मण पर वहाँ चोट की थी जहाँ वह लड़खड़ा कर घुटने टेकने के अतिरिक्त कुछ कर ही नहीं सकते थे, "वन के कष्टों की कल्पना से तुम इतने विचलित हो गए लक्ष्मण! मैं तुम्हें इतना दुर्बल नहीं समझता था।" राम ने खेद सहित कहा था।

"मैं किसी कष्ट से नहीं डरता, भैया। मैं अपने प्राणों की चिन्ता नहीं करता, पर आप के साथ जो अन्याय हुआ है..." लक्ष्मण के मुँह से झाग निकल रहा था।

"तुम अपने भय को मेरे साथ हुए अन्याय के पीछे छिपा रहे हो, लक्ष्मण। इतना उग्र क्रोध और पिताजी के लिए भी कटुवचन केवल यही प्रकट करता है कि तुम राजमहल के सुख छिन जाने से उन्मत्त हो गए हो। यदि यह बात सत्य नहीं है तो इतना समय गँवाने के स्थान पर तुम माँ सुमित्रा और उर्मिला से मिल कर शीघ्र प्रस्थान की तैयारी करो। हमें मुँह-अँधेरे ही नगर से बाहर हो जाना चाहिए, अन्यथा लोग उपहास करेंगे।" राम के इस वाक्य का ऐसा प्रभाव पड़ा था कि लक्ष्मण वहाँ से चुपचाप खिसक गए थे।

"कुछ अनुचित तो नहीं कहा था, लक्ष्मण ने।" कौसल्या ने एक बार पुनः शक्ति-परीक्षण किया था।

"माँ, महाराज स्वतन्त्र नहीं हैं। उनका जीवन पहले से ही संकट में लगता है। मैं तुम्हें इसलिए भी यहाँ रहने की सलाह देता हूँ कि छोटी माँ..." राम ने वाक्य पूरा नहीं किया था फिर भी कौसल्या ने सिर झुका लिया था, "जैसा भाग्य का लेख!"

सीता ने सब कुछ सुन और जान लिया था। उन्हें तो साथ जाना ही था। राम

के रहते किसी भय या पश्चात्ताप का प्रश्न ही कहाँ था।

सीता के पास आ कर राम ने अपने क्लेश को छिपाने का प्रयत्न नहीं किया था, "बहुत दुखद समाचार है, मैथिली। हम बहुत बड़े संकट में फँस गए हैं।"

"मैंने सब सुन लिया है। आपके निकट रहते हुए भी कभी कोई संकट आ सकता है, नाथ। शायद यह मेरा सौभाग्य है। अब मेरे और आपके बीच न राजकार्य का अवरोध होगा न पुरजनों और प्रजा की दीवार। नित्य छाया की भाँति आपके साथ रहने का सुख, आपके हृदय का साम्राज्य!"

राम एक क्षण तक विस्मय में देखते रहे थे सीता को और फिर अपने को रोक नहीं पाए थे। हृदय से लगा लिया था। उस एकान्त की ही प्रतीक्षा में रुके रहे हों जैसे उनके आँसू। विगलित हो कर कहा था, "तुमने मुझे सँभाल लिया मैथिली। तुमने मुझे टूटने से बचा लिया! तुम मेरा मनोबल हो, मेरा प्राण हो, मेरी परम शक्ति।" राम के हृदय की एक-एक धड़कन सीधे सीता के हृदय में उतर रही थी।

इतने दिनों बाद भी आज उस क्षण का स्मरण आने पर सीता को रोमांच हो आया था। मंगला हारी-सी सीता के चहेरे पर होनेवाले इन परिवर्तनों को लक्ष्य कर रही थीं और अपनी कल्पना से उस स्रोत तक पहुँचने का प्रयत्न कर रही थीं, पर उनकी कल्पना उनका साथ नहीं दे रही थी। एक क्षण बाद जब सीता मुस्कराने लगीं तो उन्हें कुछ सान्त्वना मिली, "किस बात पर मुस्करा रही है, बेटी।"

"ये पुरोहित अपने लोभ में कितने अमानुषिक हो जाते हैं, माँ! इसी की याद आ गई थी।" सीता ने कहा तो था, पर मंगला की समझ में कुछ नहीं आया था कि पुरोहितों के लोभ और इस हँसी में क्या सम्बन्ध हो सकता है।

उनकी आँखों के सूनेपन में उभरे प्रश्न को लक्ष्य करके सीता ने एक लम्बी साँस ली थी, "राम को बहुत जल्दी थी। वनवास का आदेश पाने के बाद वह मुँह-अँधेरे ही अयोध्या छोड़ कर बाहर निकल जाना चाहते थे। कैकेयी का वह निर्णय उन्हें अपने लिए अपमानजनक प्रतीत हो रहा था, इसलिए वह नहीं जानते थे कि उन्हें अपनी नियति पर लज्जित हो कर निकलना पड़े। यह सूचना सभी को जाने कैसे मिल गई थी। हम सभी अपने सर्वोत्तम परिधानों और आभूषणों में थे। निकल कर राजप्रासाद के आँगन में पहुँचे तो वहाँ राजभवन की रानियों, सेविकाओं और सेवकों की भीड़ लगी थी। अपनी अंगरक्षिकाओं से घिरे महाराज और कैकेयी भी उपस्थित थे।

"जहाँ दूसरे सभी करुण हो कर हमें देख रहे थे, कुलगुरु हमारे अलंकारों को निहार रहे थे। उन्हें हठात् याद आया था, 'वन में सुनहले अलंकारों की क्या आवश्यकता! इन्हें तो ब्राह्मणों को दान दे दिया जाना चाहिए।"

"लोग एकदम शान्त खड़े थे और उनकी आँखें भरी हुई थीं। उस सन्नाटे में उनका यह वाक्य वज्रघोष की भाँति कर्कश लगा था। लोग आश्चर्य से उन्हीं की

ओर देखने लगे थे, परन्तु राम ने तत्काल अपने अलंकार उतारने आरम्भ कर दिए थे। उनकी देखा-देखी हम भी अपने अलंकार उतारने लगे। लक्ष्मण ने तो आवेश के साथ अपने गले का निष्क उछाल कर उस दिशा में फेंक दिया था, जिधर वसिष्ठ खड़े थे। उन्हें इस प्रमाद के लिए राम ने दृष्टि-संकेत से ही कोसा भी था।"

सीता ने मंगला के चेहरे पर दृष्टि डाली थी। अब पूरी बात उनकी समझ में आ गई थी, "तुम बिना अलंकार के ही चले गए थे, वहाँ से?"

इस प्रश्न ने एक साथ ही सैकड़ों बिच्छुओं के दंश से डँस लिया सीता को। उनके मुँह से कोई उत्तर नहीं फूटा था। आँखें भर आई थीं। कुछ समय अपने को संयत करने में लगा था। मंगला को देख कर आश्चर्य भी हुआ था कि अभी तक सीता के मन में अलंकारों का इतना मोह बना रह गया है।

"सबको नमस्कार कर के जब हम चलने लगे थे, माँ, तभी एक इससे भी कठोर स्वर सुनाई पड़ा था, 'रुको!'" सीता ने कुछ संयत होने के बाद कहना आरम्भ किया था, पर 'रुको' शब्द का उच्चारण करने के बाद वह अपना संयम फिर खो बैठी थीं। उन्होंने अपने माथे को अपनी ही हथेलियों में झुका लिया था। मंगला बिना कुछ कहे, दम साधे प्रतीक्षा कर रही थीं उस अप्रिय प्रकरण का जिसने सीता को इतना विकल कर दिया था।

सीता ने अपने आँचल से आँखें पोंछीं और फिर काँपते होंठों से कहने लगीं, "यह कैकेयी का स्वर था। 'रुको' उन्होंने कहा था, और फिर हमारा उपहास करते हुए व्यंग्य भरे स्वर में बोली थीं, वन में राजसी वस्त्र भी नहीं पहना जाता! और फिर स्वयं उठ कर उन्होंने मन्थरा की ओर देखा था। वह एक थाल लिए खड़ी थी। वह कैकेयी के निकट आ गई थी। कैकेयी ने उस थाल में से तीन चीर उठा कर हमारी ओर फेंके थे, 'इन्हें यहीं, सबके सामने, पहनो।'"

आँखें मंगला की भी गीली हो गई थीं, अब।

"कहा था 'इन्हें यहीं, सबके सामने पहनो'। हाँ माँ, सबके सामने। चीवर नहीं, चीर माँ, चीर जिससे पुरुष भी अपने नितान्त गुह्य अंगों को ही छिपा सकते हैं। राम ने कातर हो कर एक बार महाराज की ओर दृष्टि डाली थी। उन्होंने अपमानित हो कर अपनी आँखें बंद कर ली थीं। उनका सिर हिला था। राम और लक्ष्मण दोनों चीर उठा कर जैसे-तैसे पहनने लगे थे। इससे पहले चीर पहनने का अभ्यास भी तो नहीं था। मेरी समझ में कुछ नहीं आ रहा था।

"'तुमसे भी कहा गया है।' कैकेयी का स्वर किसी कंदरा में गूँजती हिंस्र पशु की चीत्कार की तरह भयावना लगा था। मैंने उपस्थित लोगों की ओर और फिर महाराज की ओर दीन भाव से देखा था। महाराज ने वसिष्ठ की ओर याचना भरी दृष्टि डाली थी। उस समय सभी उपस्थित जन या तो कैकेयी को देख रहे थे या

वसिष्ठ को। अनेक ने तो अपने दोनों कानों में उँगली डाल ली थी और आँखें बंद कर ली थीं।

"मैंने घोर अपमान और ग्लानि के साथ काँपते हाथों से उस कुशचीर को उठाया ही था कि एक साथ चारों ओर से लोग चीख पड़े, महाराज, यह क्या हो रहा है? यह अनर्थ क्यों हो रहा है, महाराज? महाराज ने एक दृष्टि उन कैकेय अंगरक्षी सैनिकों पर डाली थी जो हमें घेर कर नंगी तलवारें लिए खड़े थे और फिर क्रमशः कैकेयी और वसिष्ठ की ओर देखा था। वसिष्ठ अपने को रोक नहीं पाए थे। इस समय वह दिखावा नहीं कर रहे थे। उनका क्षोभ सात्विक था। उनका चेहरा लाल हो गया था और होंठ काँप रहे थे।

"'हर बात की एक सीमा होती है, महारानी!' प्रतिशोध में तुम अंधी हो चुकी हो। तुम्हें अपने कुल के सम्मान का तो ध्यान रखना चाहिए। तुम्हारी कुलवधू चीर से अपनी लज्जा ढकेगी? उन्होंने मेरी ओर देख कर कहा था, 'तुम चीर को फेंक दो मैथिली। तुम्हारे लिए वस्त्र का कोई बन्धन नहीं है।' और इससे साहस बटोर कर मैंने सहमे हुए मन और काँपते हाथों से ही उस कौशेय चीर को नीचे डाल दिया था।

"कैकेयी की मनोकामना पूरी हो गई थी। उसने न केवल राम को निर्वासित कर दिया था अपितु उन्हें चीर पहनने को बाध्य करके इतना अपमानित भी कर दिया था कि वह वनवास की अवधि के बाद, यदि किसी तरह जीवित बच भी जाएँ तो पुनः अयोध्यावासियों को मुँह दिखाने का साहस न जुटा पाएँ। चीर उठाने को बाध्य करके उसने नैतिक रूप में तो मुझे भी सबके सामने अर्धनग्न कर ही दिया था और अब वसिष्ठ की भर्त्सना से विचलित हुए बिना वह चुपचाप मुस्करा रही थी।" कैकेयी के लिए सीता हीनार्थक प्रयोग करती जा रही हैं, इसका ध्यान आते ही, वह ठिठक गईं। आमर्ष के आवेग में वह भूल गई थीं कि दुष्ट होने के बावजूद वह उनकी सास हैं और उनके लिए आदरसूचक सम्बोधन तो किया ही जाना चाहिए।

इस बीच सीता अपनी कहानी कहने में इतनी खो गई थीं कि उन्होंने इस बात पर ध्यान ही नहीं दिया कि मंगला की आँखें रोते-रोते लाल हो गई हैं और उनकी आँखें ही नहीं बह रहीं हैं, नाक भी बह चली है और उन्हें इसका ध्यान ही नहीं है। "माँ!" सीता ने चौंक कर कहा तो मंगला का ध्यान अपनी नाक की ओर गया। अब पता चला कि गला भी भर आया है। नाक और गला साफ किया। कुछ बोलना चाहा पर बोला नहीं गया, तो हाथ बढ़ा कर सीता की पीठ सहलाने लगीं।

"और जानती हो माँ, इस पर भी कह रहे थे वह 'अपमानित मुझे या तुम्हें नहीं किया गया था मैथिली, छोटी माँ महाराज को उनके दुस्साहस के लिए

अपमानित और दण्डित कर रही थीं। एक स्त्री होने के नाते वह अच्छी तरह जानती हैं कि यदि दंड और पीड़ा को शतगुणित करना है तो दंड सीधे उस व्यक्ति को न दो जिसे दंडित और पीड़ित करना है, बल्कि उसे दो जिसे वह हृदय से प्यार करता है। मुझे पीड़ित और अपमानित करके वह क्या पातीं। उन्हें यदि अपने पुत्र के लिए राज्य प्राप्त करना था, तो वह तो उन्हें मेरे निर्वासन से ही मिल जाना था।

"और जानती हो लक्ष्मण को झिड़कते हुए उन्होंने क्या कहा था? कहा था, 'लक्ष्मण, छोटी माँ ने तो महाराज को अपमानित किया ही, तुमने भी उनका अपमान ही किया और किसी भी उस उत्कट स्नेह के लिए जिसके कारण उन्हें यह सारी यंत्रणा सहनी पड़ी!" जानती हो माँ लक्ष्मण का क्या हाल हुआ था? वह फूट-फूट कर रोने लगे थे और जब अपने आपे में आए थे तो राम को ही दोष देने लगे थे, आपने मुझे उसी समय रोका क्यों नहीं, भैया?

"राम ने खिन्न मन से कहा था, 'क्या कह कर समझाता तुम्हें? यह कि महाराज वंदी बना लिए गए हैं? कि यह उनका आदेश नहीं है, इसके लिए उन्हें विवश कर दिया गया है? तब क्या स्थिति वही रह जाती? क्या कह कर समझाता तुम्हें, लक्ष्मण?' और फिर कहा था, 'लक्ष्मण अपने विवेक पर ही भरोसा रखो। वही तुम्हारा अन्तिम साथी है। हर समय राम तुम्हारे सामने कार्य और अकार्य का बोध कराने को नहीं हो सकते। सामने होने पर भी हर समय इसका स्पष्ट बोध कराने की स्थिति में नहीं हो सकते।' वह अपने बारे में कुछ इस तरह बातें करने लगे थे जैसे किसी तीसरे व्यक्ति के विषय में बातें कर रहे हों। फिर, 'किसी भी विषय में व्यक्ति का अन्तिम निर्णय उसका अपना ही होना चाहिए, लक्ष्मण। परामर्श देनेवाले व्यक्ति के अपने स्वार्थ का टकराव होने पर वह अपने हित की चिन्ता करने के बाद ही तुम्हारे हित की चिन्ता करेगा। वह जब-तब अपने हित के लिए, इस विषय में पूरी तरह सचेत हुए बिना ही, तुम्हारा अहित भी कर सकता है।'

"लक्ष्मण पर राम के कथन का इतना गहरा प्रभाव पड़ा था कि वह पूरे निर्वासन काल में केवल इस बात को ले कर ही बार-बार ग्लानि प्रकट करते रहे कि उन्होंने अपने अविवेक के कारण महाराज के लिए अशोभन बातें कह दी थीं। और स्वयं राम! वह तो रास्ते में चलते-चलते तिलिमिला कर रुक जाते, 'महाराज कितना पीड़ित अनुभव कर रहे होंगे, लक्ष्मण! मुझे लगता नहीं कि छोटी माँ उनको जीवित रहने देंगी।' उनका यही स्वभाव है, माँ। अपने पर्वत जैसे दुख को तिनके जैसा समझ लेते हैं, पर अपने आत्मीय जनों के तृणवत दुख को भी पहाड़ बना कर उसी के नीचे पिसते रहेंगे।"

"मैं यहाँ कितने सुख से हूँ। अण्डे को तोड़ कर बाहर निकले शावक की जिस प्रकार पक्षी चिन्ता करते हैं, उसी तरह की देखभाल आप मेरी करती हैं।

कभी-कभी सोच कर ग्लानि होती है कि क्या मैं इतनी बड़ी हो कर भी आपकी दृष्टि में बच्ची ही दिखाई देती हूँ। हर तरह का सुख तो है यहाँ, सुख भी और सुरक्षा भी पर वह इस बात पर ही कितने पीड़ित अनुभव करते होंगे, यह सोचती हूँ तो मन अशान्त हो जाता है। उनके सरल स्वभाव की याद आती है तो आँखों से आँसू निकल पड़ते हैं। रोक नहीं पाती।

"तुमने समझ लिया, उन्होंने मुझे निर्वासित किया और उसी के क्षोभ और ग्लानि के कारण रो पड़ती हूँ! नहीं माँ, निर्वासित तो मैं हुई ही नहीं। मैं तो अनुक्षण उनके हृदय में डोल रही हूँगी। निर्वासित तो स्वयं राम की आत्मा हुई है, माँ। पीड़ा का वास्तविक भोग तो उन्हें भोगना पड़ रहा होगा।" और सीता पुनः फूट-फूट कर रोने लगी थीं। उनके मन में एक ही विचार किस तरह घुमड़-घुमड़ कर आ रहा है।

सीता के दुख को कम कर पाना मंगला के वश का भी नहीं है।

20

वसिष्ठ जब 'सबसे बड़ी भूल' कहते-कहते रुक गए थे तो इसके अनेक कारण थे। इसका एक कारण तो यह था कि इन शब्दों के मुँह से निकलते ही उनका ध्यान अनेक ऐसे बिन्दुओं पर चला गया था जिनमें से किसी को भी सबसे बड़ी भूल माना जा सकता था। एक अन्य कारण यह था कि वह हठात् सचेत हो गए थे कि वह किसके सामने अपनी भूल स्वीकार कर रहे हैं! मान और महत्त्व चाहनेवाला व्यक्ति तो कभी भूल करता ही नहीं। भूलें तो सदा तुच्छ लोग करते हैं। इनका एक नियत क्रम है। स्त्री और पुरुष के बीच भूल सदा स्त्री करती है; स्वामी और दास के बीच प्रत्येक भूल दास से होती है। पिता और पुत्र के बीच प्रत्येक चूक के लिए पुत्र उत्तरदायी होता है। वर्णक्रम में ब्राह्मण तो भूल कर ही नहीं सकता। क्षत्रिय जब-तब भूलें करता है पर तभी जब यह निश्चित करना हो कि भूल ब्राह्मण से हुई है या क्षत्रिय से। वैश्य क्षत्रिय से अधिक भूलें करता है और शूद्र तो केवल भूलें ही करता है। यद्यपि सभी काम उसी से कराए जाते हैं पर उससे कोई काम ठीक हो ही नहीं सकता। अवस्था में वृद्ध, जाति से ब्राह्मण, इतने असाधारण पण्डित और आशुकवि हो कर वसिष्ठ कोई भूल कैसे कर सकते थे? एक स्त्री के सम्मुख इसकी खुली स्वीकृति तो मर्यादा का ही उल्लंघन था।

परन्तु सबसे बड़ी भूल कहते समय उनका ध्यान जिस बात की ओर गया था वह यह था कि जब यह पता चला था कि राम दल-बल सहित अयोध्या की ओर आ रहे हैं तभी यदि, संकट मोल ले कर, उनका सामना किया गया होता तो उन्हें गोमती से आगे बढ़ने का साहस नहीं होता। अब वसिष्ठ के मस्तिष्क में पूरी

स्थिति एक चित्र की भाँति स्पष्ट थी। नौकाओं का एक बेड़ा तैयार करके गोमती में ही राम की सहायक बन कर आने वाली जंगली सेना का सामना किया जा सकता था। उनमें तैर कर नदी पार करनेवालों को शूलों और वाणों से छेद कर वापस मुड़ने को विवश किया जा सकता था। युद्ध कला में दक्षता न रखने के कारण वे वनचर अधिक समय तक अयोध्या की सेना का सामना नहीं कर सकते थे।

परन्तु जैसा कि वसिष्ठ के साथ प्रायः होता है, इस बार भी उनके सोचे हुए की काट उन्हीं के मस्तिष्क से निकल आई थी। जिस राम की सेना ने सिन्धु को पार कर लिया और रावण जैसा आततायी उसे रोक नहीं पाया, उसे क्या गोमती जैसी क्षुद्र नदी को पार करने से रोका जा सकता था। मृत्यु का खतरा उठाना एक बात है, और मृत्यु के मुँह में अपना सिर डालना दूसरी बात। उस समय राम का सामना करना तो आत्महत्या के अतिरिक्त कुछ था ही नहीं। आत्महत्या की सलाह न तो राजनीति देती है, न रणनीति और न ही लोकनीति। युद्ध में तो मृत्यु भी अपने वश में नहीं होती। हारने पर यदि वंदी बना लिए जाते और राजपथ के किनारे यन्त्रबद्ध खड़े कर दिए जाते कि अयोध्या की जो प्रजा कैकेयी, भरत और वसिष्ठ के नाम से सिहर उठती थी, वही उनका उपहास करती हुई उनके ऊपर धूल-पत्थर फेंके, तो? यदि यातनागृह में डाल दिए जाते और काठ मार दिया जाता तो? वसिष्ठ इस कल्पना से सिहर उठे। जिन्होंने यन्त्रणागृह नहीं देखे हैं और केवल मुहावरे में ही काठ मारने की बात सुनते हैं, वे क्या समझ सकते हैं कि काठ मारने की यातना कैसी होती है!

वसिष्ठ को लगा कि वह सचमुच भूलें नहीं करते। उनके उतावली में किए गए निर्णयों के पीछे भी गम्भीर चिन्तन का सार होता है। उस आपदा में भी उन्होंने अपने बुद्धि बल से एक विजय ही प्राप्त की थी। उन्होंने ही कैकेयी को परामर्श दिया था कि यदि राम का स्वागत इतने भव्य रूप में किया जाए कि पूरा कोष खाली हो जाए तो राम को सैनिक पराजय तो नहीं दी जा सकती, पर रिक्त कोष से उनकी कमर अवश्य तोड़ी जा सकती है।

कैकेयी ने पूछा था, "इतनी शीघ्रता से इतना भव्य आयोजन किया कैसे जा सकता है?"

"क्यों, राम के आगमन के समय उन पर धन न्यौछावर करके लुटाया और गरीब ब्राह्मणों को दान तो दिया ही जा सकता है! इसमें इतने बड़े आयोजन की बात ही क्या है। दीप मालिकाओं से पूरे नगर को सजाने के लिए दुंदुभिघोष कराना ही पर्याप्त है। नर्तकों, गायकों, गणिकाओं को मुक्तहस्त पुरस्कार की घोषणा करा देना ही पर्याप्त है और धन लुटाने और दान करने की सूचना तो किसी एक कान में भी पहुँच जाए तो वह दुंदुभिनाद से भी अधिक वेग से पूरे

नगर में फैल जाएगी।" वसिष्ठ उस विषाद की घड़ी में भी मुस्कराने लगे थे।

वसिष्ठ की मन्त्रणा का कैकेयी पर इच्छित प्रभाव नहीं पड़ा था। वह कुछ उलझन में दिखाई दे रही थीं।

"महारानी, किसी राजा की शक्ति और प्रताप का स्रोत उसकी शारीरिक शक्ति और प्रताप नहीं है। यह उसके कोष की शक्ति है। उसी से वह अपने प्रबन्धकों और सैनिकों की सेवाएँ प्राप्त करता है। उसी से वह ब्राह्मणों की कृपा प्राप्त करता है। कोष रिक्त होने पर जब राम इन्हें समय पर वेतन नहीं दे पाएँगे तो उनके ही राजकर्मी और सैनिक या तो उनके विरुद्ध विद्रोह कर देंगे या प्रजा को लूटना आरम्भ कर देंगे और चारों ओर त्राहि-त्राहि मच जाएगी।" वसिष्ठ ने समझाया था।

कैकेयी ने कुछ कहना चाहा था, पर उन्होंने बीच में ही रोक दिया था, "पहले पूरी बात सुन लें। मुक्तहस्त दान भरत के शासन के समस्त दोषों को ढक लेगा। अनर्जित धन से अधिक शक्ति किसी अन्य वस्तु में नहीं है, चित्त को विचलित करने की। एक बार इसकी आदत पड़ जाने पर-पिंडोपजीवी लोग राम से भी इसकी अपेक्षा करेंगे और यह अपेक्षा पूरी न होने पर वे भी शासन के विरुद्ध हो जाएँगे। इस तरह इस एक आघात से ही आपके और भरत के सारे पापों का प्रक्षालन भी हो जाएगा, लोक में उनके भ्रातृ-प्रेम की कहानियाँ कही जाने लगेंगी और राम को अयोग्य या उत्पीड़क शासक सिद्ध करके सत्ता प्राप्त करने की भूमिका भी तैयार हो जाएगी।"

अब मुस्कराहट केवल वसिष्ठ के होंठों पर ही नहीं थी। यह कैकेयी के होंठों पर भी खेलने लगी थी, "आपसे तर्क करना कठिन है, आचार्य, पर इस विषम स्थिति में भी दान-दक्षिणा का योग निकाल ही लिया।"

वसिष्ठ खुल कर हँसे थे, "आपकी दृष्टि भी दान पर ही पड़ी, राजमाता। फिर ब्राह्मणों में और आपमें अन्तर ही क्या रह गया।"

दान और दक्षिणा! कितनी बार प्रकट या परोक्ष व्यंग्य सुनने पड़े हैं, वसिष्ठ को, इसकी क्या कोई गिनती है। ये क्षत्रिय राजा और सामंत क्यों नहीं समझते कि ब्राह्मण जिसे दान के रूप में माँगता है उसे अधिकार के रूप में भी माँग सकता था। उसने अपने भाग के लिए स्वयं एक नम्र शब्द चुन रखा है। राजा जिस बल पर शासन करता है क्या वह केवल उसके शस्त्र की ही शक्ति है। वैश्यों से कर वसूलने का और शूद्रों से सेवा ग्रहण करने का अधिकार क्या उसने अपने अस्त्र-शस्त्र से ही प्राप्त किया है। क्या उसके साथ हथियारों से भी गहराई तक चोट करनेवाली, शस्त्र के घाव से भी अधिक घाव करनेवाली, उसके चिह्न से कहीं अधिक गहरा, वंशानुवंश के मन पर अपना चिह्न छोड़ने वाली उसकी यन्त्रशक्ति नहीं है? राजाओं और सामंतों के दंडभय से क्या कम भय व्याप्त रहता है लोक में

नरक की यातनाओं का, जिनकी कल्पना करके ही शूद्र और वैश्य सभी सहर्ष छन्दानुवर्ती बने रहते हैं? यदि ब्राह्मण अपनी व्यवस्थाओं और विधानों का बन्धन हटा ले तो कौन-सा ऐसा बलाध्यक्ष है जो राजा बनने के लिए अपने ही राजा को यमलोक न पहुँचा दे और कौन ऐसा कोषपाल है जो कोष का सारा धन हड़पने की न सोचने लगे। इन मूर्ख राजाओं को कौन समझाए कि ब्राह्मण भीख भी लेता है तो अपना अर्जित ही ग्रहण करता है। उसकी प्रचार शक्ति पर ही यह पूरी व्यवस्था टिकी हुई है, अन्यथा एक दिन में राजा के रहते अराजकता आ जाए।

इस लोक विजय का सारा लाभ ब्राह्मणों ने क्षत्रियों को सौंप दिया, इस सद्भाव से कि अपने पर किए गए इस उपकार को समझ कर वे स्वतः अपनी ओर से ब्राह्मण को उसका देय भाग आदर सहित सौंपते रहेंगे। परन्तु ब्राह्मणों को क्या उनका उचित भाग मिलता है? जो मिलता है वह क्या आदर सहित मिलता है? क्षत्रियों ने ब्राह्मणों के साथ विश्वासघात किया है; बार-बार विश्वासघात किया है। उसे उसका अंश ललचा-ललचा कर और वह भी टुकड़ों में दिया है। अपने त्याग के बदले ब्राह्मण को भिखारी और याचक बनकर जीना पड़ता है। उसकी सबसे प्रमुख समस्या पेट भरने की है। शरीर ढकने की है। रहने के लिए तो वह कहीं भी कुटी बना कर रहने को तैयार है। क्षत्रियों ने अपने लोभ के कारण उसे शूद्रों के निकट पहुँचा दिया है और अब उससे उसका वर्चस्व भी छीनना चाहते हैं। राम कहते हैं शूद्रों को भी शिक्षा मिले तो इसमें हानि ही क्या है? कल कहेंगे, जब ज्ञान सबके पास है तो ब्राह्मण जाति की आवश्यकता क्या है? उसे मिटा क्यों न दिया जाए? शास्त्र ब्राह्मण की जीविका का साधन है, ज्ञान उसका हथियार है। वह इस साधन को, इस हथियार को उससे छीन कर उसे असहाय बना देना चाहते हैं। वसिष्ठ ऐसा नहीं होने देंगे। राम जब यह कहते हैं कि ज्ञानी शूद्र भी हो सकता है तो वह कहते हैं कि ब्राह्मण और शूद्र में कोई अन्तर ही नहीं। कहते हैं जो पोत और रथ बनाता है, जो भवन बनाता है, जो शल्यक्रिया करता है, जो धातुकर्म करता है उसका शिक्षित होना उतना ही आवश्यक है जितना ब्राह्मण, क्षत्रिय या वैश्य का। वसिष्ठ नहीं सहन करेंगे इस प्रकार की अपमानजनक तुलना। नहीं सहन करेंगे यह खुला ब्रह्मघात।

वसिष्ठ बैठे ही बैठे उत्तेजित हो गए हैं। निकट कोई नहीं है पर उत्तेजना के कारण अन्तिम वाक्य उनके मुँह से निकल पड़ा है। राजा अत्याचारी हो तो उसे सहन किया जा सकता है, पर राम तो ब्रह्मघाती है। वसिष्ठ जब यज्ञ और दान-दक्षिणा की बात करते हैं तो सुयज्ञ तक को लगता है, वसिष्ठ अपने लाभ के लिए ऐसा करते हैं। वसिष्ठ ने कभी अकेले अपने स्वार्थ की लड़ाई नहीं लड़ी। उन्होंने अकेले अपने लिए न कुछ चाहा, न माँगा। वह यदि ब्राह्मणों में मूर्धन्य हैं तो इसीलिए कि उन्हें अपने से पहले पूरे ब्राह्मण वर्ग की चिन्ता रहती है। यदि

अवध नरेश को अपने ऊपर अपनी रक्षा और कल्याण के लिए आश्रित प्रजा का ध्यान रहता है, तो वसिष्ठ को भी अपने अस्तित्व और सम्मान की रक्षा के लिए अपनी ओर दृष्टि लगाए ब्राह्मणों का ध्यान रहता है। वह उनकी प्रजा हैं। उसके पालन का भार उन पर है। उसकी रक्षा के लिए ही गढ़ने पड़ते हैं वे ब्राह्मास्त्र जिनकी चोट से मनुष्य ही नहीं देवता और देवेश इन्द्र तक नहीं बच पाते। उन्हीं की रक्षा के लिए आयोजित करने पड़ते हैं वे ब्रह्मव्यूह जिनमें प्रवेश करने के बाद मनुष्य जीवनपर्यंत बाहर नहीं निकल पाता। इसी के बूते पर वसिष्ठ कहते हैं कि ब्राह्मण की शक्ति के सामने क्षत्रिय की शक्ति नितान्त तुच्छ है। इसी के बल पर वह दावा करते हैं कि पुरोहितहीन राजा आत्माहीन शरीर की तरह है। इसी के भरोसे वह कहते हैं जिस राजा पर ब्राह्मण कुपित हो जाये उसका नाश सुनिश्चित है। मूर्खों को उनकी बात समझ में नहीं आती। वे समझते हैं, वसिष्ठ दम्भ प्रकट कर रहे हैं। उपहास करते हैं वे।

वसिष्ठ ऐसे किसी ब्राह्मण को सच्चा ब्राह्मण नहीं मानते जिसे पूरी ब्राह्मण जाति की चिन्ता न हो। यही है ब्राह्मण का त्याग। यही है उसकी परदुखकातरता। यही है उसकी लोकोपकारी दृष्टि। क्षत्रिय केवल अपने लिए राज्य चाहता है। वैश्य केवल अपने लिए लाभ चाहता है। अकेला ब्राह्मण है जो पूरी ब्राह्मण जाति की चिन्ता करता है। उसके सम्मान की, उसके भोजन-वस्त्र और आवास की चिन्ता करता है। जो ऐसा नहीं करता वह ब्राह्मण हो कर भी ब्राह्मण नहीं है। वह ब्रह्मकुलांगार है। विश्वामित्र ऐसे ही कुलद्वेषी हैं।

विश्वामित्र कहते हैं, सच्चा ब्राह्मण दानजीवी नहीं होता, ज्ञानजीवी होता है। कहते हैं यज्ञ एक ढोंग है। शक्ति तो मन्त्र में होती है। जमदग्नि से लकीरें खींचना क्या सीख लिया, कहते हैं ब्रह्मा की सृष्टि के समानान्तर ही पूरी सृष्टि की जा सकती है इन रेखाओं से। कहते हैं विश्व-ब्रह्मांड में जितनी भी वस्तुएँ हैं, मन में जितने भी भाव और विचार हैं सभी को इन रेखाओं से ही व्यक्त किया जा सकता है। वह इसे सूर्यावाक् कहते हैं। ससर्परी वाक् कहते हैं। वसिष्ठ को हँसी आती है इस विश्वामित्री सृष्टि पर। विश्वामित्र कहते हैं वेदमन्त्र भी इन रेखाओं में ही खरोंचे जा सकते हैं। ऐसे अनर्थकारियों के रहते कौन बचा पाएगा वेद को शूद्रों और राक्षसों के हाथों में जाने से? कहते हैं शूद्र भी तो मनुष्य ही हैं। राक्षस भी तो मनुष्य हैं। उनकी अधोगति का कारण ज्ञान का अभाव है। उसे दूर करके उन्हें भी मनुष्य बनाया जा सकता है।

मूर्ख! ब्राह्मण-अब्राह्मण में भेद ही नहीं रह गया। वंश ही सत्यानाशी ठहरा। पिता गाथाओं और प्रवचनों से पात्र-अपात्र का भेद किए बिना वेद पुराण का प्रचार करके जीविका अर्जित करनेवाला गाथी कुशिक और गुरु मिला इन्द्र द्रोही, यज्ञविरोधी भार्गव जमदग्नि, जिसने अपने पुत्र को शस्त्रोपजीवी बना दिया। कहता है परपिंडोपजीवी

होने से शस्त्रो पजीवी होना, शास्त्रज्ञ न हो पाने की स्थिति में शस्त्रज्ञ होना कहीं अधिक श्रेयस्कर है। छल करने से अधिक श्रेयस्कर है बल का आश्रय। ऐसे ब्राह्मणों को ब्राह्मण कहते भी लज्जा आती है वसिष्ठ को। परशुराम तो बड़े गर्व से कहता है, "हमारे पूर्वज भृगु ने ही पौरोहित्य का त्याग कर दिया था—लात मार दी थी उस विष्णु की छाती में जिसका गुणगान करके दूसरे ब्राह्मण अपनी दक्षिणा जुटाते हैं।" ऐसे ब्राह्मणों की दृष्टि में क्षत्रिय होना तो ब्राह्मण होने से अधिक श्रेयस्कर हुआ ही। ये तो जन्मगत श्रेष्ठता को भी नहीं मानते।

वसिष्ठ को याद है वह वाद-विवाद जिसे महाराज दशरथ ने वसिष्ठ को परखने के लिए आयोजित किया था। विश्वामित्र ने कहा था, "ज्ञान तो अमृत की भाँति है। जो अमृत पी लेता है वह अमर हो जाता है, और जो ज्ञान प्राप्त कर लेता है वह ब्राह्मण हो जाता है। ज्ञान सभी को मिलना चाहिए, यही कुशिकों की मान्यता है।"

वसिष्ठ ने कुछ उत्तेजित हो कर कहा था, "यदि ऐसा होता तो सभी वर्णों का जन्म परम ब्रह्म के मुख से भी हुआ होता।"

विश्वामित्र ने उपहास करते हुए कहा था, "अपनी श्रेष्ठता की भूख में आप जैसों ने समाज के साथ ही कसाइयों जैसा व्यवहार नहीं किया, जिसे आप परम ब्रह्म कहते हैं उसके साथ भी कसाइयों जैसा व्यवहार किया। उसके भी टुकड़े-टुकड़े कर डाले। मुनिवर हमारे सिर पर जितना ज्ञान लदा है उससे कई गुना पातक लदा है—समाज से ले कर ईश्वर तक का अपघात करने का पातक। अब भी समय है, हम इसका प्रायश्चित्त करें।"

वसिष्ठ रुष्ट नहीं हुए थे, "वेद-शास्त्र का ज्ञान न होने के कारण इस तरह के कुतर्क कर रहे" हैं आप। मैं अपने मन से गढ़ कर नहीं कह रहा हूँ। ये वेदवाक्य है।

"ब्राह्मणोऽस्य मुखमासीत् बाहू राजन्यः कृतः।।
उरुः तदस्य यद्वैश्यः पद्भ्यां शूद्रो अजायत।।"

वसिष्ठ ने विश्वामित्र का ज्ञान बढ़ा दिया था।

विश्वामित्र ढीठ की तरह हँसता रहा था, "वेद क्या है और अपवेद क्या इसका निर्णय तो विवेक ही करेगा। मनुष्य ही नहीं पशु भी मुख से पैदा नहीं होते। अंडज प्राणी भी नहीं। सभी के जन्म लेने की एक ही क्रिया-प्रक्रिया है। एक ही अंग। यदि श्रेष्ठता-कनिष्ठता का आधार अलग-अलग अंगों से जन्म लेना हो तो इन वर्णों के लोगों को आज भी उन्हीं-उन्हीं अंगों से जन्म लेना चाहिए। मैं सोचता हूँ ऐसा होता तो अच्छा ही था, आदमी को घर और लुगाई से तो छुट्टी मिलती!"

वसिष्ठ अपने को सँभाल नहीं पाए थे, "आप नास्तिक हैं। नास्तिकों जैसी बातें कर रहे हैं आप।" अब इससे बड़ी गाली हो भी क्या सकती थी। नास्तिक तो चोर और प्राणघाती से भी गर्हित होता है, "जो वेद को ही नहीं मानता वह नास्तिक है।" उन्होंने व्याख्या भी कर दी।

हँसने लगा था वह दुर्बुद्धि, "पूर्व ऋषियों ने कुछ भी मिथ्या नहीं लिखा है, पर उसका मर्म समझने में आप से भूल हो गई। उन्होंने लिखा है शूद्र दौड़-भाग करके फल-दूध जुटाने के लिए बना है। वैश्य उसके जुटाए माल को झोली में डालने के लिए बना है। क्षत्रिय उस झोली से निकाल कर ब्राह्मण तक पहुँचाने के लिए बना है और ब्राह्मण बिना कुछ किए, बिना कहीं गए, बिना हाथ चलाए केवल खाने, पगुराने और मुँह चलाने के लिए बना है। बस। इसका सम्बन्ध ज्ञान और बुद्धि से मत जोड़िए। वह मस्तिष्क से नहीं, मुँह से पैदा हुआ है। ज्ञान पर तो सबका अधिकार होना ही चाहिए।" महाराज उसकी बात पर मुस्कराए थे तो उसका दिमाग कुछ और चढ़ गया था, "मैं तो केवल उस वेद को जानता हूँ मुनिवर, जिसमें अग्नि, इन्द्र, वरुण और ब्रह्म को भी सपत्नीक कल्पित किया गया है और इसलिए अग्न्यानी, शची, वरुणानी और सरस्वती के रहते हुए इन्हें अपने मुख, हाथ और पाँव से किसी को जन्म देने की आवश्यकता नहीं थी। अयोनिज जन्म की कल्पना तो किसी कसाई के मन में ही उपजी लगती है।"

दशरथ उससे इतने प्रभावित थे कि उसके इन अनर्थकारी वाक्यों पर भी हँस रहे थे। ऐसी स्थिति में वसिष्ठ प्रतिवाद भी करते तो सुननेवाला कौन था। परन्तु इसके बाद पहला अवसर मिलते ही वसिष्ठ ने कहा था, "महाराज, यदि जन्म की श्रेष्ठता ही समाप्त हो गई तो कल को आपका ही कोई बलाध्यक्ष कहेगा, राजा को क्या ईश्वर ने बनाया है, वह भी तो मनुष्य है, और फिर आपका सिंहासन छीनने का प्रयत्न करेगा तो क्या कहेंगे आप? यदि ज्ञान सबके लिए सुलभ होना चाहिए तो सम्पदा और भूमि भी सबको चाहिए। कल यदि शूद्र राजन्यों से भूमि छीनने लगे तो छत्रियों का क्या होगा? आप की आँखों के सामने ही इस व्यवस्था के मूल पर ही कुठाराघात हो रहा है और आप इसके मूकदर्शी बने हुए हैं।" यह उपदेश काम कर गया था। महाराज भी विश्वामित्र से कटने लगे थे और इसके बाद ही कैकेयी का जादू अपना पूरा प्रभाव दिखा पाया था। भूल केवल एक हुई। राम-लक्ष्मण की शिक्षा के लिए विश्वामित्र को बँधवा कर नहीं मँगवाना था। उनके असहमत होने पर इसकी सूचना महाराज को दे कर उनकी अनुमति से बल प्रयोग करना उचित था। पर क्या महाराज इसकी अनुमति देते।

जो भी हो, यह एक ऐसा निर्णय था जिसके विषय में वसिष्ठ पूरी तरह आश्वस्त नहीं हो पाते कि इसे भूल माना जाना चाहिए या नहीं। यदि कोई भूल हुई भी तो यह कि वसिष्ठ अपने स्वाभिमान को न तो पूरी तरह मार सके, न ही पूरी तरह बचा सके। उनकी अन्तरात्मा बार-बार आहत हुई और अपने आपको उन्होंने उन दुर्बलताओं के लिए बार-बार धिक्कारा, परन्तु जैसे किसी हिमशिखर से पाँव फिसल पड़ने पर अपने को रोकने और बचाने के जितने ही प्रयत्न किए जाएँ, फिसलना और गिरना तब तक नहीं रुकता है जब तक आप अन्तिम खाई में नहीं

पहुँच जाते वैसे ही एक बार कैकेयी का ऋण और अनुग्रह स्वीकार कर लेने के बाद वसिष्ठ का क्रमिक पतन सुनिश्चित हो गया। स्त्री की बुद्धि तो होती ही ओछी है और यदि उसके पास कैकेयी जैसी सम्मोहन शक्ति भी हो तो उसके संसर्ग में आनेवाली हर वस्तु विकृत हो कर ही रहेगी। न तो वसिष्ठ कैकेयी को उदार बना सकते थे, न उसकी कृपणता का पूरा समर्थन कर सकते थे। उन्हें बार-बार अधूरे समझौते करने पड़े और हर समझौते में जीत कैकेयी के ही हाथ रही।

अधूरी आत्मा, अधूरी चेतना, अधूरा संकल्प ले कर अपने दीर्घायुष्य के बावजूद अधूरी जिन्दगी जीते रहे हैं वसिष्ठ और इस अधूरेपन का चुनाव उनकी एक मात्र सबसे बड़ी भूल है। उन्होंने अल्पतम से अधिकतम को प्राप्त करने का प्रयास किया और इसी क्रम में उनके अनेक प्रयत्न बेकार हुए। कभी-कभी उन्हें लगा है, उनकी तुलना में कैकेयी की इच्छाशक्ति अधिक प्रबल है, परन्तु फिर उन्होंने पाया है इच्छाशक्ति की वैसी प्रबलता स्वस्थ मन में सम्भव नहीं। कैकेयी ने अनेक बार उन पर भी व्यंग्य करते हुए कहा है, “आप भी तो पुरुष ही हैं न, आचार्य!” जैसे उसे पुरुषमात्र से द्वेष हो परन्तु यह द्वेष उसे मात्र पुरुषद्वेषी नहीं बनाता। मानवद्वेषी बना देता है। वह उन विकट स्त्रियों में से है जो अपने अबला होने का प्रदर्शन करके अन्य पुरुषों की सहानुभूति को भी एक हथियार में बदल लेती हैं और किसी क्रूर-से-क्रूर पुरुष की भाँति अपने हाथ आई भौतिक शक्ति और साधनों का उपयोग भी करती हैं, पर करती सब कुछ केवल अपने स्वार्थ के लिए हैं। वह पुरुषों के प्रति सदय नहीं है तो स्त्रियों के प्रति उससे भी अधिक निर्मम है। उसका विरोध तो कौसल्या और राम से था, पर हर बार उसने सबसे अधिक पीड़ित और अपमानित सीता को करना चाहा–चाहे वह राजभवन में रही हो या वन में। सीता के उत्पीड़न में वसिष्ठ का भी सहयोग रहा है, पर केवल उसी सीमा तक जिस सीमा तक उनकी आड़ में राम पर आघात किया जा सके।

वसिष्ठ एकदम ठिठक गए। सीता के उत्पीड़न का यह तथ्य उनके सामने एक गुत्थी बन कर खड़ा हो गया। सीता से इतनी गहरी घृणा क्यों है कैकेयी के मन में? उन्हें लगा, इस प्रश्न का उत्तर पाए बिना वह शान्ति से रह ही नहीं सकेंगे। क्यों करती है इतनी घृणा कैकेयी, सीता से। वह राम को अपने मार्ग से हटाना ही नहीं चाहती, उन्हें अपमानित कर के अपने मन के दाह को समाप्त करना चाहती है। यह एक उत्तर था जो ऐसे अवसरों पर बार-बार वसिष्ठ के मन में उभरता रहा है, पर जाने क्यों उन्हें यह भी लगता रहा है कि वह पूरा उत्तर नहीं है और इसलिए आज वह इस पर कुछ रुक कर पुनः विचार करने लगे थे और उन्हें लगा कि सीता को राम से जो अनन्य प्रेम मिला है वह कहीं-न-कहीं कैकेयी को शूल की तरह चुभता रहा है। यह प्रेम उन्हें अपने सौन्दर्य का अपमान मालूम

होता है। अपने अनिंद्य कैकेय सौन्दर्य के रहते हुए वह उस खबीस दशरथ से भी वह अनन्य अनुराग नहीं पा सकीं जो नितान्त साधारण रूपवाली इस अज्ञान कुल युवती ने राम जैसे अनिंद्य सुन्दर, तरुण से प्राप्त कर लिया। जब महाराज कैकेयी के रूप पर पागल हुए रहते थे उस समय भी वह चोरी-छिपे सुमित्रा से मिल ही लिया करते थे और नर्तकियों से आमोद करने में भी संकोच नहीं करते थे। यदि कैकेयी को पता चल जाता कि राम भी उसी प्रकार विलास केन्द्रों पर जाते हैं जैसे अन्य तरुण, उनकी भी उपपत्नियाँ और प्रेयसियाँ हैं तो सम्भवतः उन्हें सीता से उतनी घृणा न होती। ऐसा नहीं था इसलिए सीता से उन्हें अपने को तुच्छ मानना पड़ जाता था। अपने हाथों में समस्त अधिकार केन्द्रित हो जाने के बाद भी उन्हें लगता था उनका सारा साम्राज्य उस साम्राज्य की तुलना में बहुत छोटा है जो सीता के पास है। अपने पति के अनन्य स्नेह और विश्वास का साम्राज्य!

वसिष्ठ इस निर्णय पर अनायास ही नहीं पहुँच गए थे। इस प्रश्न पर विचार करते समय उन्हें वे वाक्य हठात् याद आए थे जिन्हें उन्होंने कैकेयी से अनेक बार सुना था, "सीता में ऐसा क्या है जिस पर राम प्राण दिए रहते हैं? न रूप, न कुल, न गुण। जनक के यहाँ भी परिचारिका का ही काम तो करती थी! कोई और राजा होता तो इसी को ले कर कहानियाँ बन गई होतीं।" और राम के विषय में, "कुछ कमी होगी तभी तो रास-रंग में भाग नहीं लेते! है कोई दूसरा राजपुत्र जो अपनी पत्नी के पाँव धोता फिरे।" वसिष्ठ को लगा, कैकेयी के दुर्भाग्य से ही नहीं, उसके सौभाग्य ने भी उसे अर्धविक्षिप्त ही बनाया है। इतनी रूपवती स्त्री कभी सुखी और सन्तुष्ट नहीं रह सकती। वह दूसरी स्त्रियों को तुच्छ मान कर अपने गर्व को प्रदर्शित करने को भी विवश है, अपने रूप को अधिकाधिक व्यक्तियों को व्यग्र करने के लिए भी विवश है, पर किसी का अनन्य प्रेम प्राप्त न कर पाने को भी अभिशप्त। कैकेयी का सबसे बड़ा शत्रु उनका अपना सौन्दर्य ही रहा है। राम और सीता के अनन्य प्रेम से तो अन्य रानियों को भी ईर्ष्या हो सकती थी!

21

मंगला के मन को एक बात कचोटती रही है और वह है अयोध्यावासियों की कायरता। राम का निर्वासन होने पर वे चुप कैसे रह गए? मंगला को लगता रहा है कि जिसे लोग सभ्य नागर समाज कहते हैं वह कायरों और मक्कारों का समाज है। सभ्यता कायरता और मक्कारी का ही दूसरा नाम है। उन्होंने अपना विचार प्रकट करते हुए अपने गणसुलभ अभिमान को प्रकट कर ही दिया, "यदि हमारे समाज में ऐसा कुछ हुआ होता तो लोग अपराधी व्यक्ति को जीवित नहीं रहने देते।"

"तुम्हारे समाज में ऐसा हो भी कैसे सकता था, माँ। किस लोभ में कोई किसी को वनवास देता।" 'वनवास' पर सीता को हँसी आ गई। वन तो उनका घर ही है, उनके लिए वनवास का क्या अर्थ? "कौन किसी को निष्कासित करता!" उन्होंने अपनी भूल सुधारी, "सभ्य समाज के आधे अपराध स्त्री को सम्पत्ति बना कर रखने के कारण होते हैं और आधे सम्पत्ति की चोरी के अनगिनत रूपों के कारण होते हैं। जो सम्पत्ति के वास्तविक अधिकारी हैं, उनसे तो लगभग सब कुछ छीन लिया जाता है। वे अधमरों की तरह मौत के दिन तक साँस लेते हैं जिसे ही उनका आदर्श जीवन माना जाता है। वह एक स्वार्थी समाज है, स्वार्थ से अन्धा समाज।"

मंगला को सभ्य समाज की यह आलोचना सुनकर अपने समाज पर जो गर्व अनुभव हो रहा था उसकी अभिव्यक्ति केवल उनकी मुस्कराहट में नहीं हो रही थी, अपितु आँखों की चमक में भी हो रही थी। सभ्य समाज की निन्दा ही जैसे वन्य समाज की स्तुति हो।

"परन्तु अयोध्या के लोग न तो उतने कायर थे, न ही उतने उदासीन, जितना तुमने सोच लिया, माँ। किसी को इस बात का पता चलता इससे पहले ही हम नगर के बाहर निकल गए थे और राम सुमन्त्रजी से आग्रह कर रहे थे कि वह रथ को तेज-से-तेज गति से चलाएँ जिससे जब तक नगर के लोगों को निर्वासन की सूचना मिले वह उनकी पहुँच से परे निकल जाएँ। इसके कारण अयोध्या में जो कुछ हुआ उसका तो हमें पता चल नहीं पाया, परन्तु बाद में पता चला कि अयोध्या के पौर जन तथा राज्य के ग्रामणी व सामन्त जो उस रात महाराज के ही अतिथि थे, चुप लगा कर बैठ नहीं गए थे। श्रेष्ठियों की बात अलग है। वे तो अत्याचारी राजाओं के सामने इस सीमा तक झुक जाते हैं कि उसे यह भ्रम होने लगता है कि प्रजा स्वयं भी अपने ऊपर होनेवाले अत्याचार को पसन्द करती है। बेचारे डरे रहते हैं कि उनकी सम्पत्ति न छीन ली जाए, उनको लूट न लिया जाए। चल सम्पत्ति के स्वामियों की इस दुर्गति के लिए उन्हें दोष नहीं दिया जा सकता। जिससे वे भीतरी मन से घृणा करते हैं उसके सामने विरोध तो प्रकट करते ही नहीं, उल्टे उसके कोप से बचने के लिए उसकी चाटुता करते हैं। जिसके लिए उनके मन में आदर होता है उसी की सबसे अधिक आलोचना करते हैं। दुष्ट चाहे व्यक्ति हो या व्यवस्था, उसके सम्मुख सिर उठाने का उनका साहस नहीं होता और परोक्ष विरोध से भी कतराते हैं कि कहीं इसका पता चलने पर उन पर विपत्ति न आ जाए।

"प्रातःकाल को जब लोग राज्याभिषेक देखने के लिए राजभवन की ओर आ रहे थे उस समय अन्य लोगों की तो बात ही अलग, मंगलवाद्य बजानेवालों तक को इस बात का पता नहीं था कि इस बीच कुछ अमंगल घटित हो चुका है। एकत्र जनसमूह कुछ समय तक तो प्रतीक्षा करता रहा पर कुछ ही देर में यह देख

कर उसमें इस बात को ले कर सन्देह घर करने लगा कि राजभवन से ही नहीं कौसल्या के भवन से भी मंगलगान का स्वर क्यों नहीं आ रहा है और वहाँ सन्नाटा-सा क्यों फैला है। एकाएक राजमार्गों पर बजते मंगलवाद्य भी बंद हो गए जैसे दीपमालिका की रात अचानक आँधी आने से सारे दीपक एक साथ बुझ जाएँ। फिर भीड़ में यह जानने के लिए कोलाहल होने लगा कि हुआ क्या है। उपस्थित जनसमूह ने एक ऐसे विक्षुब्ध समुद्र का-सा रूप ले लिया था जिसमें उद्वेग तो था पर दिशा नहीं थी। इसे शान्त करना आवश्यक था। रहस्य को अधिक समय तक छिपाए रखना कठिन था और इस विकट स्थिति में वसिष्ठ को सामने आना पड़ा। उपस्थित जन समुद्र को देखकर उनके पाँव काँपने लगे थे। कुछ समय तक तो वह अपने को सँभालने और लोगों को शान्त करने के प्रयत्न में हाथ उठा कर 'सुनिए, सुनिए' की गुहार लगाते रहे और फिर रुँधे कंठ से उन्होंने बताया था कि विधि का विधान कितना विचित्र है कि इसके प्रभाव से मनुष्य तो क्या सूर्य और चन्द्रमा तक नहीं बच पाते, 'और देखिए न कैसी है दैव की लीला, महान् आपदा भी सौभाग्य के क्षण में ही आती है, अन्यथा पूर्णिमा के चाँद को ही राहु क्यों ग्रसता। आज भी कुछ ऐसी ही दैवलीला हो गई, सज्जनो। हमारे राजकुमार राम रूपी चन्द्र को भी राहु ने ग्रस लिया।'

"वसिष्ठ अपने दुख का प्रकाशन करने के लिए एक-एक शब्द पर रुकते और उच्छ्वास लेते हुए, अपनी आँखों को पोंछते और गले के अवरोध को दूर करते हुए बोल रहे थे, अतः उनके अन्तिम वाक्य से एक सिहरन-सी पूरे जन समुद्र में फैल गई। बहुतों को लगा कि राम की हत्या करा दी गई। वे उद्वेग में चीखने लगे, 'हुआ क्या? आप बताइए तो सही! क्या हुआ राम को?'

"अब वसिष्ठ ने लगभग रोते हुए ही बताया, 'कैकेयी को दिए गए दो वरदानों के कारण सत्यप्रतिज्ञ महाराज ने एक ऐसा काम कर डाला जैसा आज से पहले कभी, कहीं हुआ ही नहीं था। उस कुलघातिनी ने पहले प्राप्त अपने वरों के लिए भी यही क्षण चुन रखा था! महाराज ने अपने प्राणों से प्रिय पुत्र राम को राज्य से निर्वासित करके वन भेज दिया और अब भरत के लौटने पर राजतिलक उनका होगा।'

"इसकी एक मिलीजुली प्रतिक्रिया हुई। कुछ लोग तो 'कब?' 'किधर से?' चीखते रहे। उस कोलाहल में पता नहीं चल पाया कि वसिष्ठ ने इन प्रश्नों का कोई उत्तर दिया या नहीं, पर बहुत से लोग नगर के विभिन्न द्वारों की ओर दौड़ चले। शेष लोग कैकेयी को धिक्कारते हुए अपने घरों की ओर लौटने लगे। उसी समय कहते हैं एक कैकेय सैनिक किसी को दिख गया। लोग उस पर टूट पड़े और उसे लात-घूसों से ही मार डाला। अब वही भीड़ एकदिश हो कर एक ज्वार की तरह राजभवन की ओर लौट पड़ी और कैकेय सैनिकों और सुरक्षाकर्मियों को

जहाँ भी पाया ढूँढ़-ढूँढ़ कर मारने लगी। अब वह माँग कर रही थी कि कैकेयी को बाहर लाया जाए।

"वसिष्ठ को एक बार फिर बाहर आना पड़ा। लोग उनकी बात सुनने को तैयार नहीं थे पर जब उन्होंने चीख कर कहा, 'सज्जनो, अपराधी को दंड दिया जा चुका है।' तो सन्नाटा छा गया। वसिष्ठ ने बताया कि दोष कैकेयी का भी नहीं है। वह अपनी एक प्रिय दासी के बहकावे में आ कर महाराज से ये वरदान माँग बैठीं और अब स्वयं अपने सिर नोच रही हैं। उस दासी को दंडित किया जा चुका है।"

दुष्टता और निष्ठुरता को मूर्खता बता कर दुष्ट व्यक्ति की रक्षा तो बार-बार की जाती है, वही तब भी की गई। उग्र भीड़ की समग्र चेतना उस व्यक्ति में केन्द्रित हो जाती है जो पहल करता है और यदि किसी मामले में वह चूक गया तो शेष लोगों के ध्यान में भी वह बात नहीं आती है। किसी ने नहीं पूछा कि उस दासी को क्या दंड दिया गया है। किसी ने नहीं कहा कि यदि रानी को स्वयं पश्चात्ताप हो रहा है तो आशुगामी सन्देशवाहक भेज कर राम को वापस बुलाने का प्रयत्न क्यों नहीं किया जा रहा है। अपनी हड़बड़ी में सम्भवतः वसिष्ठ ने भी नहीं सोचा था कि यदि किसी ने प्रश्न उठाए तो वह क्या उत्तर देंगे। सम्भव है यह विचार मन में रहा हो कि ऐसा प्रश्न उठने पर वह दासी को नाक-कान काट कर कुरूप बनाने आदि का दंड बता देंगे। प्राणवध के लिए तो वधिकों को बुलाना ही नहीं पड़ता, उस बलिभूमि तक ले जाने का प्रश्न भी उठता। राम को बुलाने के विषय में कह देते कि इस निमित्त धावक भेजे जा चुके हैं और फिर लोगों को समझा देते कि राम स्वयं ही अपने स्वाभिमान के कारण आने को तैयार नहीं हुए। यदि वह ऐसा कुछ कहते भी तो उनकी बात लोगों को मिथ्या नहीं लगती।

सुनते हैं एक सामन्त ने, जो अन्य अतिथियों की भाँति इस जन समुद्र का अंग बन गया था, चीख कर पूछा 'महाराज कहाँ हैं? हम महाराज को देखना चाहते हैं!'

यह एक विकट प्रस्ताव था। यदि महाराज को बाहर लाया जाता तो वह उन अंगरक्षिकाओं की परिधि में अब नहीं लाए जा सकते थे। बाहर आते ही वह स्वतन्त्र हो जाते। इससे न केवल सारा खेल बिगड़ जाता, अपितु कैकेयी सहित वसिष्ठ को भी कठोरतम दंड मिल सकता था। वसिष्ठ ने उसी दुखी स्वर में कहा, "राम का वियोग सहन न कर पाने के कारण महाराज मूर्छित हो गए हैं। वैद्यराज को बुलाने के लिए धावक भेजा जा रहा है। उन्होंने वहीं खड़े-खड़े एक तरुण को बुला कर कुछ कहा और लोगों को सुनाते हुए बोले, 'घोड़े पर सवार हो कर जाओ। जल्द!' और अब वह अश्वारोही कुछ दूर आगे बढ़ गया तो बोले, नहीं, दौड़ कर जाओ। घोड़े पर चढ़ कर या हथियार ले कर वैद्य के यहाँ जाना शुभ नहीं होता।"

अब वह भीड़ की ओर मुड़े थे, "सज्जनो, नियति का प्रकोप तो आप देख ही रहे हैं। अब आप लोग यहाँ अशान्ति पैदा करके इसे और अधिक दुर्भाग्यपूर्ण न

बनाएँ। आप के कोलाहल से हमारे इन्द्र के समान प्रतापी और धर्मप्राण महाराज का जीवन भी संकट में पड़ सकता है। यदि आप लोग महाराज से सच्चा प्यार करते हैं तो कृपा करके अपने-अपने घर को लौट जाएँ।" उनकी बातों का सचमुच अनुकूल प्रभाव पड़ा।

महाराज को मूर्छा आई थी या नहीं, पर वह न तो किसी की ओर देख रहे थे न किसी से बोल रहे थे। राज्य की चिन्ता तो दूर, अब अपने जीवन में भी उनकी रुचि नहीं रह गई थी। पता नहीं बाहर का कोलाहल उनके कानों में पहुँच भी रहा था या नहीं, पर यदि पहुँच भी रहा था तो इसकी कोई प्रतिक्रिया उनके मुख पर नहीं थी। यदि वसिष्ठ ने मूर्छा का बहाना न भी बनाया होता और वह स्वयं या वह सामंत ही जिसने महाराज का दर्शन करना चाहा था, उनके समक्ष जा कर यह अनुरोध करता कि वह बाहर निकल कर प्रजा को दर्शन दें और उसे शान्त करें तो भी वह बाहर आने से इनकार कर देते। जिन महाराज को अपनी कीर्ति की इतनी चिन्ता रहती थी कि इसके लिए वह पंडितों, पुरोहितों और चारणों को अकूत दान दिया करते थे, उनका साहस इस अकीर्तिकर क्षण में बाहर आ कर अपना कलंकित मुख, अपनी उसी प्रजा को, दिखाने का नहीं हो सकता था। यदि प्राणभय दिखा कर उनसे बाहर आने को कहा जाता तो भी वह इसके लिए तैयार नहीं होते। कहते हैं अब महाराज को अपने प्राणों का भय रह भी नहीं गया था। भय इस बात का रहा हो कि यदि उनके प्राण गए तो राम और उनके परिवार को भी निर्मूल करने का प्रयत्न किया जाएगा, तो बात दूसरी है।

महाराज मूर्छित भले न हुए हों पर रात भर के तनाव और जागरण तथा राम के निर्वासित हो जाने के बाद पराजयबोध से बैठे-बैठे ही उन्होंने अपनी आँखें बन्द कर ली थीं और उनकी गर्दन एक ओर को झुक गई थी। राजवैद्य के आने के बाद जब उनकी नाड़ी पर हाथ लगाया तो वह चौंक पड़े। आँखें खोलीं और राजवैद्य को कुछ इस तरह देखने लगे मानो उन्हें पहली बार देख रहे हों। कुछ सचेत होने पर बोले, 'वैद्यराज, मुझे मेरे कष्टों से एक ही औषधि मुक्ति दे सकती है। हालाहल। परन्तु सुमन्त्र के लौटने तक मैं जीवित रहना चाहता हूँ।'

"महाराज सुमन्त्र के आने की प्रतीक्षा में इतने व्यग्र क्यों थे, यह उन लोगों को भी मालूम था, जिनसे वह बार-बार एक ही सवाल करते रहते थे, सुमन्त्र आए?" जब तक वह चिन्ता प्रकट करते, "सुमन्त्र के आने में इतना विलम्ब क्यों हो रहा है?" कुछ समय बीत जाने के बाद तो उनका यह विश्वास हो चला था कि नगर सीमा पार करने के बाद किसी जनशून्य स्थान पर घात लगा कर हमारा वध कर दिया गया और इस रहस्य पर परदा डालने के लिए सुमन्त्र को भी यमलोक पहुँचा दिया गया।

महाराज को विष चाहिए था और राजवैद्य उनकी वह सेवा कर भी सकते थे

पर महाराज के अनुरोध पर नहीं, कैकेयी के आदेश पर। राजवैद्य ने यह तो देख लिया था कि महाराज की दशा केवल एक ही अर्थ में असामान्य है--वह घोर सन्ताप और अवसाद में हैं--परन्तु उन्होंने बिना किसी के बताए यह भी लक्ष्य कर लिया था कि एक सम्राट के रूप में महाराज मर चुके हैं। राजकर्मी अपनी निष्ठा को कितनी तत्परता से शरीर की मैल की तरह धो कर मुक्त हो जाते हैं, यदि यह तुम देखो माँ, तो तुम्हें अपनी आँखों पर विश्वास नहीं होगा।

जो लोग यह समाचार पा कर कि राम को निर्वासित किया जा चुका है नगर-द्वारों की ओर दौड़ पड़े थे उनमें सभी हमारे निकट नहीं पहुँच पाए थे। विलम्ब से भी नहीं। जो दक्षिण को जानेवाले मार्ग की ओर दौड़े थे उनमें से भी अधिकांश निराश हो कर स्थान-स्थान पर रुक गए थे। कहाँ तक जाते वे। अनेक के मन में तो अब यह डर भी बैठ गया था कि बाद में पता चलने पर कैकेयी उन्हें दंडित भी कर सकती थीं। कुछ के मन में वह आशंका भी रही हो सकती है जो महाराज के मन में थी। निर्वासित राजकुमारों के विषय में जो कहानियाँ प्रचलित हैं, उनमें जो राजकुमार अपने प्राणों की रक्षा करने में सफल हो गए, उन्हें भाग्यशाली ही नहीं, असाधारण बुद्धिमान भी माना जाता है। यदि वे अपना खोया हुआ राज्य पुनः प्राप्त करने में सफल हो गए तब तो उनके शौर्य की गाथाएँ घर-घर गाई जाने लगती हैं।

हमें इस बात की जल्दी थी कि सूरज निकलने से पहले अयोध्या की सीमा से जितनी दूर जा सकें चलें जाएँ, पर नगर से बाहर आते ही सुमन्त्र को लगा रथ के पहिए की कीलें ढीली हैं। वह आगे बढ़ने से पहले इन्हें कस लेना चाहते थे। वह रुक कर कोई पत्थर या ईंट तलाशने लगे और इसमें उन्हें कुछ समय लगा। अभी धुँधलका पूरी तरह छँटा नहीं था। शरद की भोर में वस्त्र के अभाव में राम और लक्ष्मण दोनों सिहर उठते थे। नगर से बाहर निकलने पर जिस महापथ पर हम बढ़े उसके दोनों ओर मेंड़ बनी हुई थी जिस पर मूँज लगाई गई थी। लीक गहरी तो थी ही धूल से भी भरी हुई थी और कहीं-कहीं इसमें इतने गहरे गड्ढे थे कि लगता था रथ की धुरी जमीन को छू लेगी। घोड़े तेज चल नहीं पा रहे थे पर इसके बावजूद सुमन्त्र का ध्यान घोड़ों से अधिक दोनों बाजू की मेंड़ों की ओर था जिनसे परे का कुछ भी दीख नहीं रहा था। रथ इतनी मंद गति से चल रहा था कि पैदल चलता हुआ आदमी भी हमसे आगे निकल सकता था।

हम अभी नगर सीमा से एक कोस भी आगे नहीं बढ़ पाए होंगे कि पीछे की ओर कुछ कोलाहल सुनाई पड़ा। पीछे दृष्टि गई तो पाया सैकड़ों लोग दौड़ते इधर ही चले आ रहे थे और इनमें से कुछ राम का नाम ले कर गुहार लगा रहे थे। जिस बात का डर था वही हुआ। राम ने कहा, 'रथ को तेज कीजिए, तात।' पर सुमन्त्र का उत्तर संक्षिप्त था, 'लीक की दशा तो देख ही रहे हो।' आगन्तुक नगरवासियों

ने बढ़ कर रास्ता रोक लिया। अब राम आगे नहीं जा सकते थे। महाराज ने जो राज्य पूरी सभा के सम्मुख घोषणा करके राम को दिया था, उसे कोई छीन कैसे सकता था। यदि महाराज का विचार बदल गया था तो उन्हें उसी तरह कारण बताते हुए इसकी सार्वजनिक घोषणा करनी थी। राज्य के उत्तराधिकार की एक आर्य परम्परा है, उसका उल्लंघन करने का अधिकार किसी को नहीं है। इस तरह के तर्कों को सुन कर लगता था पुरवासियों के साथ आए हुए लोगों में कुछ ऐसे व्यक्ति भी थे जो कल की सभा में उपस्थित थे। उनके स्वर में न केवल एक अधिकार चेतना थी, बल्कि विचारों की स्पष्टता भी थी। इनमें से कुछ ऐसे भी रहे हो सकते हैं कि जिन्होंने कल भरत के नाम का सुझाव आने पर इसका खुल कर विरोध किया हो और अब चिन्तित हो रहे हों कि यदि सत्ता भरत के हाथ में आ गई तो उन्हें अपने दुस्साहस के लिए दण्डित भी किया जा सकता है।

मार्ग अवरुद्ध हो गया था और लोगों की संख्या बढ़ती जा रही थी। वे ही लोग जो अपने अकेलेपन में भरत और उसके उद्दंड मित्रों के उपद्रव को चुपचाप झेला करते थे और जिनमें इतना भी साहस नहीं था कि वे महाराज से जा कर इसकी शिकायत कर सकें, एकत्र हो जाने के बाद इतने शक्तिशाली हो गए थे, और परिणाम की चिन्ता किए बिना खुल कर कैकेयी और भरत की ही नहीं, महाराज तक की निन्दा कर रहे थे। अवसाद के उस दारुण क्षण में भी लग रहा था राम उनकी बातें सुन कर मुस्करा रहे थे।

यह मेरी आँखों का भ्रम भी हो सकता था। कोई भी व्यक्ति एक साथ मुस्कराने और रोने का दोनों काम तो कर नहीं सकता और अब मैंने लक्ष्य किया था कि राम की आँखों से आँसू बह रहे थे, "मैं यह तो जानता था आप लोग मुझे प्यार करते हैं। बहुत प्यार करते हैं, यह जानता था, पर इतना प्यार करते हैं यह मैंने भी नहीं सोचा था। निर्वासन का यह सौभाग्य नहीं मिला होता तो मैं यह जान भी नहीं पाता कि अपने स्नेह का जितना बड़ा साम्राज्य आपने मुझे दे रखा है, उसके सामने तो अवध का पूरा राज्य भी तुच्छ है। छोटी माँ ने यह आदेश दे कर भी मेरे ऊपर उपकार ही किया कि आपके इस स्नेह को पहचानने का अवसर तो मिला। सच मानें, पिताजी और माँ कौसल्या और सुमित्रा से बिछुड़ते समय भी इतना कष्ट नहीं हुआ था, जो आप से बिछुड़ते हुए हो रहा है।"

एक साथ कई कंठों से एक ही वाक्य सुनाई पड़ा था, नहीं आप हमें छोड़ कर कहीं नहीं जाएँगे।

राम अविचलित रहे थे, "आप राम को ही क्यों प्यार करते हैं? इसीलिए न कि वह अपने को आपकी उस कल्पना के अनुसार ढालने का प्रयत्न करता है जो आपने अपने मन में एक सुयोग्य राजा की बना रखी है? इसीलिए न कि वह आपकी भावनाओं का आदर करता है, जैसे आप उसकी मूढ़ताओं से प्यार करते

हैं। उसकी एक और मूढ़ता को सहन करें। आप विश्वास रखें कि आपकी भावनाओं का आदर करते हुए वह वापस भी आएगा ही।"

राम की बातों का किसी पर कोई प्रभाव नहीं पड़ रहा था। वह सज्जन जो किंचित अधिक सुचारु रूप में अपने तर्क रख रहे थे बोले, "हम आपको ही अपना राजा मानते हैं। महाराज ने इसकी स्पष्ट घोषणा की थी। बीच में यह क्या हो गया, हम नहीं जानते, पर जो भी हुआ है उसे सुधारने का हम प्रयत्न करेंगे। आप लौट चलें।"

इस बार राम ने एक ऐसी बात कही थी जिसकी हमने कल्पना भी नहीं की थी। उन्होंने कहा, "महाराज भी जानते थे कि उत्तराधिकार की आर्य परम्परा क्या है। ऐसी स्थिति में इसके निर्णय के लिए किसी महासभा की आवश्यकता नहीं थी। महासभा की आवश्यकता तो एक ही स्थिति में सम्भव है, और वह है, उस परम्परा से हट कर कोई निर्णय। वह भरत को अपना उत्तराधिकारी बनाना चाहते थे। सभा के सदस्यों ने उनकी इस इच्छा के अनुरूप अपना मत नहीं दिया। ऐसी स्थिति में उन्होंने स्वयं मुझे बुला कर अपनी यह आकांक्षा प्रकट की और इसे मैंने सहर्ष मान लिया। मुझे यह सुन कर क्लेश हुआ कि आप में से कुछ लोगों को यह भ्रम है कि ऐसा छोटी माँ के कहने से किया गया है। भरत के राज्य को अकंटक बनाने के लिए वन जाने का निर्णय मैंने स्वयं लिया है, और आप भी मानेंगे कि अब इस निर्णय को बदलना मेरे लिए सम्भव नहीं है।" उनके स्वर में ऐसी दृढ़ता थी कि एक बार को हमें ही नहीं, सुमन्त्रजी को भी लगा कि यही सच है।

इस बार लोगों की उलझन उनके चेहरों पर उभर आई थी। राम को लगा उनकी बात का इच्छित प्रभाव पड़ा है। उन्होंने कुछ और बल दे कर कहा, "यह आपकी अपनी परीक्षा की भी घड़ी है, और मेरी परीक्षा की भी। आप अपने स्नेह भाजन को अपने ही निर्णय से विमुख हो कर लज्जित होने को तो नहीं ही कहेंगे।"

लोग सोचने लग गए थे। किसी ने कोई प्रतिवाद नहीं किया, पर कोई रथ के आगे से हटा भी नहीं। एक क्षण प्रतीक्षा करने के बाद राम रथ से नीचे उतर पड़े। उनका अनुकरण करते हुए हम दोनों भी नीचे आ गए। राम ने कहा, "यदि आप नहीं चाहते कि मैं रथ से आगे जाऊँ तो आगे का मार्ग मैं पैदल ही पार करूँगा।" और वह पैदल ही आगे बढ़ने लगे। किसी का साहस न तो उन्हें रोकने का हुआ, न ही स्पर्श करने का।

"यदि आपको यही उचित लगता है तो हम भी आपके साथ ही वन को चलेंगे।" उसी वाक्कुशल व्यक्ति ने कहा और उसके इस कथन पर अनेक लोगों ने 'हाँ, यह ठीक है' कह कर हामी भरी।

प्रस्ताव रखनेवाला व्यक्ति भी जानता था कि यह एक ऐसा तर्क है जो ही राम

के पैदल आगे बढ़ने की काट कर सकता है। परन्तु फिर भी न तो यह एक कोरा प्रस्ताव था, न ही अविचारित। हमें बाद में पता चला कि उपस्थित जनों में से कुछ को उन सैनिकों को देख कर यह सन्देह था कि किसी निर्जन स्थल में पहुँच कर वे राम की रक्षा के स्थान पर उनकी हत्या का प्रयास कर सकते हैं। स्वयं राम भी उनके इरादों के प्रति सन्देहशील थे। उनमें से कुछ लोग उस अन्तिम स्थल तक जाने को तैयार हो गए जहाँ तक सुरक्षा सैनिकों को जाना था। उन्होंने आग्रह किया कि राम रथ पर सवार हो जाएँ। पर राम को यह स्वीकार नहीं था। सुमन्त्र स्वयं भी रथ से उतर कर घोड़ों की रास पकड़े पैदल ही चल रहे थे। कुछ दूर चलने के बाद ही मैं गिरते-गिरते बची। इसी तरह बाहर चलने का अभ्यास न होने के कारण मुझे चलने में भी असुविधा हो रही थी। मुझे लग रहा था मुझे चलना नहीं आता। यह एक नया बोध था कि घर आँगन की सीमा में हम जिस तरह चलते हैं वह स्वाभाविक चाल नहीं है, और बाहर घूमने-चलनेवाला व्यक्ति जिस तरह डग भरता है, वह एकदम भिन्न होता है।

हमारे पाँव नंगे थे और राह चलते ठंडी बालू या ओस से भीगी घास किसी पर भी पाँव रखते हुए अनगिनत काँटे पाँवों में चुभते हुए-से लग रहे थे। लोगों की पैनी दृष्टि से हमारा यह कष्ट छिप नहीं पा रहा था। वे आग्रह करने लगे कि यदि अन्य कोई नहीं तो मैं तो रथ पर बैठ ही जाऊँ पर मुझे बचपन से माता-पिता से जो संस्कार मिले थे, उनके कारण यह स्वीकार्य नहीं था कि राम पैदल चलें और मैं रथ पर। मैंने कुछ कहा नहीं, सिर हिला कर मना कर दिया। राम ने स्वयं भी हठ किया, "तुम्हें अभ्यास नहीं है, तुम रथ पर बैठ जाओ।"

उत्तर में मैंने सिर भी नहीं हिलाया, केवल उनकी ओर देखा और मेरी आँखों से आँसू बह निकले। मुझे अपनी इस दुर्बलता पर शर्म आई और मैंने झट आँखें फेर लीं और तेज-तेज कदमों से आगे चलने लगी। और इस बार मेरे अपने ही पाँव आपस में टकरा गए और मैं अपने को सँभाल नहीं पाई। राम सहारा दें इससे पहले ही उठ कर खड़ी हो गई, पर मेरे कानों में एक साथ अनेक लोगों के सुबकने की ध्वनि आ रही थी। इस अनुभव के बाद भी जब मैं रथ पर बैठने को तैयार नहीं हुई तो हार मान कर राम को स्वयं भी रथ पर बैठना पड़ा, पर लक्ष्मण लोगों के आग्रह के बाद भी लोगों के साथ पैदल ही चलते रहे।

दक्षिण में अवध का राज्यविस्तार गोमती तक ही है। आगे का क्षेत्र कुछ छोटे-छोटे सामंतों और गणों के अधीन है जो समय-समय पर अवध या काशिराज के प्रति अपनी निष्ठा प्रकट करते रहते हैं पर कर किसी को नहीं देते। अवध के सैनिक अवध की राज्यसीमा से आगे उनकी अनुमति के बिना नहीं जा सकते थे, अतः ये लोग भी उससे पहले लौटने को तैयार नहीं हुए। उनके साथ लगे रहने के कारण उन्हें जो भी कष्ट हुआ, हमारी यात्रा बहुत सुगम हो गई। गोमती से पहले

तमसा और वेदश्रुति नदियाँ आती हैं। तमसा को तो आप देख ही रही हैं, माँ, कितनी छोटी नदी है, वेदश्रुति तो नाम के लिए ही नदी है। पर इन्हें रथ से पार करना इसी कारण इतना आसान नहीं हो जाता। सच कहें तो वेदश्रुति को पार करना तमसा से भी कठिन सिद्ध हुआ। उसमें पानी इतना कम था कि इसमें नाव भी नहीं चल सकती थी। यदि वे सहायता नहीं करते तो रथ नदी के बीच कीचड़ में फँस भी सकता था।

परन्तु उनके साथ रहने का सबसे बड़ा लाभ यह हुआ कि हमारे मन में लज्जा और अवसाद का जो गहरा बोध था, वह छँट गया और इस नई और लज्जाजनक वेशभूषा में दिन के समय मार्ग में पड़नेवाले लोगों का सामना होने पर जिस अपमान की अनुभूति का भय आरे की तरह हमारे हृदय को चीर रहा था, वह समाप्त हो गया। मैं राम को दूसरे मनुष्यों से बहुत ऊँचा समझती थी, माँ, पर राह चलते लोगों के पूछताछ करने पर वे लोग उनके गुणों और शील का जिस रूप में वर्णन करते थे, उसे सुन कर जीवन के उस सबसे दुर्भाग्यपूर्ण क्षणों में भी मुझे अपने सौभाग्य पर जितना गर्व होता था, उतना उनके अयोध्यानरेश बन जाने पर नहीं हुआ, माँ। सहानुभूति में लोग हमारे गुणों को कितना अतिरंजित कर देते हैं और इस अतिरंजना द्वारा हमारे सामने आचार के विषय में, अपनी अपेक्षाओं की कितनी बड़ी चुनौती खड़ी कर देते हैं, माँ। निर्वासन की अवधि में राम भावविह्वल हो कर कहते, "मैं उन काल्पनिक ऊँचाई को वास्तव में प्राप्त करना चाहता हूँ सीता, जिस पर लोगों ने मुझे अपने स्नेहातिरेक से बैठा दिया था। वह अयोध्या के राज्य से, पूरे भुवन के राज्य से भी ऊँचा पद है।"

गोमती तक पहुँचने में हमें दो दिन का समय लग गया था। हमारी रक्षा के नाम पर हमारे साथ आए सैनिक भी लौट गए, पर हमारे साथ आए अयोध्यावासियों में कुछ ऐसे दुराग्राही थे जो इसके बाद भी लौटने को तैयार नहीं थे। अब उनका आग्रह यह था कि जहाँ तक रथ जाएगा वहाँ तक वे जाएँगे। सुमन्त्र को गंगा तट तक जाना था। राम के पास एक ही युक्ति थी, "तातश्री का निश्चय गंगा तट तक चलने का था, परन्तु यदि आप लोग वहाँ तक चलने के लिए दृढ़संकल्प ही हैं, जहाँ तक वह जाएँ, तो मैं उनसे भी निवेदन करूँगा कि वह आगे न जा कर यहीं से लौट जाएँ।"

यह तर्क काम कर गया। इस भय से कि कहीं राम सुमन्त्र को भी न लौटा दें और गंगा तक की जो यात्रा वह रथ से कर सकते थे, उसे भी उन्हें पैदल न पार करना पड़े, वे लौटने को तैयार हुए, पर जाने से पहले सुमन्त्र को एक ओर ले जा कर जाने क्या-क्या कहते-समझाते रहे। सुमन्त्र के लौटने से पहले राम ने पूछा था, "अयोध्या के वे स्नेही जन आपको एक किनारे ले जा कर क्या कह रहे थे, तात?"

सुमन्त्र हँसने लगे थे। उन्हें भी भय था कि सुरक्षा सैनिकों के लौटने के बाद

भी निषाद गणराज्य में पहुँचने से पहले आपके ऊपर आघात हो सकता है। वह एक क्षण को रुके थे और फिर कहा था, "उनकी आशंका निर्मूल भी नहीं थी!"

"निषाद गणराज्य में ऐसी क्या बात है, तात, कि उसके विषय में उन्हें कोई दुविधा नहीं थी?" राम ने प्रश्न किया था।

"निषादगण एक शक्तिशाली गणराज्य है। गणराज्यों में से कोई अपरिचित व्यक्ति वहाँ किसी प्रकार का अपराध करके गणराज्य की सीमा से बाहर जीवित नहीं जा सकता।" सुमन्त्र ने समझाया था और फिर कुछ रुक कर कहा था, "महाराज ने भी कुछ सोच कर ही मुझसे गंगा तट तक आपको पहुँचाने का आग्रह किया था।"

जब सभी लौट गए थे और इस बात की आशंका नहीं रह गई थी तो सुमन्त्र ने हमें बहुत-सी ऐसी बातें बताई थीं जिन्हें बताने के लिए वह जाने कितने समय से झटपटा रहे थे।

शृंगवेरपुर पहुँचने पर निषादराज ने हमारी पूरी कथा सुन कर जिस उदारता का परिचय दिया उसकी हम कल्पना भी नहीं कर सकते। तुम यह तो ठीक ही कहती हो माँ कि सभ्य जगत् कुछ दृष्टियों से इतना निर्मम और सम्वेदनशून्य हो जाता है कि वह अपनी व्यवस्था में हो रहे अमानवीय व्यवहारों और प्रथाओं की भयावहता तक को अनुभव करने की शक्ति खो देता है, जबकि असभ्य और वनचर कहे जानेवाले लोग इनकी चर्चा सुनकर भी इन पर विश्वास नहीं कर पाते। विश्वास करते हैं तो सहानुभूति में इतने द्रवित हो जाते हैं कि इस व्यवस्था के हाथों सताए हुए मनुष्य का जीवन और सम्मान लौटाने के लिए कुछ भी करने को तैयार हो जाते हैं। सभ्य जगत् एक ऐसा जगत् है जो कुष्टगलित है। एक क्षत-विक्षत शरीर भी अपने जीवन के अन्तिम क्षण तक अपनी सम्वेदना नहीं खोता। यदि उसके घाव पर एक तिनका भी छू जाए तो वह चीत्कार कर उठता है। पर कुष्टगलित केवल गलित ही नहीं होता। वह उन घावों और विकारों की सम्वेदना भी खो चुका होता है। हमारा समाज वैसा ही है। घाव तो तुम्हारे समाज में भी हैं, पर उसकी संज्ञा और सम्वेदना मरी नहीं है।

जानती हो माँ, निषादराज ने हमारी कथा सुन कर क्या कहा था? कहा था, "अयोध्या का राज्य आप से छिन गया, महाराज, पर आप हमारे राजा बन कर यहाँ रहें। समृद्धि में निषादगण अयोध्या की बराबरी का दावा तो नहीं करते, पर आत्म-सम्मान में वे अयोध्या से अपने को ऊँचा ही समझते हैं। आज से आप हमारे राजा हैं।" कोई विश्वास करेगा, माँ, कि निषादगण जिस स्वतन्त्रता की रक्षा के लिए अपने प्राण देने को तैयार रहते हैं, और इस पर ही जिनकी स्वतन्त्रता टिकी हुई है, उन्हीं का राजा बिना किसी युद्ध और आक्रमण से एक निर्वासित राजकुमार को अपना पूरा गणराज्य सौंपने के लिए तैयार हो गया था। जिन्हें हम पिछड़े हुए लोग और पिछड़ी हुई जातियाँ कहते हैं वे अपने शत्रु के प्रति सदय तो

नहीं होतीं, माँ, और हमने अपनी आँखों से देखा कि उनमें से कुछ तो मनुष्य तक का भक्षण कर सकती हैं, पर साथ ही उनमें मानवीयता का एक ऐसा स्पर्श होता है कि वे किसी दुखी और उत्पीड़ित व्यक्ति के लिए अपना सर्वस्व लुटा देने में तनिक भी संकोच या झिझक नहीं करते।

"अपने गणराज्य पर निषादराज का गर्व अकारण नहीं था। संगम स्थल होने के कारण प्रयाग आर्यावर्त का सबसे प्रधान व्यापारिक केन्द्र है और यहाँ के नवनिर्माण उद्योग तथा परिवहन पर निषादों का एकाधिकार है। गंगा और यमुना के कछार बीज बिखेर देने पर ही किसानों के कोठारों को भर देते हैं। ऊपर से न राजा की उगाही न राजकर्मियों का आतंक। सम्पन्नता की दृष्टि से इनका पूरा गणसमाज धरती के किसी भी अन्य समाज के मन में ईर्ष्या जगा सकता है।"

निषादराज ने हाथ जोड़ कर कहा था, "आप कहीं नहीं जाएँगे, राजकुमार। आप यहीं रहेंगे। हमारे बीच। हमारे राजा बन कर।"

उनका स्नेह देख कर हमारी आँखें भर आई थीं। राम ने कहा था, "मैं आप लोगों को इस स्नेह के बदले संकट में नहीं डालना चाहता, तात। जो कुछ झेलना है, मैं स्वयं झेलूँगा।"

राम को इस बात का अनुमान भी नहीं था कि यह छोटा-सा सुझाव निषादराज को इतना उत्तेजित कर देगा, "आप इस धरती को नहीं जानते, राजकुमार। यह सोना उगलती है, और इसकी धूल से हमारे शरीर अष्टधातु के हो जाते हैं। इस राज्य को देख कर पास-पड़ोस के राजाओं के मुँह में पानी आ जाता है। यदि इसकी रक्षा करने और उनका मुँहतोड़ उत्तर देने की शक्ति हममें नहीं होती, तो हम जाने कब के उनके अधीन हो चुके होते।"

"आप अवध की शक्ति को भी घटा कर देख रहे हैं, तात। उसके सैनिक सुदूर स्वर्गक्षेत्र तक युद्ध के लिए आमन्त्रित किए जाते हैं। वे आयुधजीवी हैं और अवध की सेना विशाल है।" राम ने निषादराज को तोलने के लिए नहीं कहा था, यह। उन्होंने सोचा था यह तर्क अधिक आसानी से उनकी समझ में आ जाएगा।

निषादराज पर इसका उल्टा ही प्रभाव पड़ा था, "हम छोटे लोग हैं, राजकुमार। पिछड़े भी बहुत हैं। अवध के सैनिकों की तरह दूर-दूर जा कर लूट-पाट करना और वहाँ से मालामाल हो कर आना, हम अपने लिए गौरव की बात भी नहीं मानते, न हमारे पास सेना जैसी कोई वस्तु है, न अयोध्या नरेश जैसा वैभव है, न अयोध्या जैसे भवन। हम अयोध्या पर आक्रमण करके उसे पराजित भी नहीं कर सकते। पर एक बात याद रखें राजकुमार, यदि अयोध्या की पूरी सेना यहाँ आ जाए, तो हम उसे गंगा में डुबा कर मछलियों का चारा बना देंगे।" निषादराज की गर्दन गर्व से टेढ़ी हो गई थी, "हम अपने गणराज्य की भी रक्षा करना जानते हैं और अपने वचन की भी। हमारे समाज का बच्चा-बच्चा सैनिक है और अवसर आने पर हमारी

स्त्रियाँ भी पुरुषों के दाँत खट्टे कर सकती हैं।"

राम ने अब अपना स्वर बदल दिया था, "राज्य तो मेरा एक ही है, तात। पिता का दिया हुआ। या तो अयोध्या का राज्य, नहीं तो वन का साम्राज्य। दो को छोड़ मुझे तीसरा स्वीकार नहीं। आपने अपनी उदारता से मुझे अवश्य सदा-सदा के लिए जीत लिया।"

निषादराज को चतुर व्यापारियों से मोलभाव करते रहने के कारण जिस प्रकार की वाक्पटुता प्राप्त हो चुकी थी वह किसी सभासद को भी चकित कर सकती थी, "हारे तो हम स्वयं हैं, राजकुमार। आपको हमारा तुच्छ प्रस्ताव स्वीकार नहीं हुआ, पर यदि कभी भी हमारी सेवा की आवश्यकता हुई तो हम आपके साथ होंगे।"

निषादराज का भवन उतना भव्य नहीं था जितना अयोध्यानरेश का, पर था यह विशाल और पक्का। उनकी अपनी अतिथिशाला भी थी जिसमें असमय नदी पार करने वाले यात्रियों और दूर से आए व्यापारियों के टिकने की व्यवस्था थी। गुह ने हमें अपने भवन में ठहरने का आग्रह किया। वह सुखद भी था और सुरक्षित भी, पर राम ने भवन तो दूर उनकी अतिथिशाला में भी ठहरने से इनकार कर दिया, "जब तक अपने राज्य को वापस नहीं ले लेता तब तक न तो किसी भवन में ठहरूँगा, न पलंग पर सोऊँगा, न सामान्य वस्त्र धारण करूँगा, तात। मेरे हठ को क्षमा करें, पर मैं किसी वृक्ष के नीचे धरती पर ही विश्राम करूँगा।"

निषादराज मुग्ध थे, "राजकुमार हो कर भी आप में हमारे गणसदस्यों जैसा ही स्वाभिमान है।"

राम हँसने लगे थे, "क्या राजकुमारों में स्वाभिमान नहीं होता, तात?"

"उनमें अहंकार होता है। अपनी प्रभुता पर गर्व होता है। अपने सैनिकों और कर्मियों का दम्भ होता है पर स्वयं अपने ऊपर वह अभिमान नहीं होता जो हमारे गणसदस्यों में होता है, राजकुमार। आपको देख कर लगता ही नहीं कि आप हमसे भिन्न हैं।"

उस रात निषादराज को सुमन्त्र के साथ रात भर पहरा देना पड़ा था। एक वृक्ष के नीचे पुआल की मोटी तह बिछाकर उस पर हमारे विश्राम के लिए एक चटाई डाल दी गई थी। निषादराज के साथ-साथ उनके गण के अनेक सदस्य भी कुछ ही दूरी पर आग जला कर रात भर अपनी यात्राओं के अनुभव दुहराते हुए पहरा देते रहे।

गुह अगले दिन प्रातः हमें घाट तक छोड़ने ही नहीं आए, कहा, "नौका आज मैं चलाऊँगा। देखूँ अभ्यास छूटने से सब कुछ भूल तो नहीं गया।"

सुमन्त्र तट पर खड़े हमें दूर जाते देखते रहे। अभी तक उन्होंने संयम का जो मुखौटा ओढ़ रखा था वह एकाएक टूट गया। हमने जब झुक कर उन्हें नमस्कार किया तो वह फफककर रो पड़े। हमारी आँखों का भ्रम था, या ठंड का असर, देखा

उस रथ के घोड़ों की आँखों से भी पानी बह रहा था।

और उस पार जा कर निषादराज का भी साथ छोड़ना पड़ा था। राम ने कहा था, "तात, सबसे बड़ा भाई होने के कारण मैं एक ही सुख से वंचित था। सोचता था कोई मुझसे भी बड़ा होता जो मुझे उसी तरह प्यार करता जैसे मैं अपने अनुजों को करता हूँ। उसी तरह मुझे मेरी नासमझी के लिए डाँटता, जैसे मैं करता था। आपके मिलने से वह लालसा भी पूरी हो गई।"

गद्गद हो गए थे निषादराज। आज तक उन्हें अपने को सवर्ण कहनेवाले जितने भी लोग मिले थे वे अपने स्वार्थ साधन के लिए इनका तरह-तरह से उपयोग करने और हर तरह का लाभ उठाने का प्रयत्न करते हुए भी उनके साथ ऐसा व्यवहार करते थे जैसे उनकी दृष्टि में ये पूरे मनुष्य हों ही नहीं। वहीं, एक क्षत्रिय राजकुमार उनके समस्त अनुरोधों और उपहारों को सादर अस्वीकार करते हुए भी उनके साथ समानता के स्तर पर ही नहीं अपने सगे के रूप में व्यवहार कर रहा था और वह भी तात का सम्बोधन करते हुए, उन्हें अपना अग्रज मानते हुए। अपनी भावविह्वलता को निषादराज छिपा नहीं पाए थे, "तुमने मुझे बिना मोल खरीद लिया, राजकुमार। आज से हमारा समस्त गण तुम्हारा दास हो गया, राम।"

राम ने कोई उत्तर नहीं दिया था। बढ़ कर निषादराज के गले लग गए थे। आँखें दोनों की आर्द्र थीं। आवेग में वे देर तक एक दूसरे से अपने गाल रगड़ते रहे और एक दूसर पर आँसू की बूँदें गिराते रहे थे।

"और इसके बाद?" मंगला जो अभी तक दम साधे यह पूरी कहानी सुन रही थीं कि कुछ बोलने से व्यवधान न पड़ जाए, हठात् बोल उठीं।

गंगा के पार एक बरगद के पेड़ को देख कर राम ने कहा था, "जब वल्कल धारण करके ही रहना है तो तापस का वेश अधूरा क्यों रहे। जटा भी बना ही ली जाए।"

मैंने जटिल तापस तो देखे थे, पर यह नहीं जानती थी कि ये जटाएँ भी बनाई जाती हैं। सोचती थी जो तपस्वी होते हैं उनकी जटाएँ स्वतः बन जाती हैं। अब राम के सुझाव पर हमने अपने बालों को बट का दूध ले कर जहाँ-तहाँ भिगोया और आगे जटिल बनने के लिए हमारे करने को कुछ बाकी नहीं था। बालों को स्वतः चिपक कर उलझ जाना था।

आगे प्रस्थान करने से पहले राम ने भारद्वाज के दर्शन करके उनसे मार्गदर्शन लेना उचित समझा। आश्रम में प्रवेश करते हुए हमें यह विश्वास था कि प्रथम दृष्टि में हमें भी सामान्य संन्यासी समझा जाएगा, पर हमारे वेश के बावजूद हमारे भीतर कुछ ऐसी कमी थी जिसे लक्ष्य करके वहाँ का प्रत्येक व्यक्ति हमारी ओर कुछ विस्मय से देख रहा था। भारद्वाज ने तो स्पष्ट पूछ ही लिया था, "तुम कौन हो वत्स? संन्यासी लगते नहीं और गृहस्थ हो नहीं सकते?"

राम ने अपना परिचय दिया था। अपनी कहानी सुनाई थी। उन्हें यह जानकर आश्चर्य हुआ था कि भारद्वाज को उनके विषय में बहुत-सी बातें पहले से ज्ञात थीं।

"आप तो सर्वज्ञ हैं, ऋषिवर।" राम ने अपने आश्चर्य को प्रकट भी कर दिया था।

भारद्वाज हँसने लगे थे, "कुछ लोग ऐसा भी दावा करते हैं, परन्तु मैं नहीं। अपने को स्वयं छलने का अपराध मैं नहीं कर सकता, तात। हम बहुत-सी बातें इसलिए जानते हैं कि हमारे आश्रम सभी आगन्तुकों के लिए खुले रहते हैं। कोई कहीं से भी आए। हर आने-जानेवाले से हम उसके परिचय के अतिरिक्त उन क्षेत्रों के विषय में भी जानकारी प्राप्त करते रहते हैं जहाँ से वह आया है। इतना ही नहीं, उसने अपने मार्ग में जो कुछ देखा है उसका भी समाचार हम लेते रहते हैं। समाज से कटे इन एकान्त केन्द्रों पर बैठने के कारण विराट् जगत् से जुड़ने का यह हमारा अपना ढंग है। परन्तु इस क्रम में हमें ऐसी बहुत-सी बातों का ज्ञान रहता है जिनकी अपेक्षा लोग यह सोच कर हमसे नहीं करते कि हम तो संसार से पूरी तरह कटे हुए लोग हैं। हमें यह पता चल कैसे गया। इसी का लाभ उठा कर हममें से अनेक धूर्त त्रिकालज्ञ होने तक का दावा कर बैठते हैं। मैं आपके विषय में उस समय से ही कुछ-कुछ जानता रहा हूँ जब महाराज दशरथ ने अपने राज्य का अधिकार आपकी विमाता के पुत्र को देने का वचन दिया था। विश्वामित्र के शिष्य के रूप में आपने जो कुछ किया उसकी सूचना तो मुझे स्वयं विश्वामित्र से ही मिली थी।"

राम आश्चर्य से भारद्वाज के मुख को देखते रह गए थे। जहाँ दूसरे लोग सहज प्राप्त यंश से ही सन्तुष्ट न रह कर अपनी ओर से भी उसमें कुछ जोड़ने लगते हैं, वहाँ यह एक ऋषि हैं, जो अपने आभामंडल को स्वयं काट कर, एक सामान्य मनुष्य के रूप में अपनी पहचान बनाए रखने को मिथ्या गौरव से अधिक महत्त्वपूर्ण मानते हैं।

"आपको तो केवल यही ज्ञात है कि महाराज के राज्याधिकार के विषय में एक महासभा बुलाई थी, पर शायद यह पता न हो कि यह महासभा बुलाई क्यों थी, और किसके आग्रह से।" भारद्वाज ने प्रश्न किया था तो राम का विस्मय कुछ और बढ़ गया था। उन्होंने केवल प्रश्न विह्वल आँखों से भारद्वाज की ओर देखा था : "क्यों बुलाई थी सभा? किसके आग्रह से?"

"मिथिला में जब महाराज दशरथ से विश्वामित्र का मिलन हुआ था तो उनसे उन्होंने एक ही चिन्ता प्रकट की, राज्य के उत्तराधिकार की जो आर्य परम्परा है, उसका उल्लंघन रघुवंश में एक ही बार हुआ और इसका अपयश आप के सिर ही लगा, महाराज?"

महाराज घबरा गए थे। हम ऋषियों की एक ही शक्ति है, तात। निर्भीक हो कर सच को कहने की शक्ति। सच को कहने के लिए कोई भी संकट उठाने का साहस। हमारी इसी शक्ति और साहस के आगे ऐसे सम्राटों को भी शीतज्वर आ जाता है, तात, जिनकी भौंह टेढ़ी होने पर भूकम्प आ जाता है। महाराज ने जानते हुए भी अनजान बनते हुए कहा था, "मैं आपका आशय समझा नहीं?"

"यदि आपने मेरे आशय को न समझा होता तो मुझे उतनी चिन्ता नहीं होती, जितनी इस बात से हो रही है कि आपने मेरे आशय को समझ पाने की शक्ति और साहस दोनों को खो दिया है।" विश्वामित्र ने कहा था।

विश्वामित्र के इस आघात से महाराज के पाँव लड़खड़ा गए थे, "आप पहले अपनी बात स्पष्ट कर के कहें और उस पर मेरा मत जानने के बाद ही मेरे दोष-गुण मुझे समझाएँ तो अधिक ठीक रहेगा।" उन्होंने अपने स्वर को दृढ़ बनाते हुए, पर एक ऐसी आवाज में उत्तर दिया था, जिससे यह भी प्रकट हो रहा था कि महाराज को अपने शब्दों की व्यर्थता का बोध स्वयं भी है।

"महाराज, यदि कोई व्यक्ति अपने उत्तराधिकार प्राप्त राज्य को अपनी वासनापूर्ति के लिए मान्य क्रम से भिन्न रूप में किसी भी युवती को देने का आश्वासन दे कर उससे विवाह कर सकता है तो कोई दूसरा इसे अपनी निजी वस्तु मान कर किसी को दे सकता, या जुए पर चढ़ा सकता, या किसी को पुरस्कार भी दे सकता है। फिर राजपद की मर्यादा क्या रह जाएगी?" विश्वामित्र ने महाराज पर आघात करते हुए कहा था।

अब महाराज के लिए यह बहाना बनाना भी सम्भव नहीं था कि बात उनकी समझ में नहीं आ रही है। उन्होंने कुछ खीझ कर कहा था, "आप क्या समझते हैं, राजा होने के बाद भी कोई अपना निर्णय आप से पूछ कर लेगा?"

विश्वामित्र ने कहा था, "यदि उसमें विवेक होगा तो! उसकी अपेक्षा आप से रखना व्यर्थ है।"

महाराज को इतने कठोर वाक्य जीवन में पहली बार सुनने को मिल रहे थे और मिल भी एक ऐसे स्थल पर रहे थे जहाँ वह विश्वामित्र को 'शिक्षा' देने की स्थिति में भी नहीं थे। उन्होंने अपने रोष को केवल एक शब्द में प्रकट किया था, "ऋषिवर!"

विश्वामित्र अब सहज हो गए थे, "महाराज, प्रजा ने अपनी सहमति से मनु को राजा बनाया था। उन्हें अपने कुछ अधिकार सौंपे थे और उन्होंने अपने को कुछ कर्तव्यों से जोड़ा था। इसका अर्थ यह है कि राज्य प्रजा का है, उसे राजा मनमाने ढंग से न तो फेंक सकता है, न अपनी निजी वासना या लत के कारण किसी को दे सकता है। उत्तराधिकार की एक मान्य परम्परा है और उससे हटने का राजा को भी तभी अधिकार है जब उसे पता चल जाए कि उसका बड़ा पुत्र उन्मत्त, असाध्य

रोगग्रस्त, कुष्टग्रस्त या मूर्ख या घोर दुर्व्यसनी है। किसी अन्य स्थिति में वह इस परम्परा से कदापि हट नहीं सकता। आपने पहली बार ऐसा करके रघुवंश को कलंकित कर दिया।"

महाराज घुटनों के बल आ गिरे थे, "पर भूल तो हो चुकी। अब इसका उपचार क्या है?"

और तब विश्वामित्र ने वह उपचार सुझाया था जो अब सभी को मालूम है।

"यदि इतनी अन्तरंग सूचनाओं के बल पर ऋषि लोग अपने को त्रिकालदर्शी भी कहें तो इसमें हानि ही क्या है?" राम ने श्रद्धाविह्वल हो कर कहा था।

भारद्वाज हँसने लगे थे, "आप मनुष्य ही दुर्बलता को अच्छी तरह पहचानते हैं, राजकुमार। प्रशंसा की भूख। यही तो हमारी एकमात्र दुर्बलता है जिसके कारण जंगलों और पहाड़ों की निर्जनता को भी हम हँस कर स्वीकार कर लेते हैं। आदर और पूजा पाने की भूख ही तो हमें मर्कट की भाँति नचाती रहती है। आप बहुत प्रियवादी हैं।"

राम हाथ जोड़े खड़े थे मानो कोई भूल हो गई हो।

"यदि उचित समझें तो यहीं एक कुटी की व्यवस्था कर दूँ। आपके यहाँ रहने पर मेरा भी अकेलापन कम हो जाएगा। आनेवालों की भीड़ तो लगी रहती है, पर उस भीड़ में मैं अपने को अकेला अनुभव करता हूँ। आपसे बातें करके लगा, आप दूसरों से भिन्न हैं।" भारद्वाज ने उस विशाल भंडार की ओर संकेत करते हुए कहा था जिसमें दान में मिली वस्तुएँ संचित थीं, "यहाँ किसी वस्तु का अभाव नहीं रहेगा।"

राम को दान पर जीना अपने पुरुषार्थ का अपमान-सा लगता था, पर उन्होंने विनम्र स्वर में केवल यह कहा था कि प्रयाग अयोध्या के इतने निकट है और भारद्वाज आश्रम इतना प्रसिद्ध है कि इसकी सूचना अयोध्या पहुँचते देर नहीं लगेगी और अनुरोध किया था, "मुझे कुछ अधिक सुरक्षित स्थान चाहिए, ऋषिवर।"

इसके बाद भारद्वाज ने राम को एकान्त में ले जा कर समझाया था कि वह यमुना को पार करके चित्रकूट चले जाएँ। वहाँ एकान्त भी रहेगा और कुछ तपस्वियों का साथ भी रहेगा। उन्होंने राम की हर प्रकार से सहायता करने का भी आश्वासन दिया था। उन्होंने कुछ और भी समझाया था जिसे राम ने तत्काल तो नहीं बताया था पर समय-समय पर याद करते हुए कहते थे, 'भारद्वाज ऋषि ने भी कहा था' या 'भारद्वाज ऋषि ने पहले ही बताया था...'।

उन्हीं के सुझाव पर राम ने यमुना के घाट को छोड़ कर दूर एकान्त में जा कर स्वयं एक प्लव बना कर यमुना को पार किया था ताकि यदि उनका पीछा करनेवाले टोह लेते आएँ भी तो घाट पर पूछ कर यह मान लें कि उन्होंने यमुना को पार नहीं किया है और गंगा-यमुना के बीच के वन भाग में ही कहीं छिपे हुए हैं।

22

नगर सेठ चित्ररथ को यह जानकर अपार प्रसन्नता तो हुई ही कि छोटी राजमाता अपने आभूषण बेचना चाहती हैं, पर साथ ही उनके आश्चर्य का भी ठिकाना नहीं रहा। उनके आश्चर्य को केवल आश्चर्य कहना उनके आश्चर्य का उपहास करना होगा। जैसे उनके कारीगर सोने के आभूषण बनाते समय उसमें टाँका मिलाते थे, उसी तरह उनके आश्चर्य में एक अनुमान भी जुड़ा हुआ था कि यह भी छोटी राजमाता की कोई नई चाल ही हो सकती है। सम्भव है ऐसा करके वह लोक में यह प्रचारित करना चाहती हों कि अब उनकी आवश्यकताओं की पूर्ति तक राम के शासन में नहीं हो पा रही है। या सम्भव है...नगर सेठ ने अपनी कल्पना को थकाने में कोई लाभ न देख कर इस दूसरे 'सम्भव' को बीच में ही रोक दिया क्योंकि, सम्भव जो भी हो, इतना तो निश्चित ही था कि राजमाता के अमूल्य आभूषण उन्हें बिना मोल मिलने जा रहे थे। परन्तु अपनी प्रसन्नता और आश्चर्य दोनों को दबाना भी वह जानते थे। प्रकट रूप में उन्होंने केवल अप्रसन्नता प्रकट की, "राजमाता अपने आभूषण क्यों बेचेंगी? यदि द्रव्य की आवश्यकता ही है तो चित्ररथ तो अभी मर नहीं गया है।"

सन्देश लेकर आनेवाले व्यक्ति ने यदि उन्हें पहले ही इसका आभास दे दिया होता तो वह पहले से ही एक थैली लेकर आए होते और राजमाता के चरणों में डाल देते, "जब तक चित्ररथ जीवित है तब तक राजमाता के आभूषण कैसे बिक सकते हैं!" क्योंकि अनुभव ने उन्हें यही सिखाया था कि अतिरिक्त आत्मीयता और उदारता दिखाने पर मोलभाव में आसानी रहती है और यदि सौदा राजकुल से हो रहा हो तो वहाँ तो मोलभाव का प्रश्न ही नहीं उठता।

"आभूषणों की एक विधवा को क्या आवश्यकता, सेठजी। इन्हें ले कर तो मुझे महाराज की चिता पर जल मरना चाहिए था। जब वही नहीं रहे तो फिर इन आभूषणों की क्या आवश्यकता!" कैकेयी ने अपने कथन को प्रभावशाली बनाने के लिए अपनी आँखों में आँसू भी पैदा कर लिए थे।

चित्ररथ ने बहुत गम्भीर सा चेहरा बनाया था, जैसे कैकेयी से अधिक पीड़ा उन्हें हो रही हो और फिर महाराज का ध्यान करने पर तो उनकी आँखों से सचमुच आँसू निकल आए थे। इतने रंगीन स्वभाव का कोई राजा न तो कभी हुआ, न आगे कभी होगा। और फिर अपने को सँभालते हुए उन्होंने पूछा था, "परन्तु ऐसी आवश्यकता भी क्या आ पड़ी?"

"महाराज के समय में दान पुण्य पर रोक थी ही नहीं और फिर अपने भरत का ही राज्य था। अब इस अवस्था में आ कर अपने को रोका नहीं जाता और..." कैकेयी जानती थीं कि शेष बात तो नगर सेठ बिना कहे भी समझ लेंगे। वह यह

कैसे बतातीं कि सूचनाएँ जुटाने और कुछ विशेष काम कराने के लिए पुरस्कार देना ही पड़ता है और जो कुछ हाथ में था वह निकल चुका है।

चित्ररथ बहुत कुछ बिना समझाए ही समझ लेते हैं। वह सूचनाओं के भंडार हैं और इन्हें भी अपने धन की तरह गाड़ और छिपा कर रखने का महत्त्व जानते हैं। नगर सेठ होने के नाते उन्हें बहुत कुछ ऐसा मालूम हो जाता है जो किसी दूसरे को मालूम नहीं हो सकता। यह सारी जानकारी उनकी चिता पर जल कर भस्म हो जाएगी पर उनके होंठों से बाहर नहीं आएगी।

कैकेयी जब महाराज के साथ ही चिता पर जलने की बात कर रही थीं उस समय कितना आयास करना पड़ा था उन्हें अपनी हँसी रोकने के लिए, पर तभी महाराज के जीवन का करुण अन्त उनकी आँखों के सामने घूम गया था और वह सचमुच अपने को सँभाल नहीं पाए थे। इतना तेजस्वी राजा और उसकी यह गति! मरा भी तो ऐसे समय जब चिता को आग देनेवाला कोई पुत्र भी पास नहीं। उनके मृत शव को काठ की डोंगी बनवा कर सात दिन तक रखना पड़ा था तेल में डुबा कर।

महाराज की मृत्यु ने एक विकट समस्या पैदा कर दी थी। पुत्रों के जीवित रहते कोई अन्य न तो दाह संस्कार कर सकता था, न अंत्येष्टि के अन्य कार्य। घोषित रूप में भरत कैकेय प्रदेश गए हुए थे—यमुना और सरस्वती से भी आगे, व्यास से भी आगे कैकेय प्रदेश और पर्वत शृंखलाओं से परे बसी है उसकी राजधानी गिरिव्रज। वहाँ तक वायुवेग से चलनेवाले रथ से भी पहुँचने और लौटने में एक माह का समय तो लगना ही था। इसके विपरीत राम को तीन दिन पहले ही सुमन्त्र गंगा तट पर छोड़ कर आए थे। अब वह प्रयाग वन में पहुँच गए थे और सम्भवतः वहीं कहीं होंगे भी। सम्भव है निषादराज को स्थान का पता हो। इस अवसर पर उन्हें यदि किसी विश्वस्त व्यक्ति के माध्यम से महाराज के निधन की सूचना मिलती तो वह अपने प्राणों का संकट मोल ले कर भी आ सकते थे। परन्तु वसिष्ठ ने खेद सहित कहा था, "राम संन्यास ले चुके हैं और संन्यासी व्यक्ति से किसी का दाह संस्कार या प्रेतकर्म नहीं कराया जा सकता, अतः भरत को बुलाने की ही व्यवस्था करनी होगी।" उनको भरत के आगमन में उतना विलम्ब भी नहीं दिखाई दे रहा था, "गिरिव्रज है ही कितनी दूर। सात आठ दिन में तो कोई सेना वहाँ जा कर उसे लूट कर भी लौट आए।"

दूसरों की भाँति चित्ररथ ने भी वसिष्ठ की यह बात सुनी थी। कुछ तो अपने स्वभाव के कारण और कुछ नगर सेठ होने के कारण चित्ररथ दुख-सुख में, राजकुल के एक अभिन्न सदस्य के रूप में, काम में जुट जाते थे। इसलिए वहाँ की अधिकांश घटनाओं और सार्वजनिक महत्त्व के निर्णयों में उनका हाथ न भी हो तो भी उनकी जानकारी तो इन्हें रहती ही थी। इसके अतिरिक्त यदि राजा को अपने

गुप्तचरों से समाचार मिलते रहते थे तो नगर सेठ को दूर-दूर से आनेवाले व्यापारियों या सुदूर व्यापार से लौटे अपने नगर के वणिकों के द्वारा अनेक ऐसे समाचार मिल जाते थे जिनकी जानकारी राजा को भी नहीं होती थी।

यदि चित्ररथ को यह पता न होता कि राम के राज्याभिषेक के अवसर पर उनके वनवास की सूचना से जो जन आक्रोश फैला था उससे आतंकित होकर नगर से केवल एक हरियोजन की दूरी तक पहुँच आए भरत को कैकेयी ने सन्देश भेजा था कि वह पीछे लौट कर राज्य सीमा पर रुके रहें और आदेश की प्रतीक्षा करें और उस समय वह सचमुच चार हरियोजन की दूरी पर थे, तो उन्होंने अपनी स्वाभाविक साहूकारीवाली भाषा में कह भी दिया होता, "चालीस हरियोजन की दूरी को घटा कर चार हरियोजन में बदलने की योग्यता तो ऋषियों-मुनियों में ही होती है। हम वणिकों को तो जाते भी चालीस दिन लगते हैं और लौटते भी।" पर उन्होंने उल्टे उनका समर्थन ही किया था, "हाँ, यदि घोड़े स्वस्थ हों तो यह गया, वह आया। गिरिव्रज है ही कितनी दूर।"

भरत ननिहाल जाते समय उचित उपहार ले कर गए ही थे। मृत्यु की सूचना ले कर जानेवालों के साथ उपहार भेजने का तो प्रश्न ही नहीं उठता था। परन्तु जब स्वयं कैकेयी के आदेश से और वसिष्ठ की सहमति से कई हजार स्वर्ण मुद्राएँ सम्वाद ले कर जानेवाले दल के साथ भेजी गईं तो चित्ररथ को इन दोनों व्यक्तियों की समझदारी पर सन्देह हुआ था। वह जानते थे कि कैकेय सैनिकों को तुष्ट करना और युधाजित को समुचित रूप में पुरस्कृत करना आवश्यक था, अन्यथा यदि युधाजित स्वयं भरत को इस अवसर पर बंदी बना कर उसी सेना के साथ अयोध्या पर आक्रमण कर देता और राज्य को न भी हड़पता, केवल कोष लूट कर ही अपने देश लौटने की योजना बनाता, तो भी कैकेयी के लिए भारी संकट आ सकता था। वह यह भी जानते थे कि ऐसी स्थितियों में न तो कोई किसी का भाई होता है, न मित्र, न पिता, न पुत्र। सत्ता का अपना तर्क होता है, अपनी अनोखी भूख और अपना दबाव जिसे रोक पाना किसी के लिए कठिन होता है। अतः यदि इतना बड़ा पुरस्कार भेजा जा रहा था जिसे देख कर ही समझा जा सकता था कि अयोध्या का कोष रिक्त कर दिया गया है तो उन्हें इस पर आश्चर्य नहीं था। आश्चर्य इस बात पर था कि इस राशि को सबको बता कर क्यों भेजा जा रहा था। इसे गुप्त रीति से भी तो भेजा जा सकता था।

चित्ररथ को कैकेयी की बुद्धि पर केवल एक ही बार कुछ भरोसा हुआ था। तब भी वह यह नहीं जान सके थे कि यह विचार उन्हीं का था या वसिष्ठ का। चित्ररथ को बुलाया गया था, "सोने की एक पादुका कितने समय में तैयार हो सकती है?"

"तैयार तो जब चाहें हो सकती है, परन्तु किस आकार की? किस प्रयोजन

से?" सोने की पादुका! चित्ररथ ने सोचा था सोने की पादुका तो दूर, पाँवों में तो सोने के आभूषण तक नहीं डाले जाते। और फिर इतनी भारी पादुका पहनेगा कौन? यदि स्वर्णजटित पादुका की भी बात हो तो भी सोना पड़ेगा तो पाँव में ही। फिर उस दशा में काठ की पादुका दे कर उस पर जड़ाई का काम करने को कहा जाता। अतः इतना तो स्पष्ट था कि है यह दान के लिए ही। दान लेनेवाले को सोना चाहिए, भले वह पादुका बन कर ही मिले। पर अब तो महाराज का प्रेतकर्म और भरत का अभिषेक दोनों सम्पन्न हो चुके थे!

चित्ररथ की उलझन को कैकेयी ने भी लक्ष्य कर दिया था, "मेरे भरत को इस बात का बहुत खेद है कि उनके राज्य के कारण बड़े भाई को वनवास भोगना पड़ रहा है। वह उन्हें मना कर अयोध्या ले आना चाहते हैं, परन्तु राम का स्वभाव तो आप सभी जानते ही हैं। एक बार वन चले गए तो सम्भव है, लौटना पसन्द ही न करें। उस दशा में इस पादुका को ही वह राम के चरणों से स्पर्श करा कर लाएँगे और इसके बाद वह स्वयं न तो सिंहासन पर बैठेंगे न ही राजमुकुट धारण करेंगे। राज सिंहासन पर यह पादुका ही विराजमान रहेगी। राज्य संचालन के लिए सिंहासन पर बैठना तो आवश्यक है नहीं। अब इसे ध्यान में रख कर एक सुन्दर सी पादुका बनाएँ। आकार जो भी उचित समझें।"

चित्ररथ दंग रह गए थे, कैकेयी की दूरदर्शिता पर। भरत की सोच-समझ को देख कर वह भी जानते थे कि उनके सिंहासन पर बैठने के बाद भी शासन कैकेयी के ही हाथ में रहेगा और भरत आजीवन एक आज्ञाकारी पुत्र ही बने रहेंगे, परन्तु यह देख कर उनके आश्चर्य की सीमा नहीं थी कि अपनी एक ही सूझ से वह कितने प्रयोजन सिद्ध कर लेना चाहती हैं।

कैकेयी ने जो पूर्वानुमान लगाया था कि जिस रूप में और जिन परिस्थितियों में राम को निर्वासित और महाराज को निर्यातित किया गया है उनमें राम जैसे तत्त्वविद की तो बात ही अलग, कोई सामान्य बुद्धि का व्यक्ति भी यह नहीं मान सकता कि उसे निर्वासित करनेवाला वही व्यक्ति उसी राज्य को उसे वापस करने आया है। यह तो सपरिवार आत्महत्या के लिए तैयार होने जैसा था। परन्तु राम के सुनिश्चित अस्वीकार का प्रयोग जिस कुशलता से वह एक ओर महाराज की मृत्यु के बाद उत्पन्न जनक्षोभ को शान्त करने, अपने शासन की जड़ें गहरी करने और साथ ही स्वयं अपने पुत्र को सत्ता से वंचित करने के लिए करने जा रही थीं, उसकी ओर ध्यान जाने पर कैकेयी की सारी विनम्रता के बाद भी चित्ररथ को भीतर ही भीतर घबराहट हो रही थी। जो बात इसके बाद भी चित्ररथ को उस समय समझ में नहीं आई थी और जिसे कैकेयी और वसिष्ठ को छोड़ कर भरत तक नहीं जानते थे। वह था जनजातियों और गणप्रधानों के बीच राम के प्रभाव और उनके संगठन कार्य का मूल्यांकन। सेना की उपस्थिति और अन्य संकेतों से

वह राम पर यह प्रकट कर देना चाहती थीं कि यदि उनकी गतिविधियाँ ये ही रहीं तो उन्हें इसका परिणाम भुगतना होगा। राजनीति में फुसफुसाहट चीत्कार से अधिक ऊँची होती है और गूढ़ संकेत खुली घोषणाओं से अधिक मुखर होते हैं, यह चित्ररथ को अवश्य मालूम था।

यह एक बहुत विशाल अभियान था। ऐसा अभियान जैसा इससे पहले कभी देखने में नहीं आया था। कैकेयी को अपने चरों से राम की एक-एक गतिविधि की सूचना मिल रही थी अतः उन्हें पता था कि राम ने अनेक गणों का समर्थन प्राप्त कर लिया है। अभियान को इतना विशाल बनाना था कि इसे देख कर ही लोगों को पसीना आ जाए। इतनी विशाल सेना अवध के पास थी नहीं अतः अयोध्या के जो भी तरुण और प्रौढ़ थे, सभी को राम को 'वापस बुलाने' के इस महा अभियान में सम्मिलित किया गया था और इस अवसर पर वे सभी अपने को गौरवशाली अनुभव कर रहे थे।

अवध की चतुरंगिणी सेना और उसके साथ विशाल जनसमुदाय अपने लाठी-भाले के साथ। कौन नहीं थर्रा उठता इसे देखकर। परन्तु निषादराज ने यह सूचना पा कर कि भरत एक विशाल सेना ले कर आ रहे हैं सारी नौकाएँ इकट्ठी कर लीं और निषाद युवक उन पर अपनी लग्गी-बल्ली और भाले, तीर-धनुष ले कर सवार हो कर नदी के बीच में पहुँच गए। सूचना भेज दी कि नदी पार करने के लिए उन्हें नौकाएँ तो नहीं ही मिलेंगी यदि तैर कर हाथी-घोड़ों की पीठ पर नदी पार करने का प्रयत्न किया गया तो ऐसा दुस्साहस करनेवालों को बीच धार में ही डुबा कर मार दिया जाएगा। सुमन्त्र उस समय चित्ररथ के निकट ही थे। कहा था, "जानते हो सेठ, निषादराज ने राम से क्या कहा था?"

चित्ररथ के पूछने पर उन्होंने अवध की सेना को मछलियों का चारा बना देने की बात सुनाई थी और इस पर वह भाव विह्वल हो कर कहने लगे थे, "गण समाजों की निष्ठा न तो दंडभय से टूटती है न ही दाम-दमड़ी का लोभ इन्हें विचलित करता है। संगठन इतना शक्तिशाली होता है कि फूट डालनेवाले की किस्मत फूट जाएगी, पर इनके बीच दरार नहीं पड़ सकती। इनको केवल एक ही चीज वश में कर पाती है और वह है प्रेम से समझाना। वह अभी यह कह ही रहे थे कि देखा वसिष्ठ भरत को साथ लिए घाट की ओर बढ़े जा रहे हैं और शेष सेना और पौर जन पीछे ही रोके जा रहे हैं। उन्होंने जब निहत्थे घाट पर जा कर गुहार लगाई थी तो निषादराज के निकट आने पर यह बताया था कि वे राम को मना कर वापस लाने जा रहे हैं और इसके प्रमाण स्वरूप यह बताया था कि साथ में केवल सेना ही नहीं जा रही है राज माताएँ भी जा रही हैं तो गुह के मन का संशय कुछ कम हुआ था फिर भी, "मना कर वापस लाने के लिए इतनी विशाल सेना ले कर जाने की क्या आवश्यकता थी?"

उत्तर भरत ने ही दिया था, पर वही उत्तर जो इस प्रश्न के विषय में उन्हें लगभग रटा दिया गया था, "सेना तो मात्र राजकीय सम्मान के लिए है। जानेवाले तो मुख्य रूप से अवध के निवासी हैं, जो अपने को रोक नहीं पाए।"

निषादराज भरत की बात की सत्यता जाँचने के लिए नौका को किनारे लगा कर उससे उतर आए थे और नाविक को संकेत किया था कि वह नौका को पुनः धारा में ले ले! अब वह भरत और वसिष्ठ के साथ सेना का निरीक्षण करने लौट रहे थे। उन्हें भरत के कथन में सच्चाई दिखाई दी थी। अब वह उनका अभिवादन कर रहे थे और पूरे दल-बल के साथ स्वयं भी राम को वापस लाने के लिए भरत के साथ जाने को तैयार हो गए थे, और तैयार हो गए थे प्रयाग वन से राम को ढूँढ़ निकालने के लिए भी।

प्रयाग वन में राम को खोज का काम न तो सरल था, न ही भरत के लिए सुसाध्य। इस क्षेत्र में बसी जनजातियों से सम्राटों को भी भय होता। इन्हें दबाने के कई बार प्रयत्न हुए। गंगा और यमुना का संगम होने के कारण आर्यावर्त के प्रधानतम जलमार्ग के संगम स्थल पर उपद्रव होने से व्यापार और यातायात नष्ट हो सकता था। इस पर नियन्त्रण आवश्यक था ही। अतः इस विशाल वनक्षेत्र में, जो पश्चिम में कालकवन तक फैला था, जो भी वन्य जातियाँ रहती थीं उनके जीतने और दबाने के प्रयत्न बार-बार होते थे और दमनकारी सेनाओं के आने पर ये कुछ समय के लिए दब या झुक जाती थीं, या उनका सामना ही नहीं करती थीं और जहाँ-तहाँ छिप जाती थीं। सेना के लौटते ही फिर सिर तान कर खड़ी हो जाती थीं। प्रयाग में जो सैकड़ों अश्वमेधों के सम्पन्न होने की ख्याति है, वह विभिन्न राजाओं द्वारा इसी प्रकार के दमनचक्र चलाने के बाद अपनी विजय की घोषणाओं और इन्हें यज्ञसत्र द्वारा विज्ञापित करने के प्रयत्नों पर टिकी है, यह चित्ररथ को ही नहीं वसिष्ठ और कैकेयी को भी ज्ञात था। प्रयाग में इसके निमित्त इतनी बार जय अभियान चलाने और इनके समारोह स्वरूप यज्ञ करने पड़े कि इसका नाम प्रयाग-राज पड़ गया, यही अपनी स्वतन्त्रता के लिए इस क्षेत्र की जनजातियों के सतत विद्रोह की कहानी भी कहता था। जंगल इतना सघन था कि इसमें भरत अपनी पूरी सेना और जनसमाज लिए खो जाते तो उसे ढूँढ़ कर निकालने की आवश्यकता होती। इसी जंगल से राम को ढूँढ़ने का भार ले कर निषादराज ने भरत के काम को कितना आसान बना दिया था!

प्रयाग वन की जनजातियों पर निषादराज का प्रभाव था, पर उससे भी अधिक प्रभाव था ऋषि भारद्वाज का। वसिष्ठ ने भी भारद्वाज का नाम दूर-दूर से ही सुना था। उनके महत्त्व को अच्छी तरह नहीं समझते थे। निषादराज ने ही बताया था कि आगे बढ़ने से पहल राम का इरादा भारद्वाज से मिलने का था, अतः उनसे सम्पर्क करना हर दृष्टि से आवश्यक था।

भारद्वाज गुह नहीं थे। वह भरत के अभियान का आशय समझने में भी चूक नहीं कर सकते थे। जब तक इसको शान्तिपूर्ण बताया जा रहा था, तब तक वह प्रकट रूप से इस पर सन्देह भी नहीं कर सकते थे। जो भी हो, उन्हें भरत पर यह तो प्रकट कर ही देना था कि उनकी विशाल सेना और जनसमाज को वह किसी गिनती में नहीं लेते और आवश्यकता होने पर इसे संकट में डाल सकते हैं। भारद्वाज की भाषा अवश्य कूट-गर्भित थी। उन्होंने आग्रह किया कि भरत अपनी समस्त सेना के साथ उनका आतिथ्य ग्रहण करें और उसके निमित्त उन्होंने सभी के लिए उत्कृष्ट भोजन-पान, विश्राम की ही नहीं अपितु सैनिकों के लिए युवतियों तक की व्यवस्था करके सभी को चकित कर दिया था।

दूसरे जिस बात पर चकित थे वह चित्ररथ के लिए एक सामान्य सी बात थी। ऋषि के इस प्रभाव को वह अपने यौवन काल से जानते थे, जब उन्हें स्वयं अपने पोतों के साथ व्यापारिक यात्राओं पर जाना पड़ता था। संगम स्थल होने के कारण व्यापारियों का प्रयाग से हो कर आना-जाना तो लगा ही रहता था, उन्हें अपने माल सहित यहाँ रुकना, और प्रायः दूसरी नदी से होकर आनेवाले पोतों और व्यापारियों की प्रतीक्षा करनी होती थी। उन्हें सुरक्षा की आवश्यकता थी। भारद्वाज आश्रम उन्हें यह सुरक्षा भी देता था और सुविधाएँ भी। यहाँ सैकड़ों व्यापारी या उनके कर्मचारी टिके रहते थे। पर इनके द्वारा जो विपुल चढ़ावा आता था वह इतना अधिक होता था कि इनसे कई गुना लोगों का नियमित निर्वाह हो सके। ऋषि का भंडार और भंडारा दोनों विशाल पैमाने पर चलते थे और वनवासियों में से भी सैकड़ों ऐसे थे जो यहाँ नियमित सेवा में लगे रहते और यहीं भोजन ग्रहण करते। अधिक समय तक टिक न पानेवाला सामान या पुराना भंडार वह आदिवासी सेवकों के माध्यम से वन्य जनों को बुला कर बाँट देते थे। यही था प्रयाग क्षेत्र के वन्य जनों में उनके प्रभाव और सम्मान का रहस्य। इसी के बल पर उन्होंने देखते-देखते भरत के सैनिकों और पुरजनों का इतना भव्य स्वागत किया था। गणसमाज में नैतिक आग्रह भिन्न होने के कारण उन्हें अपने स्वागत आयोजन में उस तत्त्व को जोड़ने में भी कठिनाई नहीं हुई थी, जिसको ले कर स्वर्ग और इन्द्रलोक की कल्पना मुक्त व्यभिचार केन्द्रों के रूप में की जाती रही है।

परन्तु यह स्वागत गूढ़ संकेत भी था कि यदि भरत को अपनी सेना पर गर्व हो और वह राम को किसी भी प्रकार की क्षति पहुँचाने का इरादा रखते हों तो उन्हें यह जान लेना चाहिए कि लौटते समय उनके सैनिकों के शव प्रयाग वन के शृगालों और भेड़ियों के काम ही आएँगे। स्वागत की भव्य औपचारिकता के साथ ही यह सन्देश कैकेयी और वसिष्ठ को मिल भी रहा था। चित्ररथ को याद है कि वे अपने स्वागत से जितने प्रसन्न लग रहे थे उससे भी अधिक भारद्वाज के प्रभाव और प्रताप से हतप्रभ और किंचित् विचलित। अब उन्हें पहली बार पता चल रहा

था कि भारद्वाज का अर्थ क्या है। सच कहें तो भरे-पूरे भंडार वाले ऋषि का विरुद इतना लोकप्रिय हो गया था कि भारद्वाज स्वयं भी अपना नाम भूल चले थे और यदि कोई उनके वास्तविक नाम से पुकारता तो वह स्वयं भी चौंक उठते। बार्हस्पत्य भारद्वाज के समय से आज तक भारद्वाजों को कभी अभाव का सामना नहीं करना पड़ा, न ही किसी ने अतिथियों के स्वागत-सत्कार में कोई कृपणता बरती। सुहोत्र भारद्वाज को अपने कुल पर किसी राजा से अधिक अभिमान है। भारद्वाज ने ही बताया था कि राम प्रयाग वन में नहीं हैं अपितु यमुना को पार करके चित्रकूट चले गए हैं और वहाँ सामान्य तापसों के बीच रह रहे हैं।

चित्रकूट पहुँचने पर जो दृश्य देखने को मिला था, उसे चित्ररथ कभी भूल नहीं सकते। जिस स्थल पर राम का कुटीर था वह ऊँचाई पर था। उसे लगभग तीन ओर से घेर कर और चौथी दिशा में कुछ सशस्त्र सैनिकों को नियुक्त करके एक मंडल सा बना लिया गया था, पर सेना को तथा पुरजनों को पीछे ही रोक दिया गया था। वसिष्ठ के साथ केवल भरत ही बिना किसी अस्त्र-शस्त्र के आगे बढ़े थे। इतनी विशाल सेना और हाथी-घोड़ों के जत्थे के साथ अयोध्यावासियों के बढ़ने से वन में जो कोलाहल मचा था उससे पशु जान बचा कर भागने और पक्षी क्रंदन करने लगे थे और इसलिए सेना के दृष्टिगोचर होने से पहले ही आश्रमवासी उस दिशा की ओर एकटक देख रहे थे।

चित्ररथ को बाद में पता चला था कि जो लक्षण अन्य तापसों के लिए मात्र विस्मय और कौतूहल की वस्तु थे, उन्हीं से राम के मन में कितना आतंक पैदा हो गया था। भाग कर कहीं छिपने पर यदि वहाँ घेर लिए जाते तो उनकी दुखद अन्तलीला का कोई दर्शक तक नहीं मिलता। छिपने-बचने की अधिक सम्भावना नहीं थी। जल्दी-जल्दी सीता को एक कंदरा में छिपाया। लक्ष्मण अपने धनुष और तरकश के साथ एक ऊँचे इंगुदी वृक्ष पर चढ़ गए थे और वहीं से एक अर्धचन्द्र बना कर बढ़ती सेना को लक्ष्य कर रहे थे।

"कैकेयी का बेटा हमें मारने आ रहा है, भैया।" भरत पर दृष्टि पड़ते ही लक्ष्मण चीख पड़े थे। उन्होंने एक तीर निकाल कर अपने धनुष पर चढ़ा लिया था। वाण को विषाक्त बनाने की जो पद्धति विश्वामित्र ने सिखाई थी, राम और लक्ष्मण उसका प्रयोग अभी तक वन के हिंस्र पशुओं पर ही करते आए थे। भक्ष्य जीवों के लिए निर्विष वाणों का ही प्रयोग करते थे। आज विषाक्त वाणों की चरम सार्थकता का दिन था। राम और लक्ष्मण के लिए यह जीने-मरने का दिन था। उन्हें अपनी अन्तिम घड़ी सूर्य की गति से नहीं, आगे बढ़ती सेना के प्रत्येक डग के साथ, निकट आती लग रही थी। लक्ष्मण भीतर से बहुत उत्तेजित थे। उनकी उत्तेजना तब भी कम नहीं हुई जब सेना का बढ़ना रुक गया और भरत अकेले और बिना किसी आयुध के आगे बढ़े। लक्ष्मण की दृष्टि भरत पर इस प्रकार

केन्द्रित हो रही थी कि यह बात भी उनके ध्यान में कुछ विलम्ब से आई कि भरत के साथ वसिष्ठ भी आ रहे हैं।

राम ने लक्ष्मण के चीत्कार पर बड़े शान्त स्वर में कहा था, "विपत्ति के समय उत्तेजना नहीं धैर्य काम आता है, लक्ष्मण।" और फिर हाथ से संकेत किया था कि वह अभी संयम से काम लें।

भरत का वेश साधारण ही था, परन्तु इतना साधारण नहीं कि जिससे यह न पता चल सके कि वह अवध के राजा हैं। जब राम की दृष्टि भरत पर पड़ी होगी तो उनके मन में गहरी टीस उठी होगी! महाराज के विषय में उनकी आशंका सच हो कर ही रही। कैकेयी ने उनके प्राण ले ही लिए। एक क्षण को गहरा अनुताप भी हुआ होगा कि वह क्यों आशा लगाए रह गए थे कि उनके निर्वासन के बाद सम्भव है महाराज के प्राण बच जाएँ। ग्लानि हुई होगी कि उन्होंने महाराज के प्राण बचाने के लिए अपने प्राणों पर खेल कर निर्वासन का आदेश मिलने पर ही कुछ क्यों नहीं किया? क्यों सोच लिया कि एक बार जिस राजा को बन्दी बनाया जा चुका है, उसके हाथों में सत्ता पुनः सौंपी जा सकती। ये बातें आज चित्ररथ के मस्तिष्क में आ सकती हैं, क्योंकि सुमन्त्र के माध्यम से वह जान चुके हैं कि वन जाते समय राम के मन में क्या विचार उठ रहे थे, परन्तु उस समय उनहें केवल यही पता चला था कि राम को भरत द्वारा यह बताए जाने से पहले कि महाराज का निधन उनकी दुष्ट माँ की क्रूरता और मूर्खता के कारण हो गया, इस बात का आभास तक नहीं हुआ था।

भरत ने वसिष्ठ को आगे कर लिया था और राम की ओर बढ़ते हुए उनके पाँव काँप रहे थे। वसिष्ठ ने उचित अवसर पर स्वयं अलग हट कर भरत को संकेत किया था कि वह राम को साष्टांग प्रणाम करें और फिर तो राम ने बढ़ कर उन्हें भूमि से उठा ही लिया था और हृदय से लगा लिया था। वसिष्ठ को प्रणाम करने में राम से इसीलिए कुछ विलम्ब भी हो गया था।

राम ने भरत को झिड़ककर कहा था, "अब आप अयोध्यानरेश हैं। प्रणाम आप को नहीं मुझे स्वयं आपको करना चाहिए था।" उनके स्वर में न तो उत्ताप था न होंठों पर व्यंग्य। यदि वास्तविकता ही व्यंग्यपूर्ण थी तो इसके लिए किसे दोष दिया जा सकता था। इसके बाद भी यदि वसिष्ठ ने लौट कर यह बताया था कि राम को भरत द्वारा सूचित किए जाने से पहले इसका आभास नहीं था कि महाराज की मृत्यु हो चुकी है तो क्या इसे सच माना जा सकता है।

कहते हैं राम ने कुशलोपचार में पहले घर-परिवार का समाचार नहीं पूछा था। सम्भवतः इसे पूछने की आवश्यकता भी नहीं रह गई थी। वह भरत से उनके राज्य और व्यवस्था के विषय में ही पूछते रहे थे कि क्या उनके मन्त्रिगण उनके अनुकूल हैं? क्या राजकर्मियों को उनका वेतन उचित समय पर मिला भी या नहीं? प्रजा

उनके शासन से प्रसन्न तो है? उनके भावी कार्यों और इरादों का आभास किसी को पहले तो नहीं हो जाता? वह इस बहाने यह जानना चाहते थे कि कहीं सामन्तों, सैनिकों और सामान्य प्रजा में राम के निर्वासन और महाराज की मृत्यु के कारण रोष इतना अधिक तो नहीं बढ़ गया है कि स्थिति सँभाल से बाहर हो गई हो।

चित्ररथ नहीं जानते इन प्रश्नों पर भरत की प्रतिक्रिया क्या रही होगी, पर उन्हें यह सोच कर उद्वेग अवश्य हुआ होगा कि राम को इस बीच घटित घटनाओं की बहुत अच्छी जानकारी है। उन्होंने सीधे न पूछा हो कि युधाजित और कैकेय सैनिकों को जो उत्कोच दिया गया था, उससे राजकोष खाली हो गया होगा, पर राजकर्मियों और सैनिकों को यथासमय वेतन मिलने के विषय में उनके प्रश्न से भरत को अपनी मन्दता के बाद भी यह सन्देह तो हुआ ही होगा कि राम वास्तविकता से अनभिज्ञ नहीं हैं। इसी तरह कैकेयी के व्यवहार से मन्त्रियों के बीच भी भीतरी असन्तोष था, प्रजा में एक जो छिपा हुआ रोष था, उसका भी आभास उन्होंने दे ही दिया था। फिर भी सम्भव है यह सब मात्र उनकी आशंकाओं और कल्पनाओं की देन रहा हो। यदि चित्ररथ उस अवसर पर वहाँ उपस्थित होते तब अवश्य राम की समस्त गूढ़ोक्तियों के बाद भी उनके हृदय की बात ताड़ ही लेते। राम के शब्दों की नहीं उनके इंगितों की भाषा पढ़ते वह, जिसे वहाँ उपस्थित वसिष्ठ ने पढ़ा होगा और जिसे केवल वही जान सकते थे।

कहते हैं महाराज की मृत्यु का समाचार पा कर राम ने अपना संयम खो दिया था। वह एक बच्चे की तरह रोने लगे थे। फिर वह भरत के राजवेश को देखकर उनसे जो प्रश्न कर रहे थे उसका क्या अर्थ हुआ? इस पक्ष पर ध्यान जाते ही चित्ररथ को लगा कि वह उत्साह में स्वयं अपनी कल्पना को कुछ अधिक रंगीन बना देते हैं। महाराज को बंदी रख कर भी तो राज्य ग्रहण किया जा सकता था। महाराज को बंदी बनाया जा चुका है, यह तो राम को पहले ही पता चल चुका था।

राम ने बिलखते हुए कहा था, "तुम सचमुच भाग्यशाली हो भरत! तुमने पिताजी का श्राद्ध तो कर लिया।"

चित्ररथ को राम का यह कथन कुछ भिन्न रूप में सुनाई पड़ता है, "मुझे इस बात का उतना कष्ट नहीं भरत कि मुझे राज्याधिकार से वंचित किया गया। पर मेरी अनुपस्थिति में पिताजी की मृत्यु और उस मृत्यु के उपरान्त श्राद्धकर्म तक में न बुलाए जाने की पीड़ा मैं कभी नहीं भूल पाऊँगा। महाराज का बड़ा पुत्र होने के बावजूद उनकी एक भूल के कारण राज्य पर भले मेरा अधिकार संदिग्ध हो, पर उनकी अन्त्येष्टि का मेरा अधिकार तो था ही।"

परन्तु इस पूरे प्रकरण में सबसे नाटकीय था राम को अयोध्या वापस लाने के लिए किया जानेवाला आग्रह और राम द्वारा उसका नम्र और सतर्क अस्वीकार। इस अवसर पर तो चित्ररथ स्वयं भी वार्तास्थल पर उपस्थित थे, अतः यहाँ न तो उनकी

कल्पना धोखा दे सकती है, न ही अनुमान। भरत ने तो अपनी माँ को कोसने और फटकारने में गालियों तक का प्रयोग कर दिया था, "मेरी माँ ने जो कुछ किया है उसके कारण उसे नरक में भी ठिकाना नहीं मिलेगा।" कैकेयी स्वयं अबोधता की प्रतिमा बनी आँसू बहा रही थीं और भरत की तो आँखें ही नहीं गला तक भर आया था। चित्ररथ को एक बार को लगा था कि भरत सचमुच भावुक हो गए हैं। उन जैसे सरल चित्त व्यक्ति के लिए किसी के सिखाने पर भी इतना प्रभावशाली अभिनय कर पाना सम्भव नहीं था। यदि वह कोई दुविधा अनुभव कर रहे थे तो केवल इसलिए कि वह पूरी योजना का पूर्वाभास बहुत पहले पा चुके थे।

भरत ने लगभग गिड़गिड़ाते हुए कहा था, "अब तो माँ को भी अपने किए पर बहुत पछतावा है। अपने उन दो वरों के बदले उन्होंने जो कुछ माँगा था, उसे भी लौटा रही हैं। अब तो आपको लौट ही चलना चाहिए।" वसिष्ठ ने भरत की ओर प्रशंसा भरी दृष्टि से देखा था। वह उतने मूर्ख नहीं थे जितना वसिष्ठ ने समझ रखा था।

राम से अब रहा नहीं गया था। उन्होंने कहा था, "पहली बात तो यह कि यह वरदान-वरदान की रट लगाना ठीक नहीं। पिताजी ने तुम्हारी माँ का वरण करते समय ही यह कह दिया था कि राज्य उनके पुत्र को ही मिलेगा। वह तुम्हारा है, तुमने उसे ले भी लिया। वरदान की बात ही यदि मानते हो तो न तो वरदान मैंने दिया था, न ही मुझे इसका ज्ञान है। जिसने वरदान दिया था, वह इस संसार में नहीं रहा। मुझे केवल यह मालूम है कि पिताजी ने मुझसे यह इच्छा प्रकट की थी कि मैं वन जाऊँ। वह जीवित होते और मुझे लौटने को कहते तो बात अलग थी। अब तो यह मेरे लिए उनकी अन्तिम इच्छा बन चुकी है। मैंने पिताजी का श्राद्ध नहीं किया, पर उनको दिए गए वचन का निर्वाह करके उनके प्रति अपनी श्रद्धा प्रकट तो कर ही सकता हूँ। अब पिताजी की मृत्यु के बाद इससे मुकरने का प्रश्न ही नहीं उठता।"

चित्ररथ ने सुना था, "पिताजी के जीवित रहते मैं इस आशा में था कि वह उचित अवसर पा कर मुझे वापस लौटने का निमन्त्रण देंगे और उस स्थिति में मुझे लौटना ही था। इसकी मैं तैयारी भी कर रहा था, पर अब उनकी मृत्यु के बाद तत्काल लौटने का प्रश्न ही नहीं। ऐसा करके मैं उन्हीं की तरह अपने प्राण गँवाना नहीं चाहता।"

और इसी अवसर पर भरत ने वसिष्ठ की ओर दृष्टिपात किया था। वसिष्ठ ने स्वयं वही काम तर्कवाक्यों से किया था और राम को अडिग पा कर उन्होंने ऊँचे स्वर में उनकी प्रशंसा करते हुए घोषणा की थी कि अब वह उस सुवर्णपादुका को अपने चरणों के स्पर्श से पवित्र कर दें जिसे सिंहासन पर रख कर भरत देश का शासन चलाएँगे। राम ने कुछ कहा नहीं था पर चित्ररथ को लगा था चरणों से पादुका का स्पर्श करते हुए राम अपनी हँसी को दबाने का प्रयत्न कर रहे थे।

23

"आपका क्या विचार है, तात, क्या राम को चित्रकूट से अयोध्या वापस लौट आना चाहिए था।" सीता को आरम्भ में वाल्मीकि को तात कहना कुछ अटपटा लगा था। इतना अटपटा मंगला को माँ कहना कभी नहीं लगा। अब सब कुछ इतना स्वाभाविक हो गया है कि लगता है इसके अतिरिक्त कोई दूसरा सम्बोधन हो ही नहीं सकता।

वाल्मीकि के ही आग्रह पर सीता ने अपनी कहानी धीरे-धीरे सुनानी आरम्भ की थी। स्वयं सीता को राम के निर्णय पर कभी सन्देह नहीं हुआ था, परन्तु वनवास के बाद जब वह लौट कर आई थीं तब दासियों और सेवक-सेविकाओं से प्रायः यह सुनने को मिला था कि उसने व्यर्थ ही इतना लम्बा समय वन में बिताया। यदि राम ने उसी समय भरत के अनुरोध को मान लिया होता तो उन यातनाओं से तो बच गए होते जो उन्हें राक्षसों के हाथों उठानी पड़ीं। इसी की याद थी जो सीता ने चित्रकूट की घटना सुनाने के बाद वाल्मीकि से यह प्रश्न कर दिया था।

वाल्मीकि ने जैसे सीता का प्रश्न सुना ही न हो, "राम ने चित्रकूट क्यों छोड़ दिया? क्या यहाँ कोई विशेष कष्ट था?" उन्होंने अपनी ओर से प्रश्न कर दिया।

"कष्ट नहीं था, पर संकट था और उस एक संकट को टालने के लिए हमें जाने कितने संकटों का सामना करना पड़ा।" सीता ने संक्षिप्त सा उत्तर दिया। वह इस उत्तर के बाद यदि यह आशा कर रही थीं कि वाल्मीकि अब उनके प्रश्न का उत्तर देंगे तो यह आशा व्यर्थ सिद्ध हुई। वह इस तरह देख रहे थे मानो अब भी अपने प्रश्न के उत्तर की प्रतीक्षा में हों। वह सीता से बाद की घटनाएँ सुनना चाहते थे न कि बाद की घटनाओं पर सीता का मूल्यांकन। सीता मंगला के साथ बात करते हुए तो एक-एक बात बड़े अधिकार से समझाती थीं, परन्तु वाल्मीकि से बात करते समय उनका आत्मविश्वास लुप्त हो जाता था। उन्हें डर लगा रहता कि पता नहीं किस बात पर रोना आ जाए। अब कुछ कहने से पहले वह अपने मन में एक-एक वाक्य गढ़ लेना चाहती थीं।

भरत के लौटने के बाद चित्रकूट में कुछ असाधारण घटनाएँ होने लगी थीं। ध्यानरत तापसों को कभी कहीं से कोई पत्थर आ कर लग जाता, कभी कोई हड्डी। आहार की चिन्ता में आसपास के क्षेत्र में कंद-मूल की खोज करनेवाले तापसों और तपस्विनियों को विचित्र आकृतियाँ दिखाई देतीं। एक-दो बार आग लगने की भी घटनाएँ हुईं। पहले उस क्षेत्र के वनवासी तापसों से उदासीन रहते थे पर अब कुछ युवक उनको प्रायः मिल जाते और तरह-तरह के प्रश्न करने लगते।

तपस्वी एक-एक करके उस क्षेत्र को छोड़ कर दूर जाने लगे थे। जो पीछे रह

भी गए थे वे राम, लक्ष्मण या सीता से बातें करने से कतराते थे। यदि वे बातें कर रहे होते तो इन्हें देखकर चुप लगा जाते थे। अपनी बातें करते हुए वे जब सीधे इनकी ओर संकेत करते प्रतीत होते तब भी जिज्ञासा करने पर बताते कि वे उसी दिशा में आगे किसी वृक्ष या पक्षी के विषय में बातें कर रहे थे। इन घटनाओं से राम कुछ उद्विग्न रहने लगे थे। उन्होंने यह भी जानना चाहा कि उनसे कोई प्रमाद तो नहीं हुआ है, पर इसका भी संतोषजनक उत्तर नहीं मिला, "आप उन लोगों में नहीं हैं, राजकुमार, जो किसी के प्रति प्रमाद बरतते हों। हम तो यूँ भी तापस हैं, छोटी-मोटी बातों का बुरा ही नहीं मानते।"

एक दिन राम ने एक वृद्ध तापस को वहाँ से प्रस्थान करते देखा तो बढ़ कर रास्ता रोक कर खड़े हो गए, "आप चित्रकूट छोड़ कर क्यों जा रहे हैं?"

"वत्स, भरत के साथ जो सेना और हाथी-घोड़े आए थे उन्होंने इस क्षेत्र की पवित्रता ही नष्ट कर दी। अब यहाँ साधना करने से किसी को सिद्धि नहीं मिल सकती।" वृद्ध ने कहा तो था, पर उसके स्वर से यह भी प्रकट था कि उसे यह पता था कि इस तरह के बहानों पर कोई भी विश्वास नहीं कर सकता।

राम ने उस तापस को एक मीठी झिड़की जिज्ञासा के माध्यम से दी थी, "क्या यह सच है, मुनिवर, कि असत्य बोलने से अर्जित पुण्य का क्षय होता है?"

वह वृद्ध तापस ऐसे सकपका गया जैसे उसे चोरी करते पकड़ लिया गया हो, "मैं झूठ नहीं कह रहा था, वत्स।" उसने अपनी सफाई में हकलाते हुए कहा, पर जाने क्या सोच कर उसके मन में दृढ़ता आ गई, "कभी-कभी अपने अर्जित पुण्य का एक अंश गँवा कर भी किसी को आहत होने से बचाना आवश्यक हो जाता है वत्स।"

राम ने मुस्कराते हुए कहा था, "यदि आप मुझे आहत होने से बचा रहे हों, मुनिवर, तो आप यह अवश्य जान लें कि अप्रिय से अप्रिय समाचार मुझे उतना आहत नहीं करता जितना यह बोध कि लोग मुझे दुर्बल समझ कर बचाने के लिए, अपने आर्य आदर्शों से भी च्युत हो रहे हैं।" वह कुछ रुक कर उस तापस पर अपने वाक्य की प्रतिक्रिया देखने के बाद बोले थे, "यदि मुझसे कोई अपराध या चूक हुई हो तो उसे स्पष्ट कहें। मैं यह जानने के लिए व्यग्र हूँ कि इस आश्रम के लोग इसे छोड़ कर भाग क्यों रहे हैं, और जो रह गए हैं वे भी मुझसे कतराने क्यों लगे हैं?"

वृद्ध के पास अब कोई चारा नहीं था। उसने क्षमायाचना के से स्वर में कहा, "सच कहें तो इसे जानने का सबसे पहला अधिकार आपका ही था, राजकुमार। भूल हमारी ही है जो आपसे यह बात छिपाते रहे। सच कहें तो यहाँ से हमें नहीं, स्वयं आपको, शीघ्र-से-शीघ्र, कहीं अन्यत्र चले जाना चाहिए। संकट में यदि किसी का जीवन है भी तो वह आपका ही है।" वह वृद्ध तपस्वी बहुत डरा हुआ था।

स्पष्ट रूप से कुछ कहने से पहले उस एकान्त स्थल में भी एक बार चारों ओर दृष्टि डाल कर, इस विषय में आश्वस्त हो जाने के बाद कि आसपास कोई नहीं है, उसने फुसफुसाते हुए ही कहा था, "यहाँ जो दो नए तपस्वी आए हैं वे कापटिक हैं।" उसने इससे आगे कोई स्पष्टीकरण नहीं दिया था। फिर उसी तरह चौकन्ना हो कर कहा था, "इस स्थान के जनशून्य हो जाने से पहले ही इसे छोड़ दें। किसी को पता न चले कि यह बात मैंने बताई है। सँभल कर!" उसी ने कुछ ऐसे स्थानों का पता दिया था जहाँ अधिक सुरक्षा हो सकती थी।

राम उस दिन लौटे तो घबराए हुए थे। उनको इस तरह घबराते तो उस समय भी नहीं देखा था, जब वह वनवास का आदेश सुन कर लौटे थे। इसका एक कारण यह था कि वह हमसे यह बात छिपाना भी चाहते थे और साथ ही बचाव के लिए चिन्तित भी थे।

"हमें आज भी आधी रात को यह स्थान छोड़ कर चल देना होगा, लक्ष्मण।" उन्होंने आने के साथ ही लक्ष्मण को सम्बोधित करते हुए कहा था।

लक्ष्मण के लिए राम कभी केवल भाई नहीं रहे। जब महाराज ने राजतिलक का प्रस्ताव नहीं रखा था उस समय भी वह उनके लिए 'महाराज' ही थे। उनके किसी आदेश के बाद वह यह जानने या पूछने की आवश्यकता समझते ही नहीं थे कि इसका कारण क्या है।

मेरे ही मुँह से निकल पड़ा था, "इतनी जल्दी!"

राम ने वास्तविकता पर परदा डालना चाहा था, "सोच तो कई दिन से रहा था। जब यहाँ के तापस हमसे कतराते हैं तो यहाँ रहने से क्या लाभ! आज सोचा अधिक विलम्ब ठीक नहीं।"

राम को मेरी ओर देखने का साहस नहीं हो रहा था और इसी से मेरा ध्यान इस ओर चला गया था कि कहीं कुछ गड़बड़ है। मैं पूछ बैठी थी, "राम के समय, अज्ञात पथ पर, और हिंस्र पशुओं, सरीसृपों की चिन्ता किए बिना, और वह भी जाड़े की रात की ठंड झेलते हुए?"

अब राम के बचाव के सारे द्वार बन्द हो चुके थे। उन्होंने लोगों के कटे रहने का कारण स्पष्ट करते हुए वृद्ध तापस से हुई बातचीत को बिना किसी दुराव के कह सुनाया था। अब वह मेरी ओर मुड़े थे, "दिन के प्रकाश में हमारा पीछा करते हुए वे उस स्थान पर भी पहुँच सकते हैं जहाँ हम स्वयं जाएँगे। स्थान बदलने पर भी कोई लाभ नहीं होगा। इन तापसों से जो इतने डरे हुए हैं कि उन्होंने हमसे बात तक करना छोड़ दिया है और इस भय से कि कहीं वे स्वयं भी संकट में न पड़ जाएँ, हमें छोड़ कर भागने लगे हैं, किसी प्रकार की सहायता की आशा नहीं की जा सकती। इनकी चिन्ता का रहस्य पहले ज्ञात हो गया होता तो अपनी रक्षा के लिए न भी सही, इनका संकट मिटाने के लिए ही, इस स्थान को छोड़ चुका होता।"

यह कृष्ण पक्ष की अष्टमी की रात थी। उचित यह था कि हम चाँद निकलने के बाद प्रस्थान करते। उससे रास्ता पहचानने में कुछ तो सहायता मिलती। पर राम का सुझाव था कि हमें चाँद निकलने से कुछ पहले ही निकल जाना होगा जिससे यदि वे कपटी तापस हम पर दृष्टि रखते भी हों तो उन्हें इनकी आहट न मिल पाए। अतिरिक्त सावधानी बरतते हुए पहले राम कुटी से बाहर निकल कर आगे बढ़े थे और दो-चार सौ डग आगे जा कर प्रतीक्षा करते रहे थे और फिर मैं और सबसे अन्त में लक्ष्मण। एक पेड़ के नीचे रुक कर हम चाँद के निकलने की प्रतीक्षा करते रहे थे और फिर सँभल कर उस दिशा में बढ़ने लगे थे जिधर अत्रि का आश्रम बताया गया था।

मार्ग अपरिचित और असुरक्षित होने के कारण हम भोर होने तक बहुत धीरे-धीरे चलते रहे थे। हमें इस बात का तनिक भी सन्देह नहीं हुआ था कि कोई हमारा पीछा भी कर रहा है। अभी सूर्य निकला भी नहीं था कि हमें मार्ग के किनारे ही एक व्यक्ति आग जला कर तापता हुआ दिखाई दिया। ठंड से हमारे दाँत बज रहे थे। आग देख कर राहत मिली। आसपास कोई मकान या झोंपड़ी न होते हुए भी मार्ग पर इस प्रकार आग जला कर बैठे व्यक्ति को देख कर हमें आश्चर्य तो हुआ, पर हम इतनी सावधानी बरतते हुए चले थे कि इस अटपटेपन के बाद भी किसी प्रकार का सन्देह नहीं हुआ। हम निकट पहुँचे तो उसने हमें सुना कर कहा, "ठंड बहुत कड़ाके की है।"

हमारी ओर से कोई उत्तर न पा कर बोला, "आओ संतो, हाथ तो सेंक लो।"

जाड़े की भोर में पछुआ हवा का प्रभाव कुछ विशेष ही होता है। यह आमन्त्रण पा कर हमें भी प्रसन्नता हुई और हम सभी आग को घेर कर बैठ गए और हाथ सेंकने लगे। वह एक सामान्य वनवासी था। उसके पास न तो कोई घातक हथियार था, न ही उसका स्वास्थ्य इतना अच्छा था जिससे किसी को उससे भय मालूम होता, पर एक क्षण बाद ही उसने हमें अपने वाक्य से कुछ चौंका दिया, "चित्रकूट आश्रम से आ रहे हो ना?"

"आपने यह कैसे जान लिया?" राम ने अपने प्रश्न में ही हामी भी भर दी।

"रात में यात्रा करने का साहस सभी को नहीं होता।" उसने राम के प्रश्न को अनसुना कर दिया था।

"हमें किसी से डर नहीं लगता।"

उत्तर सुन कर वह चकित हो कर राम के मुँह की ओर एकटक देखने लगा।

"हमारी सभी से मैत्री है।" राम ने जैसे अपना अधूरा वाक्य पूरा किया हो।

"शेरों और चीतों से भी?" उसने हँसते हुए पूछा।

"केवल कपटी और छली व्यक्तियों को मैं सहन नहीं करता।" इस बार राम ने भी उसके प्रश्न का उत्तर नहीं दिया और इस वाक्य के साथ ही उठ खड़े हुए।

वह स्वयं भी उठ कर खड़ा हो गया और हमारे साथ चलने लगा। राम ने उसकी ओर कठोर दृष्टि से देखा तो वह सहम कर रुक गया, "अत्रि का आश्रम यहाँ से पूरे एक दिन के रास्ते पर है।" उसने हमारे कुछ दूर आगे बढ़ जाने के बाद कहा। हम मुड़ कर उसे देखने लगे। वह इस वाक्य के साथ ही मुड़ पड़ा था और भागा जा रहा था।

राम ने अपने माथे पर बल देते हुए कहा, "वह वृद्ध तापस कौन था, लक्ष्मण? उसी ने तो अत्रि के आश्रम का पता बताया था और साथ ही यह भी कि रास्ते में भी एक-दो ठिकाने मिलेंगे। यह वनचर कैसे जानता था कि हम अत्रि आश्रम को जा रहे हैं? वह लक्ष्मण से प्रश्न नहीं कर रहे थे। यह एक तरह का आत्मालाप था। इसके बाद ही वह स्वयं भी उसकी ओर दौड़ पड़े थे, "सुनो!"

उसने न सुनने की आवश्यकता समझी, न ही रुका। राम उस स्थान तक गए जहाँ वह आग जला कर बैठा था और फिर उन्होंने एक जलती हुई लकड़ी उठाई और वापस लौटने से पहले कुछ समय तक उसे एकटक देखते रहे। वन में जब वह आँखों से ओझल हो गया तब वह मुड़े। निकट आ कर कहा, "आग साथ ले कर चलना था, पर इस डर से नहीं ली कि अँधेरे में इसकी चमक दूर से ही दिखाई दे जाएगी।" इसके आगे कोई बात नहीं।

थोड़ी देर बाद अपने आप से ही बोले, "आग ही जीवन है। आग और पानी।" फिर चलते हुए ही कहने लगे, "कहीं कोई ताल-पोखर मिल जाए तो!" वह बातें नहीं कर रहे थे। अपने आप से लड़ रहे थे। उस लड़ाई पर परदा डालने के लिए वह इन असम्बद्ध वाक्यों को बीच-बीच में बोल रहे थे जो इतने निरर्थक भी नहीं थे कि इन्हें कोरा प्रलाप कहा जाता।

हिरनों का एक झुंड चरता हुआ दिखाई दिया तो उनकी आँखों में चमक आ गई, "लक्ष्मण!" उन्होंने हिरनों की ओर एक उँगली उठा कर संकेत किया। लक्ष्मण ने एक वाण साधा और उसे छोड़ दिया। तीर एक हिरन की गर्दन में धँस गया था और इसके साथ ही हिरनों का झुंड भयभीत होकर भाग चला था। आहत मृग को भागने में कठिनाई हो रही थी। लक्ष्मण उसके पीछे दौड़ रहे थे। वह भूमि पर गिरा तो नहीं था पर भाग कर बच भी नहीं सका था।

उस हिरन को पीठ पर लाद कर जब लक्ष्मण लौट रहे थे तो लगा, आग जीवन तो है ही, स्वाद और गन्ध भी है। हमारी थकान ने अब भूख का रूप ले लिया था। राम इस बात को लगभग भूल चुके थे कि अभी कुछ देर पहले ही एक ऐसा व्यक्ति मिला था जिसका व्यवहार सन्देह पैदा करनेवाला था। अब वह किसी ऐसे स्थान की तलाश में इधर-उधर देख रहे थे, जहाँ पानी भी मिल सके और लकड़ी भी।

मार्ग में हम किसी आश्रम या तपोवन में रुकना नहीं चाहते थे। अभी तक कोई ऐसा स्थान भी नहीं मिला था जहाँ पानी मिल सके और जब मिला तो

वनवासियों की एक बस्ती भी मिल गई। राम मुस्कराने लगे, "लक्ष्मण, हम इस मृग को किसी परिवार को दे कर वहाँ विश्राम भी तो कर सकते हैं?"

ऐसे अवसरों पर लक्ष्मण 'हाँ' या 'ना' नहीं करते। मुस्करा कर ही अपनी सहमति प्रकट करते हैं। वही उन्होंने किया। जिस बड़े झोंपड़े के सामने हम ठहरे वह प्रधान का था। मृग को देख कर उसकी आँखें चमक उठी थीं और जब राम ने उसे बताया कि यह उपहार वह उसी के लिए लाए हैं तो उसकी प्रसन्नता अपने अतिथि की सेवा के लिए व्यग्रता का रूप ले चुकी थी।

परिवार के सदस्यों के साथ हमने भुना हुआ मांस खाया और धान की मदिरा पी। थकान से हमारी आँखें भारी हो गईं। राम ने उस प्रधान को जब अपनी कहानी सुनाई तो उसके नथने रोष से फड़कने लगे। हम यह नहीं समझ सके कि उसका रोष भरत और कैकेयी पर था, या उस वृद्ध तापस पर, या उस वनचर पर जो हमें मार्ग में मिला था। उसने हमारे विश्राम की व्यवस्था ही नहीं की, उस दिन वहाँ से हिलने भी नहीं दिया और संध्या को उसने हमारे सम्मान में एक भोज ही दे डाला। दिन में हमने उसे जो उपहार दिया था वह मात्र उसके सम्मान के लिए था। वह लोभी नहीं है और अपने अतिथियों का सम्मान करना भी जानता है, यह वह दिखा देना चाहता था। अगले दिन हम अकेले विदा नहीं हुए। हमारे साथ चार तरुण भी थे और कास के एक टोकरे में चिरौंजे के दाने भी थे, "भूख लगने पर खा लेना।"

इस समय हम जितने सुरक्षित अनुभव कर रहे थे उतने सुरक्षित तो अयोध्या में भी कभी अनुभव नहीं किया था। वे हमें अत्रि के आश्रम तक छोड़ कर आए थे। अत्रि आश्रम में हमारा स्वागत कुछ इस तरह हुआ मानो मुनि को हमारे आने की पहले से ही सूचना थी, "तुम्हारे आने की प्रतीक्षा तो कल से ही कर रहे थे, हम।"

हम यह समझ नहीं सके कि मुनि को परानुभूति और दूरानुभूति होती है, या उन्हें हमारे चलने के बाद किसी ने हम से भी पहले पहुँच कर मौखिक सूचना दे दी थी। यदि ऐसी सूचना उन्हें मिल चुकी थी तो निश्चय ही यहाँ तक आने का कोई रास्ता भी रहा होगा जो पहाड़ी स्थलों और जंगलों में प्रायः देखने को मिलता है, क्योंकि सूचना देने वाले व्यक्ति को हम से एक दिन पहले ही पहुँचा होना चाहिए था। हमें उस मार्ग से जाने वाला कोई व्यक्ति कहीं दिखा भी नहीं था। इस सूचना ने हमें अस्थिर न कर दिया होता तो यह स्थान कई दृष्टियों से बहुत अनुकूल था। अनुकूलता की एक बात तो यही थी कि मुनि अपनी पत्नी अनसूया के साथ रहते थे, जिनका स्वभाव अपने नाम के अनुरूप ही था। मेरे लिए यह एक ऐसा लाभ था जिसकी अन्यत्र कल्पना भी नहीं की जा सकती थी। पर वहाँ पर एक रात रहने के बाद ही हमने उस स्थान को भी छोड़ने का निश्चय किया। हम

इसी तरह एक स्थान से दूसरे को, लगातार, इस अनुभूति के साथ भटकते रहे कि हमारा पीछा किया जा रहा है। हमारे पहुँचने पर यह जान कर कि हमारे पीछे कुछ लोग लगे हुए हैं, मुनियों का मन कुछ अस्थिर हो जाता था। अनेक बार तो वे स्वयं यह परामर्श देते कि उनके साथ हमारा रहना न तो उनके लिए शुभ है, न ही हमारे लिए।

हमें इसी तरह डोलते-भागते लम्बा समय बीता था और तब एक दिन राम ने कहा था, "हमें तो निर्वासित किया गया है तब हम वन-वन भटकते फिर रहे हैं, लक्ष्मण, पर इन तापसों और मुनियों को तो इनकी अन्तरात्मा ने ही जीवन से निर्वासित कर दिया है। ये जो जीवन काल में जीवन को नहीं पा सके, वे मृत्यु के बाद एक कल्पित जीवन को पाना चाहते हैं और इस प्रयत्न में अपने जीवन को ही एक लम्बी साँस लेती मौत में बदल देते हैं। अपनी वेदना और सम्वेदना को मारनेवाले ये तापस अपनी संज्ञा और अन्तश्चेतना को भी मार डालते हैं। हम राज्य निर्वासितों को इन आत्मनिर्वासितों के बीच कैसे आश्रय मिलेगा, लक्ष्मण! इससे अच्छा तो वनवासियों के बीच रहना है। वे अपने संकटापन्न जीवन का प्रत्येक क्षण जीने का प्रयत्न तो करते हैं।"

लक्ष्मण ने अभी तक कुछ कहा नहीं था पर सम्भवतः वह बहुत पहले से ऐसा ही अनुभव कर रहे थे, "जब हम वन में आए हैं तो वनवासियों के बीच रहना स्वर्ग के सपनों के पीछे तरह-तरह की यातनाएँ भोगनेवालों के बीच रहने से अधिक अच्छा है। यदि इनके बीच रहना सुरक्षित हो तो भी इनके साथ रह कर हम भी आत्मपीड़कों में बदल जाएँगे।"

राम लक्ष्मण को इस तरह देखने लगे थे जैसे वह अपने अनुज को नहीं किसी आश्चर्य को देख रहे हों।

24

राम का मन भीतर से कितना अशान्त था इसका अनुमान लगा पाना किसी अन्य के लिए सरल न था। लक्ष्मण से भी वह इस विषय में बात नहीं करते थे। आरम्भ में उनकी व्यग्रता बोध के स्तर पर थी, जिससे लड़ने का उन्होंने अपना एक अलग तरीका निकाल लिया था। वह प्रजा के दुख में अपने को डुबा कर, उसे दूर करने के प्रयत्नों में इस तरह लीन रहते कि अपने विषाद की ओर ध्यान ही नहीं जाता था। राजकार्य से मुक्त होने के बाद अवश्य उन्हें केवल सीता की ही चिन्ता सताती रहती थी, परन्तु अपने जीवन में साधकों जैसी सादगी और रुखाई अपना कर वह अपने को इस बात का तोष तो दे ही लेते थे कि राजभवन में रहते हुए भी वह वैसा ही जीवन बिता रहे हैं जैसा सीता स्वयं बिता रही होंगी।

इन दिनों सीता के अभाव की चेतना ने चोर दरवाजे से प्रवेश किया था। उनको अनिद्रा सताने लगी थी। शरीर थक जाता पर आँखों में तनाव बना रहता। राम को लगता नींद समाप्त नहीं हुई है बल्कि उनके जाग्रत क्षणों में भी फैल गई है, थकान और अवसाद बन कर। सोने का प्रयत्न करते तो तरह-तरह के विचार घेर लेते। वह उठ कर अपने कक्ष में चक्कर लगाने लगते। थक कर निढाल होने पर पुनः अपनी चटाई पर आ लेटते और आँखें बंद कर के पड़े रहते। आँखें भारी होते ही दुःस्वप्न आ घेरते। दुःस्वप्नों में भी प्रायः उनकी चेतना सजग हो जाती और वह स्वप्न-जागृति की एक ऐसी अवस्था में चले जाते जिसमें अपने ही स्वप्न का विश्लेषण करते हुए यह निष्कर्ष निकालने लगते कि वह जो कुछ देख रहे हैं वह सत्य नहीं, स्वप्न है। वह इस स्वप्न से बाहर आने के लिए छटपटाते हैं। प्रयत्नपूर्वक आँखें खोलते हैं पर आँखें सपने के भीतर एक नए सपने पर ही खुलती हैं। सपने से बाहर आने का संघर्ष फिर भी चलता रहता है और अन्ततः जब आँखें सचमुच खुलती हैं तो वह पाते हैं उनका शरीर पसीने से तर हो चुका है।

एक ही स्वप्न बार-बार। सच कहें तो यह स्वप्न भी नहीं था। वह अपने ही अतीत के एक छोटे से अनुभवखंड की वापसी थी पर थी इतनी विकृत और विरूपित कि पहले से अधिक त्रासजनक बन जाती थी। उन्हें स्वप्न में दिखाई देता कि विराध अपनी समाधि को तोड़ कर निकल आया है। उसका आकार उसके अपने असामान्य आकार की तुलना में भी कई गुना विशाल है और आँखें लाल नहीं हैं, दहकती हुई आग की शलाकाएँ हैं, जो उसकी आँखों से सीधे निकल कर उनकी आँखों में प्रवेश कर के उन्हें ज्योतिहीन करने चली आ रही हैं। यह जान कर भी कि उनकी दाहकता का उन पर कोई प्रभाव नहीं पड़ रहा है और उनकी आँखों की ज्योति इस समय भी बनी हुई है, उन्हें सान्त्वना नहीं मिलती। वह उन अग्नि शलाकाओं से बचते हुए अपनी आँखें चुराने का प्रयत्न करते और इस सन्त्रास में भागते फिरते कि वह अब अन्धे हुए या तब।

सहसा उन्हें लगता अपने भागने के प्रयास में वह उस शिलोच्चय से एकाएक नीचे गिर गए हैं, एक गहरी कंदरा में। विराध ने सीता को पकड़ लिया है। सीता चीत्कार कर रही हैं। बचाओ। वह उठने का प्रयास करते हैं तभी अपना एक हाथ लम्बा बढ़ा कर विराध उनको उस खाई में ही दबाने का प्रयत्न करता है और दूसरे को आकाश में तान कर उनको दिखाता हुआ घुमाता है कि वह सीता को उस ऊँचे पर्वत शिखर से नीचे फेंक देगा पर सीता उसके हाथ को कुछ इस तरह पकड़ लेतीं, कि वह उसके हाथ को लिए दिए नीचे उसी खाई में आ गिरतीं जिसमें राम विराध के दूसरे हाथ के दबाव से मुक्त होने के लिए संघर्ष कर रहे होते पर अब वह सीता सहित अपने दूसरे हाथ से भी राम को उसी खाई में दबाने का प्रयत्न करने लगता और इसी समय उसका अपना सन्तुलन बिगड़ता और वह स्वयं मुँह के बल

गिर पड़ता। नीचे गिरता हुआ वह पत्थर में बदल जाता और खाई के दूसरे पार की चट्टानों से टकरा कर शिलाखंडों में बँट कर बरसने लगता, जैसे वह राम को इन शिलाओं से ही दबा कर जीवित-समाधि देने को कृत संकल्प हो। आश्चर्य इस बात पर होता कि ये शिलाखंड ऊपर से सीधे राम के शरीर पर गिरते दिखाई देते पर नीचे आने तक ये उनसे कुछ आगे या पीछे गिरते और हर बार वह बाल-बाल बच जाते। इससे भी विचित्र बात यह होती कि इसमें से कुछ शिलाखंड गिर कर उनकी पीठ के नीचे पहुँच जाते और उनकी कोर राम के शरीर पर भी चुभती प्रतीत होती, पर कोई भी चट्टान उनके शरीर पर नहीं गिरती।

इस बिन्दु तक राम का स्वप्न पूरे स्वप्न की तरह चलता। इसी समय उन्हें दिखाई देता कि शिलाखंडों में बँट कर गिरने के बाद भी विराध खड़ा है। यहाँ स्वप्न में ही वह अपने आप से तर्क करने लगते कि यह कैसे हो सकता है कि विराध जो एक क्षण पहले चट्टान बनकर गिर चुका है वह सशरीर जीवित भी रह गया हो। फिर उन्हें स्वप्न के एक-दो टुकड़े स्वप्न में ही याद भी आ जाते। उन्हें यह समझते देर नहीं लगती कि इतनी विचित्र घटनाएँ स्वप्न में ही घटित हो सकती हैं और इसलिए वह अपनी आँखों को खोल कर देखने का प्रयत्न करते। आँखें बड़े प्रयत्न के बाद खुलतीं और खुलतीं तो पाते सूर्यास्त की धूप की सी एक लाली उस खाई में फैली है और इससे परे एक सुन्दर महल बन गया है जिधर को विराध सीता को लिए चला जा रहा है। यदि वह सीता को ले कर जा रहा है तो मेरी छाती पर उसका दबाव नहीं रह सकता। फिर यह दबाव क्यों है? वह अपनी गर्दन बड़े आयास से उठाते और छाती पर दृष्टि डालते तो पाते कि उस पर एक विशाल शिलाखंड रखा हुआ है। वह इसे उठा कर फेंकने का प्रयत्न करते और इस प्रयत्न के समय उन्हें जाने कैसे यह लगता कि जिसे वह अपनी आँखों से देख रहे हैं वह भी स्वप्न दर्शन है, यथार्थ दर्शन नहीं और इसलिए वह अपने ऊपर से चट्टान को ही नहीं स्वप्न बन्ध को भी तोड़ कर बाहर निकलने का प्रयत्न करते हुए छटपटाते रहते और फिर एक झटके के साथ उनकी नींद टूट जाती।

सभी दुःस्वप्न भयानक होते हैं, पर कुछ अनुभव अपने आप में दुःस्वप्न से कम भयानक और कम पीड़क नहीं होते। दुःस्वप्नों का तर्क तो अलग होता ही है इनका सामाजिक संसार भी अलग ही होता है, शायद। इन दुःस्वप्नों में सीता तो दिखाई देतीं, पर लक्ष्मण कहीं दिखाई नहीं देते। सारा संघर्ष राम को अकेले करना पड़ता। इस दुःस्वप्न का प्रभाव एक आतंक बन कर राम के मस्तिष्क पर देर तक छाया रहता। सच कहें तो इस दुःस्वप्न की आवृत्ति बार-बार आँख लगते ही होती थी और इसलिए राम स्वयं नींद से डरने लगे थे। वह उठ कर टहलने लगते और शारीरिक थकान मिटाने के लिए लेट जाते पर इस बात का प्रयत्न करते कि नींद न आने पाए और फिर भी जागते हुए ही उस स्वप्न के एक-एक दृश्य को दुहराने

लगते। वह जागते हुए भी उसी सपने को दुहरा रहे होते और सोते समय भी। उन्हें सीता की चिन्ता होने लगती। वह विराध के साथ अपने द्वन्द्व की कड़ियाँ जोड़ने मिलाने लगते।

राम ने स्वयं यह निश्चय किया था कि अत्रि का आश्रम छोड़ने से पहले न तो यह किसी निकटस्थ बस्ती के विषय में जानकारी प्राप्त करेंगे न ही किसी आश्रम के विषय में। वह इस बात का भी आभास नहीं होने देंगे कि वह कब आश्रम छोड़ने जा रहे हैं। इस तरह वह अपना पीछा करनेवालों को धोखे में डाल कर किसी ऐसी दिशा में प्रस्थान कर सकते थे जिधर को कोई मार्ग भी न जाता हो, जिससे यदि उनको आश्रम में अनुपस्थित पा कर कोई पीछा करे भी तो वह किसी भी मार्ग से आगे बढ़ने पर भटक जाए और उन्हें उससे मुक्ति मिल सके। उन्होंने ऐसा ही किया भी था और इस बार उन्हें लग रहा था कि वह अपनी योजना में सफल भी हुए हैं।

आगे का क्षेत्र किंचित् पठारी था, अतः वृक्ष बहुत विशाल नहीं थे और इनकी सघनता भी अधिक नहीं थी। आखेट का भी कुछ अभाव ही लग रहा था यद्यपि यह अभाव ऐसा भी नहीं था कि उन्हें किसी भारी संकट का भय होता। सीता के कष्टों को ध्यान में रखते हुए वह न केवल धीरे-धीरे चल रहे थे बल्कि इतने धीरे-धीरे मानो किसी उद्यान में टहल रहे हों। सीता जान रही थीं कि उन्हीं के कारण राम को इतने धीरे-धीरे चलना पड़ रहा है। उन्हें इस बात का क्षोभ भी हुआ था कि उन्हें राम इतनी कोमलांगी क्यों समझ रहे हैं। इसे प्रकट रूप में तो सीता ने नहीं कहा था पर चिन्ता प्रकट की थी, "इस तरह तो हम संध्या तक भी कहीं पहुँच नहीं पाएँगे।"

"हमें पहुँचना भी कहाँ है, मैथिली? कहीं पहुँचना तो उन्हें होता है जो अपने घर से कुछ दूर गए होते हैं। संध्या समय वे उसी तरह अपने घरों की ओर लौटते हैं जैसे पक्षी अपने घोंसलों की ओर। परन्तु जो अपने घर में बैठा हो, उसे कहाँ पहुँचना है और कहाँ लौटना। वन तो अब हमारा घर है, मैथिली।"

ऐसे क्षणों में सीता कोई उत्तर नहीं देती थीं। वह कुछ इस तरह देखने लगती थीं कि उनकी आँखों की पुतलियाँ कुछ अधिक खुल जाती थीं। इस उत्तर पर भी वह इसी तरह एक क्षण को देखती रही थीं। राम का साहस इन आँखों का सामना करने का नहीं हो रहा था। उन आँखों में न शिकायत थी, न क्रोध, न भय। कुछ ऐसा था जिसे समझ न पाने के कारण राम को घबराहट हुई थी और वह लक्ष्मण की ओर मुड़ गए थे, "हमारे लिए कितना विशाल प्रासाद, कितना बड़ा उद्यान सहज भाव से हमारी छोटी माँ ने दे दिया, लक्ष्मण। मनोरंजन के लिए एक-दो हिरन या बंदर नहीं, जीव-जन्तुओं का पूरा संसार दे दिया हमें। इस पर भी अयोध्या में कुछ लोग उन पर निष्ठुरता और कृपणता का अभियोग लगा रहे होंगे।"

राम ने हँसने का प्रयत्न किया था, पर उन्हें क्या पता था कि हँसी का यह प्रयत्न उनकी पीड़ा को ढकने-छिपाने के स्थान पर इसे एक चीत्कार में बदल देगा। उनकी हँसी को देख कर सीता की आँखें डबडबा आई थीं और लक्ष्मण राम की ओर से दृष्टि हटा कर वन का दृश्य निहारने लगे थे। इस स्थिति को झेल पाना राम के लिए असह्य हो गया था और इसलिए वह स्वयं इससे उबरने और सीता और लक्ष्मण को इस अवसाद से उबारने के प्रयत्न में अपने मस्तिष्क पर बल दे रहे थे कि ठीक उसी समय दो पेड़ों के बीच से वह शिलोच्चय दिखाई पड़ा था, जिसे प्रथम दृष्टि में देखने पर सामान्य पर्वत का भ्रम हुआ था।

"लक्ष्मण, तुमने देखा वह पर्वत कितना सुन्दर दिखाई दे रहा है, यहाँ से?"

लक्ष्मण ने कोई उत्तर नहीं दिया था। वह उस दिशा में देखने अवश्य लगे थे जिधर राम ने उँगली से संकेत किया था। पर्वत पर दृष्टि जाते ही उनके चेहरे पर सचमुच चमक आ गई थी। सीता को इसके लिए अलग से कुछ कहने की आवश्यकता नहीं थी। जो कुछ लक्ष्मण के लिए कहा गया था वह सीता के लिए भी था। अपनी डबडबाई आँखों के कारण वह दूर उस पर्वत को तो नहीं देख पाई थीं पर लक्ष्मण के चेहरे की चमक अवश्य उनकी दृष्टि में आ गई थी और इससे प्रेरित हो कर वह अपनी आँखें पोंछ कर स्वयं भी उसी ओर देखने लगी थीं। यह सुरमई रंग का एक नंगा पर्वत था जिस पर वृक्ष या लता तो दूर, काई तक उगी नहीं लगती थी, और उसका यह रंग ढलते हुए सूरज की धूप में इस तरह चमक रहा था कि राम की दृष्टि उस ओर से हट ही नहीं रही थी। अब वे सभी उस पर्वत की ओर बढ़ने लगे थे।

"पर्वत के बिल्कुल निकट जा कर पर्वत को नहीं देखा जा सकता।" राम चलते हुए समझा रहे थे। शायद यह समझाना उतना समझाने के लिए नहीं था जितना उस घुटन से सीता और लक्ष्मण को बाहर लाने के लिए था, जिसे अपने विनोद के कारण स्वयं उन्होंने पैदा कर दिया था। यह स्मरण आते ही कि अपने को धोखा देकर जीना कई मौतों के बराबर होता है, और अपने दुख को ढकने के लिए मुस्कराना कई वेदनाशूलों के दंश के समान पीड़क, वह घबरा गए थे। यह दूसरी बात है कि इसकी प्रतीति उन्हें स्वयं नहीं अपितु सीता और लक्ष्मण की प्रतिक्रिया से हुई थी। परन्तु पर्वत के सौन्दर्य का वर्णन करते समय भी राम यह नहीं भूल पा रहे थे कि इस समय भी वह सीता को बहलाने का ही प्रयत्न कर रहे हैं। बहलाना क्या सद्भावना सहित छलने का ही दूसरा नाम नहीं है! राम ने अपने पहले वाक्य के साथ ही यह अनुभव किया और फिर अप्रकट रूप से मुस्कराए कि वनवास का यह सारा समय अपने को और अपनों को छलते हुए ही तो काटना होगा। अब वह खुल कर मुस्करा रहे थे, "निकट से देखने पर तो सामने एक चट्टान या पथरीली दीवार दिखाई देगी...या कोई झाड़ी या पेड़। विराटता दूर से ही

देखने की वस्तु होती है और जहाँ स्थान की दूरी के साथ काल की दूरी जुड़ जाए वहाँ तो कुछ पूछना ही नहीं। अतीत के संचित अनुभवों का आकर्षण और महत्त्व समकालीन घटनाओं में कहाँ होता है!"

सीता ने ही टोका था, "फिर निकट जाने की आवश्यकता भी क्या है।"

राम को बड़ा सन्तोष मिला था यह जानकर कि सीता का मन इस नए विषय पर आ गया है। उन्होंने मुस्कराते हुए ही कहा था, "यह जानने के लिए कि दूर से देखने पर विराटता जितनी सुथरी और सुडौल होती है, निकट से देखने पर उतनी सुथरी और सुडौल नहीं होती। उसमें केवल उठान ही नहीं होती। उठान के बाद गिरावट भी होती है। बीच-बीच में गहरी खाइयाँ होती हैं। दूर से अटल दिखनेवाली चट्टानें भी इतनी भुरभुरी हो सकती हैं कि नाखून की खरोंच से भी बिखरने लगें। महानता सर्वत्र महान् नहीं होती मैथिली, वह टुकड़ों में ही महान् होती है। कभी-कभी और कहीं-कहीं तो वह अपने को ही झुठलाती, अपना ही उपहास करती प्रतीत होती है, पर अपनी समग्रता में वह सचमुच विराट् होती है—विशाल, विविधतापूर्ण और हमारे सरलीकरण को तोड़नेवाली और इस अर्थ में उसकी दुर्बलता भी उसकी विराटता और विविधता का अंग बन कर प्रकट होती है।"

"जैसे कैकेयी की दुर्बलता और क्रूरता उसकी महानता का अंग बन कर प्रकट होती है।" लक्ष्मण के मन की तिक्तता अभी तक बनी हुई थी।

राम को जैसे कोई झटका लगा हो। वह कुछ खिन्न हो कर लक्ष्मण को देखने लगे थे। लक्ष्मण के मन में कैकेयी के प्रति घृणा इतनी गहरी है कि वह उन्हें सीधे कैकेयी नाम से ही पुकारते हैं। राम के समझाने पर वह उग्र हो कर राक्षसी और पिशाचिनी आदि नए और अधिक परुष विशेषण जोड़ने लगते हैं। उनके लिए छोटी माँ जैसा आदरसूचक सम्बोधन प्रयोग करना उन्हें इस पवित्र शब्द का अपमान मालूम होता है। राम अब इस पर आपत्ति नहीं करते। इस समय उन्हें खिन्नता इस सम्बोधन पर नहीं हो रही थी। खिन्नता इस बात पर अनुभव हो रही थी कि वह लक्ष्मण को उस अवसाद से बाहर नहीं ले आए थे। वह चुपचाप उस पर्वत को ही निहारते चलते रहे थे।

कुछ देर बाद ही उन्हें अपनी चुप्पी स्वयं अपने ऊपर ही भार लगने लगी थी। वह जानते थे लक्ष्मण को उनकी चुप्पी से कितनी पीड़ा हो रही होगी, "छोटी माँ क्रूर भी हैं और कृपण भी और उनके कारण ही हमें कष्ट और अपमान भी झेलना पड़ रहा है, पर अपनी घृणा के कारण क्या तुम उनकी शक्ति को भी देखने से इन्कार कर दोगे? जलाने वाली आग की दाहकता को भी मानने से इन्कार कर दोगे? अभी तक हमें दंडित किया गया है, प्रताड़ित किया गया है, परन्तु पराजित नहीं किया जा सका है। यदि तुम ऐसा करोगे तो हम पराजित भी हो जाएँगे, लक्ष्मण।" राम कुछ तो इस कारण कि चलते हुए एक-एक कदम बहुत सँभल कर रखना पड़ रहा

था और इसलिए कि उन्हें एक-एक शब्द का बहुत सावधानी से प्रयोग करना पड़ रहा था, अटकते हुए अपनी बात कह रहे थे।

लक्ष्मण चलते-चलते रुक गए थे, जैसे चलते हुए बात करना उनके लिए सम्भव ही न हो, "कैकेयी के छल और विश्वासघात को आप शक्ति कहते हैं, भैया?" लक्ष्मण एक ही अवसर पर राम का कठोर प्रतिवाद करते हैं—तब, जब वह अपनी उदारता के कारण किसी भी बात के लिए कैकेयी के प्रति सम्मान जताने लगते हैं।

"शक्ति के अलग-अलग रूप होते हैं, लक्ष्मण। युक्ति भी शक्ति का एक रूप है और छल भी एक प्रकार की युक्ति है। छोटी माँ ने ही विश्वासघात नहीं किया, लक्ष्मण। विश्वासघात उनके साथ भी हुआ था। उन्होंने केवल यह किया कि जो हथियार उनके हाथ लग सकते थे उनको ले कर पूरी तैयारी से अपनी लड़ाई लड़ी और महाराज को पराजित कर दिया और उनसे राज्य छीन लिया। हम उनसे केवल द्वन्द्व की स्थिति में हैं, विरोध की स्थिति में। घृणा करना हमारे लिए न केवल अशोभन है, अपितु हमारी पराजय भी।"

लक्ष्मण इस तरह की आदर्शवादी बातें नहीं समझ पाते, "घृणित व्यक्ति से घृणा तो होगी ही।"

"और जिससे घृणा होगी उससे दूर भी भागोगे। घृणित व्यक्ति या वस्तु को कोई हाथ नहीं लगाता, यह तो तुम जानते हो। उसके सम्पर्क में आनेवाला, उसे दूर करने के लिए भी सम्पर्क में आनेवाला, स्वयं उन लोगों की दृष्टि में गिर जाता है जो उससे घृणा करते हैं। यह तुम्हारी नहीं, घृणित वस्तु या प्राणी की शक्ति है, लक्ष्मण। जिन प्राणियों को प्रकृति ने तदीखे दाँत, या पंजे या सींग नहीं दिए, उनमें से कुछ को उसने यह शक्ति दी है कि वे शत्रु के निकट आने पर तीखी दुर्गंध छोड़ सकते हैं। यही उनका हथियार है। यदि कोई व्यक्ति या प्राणी तुम्हारे मन में घृणा पैदा करने में सफल हो गया तो समझो, वह जीत गया, तुम हार गए। उसने तुम्हें भागने पर विवश करके अपनी स्थिति सुदृढ़ कर ली। छोटी माँ से हमारा वैर और विरोध है लक्ष्मण, उन्हें हमें परास्त करना है। घृणा से यह सम्भव नहीं। यह तो घृणित व्यक्ति या वस्तु की ओर देखने, उसे समझने और उसका सामना करने तक की शक्ति नहीं देती, उसे ध्वस्त करने की शक्ति कहाँ से देगी?"

देर से ही सही, लक्ष्मण को अपनी भूल का बोध हो ही गया था, "मुझसे भूल हुई।"

बातों के क्रम में राम को इस बात का ध्यान ही नहीं रह गया था कि अब तक वे उस शिलोच्चय के सम्मुख आ गए थे। वह सामान्य पर्वतों जैसा नहीं था। यह अपने पर्वत होने के दम्भ से टूटा हुआ एक ऐसा पर्वत था जिसने अपनी नीली चट्टानों के बीच की मिट्टी को बहा कर साफ कर दिया था। यह एक विराट्

शिलोच्चय था। विशाल और लघु विविध आकारों और रूपों की चट्टानें कुछ उसी तरह एक-पर-एक चिनी रखी हुई थीं जैसे कोई जंगल को काट कर लकड़ी के चट्टे लगाता है। मिट्टी बह जाने के कारण कहीं-कहीं दो चट्टानों के बीच गहरी सुरंग सी बनी दिखाई दे रही थी। जाने क्यों राम को लगा था कि इन चट्टानों के बीच की सारी मिट्टी एक साथ, एक दिन में और एक ही घटना में बह गई होगी और उन्हें अपनी कल्पना में ऊपर से चट्टानों के नीचे गिरने और स्वयं टूटते हुए नीचे की चट्टानों को तोड़ने का दृश्य उपस्थित हो गया था और वह इस कल्पना के बेतुकेपन पर स्वयं हँसने लगे थे। जो भी हो, इस पर किसी पेड़ या गुल्म के उगने का तो प्रश्न ही नहीं था, राम को लग रहा था कि इसकी चट्टानों पर बरसात के दिनों में काई तक नहीं उग पाती होगी।

"कम-से-कम यह एक ऐसी विराटता तो मिल ही गई जिसने अपनी समस्त दुर्बलताओं पर विजय पा लिया है। न कहीं पोलापन, न भुरभरापन।" सीता ने परिहास के स्वर में कहा।

"इसीलिए इसमें केवल टूटन ही बची रह गई है। कोमलता और नम्रता दुर्बलताएँ नहीं हैं, मैथिली। ये अपनी नम्यता और सुभेद्यता से जीवन को सँभाले रहती हैं और उस कठोर को भी बिखरने से बचाए रहती हैं, जैसे तुम मुझे सँभाले और बचाए रहती हो, मैथिली। जैसे तुम मुझे सँभाले रही हो।" राम ने आरम्भ परिहास से ही किया था, पर पहला वाक्य पूरा होते-होते वह गम्भीर हो गए थे। अब वह अपने आपको सँभालने के लिए उस शिलोच्चय को देखने लगे थे जो अपनी नग्नता में भी सुन्दर लग रहा था।

राम को जाने क्यों इस पर्वत पर चढ़ कर इसकी एक-एक शिला को छू कर देखने का जी हो रहा था। उन्हें लग रहा था कि ये शिलाएँ अपने रूपाकार में ही भिन्न नहीं हैं, इनमें से प्रत्येक का स्पर्श भी भिन्न होगा। इनमें से कुछ निश्चय ही दूसरी शिलाओं से अधिक कठोर होंगी और वे जो अपने ऊपर टँगी किसी विशाल शिला के नीचे दबी है, यदि उस पर आघात किया जाए तो उससे फूय्नेवाली ध्वनि भी, उससे ठीक ऊपर की शिला से फूटनेवाली ध्वनि से, भिन्न होगी। ज्ञान के स्तर पर यह कुछ बेतुकी सी बात थी, परन्तु सौन्दर्य क्या स्वयं तर्क और संगति की दीवारें तोड़ने और एकरूपता को नकारते हुए बढ़ने और गढ़ने का ही दूसरा नाम नहीं है!

राम इस शिलोच्चय को देख नहीं रहे थे, इसको आत्मसात कर रहे थे। वह इसके एक छोर से दूसरे छोर तक मुग्ध भाव से देख रहे थे। एकाएक उनकी दृष्टि पर्वत की तलहटी से अपनी ओर आती एक मानवाकृति पर पड़ी। पहली दृष्टि में उसे देखने पर जंगली भैंसे का भ्रम हुआ था। निकट आने पर यह देख कर कि यह दो पाँवों पर चल रहा है, इसके मनुष्य होने का अनुमान हुआ था और कुछ और

निकट आने पर ही यह निश्चय हुआ था कि यह मनुष्य ही है।

राम ने इससे विकटाकार मनुष्य इससे पहले नहीं देखा था और सामान्य मनुष्यों को ध्यान में रख कर बनाई गई किसी परिभाषा के अनुसार उसे मनुष्य नहीं कहा जा सकता था। उसके सिर के बाल बढ़े हुए थे और वे इस तरह बिखरे हुए थे कि उसकी आँखें किसी झाड़ी के भीतर से चमकती हुई प्रतीत हो रही थीं। उसका आकार ही नहीं उसका मोटापा भी असाधारण था। उसने हिरन की एक खाल छाती पर और दूसरी पीठ की ओर लटका रखी थी। इन दोनों को ताँत से दोनों कन्धों के ऊपर, भुजमूलों के नीचे और कमर पर जोड़ रखा था। मृगचर्म कमाए हुए नहीं थे अतः देख कर ही यह समझा जा सकता था कि ये कठोर और अकड़े हुए हैं। यदि मृगचर्मों पर बाल न होते और उनमें अकड़ के साथ कहीं-कहीं बल भी होता तो दो पाँवों के होते हुए भी वह मनुष्य नहीं गैंडा प्रतीत होता।

वह आ कर राम के सामने ही खड़ा हो गया, "लगता है, अपने मार्ग से भटक गए हो?" उसने हँसते हुए प्रश्न किया। उसके दाँत कुछ बाहर को निकले हुए थे और वे इतने गन्दे थे कि देख कर भी यह विश्वास करना कठिन था कि इन दाँतों पर मैल की इतनी मोटी तह चिपक कैसे सकती है। उसके दाँतों के कारण ही उसका मुँह थूथन जैसा लग रहा था। उससे भय कम और जुगुप्सा अधिक मालूम हो रही थी। राम को संकोच हो रहा था कि यदि लक्ष्मण को यह पता चल जाए कि इस समय उनकी अपनी प्रतिक्रिया इस अपरिचित के प्रति क्या है और वह पूछ बैठें कि घृणित व्यक्ति से घृणा करने से अपने को रोका कैसे जा सकता है, तो वह इसका कोई उत्तर दे भी पाएँगे या नहीं। पर इस चेतना ने राम को अपने ऊपर नियन्त्रण के लिए भी प्रेरित किया।

"हम वन-विहार को निकले हैं। भटके नहीं हैं।" राम ने एक अधूरा सा उत्तर कुछ देर तक सोचते रहने के बाद दिया। यदि उसे उत्तर मिलने में हुए विलम्ब के कारण किसी प्रकार का सन्देह हुआ भी तो यह उसके हाव-भाव से प्रकट नहीं हुआ था।

"पानी तो कहीं ढूँढ़े भी नहीं मिला होगा?" उसने हँसते हुए कहा था। इस क्षेत्र का उसे बहुत अच्छा ज्ञान रहा होगा, अन्यथा वह यह नहीं पूछता कि पानी उन्हें ढूँढ़े भी कहीं नहीं मिला होगा। उसके प्रश्न से राम की प्यास सचमुच प्रखर हो आई थी। उन्होंने जिज्ञासा की थी, "क्या यहाँ निकट कोई जल-स्थान है?"

उसने जैसे राम का प्रश्न सुना ही नहीं, "तुम कौन हो?" उसकी भाषा अस्पष्ट थी और उसे इस बात का भी बोध था कि राम को इसे समझने में कठिनाई हो रही है, इसलिए वह शब्दों के स्थान पर इंगितों और अंगचेष्टाओं का अधिक सहारा ले रहा था।

राम ने उत्तर देने के स्थान पर यही प्रश्न उससे पूछ लिया, "तुम कौन?"

"विराध।"

"राम।" राम ने अपना परिचय देने के बाद पुनः अंजली मुँह से लगा कर पानी पीने का अभिनय करते हुए अपना प्रश्न दुहराया कि यहाँ पानी कहाँ मिल सकता है। उनके मन में यह विचार आ रहा था कि यदि जल की सुविधा कहीं निकट हो तो इस शिलोच्चय में कोई शैलगर्भ या गुफा ढूँढ़ने में कठिनाई नहीं होगी। आवश्यकता पड़ने पर शिलाखंडों को चुन कर दीवार बनाई जा सकती है और उसे कुश-काँस से छाया भी जा सकता है। वन में रहते हुए ऊँची भूमि और विशेषतः गिरि प्रदेश चुनने का एक प्रधान कारण यह था कि यह सामान्य भूमि की तुलना में साँप और बिच्छू आदि से और वन्य पशुओं से ही सुरक्षित नहीं होता, अपितु वर्षा में इसके जलमग्न होने का भी संकट नहीं रहता। इसमें उपयुक्त स्थान मिलने पर यदि अपने निवास को आग से जला कर पवित्र कर लिया जाए और द्वार पर आग जलती रहे तो कीटों कृमियों का अधिक भय नहीं रहता। फिर आग की चमक दूर से ही देख कर हिंस्र पशु भी उधर नहीं आ सकते।

उत्तर में विराध ने पर्वत के पार की ओर संकेत किया था और फिर बिना कुछ कहे या बिना राम की अनुमति लिए वह पास की झाड़ियों में चला गया और कुछ फल तोड़ लाया था, "खाओ।" उसने राम की ओर फल बढ़ाते हुए कहा था और अपने दूसरे हाथ से स्वयं भी वही फल खाने लगा था।

फल का स्वाद कसैला था। यह गले को भी कुछ रूखा लग रहा था, पर यह सोच कर कि वन में रहना है तो फल तो मीठे-कड़वे-कसैले सभी प्रकार के खाने ही होंगे, वे प्रसन्न भाव से खाते रहे। सीता और लक्ष्मण दोनों फलों को खाते समय मुँह बना रहे थे, जिसे देख कर विराध मुस्करा रहा था।

उसने स्वयं अंजुली बना कर और आँखों में एक चमक ला कर कहा, "पानी, उस पार। दूर।" और कुछ इस भाव से चल पड़ा कि पानी के स्थान तक पहुँचना चाहते हो तो मेरे पीछे-पीछे आओ।

जहाँ से पर्वत की चढ़ाई आरम्भ होती थी वह जगह वहाँ से अधिक दूर नहीं थी। विराध उसी दिशा में बढ़ रहा था। पर्वत बहुत ऊँचा नहीं था, इसलिए इसे सूर्यास्त से पहले पार भी किया जा सकता था।

चढ़ाई के समय पता चला कि पर्वत ऊँचा न होने पर भी अपने ठीक पदभाग से शिखर तक कितना ऊँचा हो जाता है और इसकी चढ़ाई कितनी विकट हो जाती है। शिलोच्चय की एक यह विशेषता तो है कि प्रथम दृष्टि में ऐसा लगता है जैसे सभी दिशाओं से इसके शिखर तक चढ़ने के लिए विविध ऊँचाइयों और प्रसारों की सीढ़ियाँ बनी हुई हैं। निकट पहुँचने पर प्रत्येक सीढ़ी अपने सामने खड़ी एक दीवार जैसी प्रतीत होती है। विराध को इस पर्वत का बहुत अच्छा ज्ञान था। वह जिस तरह अपने सिर तक ऊँची चट्टानों पर हाथ लगा कर एक छलाँग में चढ़

जाता था, उसकी आशा उसे देख कर नहीं की जा सकती थी। उसमें चीतों जैसी फुर्ती थी।

कुछ ही दूर चलने के बाद सीता अपना सिर पकड़ कर बैठ गई। उन्हें चक्कर आ रहा था और गल्ले में और पेट में जलन सी हो रही थी। लक्ष्मण का जी भी मिचलाने लगा था और उनको भी अपने सिर पर बार-बार हाथ लगाते देख कर राम को लगा उनके सिर में भी कुछ सनसनाहट सी हो रही है। अब उन्होंने लक्ष्य किया कि विराध पीछे मुड़ कर बार-बार इनकी दशा को देखता जा रहा था। सीता के बैठ जाने के बाद आगे बढ़ना आसान नहीं था, पर जिस शिला पर सीता बैठी थीं वह छोटी थी और उससे एक पुरुष की ऊँचाई पर जहाँ राम पहुँचे हुए थे, वहाँ केवल पाँव रखने को ही पर्याप्त स्थान था। यदि वे उस ऊँचाई पर पहुँच जाते जहाँ विराध था तो सम्भवतः वहाँ बहुत अधिक स्थान उपलब्ध हो जाता।

"कभी पहाड़ पर चढ़े नहीं?" विराध के स्वर में उपहास था, परन्तु राम को स्वयं जो अनुभूति हो रही थी उससे वह यह जानते थे कि यह स्थिति पहाड़ की चढ़ाई के कारण नहीं है। निःसन्देह यह उस फल का प्रभाव था जिससे एक साथ पेट, गले, आँख और माथे में गर्मी, मतली, खराश, जलन और अस्थिरता की अनुभूति हो रही थी। राम ने विराध का कोई उत्तर नहीं दिया था। उनकी अपनी समस्या किसी युक्ति से सीता को किसी समतल चट्टान पर पहुँचाने की थी जहाँ से उनके नीचे गिरने का डर न हो। इसके लिए या तो उन्हें लक्ष्मण के पास उतर कर सीता को किसी तरह सँभाल कर नीचे उतार लेना था, या लक्ष्मण को सीता के पास से होते हुए राम के तल पर और राम को उस चट्टान पर पहुँचना चाहिए था, जहाँ खड़े हो कर वह लक्ष्मण के सहारे ऊपर आई हुई सीता को सहारा दे कर ऊपर उठा सकें। उन्होंने स्वयं नीचे उतरना ही उचित समझा। लक्ष्मण को स्वयं अपने ऊपर नियन्त्रण नहीं रह गया था और राम को लग रहा था कि यदि कुछ समय के भीतर ही वह इस काम को पूरा नहीं कर लेंगे तो उनका सन्तुलन भी बिगड़ जाएगा।

राम उतर कर नीचे लक्ष्मण के पास आएँ और उन्हें सहारा दे कर उतारने के लिए हाथ उठाएँ कि इसी बीच अविश्वसनीय चुस्ती से विराध लगभग छलाँग लगा कर सीता के पास पहुँच गया था। वह उन्हें अपने हाथों में उठा कर, एक हाथ से कस कर पकड़ कर, अपने कन्धे पर दबाए हुए, दूसरे हाथ से ऊपर की सीढ़ी पर चढ़ने का प्रयत्न कर रहा था। इस दृश्य को देख कर ही राम को लगा वह स्वयं भी चक्कर खा कर गिर जाएँगे। उन्होंने बढ़ कर विराध का पाँव पकड़ना चाहा पर उसने इनके हाथ को झटक दिया। जब तक वह सँभलें, छलाँग लगा कर ऊपर चला गया और सीता को एक बच्चे की तरह ऊपर की चट्टान पर रख कर स्वयं भी उछल कर पहुँच गया था।

उत्तेजना के कारण राम ही नहीं, लक्ष्मण की भी दुर्बलता जाती रही थी। राम विराध का पीछा करते हुए ऊपरी चट्टान पर पहुँचे और उनके पीछे-पीछे लक्ष्मण। विराध सीता को उठा कर भाग रहा था। राम की समझ में नहीं आ रहा था कि वह क्या करें। उस पर इस तरह आघात भी नहीं किया जा सकता था, जिससे वह असन्तुलित हो कर गिर पड़े। इससे उसके साथ ही सीता के भी प्राण जाने का भय था। उन्होंने दौड़ कर विराध को उसकी जटाओं से पकड़ लिया और पीछे की ओर खींचा। विराध ने सीता को लगभग धक्का देते हुए नीचे की ओर फेंकना चाहा, परन्तु तब तक लक्ष्मण सहायता के लिए पहुँच गए थे। अपनी अचेतावस्था में भी सीता ने विराध के हाथ को पकड़ रखा था और लक्ष्मण ने जब उन्हें सँभालते हुए अपनी ओर खींचा तो सीता की जकड़ के कारण वह एक ओर को झुक गया था।

लक्ष्मण ने सीता को मुक्त कर लिया था। अब विराध पर निश्चिंत हो कर प्रहार किया जा सकता था। राम ने उसके माथे पर एक जोरदार घूँसा मारा और उसके आघात से वह मुँह के बल नीचे गिरता-गिरता बचा। घूँसे का प्रहार करते समय राम भी अपना सन्तुलन कुछ खो बैठे थे। वह सँभलें तब तक पाया कि उसने मुड़ कर उनकी गर्दन अपनी बाँहों में लपेट ली है। लक्ष्मण सीता को एक ओर हटा कर उसकी ओर बढ़े थे। उसने अपनी दूसरी बाँह ऊपर उठाई और लक्ष्मण की भी गर्दन दबोच ली। उसमें सचमुच पशु जैसी शक्ति थी। राम अपनी पूरी शक्ति लगा कर उसकी जटाओं को पकड़ कर तान रहे थे और लक्ष्मण जिनकी गर्दन उसकी काँख से कुछ नीचे पकड़ में आई थी, अपने को मुक्त करने के प्रयत्न में छटपटा रहे थे। वह मुक्त हो भी गए। उन्होंने धनुष के दंड से उसके सिर पर इतना कस कर प्रहार किया कि उसकी पकड़ ही ढीली नहीं हो गई, वह मुँह के बल गिर पड़ा। गिरते हुए वह अपना सन्तुलन भी खो बैठा और लुढ़क कर नीचे जा गिरा।

बड़े यत्न से राम ने अपने आप को सँभाला था। विराध के नीचे गिर जाने के बाद अब वह सिर पकड़ कर बैठ गए थे। अब उस फल की विषाक्तता का प्रभाव एक झटके की तरह उन पर हुआ था। सीता को उल्टियाँ आने लगी थीं। राम ने उन्हें बढ़ कर सँभाला। लक्ष्मण को उन्होंने संकेत किया कि वह प्रयत्नपूर्वक वमन करें। विष से मुक्ति का कोई अन्य उपाय नहीं था। सीता के कुछ स्थिर होने पर उन्होंने स्वयं भी वमन किया और कुछ देर के बाद जब चित्त कुछ स्थिर हुआ तो वह बहुत सँभलते हुए, चट्टानों से लगभग अपने शरीर को चिपकाए हुए, सीता और लक्ष्मण को बारी-बारी से सहायता देते हुए, नीचे उतरे। उस ऊँचाई से गिरने के कारण विराध के हाथ-पाँव ही नहीं रीढ़ तक टूट गई थी। सिर से रक्त बह रहा था, पर प्राण नहीं निकले थे। उसकी चेतना भी लुप्त नहीं हुई थी। वह कराह रहा था।

"पानी।" वह राम को सामने खड़ा पा कर इस तरह कराहने लगा मानो उसका

उनसे कभी कोई वैर-विरोध रहा ही न हो।

प्यास राम को पहले से ही लगी हुई थी और वमन के बाद गला और सूख गया था। उत्तेजना के कारण इस ओर ध्यान नहीं गया था, पर विराध के पानी माँगने पर उनकी अपनी प्यास भी प्रबल हो आई थी।

"कहाँ?" राम ने यह कहने के स्थान पर कि पानी तो न उनके पास है, न ही पर्वत के इस पार, प्रश्न ही कर दिया था।

"उधर।" उसने हाथ हिलाना चाहा था, पर हिला नहीं सका था, अतः आँखों के संकेत से उसी दशा में पड़े-पड़े कहा था।

विराध ने उनसे धोखा किया था। उसने जान-बूझ कर उनको पर्वत पर चढ़ाया था, जिससे वह उनकी हत्या कर सके। उसने जान-बूझ कर उन्हें वह विषैला फल खिलाया था। नित्य सेवन के कारण इसका प्रभाव उसके ऊपर इतना उग्र नहीं हुआ था, न ही हो सकता था। जल का वह गर्त उस पार नहीं अपितु इसी पार था और जिस स्थान पर वह पड़ा हुआ था उससे दूर भी नहीं था। लक्ष्मण ने जल्द ही उसे ढूँढ़ भी लिया था और स्वयं पानी पी कर कमंडलु में पानी लिए लौटे थे तो पाया था राम विराध से सारी शत्रुता भूल कर आत्मीय की भाँति बातें कर रहे थे।

विराध इस क्षेत्र से परिचित तो था पर इस क्षेत्र का रहनेवाला नहीं था। उसे इस कार्य पर नियोजित किया गया था। वह अत्रि आश्रम से ही उनका पीछा करता आ रहा था।

पानी पी लेने के बाद उसने जो प्रार्थना की थी उससे राम को भी आश्चर्य हुआ था। उसे डर था कि उसे रात में भेड़िये और गीदड़ खा जाएँगे। यदि वह उनसे बच भी गया तो भी वह जितना आहत हो चुका था उसमें सड़-सड़ कर मरने के अतिरिक्त दूसरा कोई चारा नहीं था। उसके लिए घिसट पाना भी असम्भव हो रहा था। उसने गिड़गिड़ाते हुए अनुरोध किया कि राम किसी पत्थर से एक ही आघात से उसका सिर फोड़ कर उसे इस यन्त्रणा से मुक्त करें। राम ने लक्ष्मण को आवाज दी, "लक्ष्मण!"

लक्ष्मण ने अपने धनुष के दंड से विराध के मस्तक पर प्रहार करना चाहा पर राम ने बरज दिया, "मरे को मारने से क्या मिलेगा, लक्ष्मण!" राम ने संकेत से एक घेरा बनाया।

स्पष्ट आदेश की आवश्यकता नहीं थी। पत्थरों के उस महास्तूप के पद भाग में खड़े होने पर भी उपयुक्त आकार के पत्थर ढूँढ़ने में कुछ समय लगा। राम ने स्वयं भी मिल कर उसे पत्थरों की एक छोटी दीवार से घेर दिया था कि उसकी रात कम-से-कम भेड़ियों-गीदड़ों से निश्चिंत हो कर कट सके।

इस कार्य को पूरा करने के बाद राम की आँखों से आँसू बहने लगे थे। उन्हें विराध के प्रति कोई क्रोध या आमर्ष नहीं रह गया था, पर कैकेयी के प्रति उनका

क्रोध इस तरह भड़क उठा था कि वह उस शिष्टाचार को भी भूल गए थे जिस पर इतना बल देते थे, "यह राक्षसी सीता को क्यों अपमानित करना चाहती है? सीता ने उनका क्या बिगाड़ा है?"

सच। यदि केवल राम के प्राण लेने के प्रयत्न किए जाते तो उन्हें उतना दुख नहीं होता। ऐसा तो कैकेयी को करना ही था। अपने शत्रु को नष्ट किए बिना वह निश्चिंत कैसे रह सकती थीं! अपना खोया हुआ राज्य पाने से पहले राम को भी शान्ति नहीं मिल सकती थी। परन्तु सीता पर बार-बार आघात करके राम को अपमानित और दंडित करने की नीचता के लिए राम कैकेयी को कभी क्षमा नहीं कर पाएँगे।

25

"वह वीर हैं पर नृशंस नहीं।" सीता ने मंगला से बिना किसी प्रसंग के अचानक कहना आरम्भ कर दिया। जब मंगला अचरज से उनकी ओर देखने लगीं, तो वह सकुचा गईं।

इन दिनों सीता को एक रोग सा हो गया है। वह अपने अतीत में खो जाती हैं और फिर विचार और भाव इतना ठोस रूप ले लेते हैं कि इस विषय में सचेत हुए बिना ही वाक्य उनके मुँह से फूट निकलता है। वास्तव में उन्होंने मंगला से कुछ कहा ही नहीं था। ये वाक्य स्वतः उनके मुख से निकल गए थे और मंगला के कान में इसलिए पड़ गए थे कि वह भी सीता के साथ बैठी महुए के सूखे फूलों के भीतर से जीरी निकाल रही थीं। फिर सीता का हाथ चलते-चलते रुक गया था और उनके मुँह से ये वाक्य निकल पड़े थे।

मंगला उनके इस प्रकार के चित्त-विक्षेप से कुछ चिन्तित रहने लगी थीं, "क्या हुआ बेटी?"

सीता का संकोच और बढ़ गया था, "कुछ नहीं।" और वह सिर झुकाकर पुनः जीरी निकालने लगी थीं, "मैं उनके विषय में सोचने लगी थी।"

मंगला ने आगे छेड़ना उचित नहीं समझा। केवल मुस्करा कर रह गई थीं। अपने काम में लगी हुई वह चोरी से सीता को निहारने लगी थीं और कुछ क्षण बाद ही पाया था कि सीता के हाथ फिर रुक गए हैं और वह दूर शून्य में देख रही हैं। उनकी आँखों को देख कर ही लग रहा था कि खुली होने पर भी उन्हें सामने की कोई वस्तु दिखाई नहीं दे रही है। मंगला सीता की ओर से अनवधान बनी अपने काम में लगी रहीं, मानो उन्होंने कुछ देखा ही न हो।

सीता को भी ठीक वही प्रसंग याद आ रहा था जिससे इन दिनों राम व्यग्र रहते थे। उस दिन विराध को उसके अनुरोध पर ऊपर से भी पत्थरों को कुछ इस

तरह चिनना पड़ा था कि यदि कोई हिंस्र पशु इधर आ भी जाए तो उस पर सीधे दाँत न गड़ा सके। पत्थरों की दीवार के कारण वह अपने पंजे आदि से सीधे ऊपर के पत्थरों को हटा नहीं सकता था। उस चय के नीचे पड़ा हुआ विराध सुरक्षित अनुभव कर रहा था और राम की ओर कृतज्ञ भाव से देख रहा था।

दिन भर चलते रहने के कारण थकान एक बोझ की तरह तीनों पर लदी हुई थीं, पर वहाँ रुकना सम्भव नहीं था। अब रात का अँधेरा आरम्भ होनेवाला था। वे सभी पर्वत की तलहटी पकड़े हुए ही चलते रहे थे। आगे इसके पास से एक पगडंडी सी निकली हुई थी जो पर्वत के पार को चली गई थी। वे उसे ही पकड़े हुए आगे चलते रहे थे और फिर एक पेड़ के पास से गुजरते हुए उन्होंने वह रात वहीं बिताने का निश्चय किया था। घास-फूस और लकड़ियाँ जुटा कर उन्होंने पत्थरों को टकराते हुए जैसे-तैसे आग पैदा की थी और उसे घेर कर बैठ गए थे। जहाँ राम इस बात को ले कर उद्विग्न थे कि समय बीतने के साथ विराध के ऊपर चिने हुए पत्थरों का भार बढ़ता जाएगा और वह उसके नीचे पिसता चला जाएगा, वहाँ लक्ष्मण इस बात से क्षुब्ध थे कि विराध को जीवित क्यों छोड़ दिया। लक्ष्मण अपने भीतर कसमसा रहे थे पर सीधे अपना विरोध प्रकट करने का साहस नहीं जुटा पा रहे थे।

उन्होंने लगभग आत्मालाप के से स्वर में कहना आरम्भ किया था, "आज मुझे गुरुदेव का वह कथन बार-बार याद आ रहा है, भैया, कि शत्रु मनुष्य नहीं होता। उसका पद, वेश, लिंग, ज्ञान, वय कुछ भी क्यों न हो, वह होता एक हिंस्र पशु है। यदि तुमने उसे मिटा नहीं दिया तो अवसर मिलते ही वह तुम्हें मिटा कर रख देगा।"

राम ने लक्ष्मण को टोका नहीं था। यह वाक्य तो उन्हें भी धर्मसंकट के अनेक अवसरों पर स्मरण आता और मार्गदर्शन का काम करता रहा है। वह चुपचाप सुनते रहे थे।

"आपको याद है, भैया, उन्होंने कहा था, 'सामान्य व्यक्तियों की तो बात ही अलग है, यदि पूज्य व्यक्ति भी शत्रु भाव से सामने आए तो उसे क्षमा करना मूर्खता है। जिस आग की पूजा की जाती है वही जब घर जलाने लगती है तो उसे बुझा कर समाप्त कर देना होता है।'"

"याद है न, उन्होंने कहा था, 'मारा वही जाता है जो अपने शत्रु को मनुष्य समझ कर उससे युद्ध करता है और मारा भी इसलिए जाता है कि वह अपने को पूरा पशु नहीं बना पाया।' ताड़का का वध करने पर आपको खिन्न देख कर उन्होंने कहा था, 'विजय चाहनेवाले को केवल अपने शत्रु को ही पशु नहीं समझना चाहिए, राम, उसे स्वयं भी पशु बन जाना चाहिए। अधूरा मनुष्य ठीक उस सन्धिरेखा पर सबसे अधिक अरक्षणीय होता है जहाँ उसका मनुष्य उसके पशु से

जुड़ा होता है। जब तक वह यह तय करे कि उसे कितना मनुष्य रहना चाहिए और कितना पशु तब तक उसका गला कट चुका होता है।'"

लक्ष्मण के चुप हो जाने पर राम ने मुस्कराकर कहा था, "गुरुदेव ने और क्या कहा था, लक्ष्मण?"

लक्ष्मण को लगा था इस वाक्य के साथ ही उन्हें एक झटके से उस शिलोच्चय के शिखर बिन्दु से उठा कर फेंक दिया गया है जिसके एक निम्न बिन्दु से विराध नीचे जा गिरा था। उनकी समझ में नहीं आ रहा था कि वह इस प्रश्न का क्या अर्थ लगाएँ और क्या उत्तर दें। उनकी उलझन को देख कर राम ने स्वयं ही कहा था, "लक्ष्मण, स्मृति का बहुत अच्छा होना भी एक दोष है। यह मनुष्य को शास्त्रों और आचार्यों का पवित्र दास बना कर रख देती है। इतना ही नहीं, अविकल स्मृतिवाले प्रायः उन वाक्यों का भी अर्थ नहीं समझ पाते, जिन्हें दुहराते रहने में इतना गर्व अनुभव करते हैं।"

लक्ष्मण सचमुच चक्कर खा गए थे। वह मन-ही-मन अपने वाक्यों को दुहराते हुए यह जानने का प्रयत्न कर रहे थे कि उनसे कहीं कोई भूल तो नहीं हो गई। नहीं, वाक्य तो शब्दशः यही थे और इसीलिए तो राम अविकल स्मृति की बात भी कर रहे थे। वह अपने को रोक नहीं पाए थे, "क्या गुरुदेव ने किसी अन्य आशय से यह बात कही थी?"

"गुरुदेव ने जो कुछ भी हमें सिखाया उसके साथ यह भी तो सिखाया था लक्ष्मण कि ज्ञान हमें बाँधनेवाला रज्जु नहीं है, अपितु मार्ग दिखानेवाला आलोक है। कोई भी ऐसा ज्ञान जो हमारे निर्णयों में अवरोध पैदा करता है और हमें उठा कर एक ऐसे अतीत में फेंक देता है, जिसके अनुभव का सार उस ज्ञान या वाक्य में है, वह हमें केवल श्मशान की दिशा में ही ले जा सकता है! अतीत को खींच कर वर्तमान में नहीं लाया जा सकता, न ही वर्तमान को अतीत में फेंका जा सकता है। अतः अतीत के सूत्रबद्ध निष्कर्षों से अधिक महत्त्वपूर्ण हैं, अतीत से प्राप्त वे जातीय अनुभव, जिन्हें आंशिक या पूरी सफलता के साथ ये निष्कर्ष प्रतिबिम्बित करते हैं। पर अन्तिम निर्णय न केवल अपने वर्तमान, अपितु इसके भी प्रत्येक विशिष्ट प्रस्फुटन को ध्यान में रखकर किया जाना चाहिए।"

लक्ष्मण दत्तचित्त हो कर सुन रहे थे। एक दो बार उन्होंने चुपके से सीता की ओर देखा भी, पर निराश ही हुए। यदि सीता इतनी थकी और शिथिल नहीं होतीं तो उन्होंने आँखों में चमक और होंठों पर मुस्कराहट ला कर चोरी से लक्ष्मण की ओर राम का मजाक उड़ाने के अंदाज में देखा या गम्भीर बनकर उनकी नकल अवश्य उतारी होती। अपने पति के प्रति श्रद्धाभिभूत हो जाने पर अपने आवेग को सह्य बनाने के लिए वह यही करती थीं। यदि भावुक हो गईं तो राम स्वयं उनका उपहास करने लगते थे। कभी-कभी सीता अपनी ओर से कोई व्यंग्य भरा प्रश्न भी

कर देती थीं, जो व्यंग्य नहीं, व्यंग्य-गर्भित जिज्ञासा हुआ करती थी। उस समय वह स्वयं आँखें बन्द किए एक मूक श्रोता ही बनी हुई थीं।

"और जहाँ तक विजय की लालसा में पशु बन जाने की बात है, लक्ष्मण, जो किसी भी प्रलोभन से पशु बन गया, वह तो लड़ने से पहले ही न केवल हार गया, बल्कि एक मनुष्य के रूप में मर भी गया। कहते तो यह हैं कि जीव को नाना योनियों के कष्ट भोगने के बाद मनुष्य योनि मिलती है, परन्तु ऐसा मनुष्य तो मनुष्य योनि पा कर भी इस जन्म में ही पशु योनि में चला गया। नहीं, लक्ष्मण, नहीं। मैं मनुष्यत्व की रक्षा के लिए मनुष्य के रूप में लड़ते हुए हार जाना चाहूँगा, परन्तु पशु बन कर जीतना नहीं।" राम ने देखा था, लक्ष्मण को उनकी बातों से पूरा सन्तोष नहीं हुआ है। उनके मन का संशय उनकी आँखों में उभर आया है। उन्होंने लक्ष्मण को प्रोत्साहित किया, "तुमको यह मानने में कठिनाई हो रही है, लक्ष्मण?"

"मैं क्या कह सकता हूँ, भैया, पर गुरुदेव ने कहा था, 'जो पशु की तरह लड़ कर जीत जाते हैं उनके मनुष्य बनने की सम्भावना तो रहती है, पर जो मनुष्य या अधूरे पशु बन कर लड़ते हुए हार जाते हैं, उनको अनिवार्य रूप से उत्पीड़न और दमन से पशु बनने को बाध्य कर दिया जाता है। इतिहास में बार-बार यही हुआ है। कल के पशु आज मनुष्य बन कर शासन कर रहे हैं। कल का मनुष्य अपनी मनुष्यता के ही कारण उनका भारवाही पशु बना रह गया है जिसे पशुओं की भाँति ही कस और बाँध कर, कोड़े या अंकुश से पीड़ित और उद्विग्न करके, साधा और कसा जाता है।'"

अब उभरी थी सीता की आँखों में वह चमक जिसकी लक्ष्मण को प्रतीक्षा थी। राम को घिरा देख कर तो सीता की प्रसन्नता और बढ़ जाती है। पर उनकी प्रसन्नता अधिक टिक नहीं पाई थी। उन्हें यह देख कर कुछ निराशा हुई थी कि राम लक्ष्मण के वाक्यों से प्रभावित होने के स्थान पर कुछ इस तरह मुस्करा रहे थे जिसका अर्थ था कि लक्ष्मण से कोई चूक हो रही थी।

उन्होंने हँसते हुए ही कहा था, "सच पूछो लक्ष्मण तो पशु लड़ता नहीं है, वह केवल प्रहार करता है। वह इस घात में रहता है कि वह कब तुम्हें असावधान पाए और तुम्हारे ऊपर प्रहार कर दे। वह केवल पेट भरने के लिए अपने से दुर्बल जीवों का शिकार करता है। वह नैतिक साहस और सामाजिक विवेक जो मनुष्य को अपने प्राणों को संकट में डाल कर भी लड़ने की शक्ति देता है, वह तो पशु में होता ही नहीं। वह लड़ और जीत कैसे सकता है? वह मनुष्य को घायल कर सकता है, उसके प्राण ले सकता है, पर जीत कदापि नहीं सकता।

"जिन्हें तुम पशुओं से मनुष्यों की हार कह रहे थे, वह पशुओं से मनुष्यों की हार नहीं है, लक्ष्मण। वह भूखे मांसभक्षियों के समक्ष निरीह भक्ष्य पशुओं का

प्राणरक्षा के लिए पलायन या संहार है। वे लड़ते नहीं हैं, भागते और छिपते हैं, और दबोचे जाने पर छटपटाते हैं। मनुष्य जब मनुष्य के रूप में लड़ता हुआ मारा भी जाता है तो भी अपने अदम्य मनोबल और शौर्य के उदाहरणों से लाखों लोगों को प्रेरित करके अपने जीवन और इसके संघर्ष को शतगुणित और सहस्रगुणित कर जाता है। उसका संघर्ष उसके मरने के लाखों वर्ष बाद भी चलता रहता है। दूर-दूर देशों में भी लोग उससे प्रेरित होते हैं। मनुष्य मनुष्य के रूप में लड़ कर ही अपनी और मनुष्य जाति की रक्षा कर सकता है, लक्ष्मण। पशु बन कर नहीं।"

लक्ष्मण राम की बातों को चुपचाप सुन रहे थे परन्तु राम को यह समझ में नहीं आ रहा था कि वह इस बात को समझ भी रहे हैं या नहीं। लक्ष्मण ने हाथ जोड़ लिए थे, "भैया, आप साधारण मनुष्य नहीं हैं। नाम के लिए ही मनुष्य हैं, पर हैं देवता। पर गुरुदेव ने मनुष्यों की, मुझ जैसे मनुष्यों की बात की थी। आप अपने लाभ और कीर्ति और जीवन की चिन्ता नहीं करते और स्वयं इन सबको उत्सर्ग करके भी उस आदर्श की रक्षा करना चाहते हैं जो मनुष्य को मनुष्य बनाता और युग-युग तक प्रेरित करता हुआ मानवजाति की जययात्रा का भेरी घोष बनता है, परन्तु एक साधारण मनुष्य को अपना जीवन, अपनी सफलता, अपना यश-अपयश चाहिए।"

यह पहला अवसर था जब अपने लिए 'देवता' शब्द का प्रयोग सुन कर राम को मार्मिक पीड़ा हुई थी। उन्होंने तिलमिला कर कहा था, "लक्ष्मण, किसी मनुष्य की हत्या करने के दो उपाय हैं—उसे देवता या पशु बना देना। दोनों का परिणाम एक ही है—उस मनुष्य को न रहने देना। न तो देवता मेरे आदर्श हैं, न ही मैं देवता बन कर जीना चाहता हूँ। देवताओं ने ऐसा कुछ भी नहीं किया है जिस पर किसी मनुष्य को गर्व हो सके। कुछ भी नहीं। वे केवल भोग करते हैं, अर्घ्य और पाद्य ग्रहण करते हैं। वे केवल मनुष्य समाज के भार हैं, लक्ष्मण। वे बैठे-बिठाए भोग और विलास करनेवाले, अर्घ्य-पाद्य की कामना करनेवाले पुरोहितों के आदर्श हैं। उन्हीं की सृष्टि और उन्हीं के हथियार। वसिष्ठ कहते हैं राक्षस कूटयोद्धा होते हैं, पर इस परिभाषा से तो वसिष्ठ स्वयं राक्षस हैं। वह स्वयं कूटयुद्ध करते हैं। जब उनसे यही बात गुरुदेव ने कह दी थी तो चीख-चीख कर गालियाँ देने लगे थे।"

"गुरुदेव ने वसिष्ठ को राक्षस कहा था, भैया?" लक्ष्मण को सचमुच आश्चर्य हुआ था।

"तुमने नहीं सुनी यह कहानी? वसिष्ठ को गुरुदेव ने ही यातुधान कहा था। कूटाचारी राक्षस। और वसिष्ठ ने खीझ कर कसमें खाना आरम्भ कर दिया था, 'यदि मैं यातुधान होऊँ' तो मैं आज ही मर जाऊँ, अन्यथा जिसने मुझे झूठ-मूझ यातुधान कहा है उसके वंश का नाश हो जाए और इन्द्र उसको सता-सता कर मारें।' वसिष्ठ ने तो इस पर कविता भी गढ़ दी थी जो बहुत प्रसिद्ध है।"

लक्ष्मण को अपनी अनभिज्ञता पर कुछ झेंप सी हुई थी, "मैंने गुरुदेव के शाप

की बात तो सुनी थी पर वसिष्ठ के शाप की बात..."

"सच कहो तो गुरुदेव से अपने लिए राक्षस और यातुधान शब्दों का प्रयोग सुन कर ही वसिष्ठ का क्रोध प्रचंड हो उठा था और उन्होंने गुरुदेव को अपमानित करने का संकल्प लिया था, अन्यथा पुरोहित का पद तो उन्हें मिल ही गया था। परन्तु गुरुदेव को वसिष्ठ ने छल-कपट से तो हटाया ही था। यदि कूट-युद्ध राक्षसों का काम है, तो गुरुदेव का कहना तो ठीक था ही। जो भी हो, मुझे इस समय गुरुदेव के कलह और क्रोध की चिन्ता नहीं है, पर इस बात से चिन्ता अवश्य है कि तुम निठल्ले देवताओं का श्रम और साधना करनेवाले मनुष्यों से श्रेष्ठ मानते हो, जिनके दान पर ही इन निठल्लों का पेट पलता है।"

"मैंने आप की..." लक्ष्मण को लगा वाक्य बिगड़ गया, "मैं...मैं..." वह हकलाने लगे थे, "मैं आपका तिरस्कार करने का..." वह अपना वाक्य चाह कर भी पूरा नहीं कर पा रहे थे।

"मैं भी जानता हूँ कि तुम मेरा तिरस्कार करने की कल्पना तक नहीं कर सकते। मैं केवल यह बताना चाहता था कि देवता मनुष्य से निकृष्ट होता है और वह कपटी लोगों का मानस पुत्र होता है। अपने जीवन, कीर्ति और लाभ की चिन्ता जैसे सभी मनुष्यों को होती है, वैसे ही मुझे भी है। अन्तर केवल एक है, मनुष्य जिसकी चिन्ता या कामना करता है, उसे प्राप्त करने के लिए श्रम और प्रयत्न करता है। पशु बिना श्रम के उसे छीन झपट लेना चाहता है, धोखे से हड़प लेना चाहता है। मनुष्य खेती करता है, पशु उसे चर जाना चाहता है। श्रम और प्रयत्न से ही अपनी काम्य वस्तु को पाने के इस संकल्प से पैदा होता है वह नैतिक आग्रह और साहस जो पशु बन कर सब कुछ नोंच और खसोट लेने की तुलना में मनुष्य बन कर जीने और मनुष्य बने रहने के लिए इन सबको ही, यहाँ तक कि अपने जीवन को भी, उत्सर्ग करने को प्रेरित करता है। मनुष्य का यही उत्सर्ग पशु और मानव योनि की सन्धि रेखा पर झिझकते खड़े मनुष्यों को सही अर्थ में मानव योनि में प्रवेश करने की प्रेरणा और नैतिक बल देता है।" राम अपनी बात कहते हुए कुछ आवेश में आ गए थे।

"परन्तु क्या यह उचित है कि मनुष्य पशुओं के साथ मनुष्यों जैसा व्यवहार करे?" लक्ष्मण ने अब अपनी बात खोल कर ही रख देनी चाही, "क्या विराध के प्रति आपकी यह सहानुभूति..." लक्ष्मण का साहस नहीं हुआ कि राम के व्यवहार को व्यंग्य रूप में भी अनुचित कह सके।

"मनुष्य केवल एक ही रूप में व्यवहार कर सकता है, लक्ष्मण। मनुष्य के रूप में। यह उसका चुनाव नहीं, उसकी विवशता है। ठीक इसी तरह एक पशु केवल पशु के रूप में ही व्यवहार कर सकता है। यदि कुत्ता तुम्हें काटता है तो तुम उसे काटते नहीं, डंडे से मार कर भगाते हो। कुत्ता काट सकता है, डंडा नहीं चला

सकता। तुम डंडा चलाने के अतिरिक्त काट भी सकते हो, पर जानते हो कि काटने के साथ ही तुम्हारा एक मनुष्य के रूप में पतन हो जाएगा। तुम कुत्ते की बराबरी पर पहुँच जाओगे। मनुष्य बने रहने की तुम्हारी बाध्यता ही तुम्हें वह हथियार प्रयोग में न लाने को भी बाध्य करती है जिसे कुत्ता प्रयोग में लाता है। मनुष्य के पास विकल्प हैं, लक्ष्मण, पर पशु के पास विकल्प नहीं होते। मनुष्य हीनतर विकल्पों की ओर लौट कर उस हीनतर स्तर पर पहुँच जाता है। मनुष्य नहीं रहता।" राम ने विषय बदलने के लिए कुछ रुक कर कहना आरम्भ किया था, "और विराध! वह तो पशु भी नहीं था। वह तो एक जड़ अस्त्र था जिसका प्रयोग कोई दूसरा कर रहा था। पशु कम-से-कम अपनी भूख, अपने क्रोध, अपने ऊपर स्वामी के उपकार के कारण तो आक्रमण करता है। यह तो केवल उनके हाथ लग गया था। उनका हथियार था विराध। शत्रु से ही लड़ते समय उस पर तो क्रोध आ सकता है, पर उसके हथियार को खंडित करते समय भी क्या हथियार पर क्रोध करना उचित है? कोई भी योद्धा शत्रु के विनाशकारी हथियार को भी व्यर्थ करना और ऐसा न कर पाने पर उसे सम्मान सहित स्वयं प्राप्त करना चाहेगा। यदि विराध के वास्तविक चरित्र को जान लेने के बाद उनकी जीवनरक्षा सम्भव होती तो मैं उसका भी प्रयत्न करता। मैं उस पर दया दिखा कर भी अपने शत्रुओं पर प्रहार और अपना बचाव ही कर रहा था, लक्ष्मण।"

लक्ष्मण की आँखों के आगे सैकड़ों दीपकों के जलने और मन्द पड़ने और फिर जल उठने की अनुभूति हो रही थी। उनके हाथ अभ्यासवश उसी तरह जुड़ गए थे जैसे देव प्रतिमाओं के सम्मुख जुड़ जाते हैं। राम को यह देख कर हँसी आ रही थी।

राम को कितनी बार अपने लिए 'देवता' शब्द का प्रयोग सुनना पड़ा है और कितनी बार उन्हें खीझ और खेद सहित यह समझाना पड़ा है कि मनुष्य को देवता कहना उसका सम्मान नहीं तिरस्कार है, यह स्वयं राम को भी याद नहीं। लोग यह क्यों नहीं समझ पाते कि देवता और राक्षस एक-दूसरे के पर्याय हैं। उन्हीं शक्तियों और मायाचारों से युक्त कल्पित सत्ता जो जब आपके पक्ष में होती है, तो उसे आप देवता कहते हैं; जब विरोध में तो उसे राक्षस कह देते हैं। वे यह क्यों नहीं समझ पाते कि यज्ञ और तन्त्र एक ही अन्धविश्वास के दो रूप हैं। जब इसे ब्राह्मण पुरोधा धूमधाम से, दान-दक्षिणा के विपुल आयोजनों के साथ सम्पन्न कराता है तो इसे यज्ञ कह देते हैं। जब असवर्ण वर्जनाओं के कारण छिप और बच कर, अपनी आर्थिक दशा के अनुरूप, चोरी से रात के समय करते हैं, तो तन्त्र और अभिचार। दोनों मन्त्र शक्ति और कुछ पाखंडपूर्ण रीतिविधानों और देवार्पणों की सृष्टि के नियमों, परिणामों और इनकी कल्पित चालक सत्ताओं को प्रभावित करने और वशवर्ती बनाने के ही कृत्रिम आयोजन तो हैं। एक समर्थ होने के कारण नरबलि से ले कर पशुबलि तक दे लेता है। दूसरा सीधे श्मशान में ही पहुँच जाता है। एक

सोम अर्पित करता है, दूसरा सुरा। दोनों को मन्त्रगुप्ति पर विश्वास है। दोनों ही पक्षों में अपने ही समाज को छल कर और बहका कर जीनेवाले लोग विद्यमान हैं। इनकी सारी योग्यता देवताओं और असुरों के अस्तित्व और उनको प्रसन्न और वशीभूत कर सकने की अपनी योग्यता में जनता का विश्वास पैदा करने तक सीमित है। इस बात का भरोसा नहीं कि विकास और सभ्यता प्राप्त करने पर समाज को अपने ही समाज के धूर्तों और मक्कारों से मुक्ति मिल जाएगी। हाँ वे अपनी धूर्तता के आयोजन अधिक धूमधाम से, अधिक बड़े पैमाने पर और पिछड़ी अवस्थाओं के अपने परिचित आयोजनों की भर्त्सना करते हुए अवश्य करेंगे। यदि ऐसा न होता तो वन्य जीवन से चले आ रहे तन्त्र ने यज्ञ और पुरोहिती कर्मकांड का रूप क्यों लिया होता और पुरोहितों को उसी तन्त्र से घृणा क्यों होती?

राम कहते हैं मनुष्य अभी पूरा मनुष्य बन ही नहीं पाया है। वह अभी मनुष्य बनने की प्रक्रिया में है। जब तक वह अधूरा मनुष्य बना रहेगा तब तक उसे अपने अधूरेपन को भरनेवाले किसी देवता या असुर की आवश्यकता रहेगी। जब तक वह मानवीय गौरव से जीना और तन कर चलना नहीं सीखेगा तब तक लाख रोकने और समझाने पर भी उसे एक ऐसी सत्ता की आवश्यकता बनी रहेगी जिसके सामने बार-बार झुक कर वह अपनी रीढ़ की अकड़ को कुछ कम कर सके। आवश्यक नहीं कि यह सत्ता देव या ईश्वर ही हो। दुर्बल रीढ़ का मनुष्य अपना सिर झुकाने का कोई न कोई बहाना ढूँढ़ ही लेता है।

"जब तक मुझे लगता है मेरी बात कोई नहीं सुनता।" राम के स्वर में कुछ भारीपन था।

लक्ष्मण चौंक उठे थे, "मुझसे कोई अवज्ञा हुई भैया?"

"अवज्ञा के कारण नहीं कह रहा हूँ, संस्कार के कारण कह रहा हूँ, लक्ष्मण। हमारे संस्कारों की मसि इतनी काली और लिखावट इतनी गझिन है कि हमारी पूरी चेतना ही इसी से रंगी दिखाई देती है। इससे अनमेल पड़नेवाली कोई बात इस पर अंकित करना चाहो तो स्याही सूखने तक यह दिखाई देती है, स्याही सूखते ही संस्कारों के काले पटल के अतिरिक्त कुछ नहीं दिखता। जिन बातों को हम जान और समझ भी लेते हैं उन्हें मानने के तुरन्त बाद ही हम जो आचरण करते हैं उनसे हमारे इस ज्ञान और समझ का निषेध हो जाता है। हम किसी बाहरी देवता या ईश्वर के आगे नहीं झुकते, लक्ष्मण। हम अपने भीतर कूट-कूट कर भरे गए विश्वासों और संस्कारों के आगे झुकते हैं, जो हमारे ज्ञान पर नहीं अपितु हमारे गुरुजनों और पूर्वजों द्वारा बार-बार दुहराए गए और हठपूर्वक सिखाए गए विचारों और व्यवहारों पर निर्भर करते हैं। इन्हें हम दंड, भर्त्सना या उपेक्षा के भय से स्वीकार कर लेते हैं और अपने निजी अनुभव, ज्ञान या तर्क के विपरीत पा कर भी लोकनिन्दा के भय से नकारने का साहस नहीं जुटा पाते। यदि ऐसा नहीं होता तो

ठीक उसके बाद ही जब मैं देवत्व को निन्दनीय बता रहा था तुम मेरे सम्मुख उसी तरह हाथ नहीं जोड़ लेते जैसे लोग देव प्रतिमाओं के सम्मुख जोड़ लेते हैं।"

लक्ष्मण का चेहरा शर्म से लाल पड़ गया था। इससे पहले उनका ध्यान इस बात की ओर गया ही नहीं था। यदि राम ने याद न दिलाया होता तो उन्हें पता ही न चलता कि उन्होंने अभी एक क्षण पहले उन्हें देववत नमस्कार किया था। राम की बात समाप्त नहीं हुई थी। उनके होंठ कुछ इस तरह काँप रहे थे मानो वह कुछ कहना चाहते हों पर उसे कहते हुए झिझक रहे हों।

"और ये हमारे अभिवादन-शिष्टाचार, लक्ष्मण जानते हो इनका क्या अर्थ है?" राम ने लक्ष्मण की झेंप मिटाने के लिए स्वयं कुछ कहने की अपेक्षा लक्ष्मण से ही प्रश्न कर दिया था। लक्ष्मण का संकोच उत्सुकता में बदल गया था।

"यह सोच कर दुख होता है, लक्ष्मण, कि हमारे शिष्टाचार तक अशिष्टाचार हैं। ये जीवन विरोधी और अमानवीय हैं।" राम सम्भवतः लक्ष्मण की उत्सुकता को बढ़ाने के लिए ही एक क्षण को चुप हो गए थे। लक्ष्मण की आँखों में उभरी उत्सुकता अब एक टिमटिमाती लौ में बदल गई थी और वह पहले से अधिक एकाग्र हो गए थे।

"जीवन जहाँ भी होता है वह ऊपर उठता है। वह बन्धनों को तोड़ता है। जीवधारी के सम्मान को बढ़ाता है। एक बीज तक, एक सूखा बीज तक दबाए जाने पर इसका निषेध करता है। वह धरती की पपड़ी तोड़ कर, अपनी ऊपरी झिल्ली को तोड़कर एक अंकुर के रूप में बाहर आ जाता है और आकाश की ओर ऊपर उठता है। उस अंकुर को तोड़ कर वह पत्तियों में, पत्तियों को तोड़ता हुआ तने में, तने को तोड़ कर क्रमशः शाखाओं, पत्तियों, फूलों और फलों में और अन्ततः अपनी जड़ सीमा को तोड़ कर दूर पहुँचने के लिए, एकाधिक नए वृक्षों में बदलने के लिए बीज बन जाता है। मुक्ति और अभिव्यक्ति की इस गौरव परम्परा का ही दूसरा नाम सृष्टि और जीवन है। जीवन बन्धन को नहीं सहन करता। अधोगति को नहीं सहन करता। एक वृक्ष के भीतर रस संचार करनेवाला आवरण भी जब क्रमशः सूख कर कठोर हो कर उसे कसने लगता है तो वृक्ष उस सूखी छाल को तोड़ कर फेंक देता है। एक पतली सी लता जो अपने सहारे खड़ी नहीं रह सकती, वह भी ऊपर की ओर चढ़ती है। पर हमें शिष्टाचार के नाम पर झुकना, गिरना और अपने हाथों में बाँधना सिखाया जाता है। दूसरों को यह बताने के लिए कि वे बड़े हैं अपने को छोटा बनाना सिखाया जाता है। यह बताने के लिए कि वे आदरणीय हैं अपने को अपमानित करना सिखाया जाता है। मैं यह सोच कर चकित रह जाता हूँ, लक्ष्मण, कि हमारे गुरुजन जो वय में, ज्ञान में, मान में, हमसे बड़े हैं, वे यह विश्वास क्यों नहीं कर पाते कि वे बड़े हैं। अपने को बड़ा बनाने के लिए उन्हें दूसरों को छोटा बनाने की आवश्यकता क्यों होती है?

"यह कितनी विचित्र बात है कि मनुष्य को अपना अपमान करने के लिए और इस अपमान पर भी गर्व करने के लिए तैयार किया जा सकता है और वह भी शिष्ट आचार के नाम पर। जब हम शत्रु को पराजित करते हैं तो उसके दोनों हाथ बाँध दिए जाते हैं कि वह विवश हो जाए। अब कोई हत्या आदि के घोर अपराध करता है तो क्षमा याचना के लिए आ कर अपनी गर्दन झुका कर सामने करबद्ध भाव से बिछ कर कहता है कि यदि दूसरा व्यक्ति चाहे तो बदले में उसका सिर उतार सकता है। सम्मान प्रकट करने के नाम पर हमसे अपेक्षा की जाती है कि हम दूसरे व्यक्ति के समक्ष उसी बन्दी और अपराधी भाव का प्रदर्शन करें। और देवता तो अपनी चाटुकारिता में सब कुछ सुनने के बाद भी यह सुनना चाहते हैं कि तुम्हारे जैसा कुटिल, खल और कामी कोई है ही नहीं; कि तुम मूर्ख, शठ, पापी और दीन हो। उनकी इस प्रशंसा और आत्मभर्त्सना के सम्मिलित रूप का नाम ही है वंदना! यह स्वीकृति कि तुम उनके वंदी हो और उनकी शरण में आ कर प्राणों की रक्षा के लिए रिरियानेवाले शत्रु हो। सम्मान प्रकट करने और पूजा करने का कितना गर्हित है यह रूप। यह दोनों का पतन करता है, लक्ष्मण। सम्मान पानेवाले का भी और सम्मान देनेवाले का भी।"

"मनुष्य को मनुष्य बना पाना उसके चारों ओर ईश्वरों और देवताओं की भीड़ लगा देने से अधिक कठिन काम है, लक्ष्मण। स्वयं मनुष्य बनकर जीवित रहना भी बहुत कठिन काम है। देवता और ईश्वर पैदा करते रहना तो कुछ लोगों का धन्धा है। जो जौ और बाजरा तक पैदा नहीं कर सकते और इनके लिए दूसरों के आगे हाथ फैलाते हैं, वे ईश्वर और देवता पैदा करते रहते हैं और विचित्र यह कि देवताओं और ईश्वरों की इस फसल में से ही उनकी सूखी रोटी नहीं, दूध में सनी और घी में तली पूड़ी और हलवा निकलता रहता है। ऐसे ही लोग कहते हैं कि ईश्वर बिना कामधाम के निठल्ला बैठे भक्तों का पेट भरने का और काम करनेवालों को सताने और भूखों मारने का काम करता रहता है। दुर्भाग्य की बात यह कि इनके ये देवता मरते भी नहीं, इसलिए इस देश में यदि मनुष्यों की संख्या एक करोड़ होगी तो देवताओं की संख्या तैंतीस करोड़ हो चुकी है। प्रत्येक आदमी के सिर पर एक पुरोहित और तैंतीस देवताओं का बोझ लदा हो तो कोई समाज तनकर कैसे चल सकता है। हमारा समाज इनके बोझ के नीचे घिसटता और रेंगता हुआ चल रहा है, लक्ष्मण। कीड़ों की तरह रेंगता हुआ।"

मनुष्य बन कर जीने की आकांक्षा और दूसरों को मनुष्य बना पाने का लक्ष्य, यही तो राम के प्रेरक स्वप्न रहे हैं, पर इनके लिए उन्हें कितना बड़ा मूल्य देना पड़ा है! क्या वह दूसरों को मनुष्य बना पाए? स्वयं अपने मूल्यों और आदर्शों को अविकल बनाए रह सके? सोच कर दुख होता है पर साथ ही यह तोष भी कि हर विचलन के बाद उन्होंने स्थिर होने का और अपने सिर को तान कर खड़ा होने का

प्रयत्न किया है। अपने को मनुष्य बनाए रखने के लिए उन्होंने हर सम्भव प्रयत्न किया है।

एक स्थान से दूसरे को भागते और छिपते हुए वह सुदूर पंचवटी क्षेत्र में पहुँचे थे। गोदावरी के तट पर वह ऊँची भूमि जहाँ तक बाढ़ का पानी भी नहीं आ सकता था! चट्टानी भूमि पर मिट्टी कहीं तो पूरी तरह बह-धुल गई थी और कहीं ऐसी कि पेड़-पौधे उग सकें। इस कारण वन भी बहुत सघन नहीं था और बरगद के वे पाँच पेड़ जो बहुत ऊँचे न हो कर भी एक-दूसरे के निकट होने के कारण शीतताप से मुक्ति देने की दृष्टि से किसी महल से कम नहीं थे, सीता को इतने भा गए थे कि उन्होंने कहा था, "अब छिपते-भागते थक गए। जो भी हो अब यहीं रहेंगे, दंड की अवधि समाप्त होने तक।" उन्होंने ही रखा था इसका नाम 'पंचवटी'।

वटकुंज के निकट ही राम ने अपनी कुटी बनाई थी। उन्हें इस बात का उस समय अनुमान भी नहीं था कि गीध गण की एक टोली अपना ग्रीष्म निवास इसी स्थल पर, अपितु इस पंचवटी में ही करती थी। पहली बार उनका दल जब आया तो उसे देख कर राम को डर लगा था। वह धनुष-बाण साध कर तैयार भी हो गए थे। 'यदि ये नरभक्षी राक्षस हुए तो प्राणों का भी संकट'। राम को यह जान कर आश्चर्य हुआ था कि गीध देखने में जितने भी डरावने क्यों न लगते हों, व्यवहार में इतने सरल थे कि सोच कर आश्चर्य होता था। उनकी जीवन पद्धति बहुत पिछड़ी हुई थी। पत्थर के हथियारों को छोड़ कर वे अन्य किसी हथियार से परिचित ही नहीं थे। उनके पत्थर के हथियार भी इतने अविकसित थे कि उनसे कठिनाई से ही जानवरों की खाल उतारी और उनका मांस काटा जा सकता था। आग तक से वे परिचित नहीं थे। वे शिकार करने के बाद अपने दाँतों से ही कच्चे मांस को बारी-बारी नोचते और चबाते रहते। उन्हें देख कर सीता ने ही आश्चर्य से कहा था, 'ये मनुष्य हैं या गीध' और उसके बाद से राम ने किसी अन्य नाम के अभाव में उन्हें गीध कहना आरम्भ कर दिया था। जब उन्हें पता चला था कि राम उनके यूथ के लिए गीध शब्द का प्रयोग करते हैं तो उन्हें इस पर क्रोध नहीं आया था, अपितु इस बात पर गर्व हुआ था कि राम ने भी मान लिया था कि ये गीधराज के वंशज हैं। उनका अपना विश्वास था कि उनके पूर्वज एक गीध थे जो सूर्य तक उड़ान भरने का संकल्प ले कर उड़े थे। वह सूर्य के निकट पहुँचे तो उसके पंख जल गए और वे पंख विहीन हो कर धरती पर आ गिरे। वे उन्हीं पितर की सन्तान हैं। इसलिए ही उनकी आकृति मनुष्यों जैसी है। वे अपने पूर्वज की जली हुई पाँखों की क्षतिपूर्ति करने के लिए अपने समूह नृत्य में, जो उनके यहाँ नित्य होता था, हाथों के सहारे बड़े-बड़े पंख लगाते थे और अपने मुख को कुछ इस तरह सजाते थे कि वह देखने में चोंच जैसा लगता था। टोली के सामूहिक हित के अतिरिक्त

उनकी कोई अन्य नैतिकता नहीं थी। यदि सीता ने कुछ असावधानी में भी उनके लिए गीध शब्द का प्रयोग किया था तो यह उनके मामले में सर्वथा उपयुक्त ही था।

शिकार के लिए वे जिन युक्तियों का प्रयोग करते थे उन्हें देख कर उनके कौशल पर आश्चर्य होता था। पशुओं के व्यवहार और उनकी प्रतिक्रियाओं का उन्हें जितना अच्छा ज्ञान था, वे जिस कुशलता से अपने हाथों से ही मछलियाँ पकड़ लेते थे, चिड़ियों का शिकार कर लेते थे, आखेट के पशुओं की ओर जिस तैयारी से बढ़ते थे, उसे देख कर आश्चर्य होता था। स्वच्छता शब्द का अर्थ शायद वे जानते ही नहीं थे। जल-किल्लोल तो करते पर स्नान के साथ जुड़ी स्वच्छता की धारणा से वे शायद परिचित ही नहीं थे। उनके शरीर की गन्ध दूर से ही पहचानी जा सकती थी।

राम ने उन्हें शिकार से दूर रह कर ही तीर-धनुष से शिकार करने की युक्ति सिखाई तो वे इनके इतने भक्त बन गए कि इनके लिए प्राण देने के लिए भी तैयार रहते थे।

इसी टोली की एक युवती थी सुपर्णा। गदराया हुआ यौवन और स्वस्थ युवती के अनुरूप कामोन्माद और आकर्षण। वह गीध युवतियों की भाँति अपने 'शरीर' को रंग-बिरंगे पंखों से सजाए रहती थी और इसीलिए राम ने उसका यह नाम रखा था। गीध समुदाय में न केवल काम पर प्रतिबन्ध नहीं था, अपितु यह एक ऐसा यज्ञ था जिसमें कोई किसी के भी साथ, किसी के भी समक्ष, किसी भी समय रत हो सकता था। यदि इसी सुपर्णा ने जिसे चिढ़ कर सीता बाद में सूर्पणखा कहने लगी थीं, एक दिन आ कर राम से यह प्रस्ताव कर दिया कि वह उसके साथ रमण करें तो न तो यह मर्यादा का उल्लंघन था, न ही सीता का अपमान। यह तो उसके गण के नियमों के अनुसार किसी भी अपरिचित का सबसे बड़ा सम्मान था, जिस पर गण के किसी व्यक्ति को आपत्ति हो ही नहीं सकती थी। यह तो उनकी ओर से किसी अतिथि के प्रति अपना स्नेह और सम्मान प्रकट करने का ढंग था। यह उनकी ओर से मैत्री का प्रस्ताव था, जिसकी अवहेलना करना गीध समाज का अपमान था। वह तो राम के पास अपने गणप्रमुख के आदेश पर आई ही थी, अन्यथा उसे अपने समाज में पुरुषों की क्या कमी थी। राम को देख कर तो उसके मन में यूँ भी कोई आकर्षण नहीं पैदा हो सकता था। न तो उनके शरीर से वह मर्दानी गन्ध फूटती थी जिसे वह किसी उत्तेजित मादा पशु की तरह अपने समाज के किसी तरुण के शरीर से फूटता अनुभव करती थी, न ही वह यह देख सकती थी कि वह एक मर्द के रूप में कितना पुष्ट और उत्तेजित है जो वह अपने गण के किसी युवक के नंगे अंग में उत्पन्न होनेवाले हर्ष-विस्तार को देख कर अनुभव कर सकती थी। ऐसे किसी पुरुष को देख कर वह कामासक्त कैसे हो सकती थी? पर

तब तक राम को यह सब पता नहीं था। यह सब तो तब पता चला जब उसने उनके इनकार करने पर आवेश में आ कर यह सब कहना आरम्भ किया।

अपनी ओर से वह बहुत सज कर आई थी। गेरू से रंगे चेहरे को और भी सुन्दर बनाने के लिए अपने सिर पर चिड़ियों के रंगीन पंख लगा रखे थे और एक नीले फल के रस से उस रंगे हुए चेहरे पर धारियाँ बना रखी थीं। उसके वक्ष और नाभि पर भी चित्रकारी की गई थी जो दोनों जाँघों तक चली गई थी। कटि में एक सूखी ताँत से लटकते पंख उसके नितम्ब और उपस्थ को छिपाने के लिए थे, या सजाने के लिए, यह निर्णय कर पाना कठिन था। उसके शरीर से उठती दुर्गंध राम और सीता के नथनों तक आ रही थी।

वह सीधे आ कर राम के सामने खड़ी हो गई थी और इस बात की भी चिन्ता किए बिना कि सीता और लक्ष्मण भी पास ही हैं, उसने उनसे प्रणय निवेदन कर दिया था। प्रणय निवेदन का ढंग भी विचित्र था। वह उस अंग की ओर एकटक देख रही थी जो छिपा हुआ था और इसलिए मृगचर्म हटाने का संकेत करते हुए स्वयं जानु विस्तार करके अपने उपस्थ की ओर संकेत करके अपने अधूरे सन्देश को मुखर कर रही थी। गीधों के साथ राम की मैत्री का आरम्भ हुए अधिक समय नहीं हुआ था, अतः वह उनकी भाषा के बहुत कम शब्द ही सीख पाए थे। राम ने भी सीता की ओर संकेत करते हुए नकार में हाथ हिलाए थे। सीता पहले ही इस दृश्य पर आँखें मूँद कर अपना सिर राम की गोद में रख कर जैसे छिप जाना चाहती रही हों। सीता तो स्वयं भी मृगचर्म से अपने उन्हीं अवयवों को छिपाए हुई थीं जिन पर किसी नारी को गर्व होना चाहिए। राम की गोद में छिपती हुई वह सुपर्णा को अवश्य किसी मानवाकार चूहे या खरगोश जैसी लगी होंगी। सुपर्णा ने उनकी ओर घृणा सहित देखा था, छिः, यह भी कोई स्त्री है। इसे उसने कभी तो राम के साथ क्रीड़ा करते देखा ही नहीं। यदि इसके अंग सुघड़ और विकच होते तो वह इन्हें छिपा कर क्यों रखती। सुन्दरता तो वहाँ और केवल वहाँ थी, जहाँ उसने रंगीन पंख लटका रखे थे।

दूसरी बार भी उसका अनुरोध टाल दिए जाने के बाद वह क्रोध से तमतमा उठी थी। जब उसने बताया था कि उसे गणप्रधान ने मैत्री के प्रमाण स्वरूप भेजा है और उसका अक्षत लौट जाना उसके गण का अपमान होगा, जिसके परिणाम गम्भीर हो सकते हैं। राम सचमुच डर गए थे। गणों की इस दुर्बलता को वह जानते थे कि उनके आत्मीयता के निवेदन को यदि किसी ने किसी भी कारण ठुकरा दिया तो वह तत्काल उनका शत्रु बन जाता है। ऐसे व्यक्ति के प्राण तक लेने के लिए वे कटिबद्ध हो जाते हैं। उनकी दृष्टि में मनुष्य के दो ही सम्बन्ध होते हैं। या तो वह मित्र है, या शत्रु। वह तटस्थ नहीं रह सकता। राम ने दीन भाव से लक्ष्मण की ओर देखा था और जब लक्ष्मण ने भी हाथ जोड़ लिए थे तो

उसके क्रोध ने चंड रूप धारण कर लिया था।

सुपर्णा का क्रोध करना अनुचित भी नहीं था। न केवल उसके गण का अपमान हुआ था, अपितु स्वयं उसके सौन्दर्य का भी। अब सब कुछ, वही होते हुए भी, वही नहीं रह गया था। उसके गण की सुन्दरता की सबसे बड़ी कसौटी थी किसी युवती का बहुमर्दिता होना। यदि उसे किसी ने भी लौटा दिया तो अब उन्हीं पुरुषों के लिए वह उपेक्षणीय हो गई, जो कल तक उसके साथ रमण के लिए आतुर रहते थे। यदि वह सचमुच सुन्दर होती तो किसी ने उसे लौटाया ही क्यों होता। वह सभ्य मनुष्यों की तरह झूठ भी नहीं बोल सकती थी। अपने क्रोध के उफान में उसने राम को भी वही कुछ कहा था जो पहले सीता के लिए कह चुकी थी। यदि वह मर्द होते तो अपने अंग को छिपा कर क्यों रखते। अब उसे एक और प्रमाण सीता के लिए भी मिल गया था—यदि वह पूरी औरत होती तो क्या अब तक उसके कोई बच्चा नहीं हुआ होता!

उसकी धृष्टता लक्ष्मण से सहन न हुई थी। उन्होंने उठ कर उसे अपने धनुष के डंडे से ही इस तरह मारा था कि वह गिग्ते-गिरते बची थी और चीत्कार करती हुई भाग खड़ी हुई थी।

उसके लौटने के कुछ ही देर बाद जो कोलाहल सुनाई पड़ा था और गीधों का पूरा यूथ जिस तरह पत्थर और हड्डियाँ लिए राम की ओर बढ़ा था उसे देख कर उन्हें इस विषय में कोई संशय नहीं रह गया था कि अब प्राणरक्षा के लिए उन्हें धनुष उठाना ही होगा और जब वाणों के प्रहार से उनके अनेक वीर उस सीमा में प्रवेश करने से पहले ही ढेर हो गए थे जहाँ से वे अपने पत्थर या हड्डी के हथियार फेंक सकते तो शेष गीध भाग खड़े हुए थे।

सन्तान न होने की बात तो सुपर्णा ने ठीक ही कही थी। सीता का साथ रहना एक विवशता तो थी, पर साथ रह कर भी वह उनके लिए रम्या नहीं थीं। यदि लक्ष्मण अपत्नीक रहने को बाध्य थे तो राम भी सीता के लिए एक सहचर से अधिक नहीं थे।

सन्तान का स्मरण आते ही सीता की आँखें गीली हो गईं। दिन इतने निकट आ गए हैं। अयोध्या का उत्तराधिकारी वन में जन्म लेगा! जो लोग अयोध्या में जन्मे राजकुमार को वन में भटकाते रहे, वे वन में पैदा होनेवाले राजकुमार को अयोध्या में कभी प्रवेश करने भी देंगे। जाने महाराज इस समय कैसे होंगे!

"जाने महाराज इस समय कैसे होंगे!" यह विचार शब्द बन कर फिर फूट निकला और सीता चौंक कर फिर काम में लग गईं। मंगला ने इस बार उनकी ओर देखा तक नहीं। सीता ने दबी आँखों से उनकी ओर देखा। वह जाने किस बात पर सिर झुकाए मुस्करा रही थीं। इस समय उनका हाथ भी रुका हुआ था।

26

वाल्मीकि आश्रम की ओर जाते हुए शत्रुघ्न स्वयं यह नहीं समझ पा रहे थे कि उन्हें वहाँ कितने दिन रहना होगा। उन्हें इस बात का सन्तोष अवश्य था कि अपने भावी शिशुओं को जन्म लेते ही शत्रुघ्न के संरक्षण में सौंप कर महाराज ने उनके ऊपर अपने असीम विश्वास को ही प्रकट किया है। वह इसी पर गद्‌गद थे।

शत्रुघ्न ने अपनी कल्पना में सीता की जो छवि निर्मित की थी वह वाल्मीकि आश्रम पहुँचने के साथ धूल में मिल गई। राजभवन के वैभव की बात तो दूर सीता को देखकर यह लगता ही नहीं था कि वह जीवन में कभी आश्रम के इस परिवेश से बाहर रही हों। तुलना करने पर लग यह रहा था कि उन्होंने सीता को राजभवन में भी कभी इतना प्रसन्न नहीं देखा था।

उनका शरीर इतना भारी हो रहा था कि चलने में कुछ कष्ट अवश्य हो रहा होगा, पर मुख पर न क्लान्ति की छाया थी, न खिन्नता। मंद गति से ही सही, पर वह इधर-उधर डोलती, छोटे-मोटे कामों में इस तरह तल्लीन थीं कि उनके शरीर के असाधारण भारीपन के बाद भी शत्रुघ्न को यह भ्रम हो रहा था कि वह यदि दस-बीस दिन बाद भी आते तो कोई क्षति नहीं थी।

वाल्मीकि के आश्रम में प्रवेश करने से पहले उन्होंने सूचना भेजी थी, "अयोध्या के सेनापति शत्रुघ्न, मुनिवर के दर्शन करना चाहते हैं।"

सूचना लेकर जानेवाला व्यक्ति एक संक्षिप्त उत्तर लेकर लौट आया था, "हमारे पास दर्शनीय कुछ नहीं है, न ही यहाँ तक आने के लिए किसी को आज्ञा या अनुमति लेनी होती है।"

राजा या राज प्रतिनिधि किसी आश्रम में प्रवेश करने से पहले अनुमति प्राप्त करने के लिए सूचना नहीं भेजा करते। यह तो कहने का एक ढंग है। जिस आश्रम में बिना पूर्व अनुमति के उनका सन्देशहर या परिचारक जा सकता है, उसमें उनके जाने पर भला क्या रोक हो सकती है! यह सूचना तो केवल इस आशय से दी जाती है कि आश्रम के प्रमुख व्यक्ति स्वयं आ कर उसका स्वागत करें। किसी राजा या राजप्रतिनिधि के आगमन पर उपहार, दान या आमन्त्रण की आशा में आश्रमों के आचार्यों और उपाध्यायों में इस बात की होड़ सी मच जाती है कि वे किसी-न-किसी प्रकार उसकी दृष्टि में अवश्य पड़ जाएँ और यदि प्रधानाचार्य ने स्वागत के लिए किसी को साथ ले लिया तो वह इसे अपना अतिरिक्त सौभाग्य मानता है। यहाँ वाल्मीकि से जो उत्तर मिला था उसने शत्रुघ्न के मद को एक झटके में ही उतार दिया था।

शत्रुघ्न को लगा था कि वाल्मीकि सीता की उपेक्षा के लिए राम को ही दोषी मानते हैं और इसलिए कुछ रुष्ट भी हैं। ऐसा न होता तो स्वागत के लिए वह भले

न आते, परन्तु उत्तर में इतनी कठोरता भी न होती। निकट पहुँचने पर यह अनुमान भी गलत सिद्ध हुआ। शत्रुघ्न के निकट आने पर वह दो-चार डग आगे आए थे। उनके होंठों पर सहज मुस्कान थी, "आओ, राजन् महाराज सकुशल तो हैं?"

शत्रुघ्न ने उन्हें दूर से देख कर ही हाथ जोड़ लिए थे और यह स्वागत वाक्य बोलते हुए वाल्मीकि के हाथ भी जुड़े थे। लक्ष्मण के साथ आए उपहार की जो दशा हुई थी उसको स्मरण करके इस बार किसी प्रकार का उपहार या अन्य सामग्री लेकर तो शत्रुघ्न नहीं आए थे, परन्तु अपने साथ एक कुशल दाई अवश्य लेते आए थे। वाल्मीकि की आज्ञा के बिना वह उसे ले कर नहीं आ सकते थे, अतः वह नौका में ही रह गई थी। जब इसकी सूचना उन्होंने वाल्मीकि को दी थी तो वाल्मीकि मुस्कराने लगे थे, "प्रसव पीड़ा और प्रसव मृत्यु समृद्ध कुलों में ही अधिक होती है, राजन! आप निश्चिंत रहें, सीता को इस आश्रम में कोई कष्ट नहीं होगा।"

और शत्रुघ्न ने सीता से जब उनके कष्ट और असुविधा की चर्चा की थी तो उनका उत्तर सुन कर चकित रह गए थे, "महाराज के पास जितना बड़ा साम्राज्य है उससे बड़ा साम्राज्य है मेरे पास। पूरी मानवता का साम्राज्य। उनका जितना बड़ा उद्यान है उससे कहीं अधिक विशाल उद्यान है मेरे पास। इसमें केवल फूलों के लता-गुल्म ही नहीं हैं, एक-दूसरे में गुँथे हुए विशाल वृक्ष भी हैं और तीखे शूलोंवाली झाड़ियाँ भी। उनके राज परिवार से बहुत विशाल है मेरा परिवार और उनके परिचारकों से कहीं अधिक आत्मीयता से परिचर्या करनेवाले यहाँ उपस्थित हैं।"

सीता का उत्तर कुछ व्यंग्यपूर्ण लगा था शत्रुघ्न को। सीता ने इसे लक्ष्य कर लिया था, "चकित न हों देवरजी। महाराज को बताइएगा तो वह समझ जाएँगे। पहली बार उन्होंने जब यही बात कही थी तो मुझे भी वह व्यंग्य जैसी लगी थी। सम्भव है उन्होंने व्यंग्य में ही कहा भी हो, पर मेरे साथ यह जीवन की सच्चाई है। उनके साथ मैंने केवल वन के कष्ट ही देखे थे। वन के कष्ट और वन में, मुझे होनेवाले कष्ट को देखकर, उन्हें होनेवाले कष्ट। वन का सुख तो पहली बार भोग रही हूँ। दुख यदि है तो केवल यह है कि यह सारा सुख मैं अकेले भोग रही हूँ। इसे उनके साथ बँटा नहीं पाती। मुझे उनके दुख की बात अवश्य चिन्तित करती रहती है। बस।" अपनी बात पूरी करते-करते सीता की आँखें गीली हो आई थीं और 'बस' का उच्चारण करते-करते उनका गला इतना भर आया था कि आगे कुछ भी कह पाना उनके लिए असम्भव हो गया था। केवल बोलना ही नहीं, वहाँ बैठे रहना भी। वह, इस बात का ध्यान किए बिना कि शत्रुघ्न को उनका यह व्यवहार कैसा लगेगा, वहाँ से उठ कर चली गई थीं। शत्रुघ्न से तो उठा भी नहीं गया था। वह वहीं चुपचाप बैठे जाने क्या सोचते रह गए थे। जब आत्मसजग हो कर यह जानना चाहा था कि वह अभी एक क्षण पहले किन विचारों में लीन थे तो कोई भी चित्र या विचार उभर नहीं पाया था। शब्दातीत चिन्तन की एक अलग अवस्था

होती है शायद, जिसमें हमारे सघन आवेग हमें अर्धमूर्छित किए रहते हैं।

सबसे बड़ा विस्मय तो तब हुआ था जब उसी रात को नवजात शिशु का क्रंदन तमिस्त्र सन्नाटे को एक सस्वर आलोक से भरने लगा था। पूरे आश्रम में पहले एक सुगबुगाहट फैली थी और फिर केवल उस कुटिया में जिसमें सीता रहती थीं कुछ स्त्रियों के बोलने फुसफुसाने के बीच शिशु के क्रंदन को छोड़ कर सब कुछ शान्त हो गया था।

शान्त पड़े लोगों में कितने और लोग शत्रुघ्न की ही भाँति चुप रहते हुए भी जागते रह गए थे यह अनुमान लगा पाना शत्रुघ्न के लिए सम्भव नहीं था। अगले दिन प्रातः पता चला था कि वह एक ही नहीं दो-दो राजकुमारों के चाचा बन गए हैं तो उन्हें लगा था उनकी यह यात्रा ही नए-नए पर सुखद, आश्चर्यों को देखने के लिए थी। शत्रुघ्न के लिए यह एक ऐसा क्षण था जब हर्ष व्यग्रता का भी रूप ले लेता है। यदि किसी युक्ति से अपने को दो भागों में विभाजित किया जा सकता तो आज वह अवश्य ऐसा करके अपने एक अंश को यहाँ छोड़ कर दूसरे के लिए अयोध्या में महाराज राम को यह सुखद संवाद देने के लिए दौड़ पड़े होते।

शत्रुघ्न ने कुछ अभिभूत होकर वाल्मीकि से कहा था कि उनके तप के प्रभाव से ही यह आश्चर्यजनक प्रसव हुआ है, अन्यथा तो आसन्न प्रसवा स्त्रियाँ कई महीने पहले आशक्त हो कर शैया पर पड़ी रहती हैं। प्रसव के दिन से कई दिन पहले से प्रसव वेदना आरम्भ हो जाती है तो वाल्मीकि पुनः अपनी हँसी नहीं रोक पाए थे, "हमारे यहाँ तो प्रत्येक स्त्री इसी तरह सन्तान जनती है, राजन्। कभी-कभी तो वे आखेट पर या कंद-मूल आदि एकत्र करने को गई होती हैं या खेत में काम कर रही होती हैं कि एकाएक प्रसव वेदना अनुभव होती है और राह में या खेत या वन में ही सन्तान का जन्म हो जाता है। कभी-कभी तो सहायता के लिए साथ कोई दूसरी स्त्री भी नहीं होती और वे अपने दाँत से ही अपना नाल तक काट लेती हैं। तभी तो कह रहा था प्रसव वेदना और प्रसव मृत्यु का सम्पन्नता से कोई सम्बन्ध होना चाहिए। जिन्हें अन्य कोई दुख या अभाव नहीं है, सम्भव है, उनको अपने दुख का अंश जन्म, व्याधि और मृत्यु के रूप में ही मिलता हो।"

वाल्मीकि ने व्यंग्य किया था पर शत्रुघ्न ने उसमें भी एक चमत्कार की खोज कर ली थी। वाल्मीकि के इस आश्रम में ही नहीं, इस पूरे क्षेत्र में किसी को जन्म देते या लेते समय प्रसव की दुस्सह पीड़ा नहीं होती है। यदि जन्म का कष्ट नहीं है तो जरा-मृत्यु का भी कष्ट क्यों होता! वह अपने भावावेग को रोक नहीं पाए "यह असत्य नहीं है भगवन् कि पापियों से भरे इस संसार को आप जैसे कुछ पुण्यात्मा ही सँभाले हुए हैं।"

वाल्मीकि इस पर बच्चों की तरह खिलखिला कर हँसे और हँसी रुकने पर शत्रुघ्न से बोले, "राजन् दोष आपका नहीं, उस संसार का है जिसमें आप रहते

आए हैं। आपके पुरोहितों ने बार-बार दुहरा कर आपको समझा रखा है यह संसार पापियों से भरा है। इसमें पुण्यात्मा या तो वे स्वयं हैं या, उनकी सेवा में अपना धन-मान-विवेक सब कुछ अर्पित करनेवाले, श्रीमंत, जिनके कारण यह संसार टिका हुआ है। इनके न रहने पर यह संसार रसातल को चला जाएगा। रसातल यहाँ से किधर, कितनी दूर या कितना नीचे है, यह वे नहीं बताते। संसार वहाँ कैसे और किस रास्ते पहुँचता है, यह भी वे नहीं बताते। अब हम कैसे समझ सकते हैं कि यह वहाँ पहुँच भी चुका है या नहीं! क्या आपने कभी इसे जानने का प्रयत्न किया?"

शत्रुघ्न की बुद्धि यूँ भी कुछ मोटी है। पढ़ने-लिखने के नाम पर उन्होंने अन्धश्रद्धा ही संचित की थी। उनको मार-पीट बचपन से ही पसन्द थी और अपने इसी गुण के कारण वह कैकेयी और भरत को अधिक प्रिय भी रह चुके थे। वाल्मीकि की बातें सुनकर उन्हें चक्कर आने लगा, "क्या मैंने कुछ अनुचित कह दिया था, मुनिवर। यदि ऐसा आपके पुण्य प्रताप के कारण नहीं है तो यह कैसे सम्भव है कि यहाँ किसी स्त्री को प्रसव और शिशु को जन्म की दुस्सह पीड़ा नहीं होती? ऐसा अन्यत्र तो होता नहीं।"

वाल्मीकि के स्वर में व्यंग्य अभी तक बना हुआ था, "यदि पीड़ा पाप से होती है और जन्म की पीड़ा से आपके संसार का कोई व्यक्ति बच नहीं पाता, आपके पुरोधा और दान-पुण्य करनेवाले भी नहीं, तब तो आपको यह मानना होगा कि आपका संसार केवल पापियों से भरा है। आपका दान-पुण्य भी पाप का ही एक रूप है। इसके विपरीत हमारे संसार में सदा से यही सुनता आया हूँ कि स्त्रियाँ घूमते-टहलते, कंद-मूल खोजते कभी भी प्रसव की अनुभूति कर सकती हैं और शिशु के जन्म में यहाँ कोई विशेष कष्ट कभी नहीं होता। यह स्थिति मेरे जन्म लेने से पहले से है और मेरे मरने के बाद भी रहेगी। तो इसका अर्थ हुआ, हमारा पूरा समाज पुण्यात्माओं का समाज है। क्यों?"

शत्रुघ्न की उलझन बढ़ गई थी, "किन्तु ऐसा है क्यों?"

"उत्तर तो मैं भी नहीं दे सकता। जो सच है वह बता दिया। सम्भव है आपका संसार सचमुच पापियों का और हमारा संसार पुण्यात्माओं का संसार हो। पर हमारे समाज को तो आपके पुरोधा असुरों और राक्षसों का, पापियों और अपराधियों का समाज मानते आए हैं। अब मुझे आपकी बात सुन कर लग रहा है, आपके समाज के भीतर राक्षसों की संख्या ही अधिक नहीं है, अपितु वे ही वहाँ अधिक सम्मान और सुख से जीते हैं। और जैसा मैंने कहा, जीवन में अन्य कोई कष्ट या अभाव न अनुभव करने के कारण जन्म और मृत्यु के यह अनिवार्य अनुभव ही उन्हें दुस्सह पीड़ा अनुभव होते होंगे।"

वाल्मीकि कुछ समय तक शत्रुघ्न की प्रतिक्रिया की प्रतीक्षा करते रहे। उन्हें कुछ सोच में पड़ा देख कर वाल्मीकि कुछ गम्भीर हो गए, "देखिए राजन्, दुख और

सुख का पुण्य और पाप से सम्बन्ध नहीं होता। यदि ऐसा होता तो जिन दिनों मैं और मेरे गण समाज के लोग लूट-मार करते थे उन दिनों जिन माताओं ने जन्म दिए उन्हें और उनके शिशुओं को अवश्य बहुत अधिक कष्ट हुआ होता। और फिर हमारे यहाँ कष्टों का अभाव हो ऐसा तो है नहीं। हमारे कष्ट और आनन्द ठीक वे और वैसे ही नहीं हैं जो आपके समाज के हैं। वन में रहनेवाला तो काँटों और झाड़ियों, साँपों और बाघों के बीच रहता ही है। आपके संसार में इनका अभाव है, इसलिए मनुष्यों में से ही समाज के कंटक और साँप-बाघ पैदा हो जाते हैं, और उसे कष्ट देते रहते हैं।" नागर जीवन के प्रति वाल्मीकि की घृणा तो पहले से ही बनी हुई थी, सीता के निर्वासन के बाद इसने कुछ तीव्र रूप ले लिया था, अतः वह गम्भीर होने का प्रयत्न करने के बाद भी अपने व्यंग्य को रोक नहीं पा रहे थे। महाराज राम के प्रतिनिधि और अयोध्या के सेनाध्यक्ष के प्रति सम्मान प्रकट करने के समानान्तर यह जताने की लालसा प्रबल हो उठती थी कि अपने को सभ्य और देवतुल्य माननेवाले नागर जनों को वह अपने से तुच्छ समझते हैं। अपने मन की इस विचलन पर उन्हें भीतर ही भीतर खेद भी अनुभव हो रहा था, क्योंकि इसका अर्थ यह भी था कि उनके मन के राग और अहंकार अभी तक मिटे नहीं हैं।

वाल्मीकि ने अपने को कुछ संयत करते हुए प्रश्न किया, "सुना है आपके समाज में जो सुखी और सम्पन्न हैं वे पूरे जीवन को ही दुख मान कर और जीवन-चक्र को दंड मान कर इससे मुक्ति पाना चाहते हैं। उनके जीवन का लक्ष्य है, मोक्ष। और उसी समाज में जो सबसे अभाव और पीड़ा में रहते हैं, हर तरह की उपेक्षा सहन करते हैं, वे भरपूर जीना चाहते हैं। वे कष्ट में हैं, पर उनको जीवन कष्टमय नहीं लगता। क्यों?"

शत्रुघ्न चक्कर में पड़ गए। वाल्मीकि फिर हँसने लगे, "छोड़िए! यह आपकी समझ में नहीं आएगा। जो काम करना नहीं जानते, वे जीना भी नहीं जानते। उनके कष्टों का कोई अन्त नहीं, और फिर भीतर से भय, लोभ, अहंकार, ईर्ष्या जाने कैसी-कैसी व्याधियाँ। मुझे उन पर दया आती है।"

अब वाल्मीकि ने चर्चा को महाराज राम की ओर मोड़ दिया। यदि शत्रुघ्न अपनी ओर से सीता की चर्चा आरम्भ करना भी चाहते तो वह भी लौट कर राम पर पहुँच जाती। वाल्मीकि राम के विषय में जानना ही नहीं चाहते थे। वह उन्हें ज्ञान-चक्षु से देख लेना चाहते थे—भीतर से बाहर तक! वह विविध सूचनाओं के सहारे ही राम की उपस्थिति को अनुभव करना चाहते थे। उनके मनोभावों को पढ़ना चाहते थे। उनकी क्रियाशीलता को देखना चाहते थे।

राम की दिनचर्या क्या है? उनका स्वास्थ्य कैसा है? जैसे साधारण प्रश्न ही नहीं, अपितु ऐसे नितान्त छोटे प्रश्न जिनमें आत्मीयता का गहरा पुट था। ऐसे प्रश्न जिन्हें कोई माँ या पिता ही अपनी सन्तान के विषय में पूछ सकता है। वह

हँसते हैं तो कैसे लगते हैं? बोलते हैं तो कैसे? चलते हैं तो किस तरह? क्या उन्हें क्रोध नहीं आता? अपने अपकारियों पर भी नहीं?

"नहीं, महाराज को क्रोध नहीं आता, मुनिवर।" कहते हैं, 'मुझे तो रावण पर भी क्रोध नहीं आया था, शत्रुघ्न, जिसने मेरी सीता का हरण किया था। उससे भी मैंने यही कहा था कि वह बिना युद्ध के सीता को लौटा दे। उसका वध करते समय भी क्रोध नहीं आया था। क्रोध करता होता तो लक्ष्मण को उसके पास दीक्षा लेने को क्यों भेजता! रावण को भी मैंने नहीं मारा। उसे उसके अहंकार और हठ ने मारा था।'

"मैंने पूछा था, 'महाराज, अपकारी पर तो क्रोध करना ही होता है। यदि उसे दण्डित नहीं किया गया तो अकल्याण होगा।' तो कहने लगे, 'परन्तु दंड बिना क्रोध के भी तो दिया जा सकता है, शत्रुघ्न। जब तुम किसी को क्रोध सहित दंड देते हो तो उसे उसके अपकार के लिए दंड देने से कुछ अधिक करते हो। तुम दंड में रस लेने लगते हो। तुम अपने भीतर ही एक महापिशाच को आहार दे रहे होते हो और यह पिशाच क्रमशः बढ़ता हुआ तुमसे भी अधिक शक्तिशाली हो जाता है। वह तुम्हारे ऊपर शासन करने लगता है, और तुम समझ भी नहीं पाते कि तुम अपने स्वामी नहीं अपने ही भीतर बैठे एक पिशाच के दास बनकर आचरण कर रहे हो।' राम ने शान्त और स्थिर स्वर में कहा था।"

उस समय शत्रुघ्न चकित हुए थे, अब उनकी बात सुनकर वाल्मीकि चकित हो रहे थे। वह राजा है या साधना की मूर्ति! वाल्मीकि ने जाबालि से जो शिक्षा पाई थी उसका एक वाक्य वह कभी नहीं भूलते, "जिसने क्रोध को जीत लिया उसने अपने को जीत लिया। जिसने अपने को जीत लिया उसने संसार को जीत लिया। सब कुछ सिद्ध कर लिया। समस्त ज्ञान और समस्त तप का सार यही है–अपने राग और क्रोध पर विजय।" परन्तु आज ही वाल्मीकि ने अनुभव किया था कि अपने जिस क्रोध और राग पर विजय पाने के लिए वह इतनी साधना करते रहे हैं, वह किसी न किसी रूप में आज भी उनके मन में बना रह गया है। इस बोध से राम के प्रति उनकी श्रद्धा और भी बढ़ गई थी।

"तुम तो सेनापति भी हो, राजन्। रिपुदमन कहते हैं तुम्हें। क्या शत्रुओं का हनन भी बिना क्रोध के सम्भव है?" वाल्मीकि ने जैसे शत्रुघ्न की परीक्षा लेने के लिए प्रश्न कर दिया था।

"सेनापति क्रोध कैसे करेगा, मुनिवर। उसकी तो अपनी कोई इच्छा ही नहीं होती। यदि हुई तो वह स्वयं अपने राज्य और अपने महाराज के लिए सबसे बड़ी आपदा बन जाएगा। वह तो मात्र अपने राजा के निर्णयों को क्रियान्वित करनेवाला एक निमित्त होता है। यदि महाराज के लिए ही क्रोध वर्जित है तो सेनापति के कार्यों में उसकी झलक कैसे मिल सकती है!" शत्रुघ्न मुस्करा रहे थे। राम ने जो शिक्षा उन्हें दी थी वह व्यर्थ नहीं होने पाई थी।

27

सीता को वाल्मीकि आश्रम में रहते सात वर्ष हो गए पर इन सात वर्षों में वह मानसिक रूप से कितने वर्ष दंडकारण्य में ही विचरती रही हैं इसकी गणना करना सम्भव नहीं। छोटे-छोटे काम करते, चलते-बैठते उनका अतीत अपने समस्त दुःस्वप्नों के साथ आँखों के आगे आ जाता है और सामने की वस्तुएँ इस तरह तिरोहित हो जाती हैं मानो उनका अस्तित्व ही न हो। इस समय भी ठीक यही हुआ है। आश्रम में पली हिरनी ने बच्चे दिए हैं और वे अब दौड़ने भागने लगे हैं। कुश और लव दोनों उन्हीं में से एक छौने के पीछे भाग रहे थे। सीता भावविह्वल हो कर इन्हें दौड़ता हुआ देख रही थीं। सहसा वह छौना उस कपट मृग में बदल गया जिसके साथ आए दुर्भाग्य ने आज तक सीता का पीछा नहीं छोड़ा।

सुमन्त्र ने ठीक ही कहा था कि वनचरों में से कुछ में पशुओं-पक्षियों की बोलियों की नकल करने की अद्भुत क्षमता होती है। अपने अनुकरण से वे न केवल उन पशुओं और पक्षियों को चकित कर देते हैं, अपितु ऋतुकाल में किसी नर या मादा की आह्लादकारी ध्वनि सुन कर उसके जोड़े की काम-ध्वनि का इतनी सफलता से उच्चार करते हैं कि कामार्त पशु या पक्षी उनके निकट तक खिंचा चला आता है। जब-तब तो वे झपट्टा मार कर उसे दबोच भी लेते हैं। इसी तरह ये हिरन, भेड़ या बकरे की खाल ओढ़ कर इस तरह चलते या क्रीड़ा करते हैं कि जब-तब स्वयं ये पशु भी धोखा खा जाते हैं। सरकते हुए ये इनके झुंड में प्रवेश कर जाते हैं और जब तक पशु को सन्देह हो जब तक उसे दबोचने में भी सफल हो जाते हैं। इनके सामूहिक नृत्यों और लास्यों में उनके इस कौशल की प्रतियोगिताएँ भी हुआ करती हैं और वन के सीमान्त पर रहनेवाले ऐसे बहुरूपियों से यदा-कदा नागर जनों का भी मनोरंजन हो जाता है। वन्य गणों की इसी दक्षता के कारण उन्हें मायावी और पशुओं-पक्षियों का इच्छित रूप धारण करनेवाला यातुधान कहा जाता है। सीता उनकी इस दक्षता से अनभिज्ञ नहीं थीं।

राम सीता और लक्ष्मण के साथ अपनी कुटिया के सामने बैठे गीध जनों की सरलता की चर्चा कर रहे थे। प्रथम दृष्टि में पशुवत नृशंस प्रतीत होनेवाले ये लोग कितने सरल हैं। जब क्रोध करेंगे तो ऐसा लगेगा कि वे अपने शत्रु के टुकड़े-टुकड़े कर देंगे, और प्रसन्न हो जाएँगे तो लगेगा अपने प्रति तनिक भी उपकार करनेवाले के लिए अपने प्राण देने में संकोच नहीं करेंगे। रूठना-मानना भी बच्चों की भाँति। सुपर्णा के प्रस्ताव के ठुकराए जाने जैसी छोटी सी घटना ने उन्हें इतना विक्षुब्ध कर दिया था कि स्वयं पराजित होने के बाद भी अपने दूरस्थ मित्रों को भी लेकर प्रहार करने में संकोच नहीं किया था। जब उन्हें भी वाणों की शक्ति का पता चल गया तो वे इन्हें दूर से ही देखकर इस तरह झुक कर प्रणाम करने लगे थे, मानो राम

और लक्ष्मण मूर्त आश्चर्य हों। कई बार राम ने स्वयं उन्हें बड़े स्नेह से अपने पास बुलाया था और उन्हें वाणों से एक-दो बार हिंस्र पशुओं के प्रहार से विकल गीधों को बचाया था। फिर तो धीरे-धीरे वे उनके इस तरह आज्ञाकारी बन गए थे कि उनके व्यवहार को देखकर यह सोचा भी नहीं जा सकता था कि उन्होंने कभी राम पर आक्रमण भी किया था। राम की प्रेरणा से वे स्वयं झोंपड़ियाँ बनाना, रस्सी बटना, जाल बनाना, जाल और फंदे लगा कर शिकार करना सीख गए थे और पंचवटी से कुछ ही दूर अपनी बस्ती ही नहीं बना ली थी, स्वयं राम के हृदय में उन्होंने स्थान बना लिया था।

उनकी सरलता का एक कारण उनका पिछड़ापन भी था। सीता को इस समय भी यह सोच कर हँसी आ गई कि पहली बार जब एक गीध युवक को राम ने हिरन का भुना हुआ मांस दिया था तो यह जान कर कि यह आग में भुना हुआ है वह किस तरह डर गया था, "इसे खा लिया तो पेट में आग लग जाएगी।" उसने डरते हुए कहा था। राम ने एक टुकड़ा स्वयं लेकर खाया था और लक्ष्मण सीता को भी एक-एक टुकड़ा खाने को दिया था, तब कहीं उसका भय कम हुआ था और उसने डरते-डरते ही स्वयं वह टुकड़ा खाया था। वे धातु से परिचित नहीं थे और राम के सम्पर्क में आने तक अपने लिए झोंपड़ा आदि बनाना भी नहीं सीख पाए थे। राम की कुटिया को देखकर वे इस बात पर आश्चर्य करते थे कि उन्होंने धरती पर ही इतना बड़ा घोंसला बना रखा है जितना बड़ा घोंसला दुनिया का कोई बड़ा-से-बड़ा और चतुर-से-चतुर पक्षी नहीं बना सकता और इस घोंसले के चारों ओर सूखे पेड़ पौधे उगा रखे हैं और वह भी इस तरह कि कोई शेर-चीता भी इनके पार न जा सके। ये पेड़ उनकी इच्छा होने पर उनके हाथों के स्पर्श से ही हट कर बाहर निकलने का रास्ता दे देते हैं और हाथ लगाते ही फिर सट जाते हैं। अभी तक वे पेड़ों के नीचे या गुफाओं कंदराओं में ही अपनी रातें बिताते थे और शीत से बचने के लिए आग जलाना तो दूर, आग को देखकर ही भागने लगते थे कि कहीं यह दौड़ कर उन्हें पकड़ न ले। उनको इस बात का आश्चर्य होता था कि राम ने आग को भी बाँध रखा है और वह उनकी फूस की कुटिया में रहते हुए भी उसे जलाती नहीं थी। यह पता चलने पर कि जिस युवक को राम ने भुना हुआ मांस दिया था उसे बाद में डर से उल्टियाँ आने लगी थीं, और इसलिए बाद में यदि किन्हीं को वह भुना हुआ मांस देते थे, तो वे डर से ले तो लेते थे पर खाते नहीं थे, ले जाकर चोरी से कहीं फेंक देते थे, राम को आश्चर्य ही नहीं हुआ था बल्कि ये सोच कर ग्लानि भी हुई थी कि वे लोग इन्हें जाने क्या समझते होंगे। फिर उन्होंने उन्हें कभी इस तरह का उपहार नहीं दिया था और उनके साथ व्यवहार करते समय हर मामले में कुछ अधिक सावधानी बरतने लगे थे। बहुत धीरे-धीरे विश्वास जमने पर उन्होंने उन्हें आग को नियन्त्रित करना और भुना हुआ मांस खाना, तीर चलाना

और मन चाहा पौधा स्वयं उगाना सिखाया था।

वे अब राम से डरते ही नहीं थे, उनकी प्रत्येक विशेषता और भिन्नता पर आश्चर्य करते थे और इसी कारण उनके सामने किसी तरह का प्रतिवाद नहीं करते थे।

उस दिन इन्हीं बातों को याद करके वे हँस रहे थे कि हठात् सीता की दृष्टि उस मृग पर पड़ी थी जो चरता हुआ उनकी कुटिया के इतने निकट आ गया था कि उसकी प्रत्येक गतिविधि को स्पष्ट देखा जा सकता था। मृग अपने झुण्ड से अलग नहीं जाते और चरते हुए यदि कुछ अलग होते भी हैं तो इतने ही कि झुण्ड के दूसरे मृग उनके दृष्टि प्रसार में ही रहें। सीता ने कुटिया के चारों ओर लगी बाड़ की सन्धियों से दूर तक दृष्टि दौड़ाई थी, पर कहीं दूसरा कोई मृग दिखाई नहीं दिया था। वह उठकर बाड़ के निकट गई थीं और उन्हें बढ़ता हुआ देख कर वह मृग एक झाड़ी की ओट में हो गया था और ओट से ही इस ओर निहारने लगा था। सीता ने राम को बुलाया था, "तनिक इस मृग को तो देखिए, छिप कर इधर कैसे देख रहा है!" और इस पुकार पर वह दूर वन की ओर भागने लगा था। उसे भागते देखकर पहली बार सीता के मन में सन्देह पैदा हुआ था। वह इस तरह दुलकता हुआ भाग रहा था और भागते हुए झाड़ियों और उभरी हुई चट्टानों की आड़ लेता जा रहा था जो किसी हिरन के लिए स्वाभाविक नहीं था। एक सुरक्षित दूरी पर जा कर वह पुनः रुक गया था और मुड़ कर इधर ही देखने लगा था।

"यह मृग तो नहीं लगता!" राम ने उसकी गर्दन की ओर संकेत करते हुए कहा था।

"मृग नहीं है!" अपने सन्देह की पुष्टि होने पर भी सीता ने आश्चर्य प्रकट किया था।

"उसकी ग्रीवा को देखो। संकट की घड़ी में चौकन्ना हो कर मृग जिस तरह इसे तानता है उस तरह तनी नहीं लगती उसकी ग्रीवा। उसके कान भी उस तरह खड़े नहीं हैं।" राम ने कहा था। फिर वह वापस कुटिया की ओर लौट आए थे और अपना धनुष और तूणीर ले कर लौटे थे और धनुष पर प्रत्यंचा चढ़ाने लगे थे। यह देख कर ही वह फिर दुलदुल करके भागने लगा था और अपनी घबराहट में उसने वह मृग चर्म भी उतार कर फेंक दिया था।

अब राम बाड़े के द्वार की ओर बढ़े थे, "अभी चखाता हूँ इसे मृगलीला का स्वाद।"

"मारिएगा नहीं। उसे जीवित ही पकड़ कर लाइए। पता तो चले कि वह इस तरह का कपटाचार क्यों कर रहा था।" सीता ने पीछे से आवाज दी थी।

बाड़े के द्वार तक पहुँच कर जाने क्या सोच कर राम वापस लौट आए थे, "मेरे लौटने तक सावधान रहना।" उन्होंने लक्ष्मण को सचेत किया था और फिर लगभग दौड़ते हुए द्वार से बाहर निकल गए थे।

लक्ष्मण की समझ में कुछ नहीं आया था, पर राम के निर्देश से उन्हें यह

आभास हुआ अवश्य था कि स्थिति सामान्य नहीं है। उन्होंने बढ़ कर एक बार बाड़े के बाहर के क्षेत्र का अवलोकन किया था। लौट कर धनुष चढ़ा कर और तूणीर कस कर उसी शिलाखंड पर बैठ गए थे जो उन लोगों की कुटिया के सामने ही उभरा हुआ था और जिस पर बैठे हुए वे वाग्विनोद कर रहे थे।

राम जब निकले थे तो तिपहरी का समय रहा होगा। अब सूरज ढलने को आ रहा था और अभी तक उनका कोई अता-पता नहीं था। अब विलम्ब चिन्ता का कारण बनता जा रहा था और आशंका की छाया लक्ष्मण के चेहरे पर गहरी होती जा रही थी। तभी दूर से एक गूँज सी आई थी जिसे सुन पाना कठिन था, पर अनुमान से लगा था राम ने मरणांतक पीड़ा के साथ "लक्ष्मण ऽऽऽ" की गुहार लगाई है।

लक्ष्मण व्यग्र हो उठे थे। सोचने-विचारने का अवकाश नहीं था, "आप घबराइएगा नहीं। बाड़े का द्वार बन्द कर लीजिए।" उन्होंने बाहर निकलते हुए कहा था और यह देख कर कि सीता ने द्वार सचमुच बंद कर लिया है, वह उस दिशा में दौड़ पड़े थे जिधर से वह पुकार आई थी।

अब सूर्य छिपने लगा था। आकाश में बादल घिर चले थे इसलिए प्रकाश अधिक मन्द हो चला था। द्वार पर खट्-खट् की आहट पा कर सीता की दृष्टि उधर गई थी और फिर, "कोई है?" की आवाज आई थी।

बोलनेवाला व्यक्ति जो कोई भी हो, वनचर नहीं था। वह साकेत निवासी भी हो सकता था। उसके स्वर में आर्तभाव था। सीता यह निश्चय नहीं कर पा रही थीं कि इस अभ्यागत को क्या उत्तर दें।

"भूख से प्राण कंठ को आ रहे हैं, बेटी।" अब सीता को सन्देह नहीं रह गया था कि उसने सीता को देख लिया था। परन्तु देख तो उसे द्वार खटखटाते समय भी लेना ही चाहिए था। बाड़ा बड़े यत्न से बनाया गया था, परन्तु इसे किसी भी सूरत में अछिद्र नहीं कहा जा सकता था। पहले यह भूखा व्यक्ति "कोई है?" क्यों बोल उठा था? सीता ने इस सन्देह को एक झटके से किनारे फेंक दिया था, 'क्षुधार्तता ने सम्भवतः इसे सचमुच विकल कर दिया है।' सीता को उस पर किसी तरह का सन्देह होने के स्थान पर करुणा आ गई थी। सूर्य डूब चला था। प्रदोष वेला में आर्यों में भोजन ही नहीं, जलपान को भी ठीक नहीं माना जाता। यदि वह बहुत अधिक भूखा न होता तो प्रदोष वेला में भोजन की याचना कदापि न करता। उससे सम्भवतः खड़ा भी नहीं हुआ जा रहा था। उसने बाड़े के एक खम्भे को एक हाथ से पकड़ लिया था और अपने को सँभालने का प्रयत्न कर रहा था।

"तुमने सुना नहीं बेटी?" उसने लगभग कराहते हुए कहा था।

विलम्ब करना उसे मौत के मुँह में भी झोंक सकता था। सीता ने चुपचाप कुटिया में जाकर कुछ फल-कन्द और भुने मांस का एक टुकड़ा उठा कर केले के

पत्ते पर रखा था और बाड़े के द्वार पर आ गई थीं। उन्होंने द्वार खोले बिना ही दो थूनियों के बीच से वह पत्तल बढ़ाया था और इस क्रम में एक दो फल नीचे भी गिर गए थे। आगन्तुक अपने स्थान से हिला तक नहीं था।

"क्षुधार्त जान कर मेरा अपमान तो न करो, बेटी।" उसने पहले जैसे ही आर्त स्वर में कहा था।

सीता को सचमुच ग्लानि हुई थी कि सुरक्षा की अतिरिक्त चिन्ता और आन्तरिक क्षोभ ने उन्हें कितना भीरु और भग्नचेत बना दिया है। आपदा के इस विशेष क्षण में तो यह आर्य भिक्षु एक दैव प्रेरित सहायक भी हो सकता है, अन्यथा उस क्षेत्र में कोई देवभाषी दिखाई भी कैसे पड़ सकता था। सीता ने पीछे हट कर वह पत्ता नीचे रख दिया था और बाड़े का द्वार खोल दिया था। आगन्तुक शिथिल बना हुआ वहीं खड़ा रह गया था। उन्होंने लौट कर पत्ता उठाना चाहा था पर इससे पहले कि उनका हाथ पत्ते तक पहुँचे आगन्तुक ने छलाँग लगा कर उन्हें दबोच लिया था और जब तक वह चीखने के लिए मुँह खोलें तब तक उसका हाथ उनके मुँह पर आ लगा था और सीता ने अपना दम घुटता हुआ अनुभव किया था। वह सचमुच बहुत शक्तिशाली था। सीता उसकी जकड़ से छूटने के लिए तड़प रही थीं, हाथ-पाँव झटक रही थीं, अपने मुँह को दबानेवाले उसके हाथ को दाँतों से काटने का प्रयत्न कर रही थीं, पर सब कुछ बेकार हो रहा था। वह कीलविद्ध की भाँति उसकी बलिष्ट भुजाओं से निकल पाने में असमर्थ थीं।

वह सीता को उठाए उसी तरह भाग चला था जैसे कोई चीता किसी हिरन का शिकार करने के बाद उसे अपने दाँतों में दबा कर भागे। गोदावरी के तट तक वह लगातार दौड़ता चला गया था और वहाँ जब उसने सीता को अपने पोत पर डालना चाहा था तब सीता को पहली बार सहायता के लिए चीत्कार करने का अवसर मिला था, "राम! लक्ष्मण! बचाओ, बचाओ।" और तब तक उनका मुँह फिर बंद कर दिया गया था।

गीध गण का एक पुरुष जो संध्या के उस बुझते हुए प्रकाश में सम्भवतः मछलियाँ पकड़ने का प्रयत्न कर रहा था, अपनी भाषा में ही गरजा था, "कौन?"

"मैं रावण हूँ।" उसने अपने गर्व और अधिकार भरे स्वर में उत्तर दिया था।

रावण। यह एक ऐसा नाम है जिससे उत्तर के सभ्य संसार से लेकर दक्षिण के इस अरण्य संसार के सभी लोग परिचित हैं। इसके आतंक की कहानियाँ दूर-दूर तक फैली हैं। रावण समुद्र के चलते पोतों को लूट लेता है। रावण धरती को खोद कर कुबेर का भंडार लूट लेता है। रावण वन्य जनों का शिकार करता है, उन्हें पकड़ कर वह उसी तरह ले जाता है जैसे बहेलिया चिड़ियों को पकड़ कर ले जाता है—और उन्हें बेच देता है। रावण महाबली है। वह पहाड़ों को उलट देता है। रावण उड़ सकता है। रावण मनचाहा रूप बदल सकता है। रावण के जलपोत वायुदेवता

चलाते हैं। रावण ने समुद्र को बाँध रखा है। समुद्र के देवता वरुण को वश में कर रखा है। इन्द्र से उसकी शत्रुता है। वह उसके लंका राज्य में वर्षा नहीं करते और रावण सिन्धु को बाँध कर अपने नगर तक खींच ले गया है। रावण परम ज्ञानी है। रावण परम सिद्ध है। रावण को क्रोध आता है तो रक्त की नदियाँ बहा देता है। केवल अपने अपकारी को ही नहीं, निरपराध लोगों को भी, स्त्रियों और बच्चों और बूढ़ों को भी काट कर धरती को लाशों से पाट देता है। रावण का अधिकार पाताल देश पर भी है। उसके बन्धु-बान्धव धरती के नीचे पाताल लोक में रहते हैं। जब जी में आता है वह स्वर्ग को लूट लेता है। उसकी सेना की क्रूरता देख कर देवता थर्राते रहते हैं; उनकी पत्नियाँ उसका नाम सुन कर ही अचेत हो जाती हैं। उसके पुत्र मेघनाद ने इन्द्र को भी पराजित कर दिया था।

रावण के नाम का जो आतंक सीता के मन पर छाया हुआ था उसी का परिणाम था कि यह नाम सुनते ही उन्हें लगा था वह मूर्छित हो जाएँगी, पर उस गीध पर उसका कोई प्रभाव नहीं पड़ा था। वह उछल कर सीधे रावण के सामने आ गया था और उसके मुँह पर कस कर एक मुक्का लगाया था, "तू फिर आ गया यहाँ? छोड़ दे उस बेचारी को।"

रावण लड़खड़ा कर गिर गया था। गीध उस पर प्रहार करने के लिए एक शिलाखंड उठाने लगा था पर शिलाखंड कुछ बड़ा था। उसे उठाने में जो समय लगा था उसी में रावण न केवल उठ कर खड़ा हो गया था, अपितु अपनी कृपाण निकाल कर गीध की भुजा पर भरपूर प्रहार किया था। इसके साथ ही उसकी वह भुजा कट कर अलग हो गई थी। वह भूमि पर गिर पड़ा था। सीता इस अवकाश का लाभ उठा कर भाग सकती थीं, पर आतंक और भय से उन्हें काठ सा मार गया था। भागना तो दूर वह चीख नहीं पाई थीं। उनकी आवाज उनके कंठ में ही घुट कर रह जा रही थी। रावण सीता को लगभग घसीटते हुए नाव के निकट ले गया था और लगभग धक्का दे कर नाव में डाल दिया था। वह अब एक क्षण भी गँवाना नहीं चाहता था। नदी गहरी नहीं थी और इसलिए नाव बल्ली से चल सकती थी। वह अपनी पूरी शक्ति लगा कर इसे भगा रहा था। नौका का आकार छोटा था। गोदावरी की पेटी में उभरी हुई शिलाओं और शिलाखंडों के कारण बहाव में तीखे मोड़ और उछाल आने पर लगता असाधारण वेग से भागती वह छोटी सी नौका किसी भी समय डूब सकती है। वह बहुत अच्छा नौचालक भी था। उसके चेहरे पर किसी प्रकार का भय था भी तो नौका के डूबने का नहीं था, राम के आक्रमण का था। अपने समूचे शौर्य और कौशल के रहते हुए भी वह इस समय एक चोर जैसा दुस्साहसी और वैसा ही भीरु प्रतीत हो रहा था।

सीता की अपनी मानसिक स्थिति रावण से अधिक विचित्र थी। उनके लिए नौका के डूबने, उलटने या टकरा कर टूटने की प्रत्येक सम्भावना त्राणदायिनी

प्रतीत हो रही थी। इसकी कल्पना से उस विषाद के क्षण में भी उन्हें एक पुलक सी अनुभव हो रही थी और इसके बाद भी यह साहस नहीं था कि वह नौचालन में रावण की असाधारण व्यस्तता का लाभ उठा कर स्वयं नदी में छलाँग लगा कर प्राण-त्याग कर दें। इसका कारण यह नहीं था कि उन्हें मृत्यु से किसी प्रकार का भय लग रहा था, अपितु मन में कहीं यह विश्वास भी बना हुआ था कि सम्भव है किसी चमत्कार से राम या लक्ष्मण प्रकट हो जाएँ और अपने तेजस्वी बाणों के प्रहारों से रावण को धराशायी कर दें। राम के ऊपर कौन सा संकट आ गया था यह जानने की उत्सुकता भी प्रबल थी और इसका रहस्य जानने का कोई उपाय सूझ नहीं रहा था फिर भी वह उत्सुकता एक अकुलाहट बन कर जीने की लालसा को बढ़ावा दे रही थी, या कहें, मृत्यु का वरण करने से रोक रही थी। जीवन अपने लिए कैसे-कैसे बहाने ढूँढ़ लेता है!

अपने उद्वेग में सीता इस तरह उलझी हुई थीं कि उन्हें यह पता ही नहीं चला कि कब वह डोंगी आ कर एक बड़े से पोत के पास ठहर गई थी। यदि उस पोत के भीतर से किसी बाड़े में बन्द सूअरों की गुर्राहट की सी अस्पष्ट ध्वनियों ने आ कर सीता को चौंका न दिया होता तो वह उस पोत की चौकसी पर भाले ताने खड़े सैनिकों की ओर भी दृष्टि नहीं डालतीं जो सीता को इस तरह घूर रहे थे जैसे वह किसी रहस्यलोक से उतरी अप्सरा हों। रात चाँदनी अवश्य थी पर पोत की छाया उस डोंगी पर पड़ रही थी जिस पर सीता बैठी थीं।

सीता को जब यह पता चला कि जिस पोत के पास उनकी डोंगी आ कर लगी है, उसमें उनके जैसी सैकड़ों स्त्रियाँ और पुरुष बन्दी बना कर रखे गए हैं तो उनकी चिन्ता ने एक नया मोड़ ले लिया था। उनकी समझ में नहीं आ रहा था कि इतने थोड़े से लोगों ने इतने अधिक लोगों को बन्दी बनाया होगा तो कैसे। इतने सारे लोगों का वे करेंगे भी क्या!

रावण ने सीता के मनोभावों को अवश्य ताड़ लिया होगा, “दूसरे राजा और सामन्त जब आखेट पर निकलते हैं तो अपने प्राण संकट में डालने के बाद भी एक सूअर या हिरन मार कर सन्तुष्ट हो जाते हैं। यह व्याधों और निषादों का काम है। उनसे प्रतिस्पर्धा करना किसी राजा को शोभा नहीं देता। रावण अकेला है जो मनुष्यों का आखेट करता है, बेटी। उसके आखेट उसकी सेवा भी करते हैं और पालतू बन जाने पर बिक कर उसे मालामाल भी करते हैं। तुम उस पोत पर जा कर देखो तब पता चलेगा रावण क्या है।”

सीता को लगा था उनसे सुनने में अवश्य चूक हुई है। उन्हें चुरा कर भागनेवाला और दासी बनाने की धमकी देनेवाला यह नराधम उसे बेटी कह कर पुकार कैसे सकता है? सीता की जड़ता को रावण ने भी लक्ष्य किया होगा।

“दासी तुम्हें नहीं बनना होगा, बेटी। तुम तो अयोध्या की राजवधू हो! तुम्हें

पूरे राजकीय सम्मान से रखा जाएगा। तुम तो अकेली सहस्राधिक दासों-दासियों के बराबर हो।" रावण के स्वर में यदि व्यंग्य था भी तो सीता इसे लक्ष्य नहीं कर पाई थीं।

सीता को उस दिन की सारी घटनाएँ कुछ विचित्र लग रही थीं। अपना हरण करने वाले इस नराधम के मुँह से एक ओर अपने लिए बेटी का सम्बोधन और साथ ही सीता के प्रति उसका सम्मानजनक व्यवहार का वचन और इसके बाद भी सहस्राधिक दासों-दासियों से अपना मोल आँका जाना उन्हें कुछ अधिक विचित्र लगा था। वह समझ नहीं पा रही थीं कि रावण को यह कैसे पता चल गया कि वह अयोध्या की राजवधू हैं। उनके मन में यदि रावण के प्रति गहरी जुगुप्सा न भर गई होती तो उन्होंने उससे यह अवश्य पूछा होता कि वह अयोध्या से अपनी किस शत्रुता का बदला लेने के लिए उनका हरण कर लाया है। यदि शत्रुता थी भी तो उसने अपने शत्रु का सामना न करके चोरों और कायरों की भाँति उनका हरण क्यों किया? वह बोलने के लिए व्यग्र भी थीं और अपने को नियन्त्रित भी कर रही थीं और तभी उनके मुँह से निकला, "तुम अधम हो।" इस उक्ति पर वह स्वयं भी विस्मित रह गई थीं, मानो यह वाक्य उनके नहीं, किसी और के मुँह से निकला हो।

हाँ, सीता ने जो कुछ कहा था वह उनका सुविचारित कथन नहीं था। वह उनके मन में लगातार एकत्र हो रहे क्षोभ का आकस्मिक और अनियन्त्रित विस्फोट था। इस उक्ति के साथ ही उन्हें अपनी स्थिति का तीव्र बोध हुआ था और वह काँप सी उठी थीं। सीता ने अपनी सेविकाओं के मुँह से वंदियों और अपराधियों को दी जानेवाली यन्त्रणाओं और दंडों की रोमांचकारी कहानियाँ सुन रखी थीं। ये कहानियाँ तो उन नीति परायण राजाओं और सामंतों को लेकर थीं जो अपने से भी अनियम और अविनय होते देख कर ग्लानि से भर जाते थे। रावण जैसा व्यक्ति जो शिष्टता और मर्यादा के किसी भी बन्धन को नहीं मानता, उसके क्रोध का क्या परिणाम हो सकता था, यह सोच कर सीता को उस ठंडी रात में भी पसीने आ रहे थे। हठात् उन्होंने सोचा था, 'अधिक-से-अधिक यह मुझे क्या दण्ड दे सकता है?' और इसके उत्तर ने उनके भीतर पुनः साहस का संचार कर दिया, "तुम नीच हो। चोर। कायर। तुमने अपने ऊपर दया दिखानेवाले के साथ विश्वासघात किया। राम के बाणों के डर से जंगली भेड़िये की तरह दुबक कर आघात किया तूने।" इस बीच उनकी गर्दन तन गई थी और वह प्रतीक्षा कर रही थीं कि अपने सैनिकों के सम्मुख किए जा रहे अपमान से क्षुब्ध हो कर रावण अपनी कटार निकालेगा और उसी तरह सीता का गला काट देगा जैसे उसने उस गीध योद्धा का काट दिया था।

रावण स्थिर खड़ा रहा। उसने न तो सीता को बीच में रोका था, न ही अब डाँट या धमका रहा था। उस शुभ्र शरद-ज्योत्स्ना में यदि वह उसके चेहरे को साफ देख पातीं तो यह अवश्य लक्ष्य करतीं कि उस पर किसी तरह का तनाव आया है

या नहीं। कुछ समय तक वह सीता की ओर ही अपलक देखता खड़ा रहा, मानो उन्हें जो भी जी में आए, कहने का अवसर दे रहा हो। जब सीता के मुँह से आगे कुछ नहीं निकला तो उसने उधर से दृष्टि फेर ली। अब वह गोदावरी के चमकते हुए वृक्ष को देख रहा था, "मैं केवल योद्धा नहीं हूँ, एक कुशल व्यापारी भी हूँ, बेटी। व्यापारी वीर तो होता है, पर शूर नहीं होता। वह आँख मूँद कर दूसरों पर नहीं टूटता और बिना किसी लाभ के कोई काम नहीं करता। जिस वस्तु को एक कौड़ी भी कम मोल में प्राप्त किया जा सकता है उसके लिए अतिरिक्त कौड़ी गँवाना भी उसे अपनी सूझ-बूझ का निरादर लगता है, भले इसके लिए उसे दस कौड़ी के बराबर समय क्यों न लगाना पड़े। हिंसा करते समय भी अल्पतम हिंसा से अधिकतम काम लेना चाहता है। जो काम हिंसा के बिना हो जाए उसके लिए हिंसा करने की मूर्खता वह कभी नहीं करता। मैं अकारण तुम्हारे पति की हत्या नहीं करना चाहता था। बस। उस पर मुझे क्रोध नहीं आता, दया आती है। पर तुम्हें तो प्राप्त करना ही था।"

सीता का साहस कुछ और बढ़ गया था, "और अबला के साथ विश्वासघात करते हुए तुम्हें लज्जा नहीं आई?"

"शिकारी को छल तो करना ही पड़ता है बेटी। यदि शिकार को जीवित पकड़ना हो तब तो इसे छोड़ दूसरा कोई चारा ही नहीं है। शिकार के भी अपने नियम होते हैं और शिकार करते समय केवल उन्हीं का पालन किया जाता है। मैंने वही किया।" रावण के स्वर में जो मीमांसकों जैसा ठंडापन था, वह सीता को जितना क्रूर लग रहा था उतना क्रूर क्रोध से उसका चीत्कार करना भी नहीं लगता। उसके मन में अपने जघन्य आचरण के प्रति ग्लानि तक नहीं थी।

तुम जानती हो इस पोत में जिन नर-वानरों को फँसाया गया है उनमें से किसी के शरीर पर एक खरोंच तक नहीं है। यदि उनको मारना पड़े, उनका अंगभंग करना पड़े तो उनका मोल घट जाएगा।" उसने वणिक-सुलभ दर्प से कहा था।

"तुम उन्हें विवश पाकर वानर कह रहे हो?" सीता ने वितृष्णा सहित कहा था।

"वानर नहीं, नर-वानर कहा मैंने। नर के आकार में वानर। जैसे धातु को शुद्ध बनाने के लिए उसे तपाया और गलाया जाता है उसी तरह इन नर-वानरों को मनुष्य बनाने के लिए श्रम की आग में तपाना और गलाना होगा। इन पर दया करके, इन्हें वानर से मनुष्य बनाने के लिए ही तो इनका आखेट करने आता हूँ मैं। हमारे अपने सिन्धु द्वीप में दासों की बड़ी माँग रहती है। दूर सुमेर गिरि में भी दासों की बड़ी माँग रहती है। हमारे नगर को तुम देखोगी तो अयोध्या तुम्हें उसके सामने एक छोटा सा गाँव लगेगा। सिन्धु के प्लावन से बचने के लिए तटबन्धों का निर्माण, चोरों और तस्करों से और प्रखर शीत-ताप से बचने के लिए दुर्ग जैसी मोटी दीवारों के विशाल भवन, जलक्रीड़ा के लिए पुष्करणियाँ, यातायात के लिए

चौड़े मार्गों का निर्माण और रख-रखाव—विविध प्रकार के काम चलते रहते हैं हमारे नगर में। इन दासों-दासियों के बल पर ही तो टिका है हमारे नगर का वैभव। हमारा नगर वानरों को मनुष्य बनाने की विशाल कार्यशाला है। हम इन्हें तपा कर, गला कर, डरा कर, समझा कर, अंगभंग करके और आवश्यक हुआ तो इनमें से अधिक उद्दंडता करनेवालों का वध करके इन्हें मनुष्य बनाते हैं।" उसके स्वर में हँसी का पुट था। धातुओं और खनिज भंडारों की खुदाई के लिए हम सुमाल द्वीप, पुंड्र द्वीप और काश्यप तट तक चले जाते हैं और नर-वानरों की खोज में हम गौड़ देश की ओर आते हैं।

"हम इनके साथ कोई दुर्व्यवहार नहीं करते। यदि ये हमारी आज्ञा का पालन करते रहें तो हम इन्हें दंड तक नहीं देते। परन्तु सुमेर देश में जानती हो क्या करते हैं, दासों के साथ?" वह एक क्षण के लिए रुका था।

सीता को अब उसे अपशब्द कहना भी अपना अपमान लग रहा था। उन्होंने कोई जिज्ञासा नहीं की थी।

"वहाँ फलों के उद्यानों में काम करनेवाले दासों को अन्धा बना दिया जाता है जिससे फल तोड़ते समय उन्हें पता न चल पाये कि स्वामी की दृष्टि उन पर है या नहीं और भूखा होने पर भी चुरा कर फल न खाने पाएँ। उन्हें साधने के आरम्भिक दिनों में ही उनमें से हर एक पर कड़ी दृष्टि रखनी होती है और काम में शिथिल होने या चोरी-बेईमानी करने पर कोड़े लगाने होते हैं। मूर्ख मनुष्य को उपयोगी और समझदार मनुष्य बनाने के लिए कभी-कभी हमारे यहाँ भी ऐसा करना आवश्यक हो जाता है।" वह खुल कर हँसने लगा था।

कुछ समय तक वह सीता की प्रतिक्रिया की प्रतीक्षा करता रहा था, फिर स्वतः बोलने लगा था, "परन्तु तुम तो सभ्य और कुलीन हो। तुम्हारे साथ ऐसा कुछ नहीं किया जाएगा। तुम तो इसी रूप में सहस्राधिक दासों-दासियों के बराबर हो। तुम्हें लंका में भी राजकीय सम्मान मिलेगा। तुम्हारे साथ चलनेवाली दासों की इस जमात में जितनी दासियाँ हैं उन्हें भी तुम्हारी सेवा में लगा दिया जाएगा। उनमें से केवल उसी को बेचा जाएगा जिससे रुष्ट और असन्तुष्ट हो कर तुम उसे बेचने का आदेश दोगी। और रावण ने तुम्हें केवल छलने के लिए बेटी नहीं कहा था। वह तुम्हें अब भी वही मानता है और भविष्य में भी तुम्हारे सम्मान का पूरा ध्यान रखेगा। परन्तु तुम्हें भी यह सीखना होगा कि 'बेटी' सम्बोधन करनेवाले से किस तरह बात की जाती है।" उसके स्वर में अब कठोरता आ गई थी, "मर्यादा का बन्धन उभय-पक्षीय होता है। अपने गौरव की रक्षा के लिए तुम्हें मेरे आदेशों का भी सम्मान करना सीखना होगा। मेरी ख्याति मेरी सहिष्णुता के लिए नहीं है।"

इसके बाद उसने कुछ नहीं कहा था। उसने ताली बजाई थी और पोत पर खड़े सैनिकों की ओर कोई संकेत किया था। इसके पालन में पटरे की एक सीढ़ी पोत

से नीचे की ओर लटका दी गई थी, "लंका पहुँचने तक तुम्हें भी उन्हीं वानरों के साथ रहना होगा। चलो।" रावण ने निर्णायक स्वर में कहा था और सीता का साहस इस आदेश की अवज्ञा करने का नहीं हुआ था।

ठीक नर-वानरों की भाँति तो नहीं पर उन्हीं के बीच रहना पड़ा था सीता को अपनी पूरी यात्रा में। उनके हाथ बँधे हुए थे। ये सभी गीध जाति के ही थे। उनके मुँह पर एक कपड़ा बँधा था जिसे जबड़ों तक ला कर कुछ इस तरह पीछे कस कर बाँधा गया था जैसे घोड़े का साज बाँधा जाता है। सीता को आश्चर्य इस बात पर हो रहा था कि उन्हें इसके लिए मुँह खोलने को तैयार किया गया होगा। उनकी स्थिति में एक सुधार अवश्य हुआ था। उन सभी की नग्नता को ढक दिया गया था और इसलिए उनके निकट बैठना उतना क्षोभकर नहीं था जितना इसके अभाव में होता। सीता के बैठने के लिए भी एक आसन की व्यवस्था कर दी गई थी।

पोत के चल पड़ने के बाद एक सैनिक ने उन दासों के सारे बन्धन खोल दिए थे। रावण ने ऊपर से ही आदेश दिया था कि यदि किसी भी बन्दी ने कोई भी ऐसा व्यवहार किया जो सीता को अप्रिय लगा तो उसे काट कर सभी लोगों में बाँट दिया जाएगा। गीध जन नरभक्षण से परिचित थे और शत्रु को बन्दी बनाने के बाद वे उसके वध और मांस भक्षण को न तो अनुचित मानते थे, न ही इससे अलग बन्दी बनाने का कोई औचित्य उनकी समझ में आता था, अतः रावण की घोषणा पर उनको आश्चर्य नहीं हुआ था। अब उनकी घबराहट भय में बदल गई थी। वे एकदम शान्त हो गए थे।

व्यापारी पोतों का इस क्षेत्र में आना एक पुरानी बात थी। वे अपने साथ गुड़ और मिठाइयाँ तथा दूसरे खाद्य पदार्थ लेकर आते और वन्य गण इनके आने की सूचना पा कर वन्य फल, औषधियाँ और शहद आदि लेकर पहुँचते। उनको कौड़ियों की मालाएँ और हाथों के कंगन भी बहुत पसन्द थे। आनेवाले व्यापारी वनचर स्त्रियों के साथ मुक्त सहवास करते, जिसकी भी मनाही नहीं थी। यह दूसरी बात थी कि इन पोतों का आगमन प्रायः इतने विलम्ब से होता था या पर्यटन के समय नदी तट से दूर होने की स्थिति में इनके आने पर भी सम्पर्क इतना अनिश्चित रहता था कि अनेक बच्चे युवक हो जाने तक इनकी कहानियाँ ही सुनते रह जाते थे और उन्हें यह विश्वास नहीं होता था कि दूसरे लोक से आनेवाले लोग सचमुच तरह-तरह की वस्तुएँ ले कर आते हैं और कुछ भाग्यशाली लोगों को चुन कर अपने साथ भी ले जाते हैं। इनके बीच जो कहानियाँ प्रचलित थीं उनमें कहीं इस बात का विवरण नहीं मिलता था कि पोत पर चढ़ जाने के बाद यात्रा में और उस दूसरे लोक में जाने के बाद उनके साथ व्यवहार होता था। वे केवल यही जानते थे कि उनके पितरों में भी जो अधिक भाग्यशाली थे वे इसी तरह देवताओं के साथ दूसरे लोक को गए थे। इस बार नौका में पहुँच जाने के बाद

जब कुछ स्त्री-पुरुषों को दूसरे लोक के आकर्षण के स्थान पर इस लोक और अपने समाज की याद सताने लगी थी और उन्होंने वापस लौटना चाहा था, तब जा कर उन्हें पता चला था कि ऐसा करने पर उनके पितरों के भी हाथ-पाँव बाँधे गए होंगे और उनके मुँह में भी कपड़े की पट्टी इसी तरह कस कर बाँधी गई होगी, जिस तरह इनके बाँधी गई थी। जिस गीध पुरुष ने रावण पर मुष्टि प्रहार कर के सीता को बचाना चाहा था, वह कौन था यह तो सीता को बहुत बाद में पता चला, परन्तु उसके 'तू फिर आ गया' के चीत्कार से सीता ने अनुमान लगाया कि उसका रावण से पहले भी साक्षात्कार हो चुका था। बन्दी गीधों से जब सीता को यह पता चला कि पोत में सवार हो जाने के बाद इससे बाहर जाने के लिए आतुर गीधों में से एक ठीक उस समय रावण को धक्का देकर गोदावरी में कूद पड़ा था और गोता लगाए-लगाए इतनी दूर निकल गया था कि रावण के बाण भी उसके निकट नहीं पहुँच सके थे, तो सीता को लगा था कि यह वही गीध पुरुष रहा हो। सम्भव है वह उस नौका को देखकर मछली पकड़ने के बहाने ही रावण की प्रतीक्षा करता रहा हो।

सीता ने रावण के विषय में जो कुछ सुना था और अपने अनुभव से उसको जितना जाना था, उसके बल पर वह उसके विषय में किसी निर्णय पर पहुँच नहीं पा रही थीं। तभी क्यों, आज जब वह मर भी चुका है, रावण किसी तरह के सरलीकरण में अंट नहीं पाता। वह सीता के लिए सदा एक पहेली बना रहेगा। उसमें किसी विराट् पर्वत जैसी ऊँचाई और कठोरता थी और उसी जैसी खाइयाँ और खोट थे, उसके स्वभाव में। उसे देख कर लगता ही नहीं था कि वह किसी भी मर्यादा या नियम को अपने लिए मान कर चलता है। उसके सभी नियम और आचार स्वार्थ और सफलता के परम और चरम लक्ष्य के अधीन थे। अपनी सिद्धि में बाधक होने पर वह सभी नियमों और मर्यादाओं को तोड़ और सभी प्रतिज्ञाओं को छोड़ सकता था, क्योंकि वह स्वयं सभी नियमों और बन्धनों से ऊपर था। उसके राज्य में नियमों को तोड़ने और छोड़ने की भी विवशता मूर्खों के लिए ही पैदा होती है। सफल व्यक्ति इन सभी का इस रूप में उपयोग करना जान लेता कि वह इनका उल्लंघन करे तो भी देखनेवालों को लगे कि नियमों और आचारों का उससे अधिक सम्मान करने वाला कोई दूसरा व्यक्ति हो ही नहीं सकता। वह असाधारण विद्वान् था। वह दसियों भाषाएँ जानता था और सीता ने उसे साकेत की बोली ही नहीं, गीधों की बोली भी इतने अधिकार से बोलते सुना था कि यह आभास तक नहीं होता था कि ये बोलियाँ वह जन्म से निरन्तर बोलता नहीं आ रहा है। वह शास्त्रों का ज्ञाता था और लोक व्यवहार में बहुत कुशल था, पर वह अपनी श्लाघा जब अपने ही मुँह से करने लगता था तो लगता था वह परम मूर्ख है। उसे इस मोटी सी बात का भी बोध नहीं था कि आत्मप्रशस्ति व्यक्ति के महत्त्व को कम करती है और जब-तब तो घोषित गुणों के दारुण अभाव का सूचक बन

जाती है। वह दम्भी था, पर उसने ज्ञान-लाभ के लिए विशेषतः नई बोलियाँ सीखने के लिए अपने दासों तक का शिष्यत्व स्वीकार किया था और उन्हें गुरु जैसा आदर भी देता था। वह अपने शिल्पियों को बड़ा-से-बड़ा पुरस्कार देने को तैयार रहता था, परन्तु यदि उनकी बनाई हुई वस्तु या कलाकृति में कोई खोट दिखाई पड़ गई तो शिल्पी का हाथ कटवा लेना या यदि इस बात का सन्देह हो गया कि उसके नगर के शिल्पी ने किसी अन्य देश के व्यापारी के हाथ अपनी बनाई हुई वस्तु बेची है, तो इस प्रमाद के लिए उसका वध कर देना, उसके लिए इतनी छोटी बात थी, जिस पर रुक कर सोचना तक उसे सह्य नहीं था। वह कहता, "दयालु राजा को कठोरतम दंड देते समय सोच-विचार नहीं करना चाहिए। इससे एक-दो उदाहरणों में से इतना आतंक फैल जाता है कि लोग नियमों और आदेशों का ही नहीं, उसकी अव्यक्त इच्छाओं तक का, पालन करना आरम्भ कर देते हैं और इस तरह सैकड़ों-हजारों लोगों को छोटे-छोटे दंड देने की झंझट नहीं रहती।"

सीता को जिस सम्मान से रखने का उसने वचन दिया था उसका निर्वाह उसने अन्त तक किया और अपनी पराजय और अन्त को निकट देख कर जब वह उन्मत्तों जैसा व्यवहार करने लगा था तब भी उसने न तो कोई ऐसा काम किया, न ही ऐसा कोई शब्द कहा, जिससे सीता को अपमानित अनुभव करना पड़ा हो। उसने सचमुच उन सभी दासियों को सीता की सेवा में नियुक्त कर दिया था जो सीता के साथ आई थीं और इनमें से कोई सीता की अवज्ञा करने का साहस नहीं कर सकती थी, पर इनमें से कुछ तो उनके प्रति इतना अनन्य सेवाभाव रखती थीं कि वे सीता के आदेश पर रावण तक पर प्रहार कर सकती थीं।

अपनी मौत को निकट जान कर वह अन्तिम बार सीता से मिलने आया था और उस समय रावण ने जो कुछ कहा था उसे सीता कभी भूल नहीं पाईं, "मेरा वध करने की शक्ति किसी में नहीं है, बेटी। एक राम नहीं, सौ राम भी मेरा कुछ बिगाड़ नहीं सकते थे। यदि रावण मारा ही गया तो वह राम के हाथों नहीं, अपने लोभ के हाथों मारा जाएगा। यदि मैं तुम्हें यहाँ लाने के तत्काल बाद अयोध्या नरेश भरत के हाथों बेच आता तो राम को लंका पर चढ़ाई की आवश्यकता ही नहीं होती। परन्तु तुझे अपने संरक्षण में रख कर मैं मोल भाव करके अधिक से अधिक मूल्य पाना चाहता था। राम के आक्रमण की बात सुन कर सोचा यदि उन दोनों भाइयों को भी परास्त करके बन्दी बना पाया तो जो चाहूँ मिल जाएगा। मैंने भरत को सूचना भेजी पर अयोध्या की राजवधू को रोके रखा।"

"भरत? भरत ने रखा था यह प्रस्ताव?" सीता को एक झटका सा लगा था। वह रावण से कुछ पूछ नहीं रही थीं। यह वाक्य उनके विस्मय के कारण मुँह से बाहर निकल आया था। उन्हें अब भी यह विश्वास नहीं होता कि यह भरत की सूझ रही होगी। यदि वह कोई निर्णय ही ले सकते तो राम के वध का निर्णय भले

ले लेते, पर एक स्त्री को अपमानित और लांछित करके उसके पति से बदला लेने की सूझ किसी स्त्री को ही हो सकती थी। कैकेयी जैसी किसी स्त्री की ही।

परन्तु भरत को इसकी सूचना तो थी ही, इसमें उनकी सहमति भी थी। राम सिन्धु में आई बाढ़ के कारण उसके इस पार ही बाढ़ उतरने तक रुके रहने को बाध्य हो गए थे, पर युद्ध की अपनी तैयारियों में जुटे रहे थे। राम ने हनुमान को भरत के पास इस प्रस्ताव और अनुरोध के साथ भेजा था कि वह राज्य भले आजीवन भोगते रहें, पर सीता को लौटाने में उनकी सहायता करें। वह राज्य से अधिक अपने कुल के सम्मान का प्रश्न था। पहले तो राम का दूत समझ कर उनके सैनिकों ने उन्हें मारा-पीटा था और जब वह भरत के सम्मुख उपस्थित किए गए थे, तो उन्होंने समाचार तो विस्तार से पूछा था, पर राम की सहायता के लिए अपने स्थान से न तो स्वयं हिले थे न ही सैनिक सहायता भेजी थी। हनुमान के अधिक आग्रहशील होने पर उन्होंने बाण भी साध लिया था कि सीधे चले जाओ, अन्यथा इस बाण पर चढ़ा कर ही तुम्हें सीधे यमलोक भेज दूँगा।

हिरनी अपने स्थान से झटके के साथ उठी तो सीता का ध्यान भी उसी के साथ टूट गया, उन्होंने देखा, लव-कुश ने उस छौने को पकड़ लिया है और उसकी गर्दन पकड़ कर झूलने का प्रयत्न कर रहे हैं। हिरनी अपने स्नेह के आवेग को रोक न पाने के कारण उठ कर उधर ही बढ़ी थी इसके साथ ही सीता दौड़ पड़ी थीं कि कहीं असावधानी में इसके खुरों के नीचे बच्चों के पाँव न आ जाएँ।

28

"क्या रावण की लंका सचमुच सोने की बनी थी बेटी?" मंगला ने जाने कब, कहाँ से सुन लिया था यह अतिरंजित विवरण।

सीता को उनकी सरलता पर हँसी आ रही थी, "सोने की बनी होती तो लंकावासियों की कोई हानि न होती। एक तो उसमें आग ही न लगती और लग भी जाती तो पिघला हुआ सोना फिर मकान बनाने के काम तो आ ही जाता।"

यह देख कर कि उनके उत्तर से मंगला और भी उलझन में पड़ गई हैं, सीता कुछ गम्भीर हो गईं, "सच बात तो यह है, माँ, कि मुझे स्वयं लंका नगरी को देखने का अवसर ही नहीं मिला। अशोक वाटिका नाम की जिस कारा में मुझे कुछ सुरक्षित और दूसरे बंदियों की तुलना में असाधारण सुख-सुविधा सहित एक कोना मिला था उसके चारों ओर ऊँची दीवारें थीं। इस कारा में उन दासों-दासियों के रहने की व्यवस्था भी थी जिन्हें बेचने के लिए रखा जाता था, पर इसमें ही उन उद्धत दासों और भृत्यों को भी यन्त्रणा दी जाती थी जो भागने का प्रयत्न करते या किसी अनुचित काम को करने से इनकार करते या किसी काम से जी चुराने का

प्रयत्न करते। इसमें उन अपराधियों और शिल्पियों को भी रखा गया था जो किसी झूठे या सच्चे आरोप में बंदी बनाए गए थे। मैं लंका के विषय में यदि कुछ जान पाई थी तो इनसे सुन कर ही।"

"शिल्पियों को किस अपराध के लिए बंदी बनाया जाता था?" मंगला ने पूछा।

"लंका में शिल्पियों को यह अधिकार नहीं था कि वे स्वयं अपना माल बाहर से आए किसी व्यापारी को बेचें। यदि कोई चोरी-छिपे ऐसा करता पाया जाता तो उसे द्रोही माना जाता और पहली बार इसका दोषी पाए जाने पर उसे कारावास में डाला जाता। यहाँ भी उसे काम करना पड़ता, पर उसके बदले में उसे भोजन तक नहीं मिलता। लंका की कारा का यह नियम था कि इसमें दंडित नागरिकों को भोजन नहीं मिलता। उनके परिवार के लोग ही उनके लिए भोजन ले कर आते थे। शिल्पियों को भी उनके परिवार के लोग ही भोजन देते थे जबकि उसके द्वारा बंदी काल में बनाई गई वस्तुओं को रावण स्वयं ले लेता था और यदि इनके बनाने में कोई त्रुटि दिखाई देती थी तो उन्हें इसके लिए यन्त्रणा भी दी जाती थी। हाँ, एक बात अवश्य थी। यदि बंदी व्यक्ति के परिवार का कोई व्यक्ति उसके दुख से कातर हो कर स्वयं अपने को बंदी बना कर उसे मुक्त कराना चाहता तो इसकी छूट वहाँ थी। ऐसा प्रायः होता था कि किसी बंदी के बीमार पड़ जाने या उसके यन्त्रणा से विकल हो जाने पर उसके पुत्र, पिता या पत्नी को उसके बदले बंदी बन कर उसे छुड़ाना होता था।"

"कितना विचित्र है!" मंगला को सचमुच विश्वास नहीं हो रहा था।

"विचित्र और उल्टा। अन्यथा उस कारावास का नाम अशोक वाटिका क्यों रखता कोई।"

"तुम्हारा अपना जीवन इन अपराधियों के बीच कितने संकट में रहा होगा, यह सोचती हूँ तो आँखों के आगे अँधेरा छा जाता है।" मंगला की आँखों के आगे अँधेरा छाया था, या नहीं, पर उनकी आँखें डबडबा अवश्य आई थीं।

"नहीं, मुझे कोई भौतिक कष्ट नहीं धा, माँ। मेरे लिए उसने अलग निवास की व्यवस्था कर रखी थी। मेरी सेवा में सचमुच उसने उन स्त्रियों को लगा रखा था जिन्हें वह दंडकारण्य से पकड़ कर लाया था। वे मेरी सुरक्षा को लेकर अन्य सुविधाओं का भी ध्यान रखतीं। स्वयं उनके साथ भी रावण कै सैनिकों और राजकर्मियों का व्यवहार ओछा नहीं था। उन्हें बाहर आने-जाने की भी छूट थी। वे दूसरे बंदियों से भी मिल सकती थीं। मैं अवश्य वहाँ से बाहर नहीं जा सकती थी। मुझे लंका के विषय में जो कुछ ज्ञात है वह मुख्य रूप से इन दासियों से ही ज्ञात हुआ था।

"रावण की लंका भले सोने की न रही हो, इसकी व्यवस्था और समृद्धि को

देखकर उसे सोने की नगरी कहना अनुचित भी न होगा। गेरु के पुते हुए विशाल भवन देखकर लगता पूरा नगर राजप्रासादों का ही नगर है। उसके व्यापारी यक्ष देश, किन्नर देश, कम्बोज देश, गन्धर्व देश, सुमेर देश, सुमाल देश, तिलमान देश और पुंड्र देश को अपने सार्थ और प्लव ले कर जाते थे और बैलों, गधों, खच्चरों, नौकाओं आदि पर वहाँ की दिव्य वस्तुएँ, सुवर्ण, रजत और रत्न लेकर लौटते थे। वणिक इतने समृद्ध थे कि उनकी समझ में नहीं आता था कि वे इस धन का क्या करें। वे चोरों से इतने डरे रहते थे कि अपने भवनों को दुर्ग की भाँति सुदृढ़ बना कर और धन को छिपा कर रखने की सभी सम्भव युक्तियाँ अपनाने के बाद भी निश्चिंत सो नहीं पाते थे। उन्हें रातों में सपने भी चोरों और डाकुओं के ही आते थे। इसी चिन्ता के कारण नगर प्रशासन इतना कठोर था कि सन्ध्या के बाद कोई व्यक्ति बाहर से नगर में प्रवेश नहीं कर सकता था। दिन में भी आनेवालों की जाँच-पड़ताल होती थी। पर इतनी कठोर व्यवस्था के बाद भी चोरी और हत्या की घटनाएँ होती ही रहती थीं।"

मंगला को आश्चर्य हुआ था, "जब बाहर का कोई व्यक्ति नगर में प्रवेश ही नहीं कर सकता था तो फिर चोरी और हत्या की घटनाएँ होती कैसे थीं?"

"चोर और हत्यारे जंगलों में तो पैदा होते नहीं, माँ। वे तो उसी समाज की देन होते हैं जो संग्रह और भोग को ही सब कुछ मानता है। लंका का समाज एक पतित समाज था, माँ। वहाँ के स्त्री-पुरुष समृद्धि के मद में ही इतने मतवाले बने रहते थे कि उनके आचार-विचार को देखकर आश्चर्य होता था। केवल पुरुष ही नहीं, सामान्य स्त्रियाँ तक सुरापान करती थीं। आए दिन राजपथों पर भी झमेले होते रहते थे। निठल्ले अमीरों में से अधिकांश जुआ खेलते रहते और कभी-कभी तो अपना सब कुछ हार जाने के बाद ऋण ले बैठते और इसकी वसूली में उनको यातनाएँ तो भोगनी ही पड़तीं, ऋण-शोध के लिए दास तक बनना पड़ता था। ऐसे दुर्व्यसनी लोग चोरी और हत्या करने से भला क्यों संकोच करने लगे! वे अपनी पत्नी और बच्चों तक को दाँव पर लगा देते थे। स्वच्छन्दता का यह हाल था कि अधिकांश पुरुष गणिकाओं के साथ अपनी रातें बिताना अपने लिए गौरव की बात मानते थे और कुलीन स्त्रियाँ तक चोरी-छिपे अपने घर में अपने यारों और उनके न होने पर अपने दासों को आमन्त्रित करती रहती थीं।" सीता को लगा वह अपेक्षा से कुछ अधिक मुखर हो गई हैं। वह एकाएक चुप हो गईं।

"उन लोगों को इन अपराधों के लिए दण्डित करनेवाला कोई नहीं था?"

"दंड तो कठोर थे। बहुत कठोर। परन्तु दंड के कठोर होने से कोई समाज सदाचारी तो नहीं हो जाता। इससे तो यह प्रकट होता है कि समाज में अपराध इतना बढ़ गया है कि इसने शासन को विक्षिप्त सा बना दिया है। दंड कठोर होने से अपराधियों को पकड़ने वाले भी भ्रष्ट हो जाते हैं, और सत्ता के स्वतन्त्र केन्द्र

बन जाते हैं, यह मैंने लंका में रह कर ही समझा। वहाँ उत्कोच दे कर बड़ा से बड़ा अपराधी छूट सकता था और उत्कोच न देने पर छोटी-से-छोटी चूक पर भी कठोरतम दंड दिया जा सकता था। कभी-कभी तो निर्दोष व्यक्तियों को अकारण भी अपमानित और दंडित होना पड़ता था।

"वहाँ का राजा रावण स्वयं भी अपराधियों को संरक्षण देता था, माँ। वह बड़े गर्व से कहता, वह दशस्कन्ध है।" सीता की दृष्टि मंगला पर ही टिकी हुई थी। 'दशस्कन्ध' सुन कर उनके चेहरे पर अकस्मात् जो भाव आया उसे देखकर सीता को हँसी आ गई, "क्यों, क्या हुआ माँ?"

"रावण के सचमुच दस कन्धे थे, बेटी?" उन्होंने बड़े निश्छल भाव से अपने मन की उलझन प्रकट कर दी थी।

"यही बात एक बार मेरी दासी ने अयोध्या में पूछी थी, 'क्या उसके दस सिर थे'? नहीं माँ, न उसके दस सिर थे, न ही दस कन्धे और यदि होते तो वह बड़ा दयनीय लगता। जिन कीड़ों के सौ पाँव होते हैं वे दो पाँव के मनुष्य से अधिक शक्तिशाली तो नहीं होते! सेना के चार अंग माने जाते हैं। वह अपनी सैन्य शक्ति को दस अंगों या स्कन्धों में बँटा मानता था। उसके पास पैदल, रथ, अश्व और हस्ति अंगों के अतिरिक्त एक नियमित ऊँट वाहिनी थी जो लंका के आसपास की मरुभूमि की दृष्टि से बहुत उपयोगी थी। उसके पास एक नौ सेना भी थी और इसने रावण को सिन्धु देश का सबसे प्रतापी राजा बना रखा था। पर सबसे विचित्र थी उसकी निशाचरी सेना। इसके उसने तीन विभाग कर रखे थे। एक मायाविनी या कपटाचारी सेना थी जिसके सदस्य भिखारी या वटु आदि का वेश बना कर आसपास के किसी राज्य में पहुँच जाते थे जहाँ ये रात में चोरी, हत्या और लूट-पाट करते और दिन में निरीह भिक्षाजीवियों का वेश बना लेते। इनको अपनी चोरी और लूट आदि के माल का आधा राजकोष में देना पड़ता था। शेष आधे को ये वैध रूप में अपने पास रख सकते थे। इनमें से अधिक निपुण चोरों का सम्मान उससे कम नहीं था जितना किसी अन्य राज्य में विद्वानों का होता है। उसकी दस्यु सेना नदी या समुद्र मार्ग से जानेवाले पोतों या स्थल मार्ग से जानेवाले सार्थों को लूटने का काम करती थी और इस तरह यह दास्यवी सेना दो स्कन्धों में विभाजित थी। इस सेना का आतंक ऐसा था कि सिन्धु मार्ग या लंका के पास-पड़ोस से भी हो कर जानेवाले व्यापारियों को अपनी जान और माल की रक्षा के लिए रावण का आश्रय लेना पड़ता था। वह अपने प्रभाव क्षेत्र में इनकी रक्षा के लिए भाड़े के सैनिक या भट लगा देता था और उनके भाड़े के अतिरिक्त उनसे सुरक्षा का शुल्क उगाहता था। अब यदि उसकी दस्यु वाहिनी आक्रमण करती तो कूट भाषा में इन सैनिकों की ललकार सुन कर ही पीछे भाग जाती।

"रावण को अपनी निशाचर सेना पर जितना गर्व था उतना अपनी नियमित

सेना पर भी नहीं था। दूसरे राजा और सामंत भी उसकी इस शक्ति से ही डरते थे। पर सच बात यह है कि निशाचरी सेना को जो खुली छूट मिली हुई थी उससे लंका के नागरिक भी अपमानित अनुभव करते थे। किसानों से उनकी उपज का आधा भाग कर के रूप में वसूल किया जाता था। रावण गर्व से कहता कि उसके बराबर अन्नकोष विश्व के किसी अन्य राजा के पास नहीं होगा। वह यह नहीं जानता था कि उसके अपने किसान उससे जितनी घृणा करते थे उतनी घृणा भी विश्व के किसी अन्य राज्य के किसान अपने राजा से नहीं करते होंगे। वह गर्व से कहता कि उसके शिल्पियों जैसी उत्कृष्ट वस्तुएँ विश्व के किसी अन्य नगर के शिल्पी नहीं बना सकते। वह यह नहीं कहता था कि उसके दमन के कारण ही उसके राज्य में शिल्प का विकास पूरी तरह रुक गया था और उसके शिल्पी पुरानी वस्तुओं और आकृतियों को ही दुहराते जा रहे थे और उसमें भी समस्त दंड और त्रास के बाद भी ठहराव ही नहीं गिरावट आती जा रही थी। अनेक शिल्पी चोरी-चोरी दूसरे देशों को पलायन भी करने लगे थे।

"विश्व का सबसे शक्तिशाली राजा होते हुए भी रावण सबसे दुर्बल राजा भी था। उसका आतंक ही उसके विरुद्ध सबसे घातक अस्त्र बन गया था। दूसरों को आतंकित करने में सफल हो कर भी वह स्वयं भी आतंक की छाया में ही जी रहा था। उसके किसान, उसके शिल्पी, उसके राज्य के विद्वान् और सभ्य नागरिक ही नहीं उसके नियमित पर उपेक्षित सैनिक भी उससे घृणा करते थे। उसके पड़ोस के सभी राजा और सुदूर स्थानों के ऐसे व्यापारी जिनको उसके मार्ग से आना-जाना पड़ता था या जिनका कभी उसकी दस्यु वाहिनियों से सामना पड़ा था, उससे घृणा करते थे। जिन निशाचरों पर उसे इतना गर्व था वे इतने भ्रष्ट हो चुके थे कि धन का प्रलोभन देकर कोई उनका प्रयोग स्वयं रावण के ही विरुद्ध करा सकता था। रावण इसे जानता था और इतना अरक्षित अनुभव करता था कि उसने एक पूरी वाहिनी अपने नगर और अपनी रक्षा के लिए नियुक्त कर रखी थी और इस पर भी डरा रहता था कि कहीं उसके सुरक्षा सैनिक स्वयं उसका वध न कर दें अतः वह इनके बीच घिरा रह कर भी डरा-डरा सा रहता था।

"परन्तु रावण का लोभ ही उसका सबसे बड़ा शत्रु था। उसी ने उसके असाधारण ज्ञान को कुटिलता का पर्याय बना दिया था। उसी के कारण वह इतना क्रूर बन गया था। लोभ लंका में व्यक्तिगत दुर्गुण नहीं, सामाजिक व्याधि बन चुका था। यदि किसी लंकाबासी को कोई समझाना चाहता कि यह बुराई है तो वह उसका उपहास करता। परस्पर संगठित दिखते हुए भी लंका के लोग निपट अकेले थे। वह किसी पर तभी और उस सीमा तक ही विश्वास करता था जब उसे पता चल जाता कि किसी काम से उसके भी किसी स्वार्थ की सिद्धि हो रही है। रावण के सगे भाई तक उसके अपने नहीं थे। क्रूरता, विलासिता और अहंकार उनके

लिए दुर्गुण नहीं, गुण थे। अपने छोटे-से-छोटे स्वार्थ या लाभ के लिए वे एक दूसरे से विश्वासघात कर सकते थे। रावण स्वयं भी इस सच्चाई को जानता था और भीतर से खोखला अनुभव करता था। अपने खोखलेपन का उसका बोध विनम्रता के स्थान पर आतंक और उत्पीड़न की सृष्टि करता था। अपनी महिमा बताने के लिए अपने क्रूर कर्मों की प्रशस्ति वह स्वयं करने लगता था। उसकी क्रूरता और दमन के कारण ही यह भ्रम बना हुआ था कि वह बहुत शक्तिशाली भी है, पर हनुमान के पहुँचने पर यह भ्रम भी टूट गया था।" सीता की दृष्टि मंगला की ओर गई तो उनकी आँखों को बंद देख कर वह चुप हो गईं। सम्भवतः उन्हें नींद आ रही थी।

"हनुमान!" मंगला ने अपने होंठ ही नहीं खोले, आँखें भी खोल दीं। उनमें न थकान थी, न ऊब। वह ऊँघ नहीं रही थीं कहानी पूरे ध्यान से सुनने के प्रयत्न में उनकी पलकें सम्पुटित हो गई थीं। वाल्मीकि के मन में राम के विषय में इतनी गहरी जिज्ञासा थी कि वह मंगला से बार-बार उन अनुभवों को सुनने को आतुर रहते थे जो राम और सीता को किसी भी रूप में हुए थे। सीता से कुछ पूछते भी तो वह डरते और झिझकते हुए ही कुछ कह पाती थीं। उन्हें बार-बार जनक के साथ अपनी शैशवकालीन वाचालता की याद आ जाती और वह इससे इतनी घबरा जातीं कि कोई बात क्रम से निकल ही नहीं पाती। अतः मंगला के माध्यम से ही वह उनके विषय में कुछ विशेष जान सकते थे और मंगला इसीलिए सीता के हर शब्द को बहुत ध्यान से सुनती रहती थीं।

"क्यों, क्या मैंने हनुमान के विषय में आपको कुछ नहीं बताया?" मंगला के विस्मय को देख कर सीता ने प्रश्न किया। हनुमान की विनोदी प्रकृति सीता को अपने अवसाद के क्षणों में भी इतनी याद आती रहती कि उन्हें लग रहा था, उन्होंने मंगला को कभी-न-कभी उनके विषय में बताया अवश्य होगा।

"कहाँ बेटी! उसका नाम और उसके अचरज भरे काम तो केवटों और मल्लाहों की भी कहानियों के कई रूपों में सुनने को मिलते हैं, पर तुमने तो कभी यह भी नहीं बताया कि राम को इस बात का पता कैसे चला कि तुम जीवित हो और लंका में हो।" मंगला ने बच्चों जैसे उलाहने के स्वर में कहा।

"उसमें बताने लायक कुछ विशेष तो है भी नहीं, माँ। जो कुछ राम ने बताया था वही जानती हूँ। उस कपटाचारी का पीछा वह देर तक करते रहे थे। वह साधारण मनुष्यों की तरह नहीं भागता था। सीधे दौड़ते-दौड़ते यदि उसे किसी झाड़ी या शिला की ओट मिल जाती तो अपने शरीर को झुका कर हाथ और पाँव दोनों के सहारे दौड़ता हुआ आगे निकल जाता और राम को भ्रम होता कि वह उस झाड़ी में ही छिप गया है। उसके निकट पहुँचकर उस झाड़ी या चट्टान के कई चक्कर लगाने पर भी जब वह नहीं दिखता तो चारों ओर दृष्टि दौड़ाने पर वह पाते कि वह दूर कहीं खड़ा होकर उनकी ओर निहार रहा था। जब वह यह सोच कर

कि अगली झाड़ी या चट्टान की ओट से भी वह इसी तरह आगे बढ़ गया होगा, आगे दौड़ते चले जाते तो पाते वह उन्हें दूर पहुँचा देखकर उसी की ओट से निकल कर उनका उपहास कर रहा है। उनके देखते-देखते वह किसी झाड़ी में दुबकने का प्रयत्न करता और निकट पहुँचने पर पाते वह रेंग कर उसके पार निकल गया है। वह सीधे आगे की ओर ही दौड़ नहीं लगाता, पीछे की ओर भी लौट पड़ता।"

"संध्या निकट आती जा रही थी। राम थकने लगे थे। सूर्यास्त के बाद तो उसे जीवित पकड़ पाना असम्भव हो जाता। उसे पकड़ने का और कोई उपाय न देखकर राम ने उस पर बाण से प्रहार करने का निश्चय कर लिया। इस बार जब वह एक झाड़ी के पीछे से निकला तो उन्होंने उस पर बाण चला ही दिया। बाण भी शायक! वह जो अपने आघात से किसी बलिष्ठ से बलिष्ठ शत्रु को भी सुला दे। विष से बुझे इस बाण का प्रयोग राम हिंस्र पशुओं पर ही किया करते थे। वह थक जाने के कारण अवश्य बहुत क्रोध से भर गए रहे होंगे।" बाण लगने के साथ ही उसने कातर चीत्कार किया, 'लक्ष्मण।' राम उसके इस आर्तनाद को सुन कर चकित रह गए। वह दौड़ के उसके पास पहुँचे, 'बोल तू कौन है? लक्ष्मण को कैसे जानता है?'

"वह वेदना से तड़प रहा था, पर उसमें अपार धैर्य था। उसे पता था कि वह बच नहीं सकता, पर उसे इसका दुख नहीं था। उसे प्रसन्नता थी कि उसने उस काम को पूरा कर दिया जिसे पूरा करने का व्रत लेकर वह चला था। अब उसकी अपनी जाति के लोग उसको अपना आदर्श पुरुष मानेंगे। सम्भवतः इस लोभ में ही मृत्यु की पीड़ा को भूल कर वह अपने विषय में एक-एक बात विस्तार से बताता रहा कि राम के माध्यम से दूसरों को भी उसकी कीर्ति का पता चल सके।

"उसका नाम मारीच था। नहीं, यह उसका नाम नहीं, जाति नाम था। वह एक मृत्यु-व्यवसायी जाति में पैदा हुआ था और अपनी असाधारण दक्षता के लिए दूर-दूर तक प्रसिद्ध था, परन्तु प्रत्यक्षतः उसे बहुत कम लोगों ने देखा था। बहुत पहले सिद्धाश्रम में भी उसे राम के वध के लिए नियोजित किया गया था। उस बार वह असफल नहीं, घायल भी होकर लौटा था, बाण के विष से उसका हाथ इस तरह फूल गया था कि लगा था वह बच नहीं पाएगा, पर चिकित्सा से बच गया था।

"चोरी, ठगी, मिथ्याचार, नरवध आदि जिन अपराधों पर कोई अन्य मनुष्य लज्जित अनुभव करेगा, उन पर उसकी जाति के लोगों को गर्व था। वे उत्कृष्ट कलाएँ समझते थे। वे सामने आ कर लूट और हिंसा नहीं करते थे। यदि उनके लक्ष्यभूत व्यक्ति की उन पर दृष्टि भी पड़ गई तो वे इसे अपनी सबसे बड़ी पराजय मानते थे और उनकी लज्जा का कोई अन्त न होता। पहली बार अपने कार्य में विफल होने पर उसे खेद इस बात का नहीं था कि वह मरते-मरते बचा था। इसका भी नहीं कि वह काम पूरा नहीं कर सका था। उसके व्यवसाय में सिद्धि

पर्यंत उपक्रम का आदर्श था। समय की कोई सीमा नहीं। उसे लज्जा इस बात की थी कि उसे लक्ष्य कर लिया गया था।

"बचपन से ही उसे हठयोग की शिक्षा मिली थी। उसमें अपने शरीर को मोड़ कर इस तरह एक लघु पिंड में बदल लेने की योग्यता थी कि देखनेवाले को दूर से यह भ्रम तक न हो कि वह मनुष्य है। उसके शरीर में हड्डियाँ हों ही न जैसे। वह किसी पतले छेद से भी निकल कर बाहर आ सकता था। झींगुरों, टिट्टिभों और मेढ़कों से लेकर विभिन्न पशुओं-पक्षियों की अनेकानेक ध्वनियों को इस तरह पैदा कर सकता था कि स्वयं इन प्रजातियों के प्राणी भी भ्रम में पड़ जाएँ। वह कई दिन तक बिना आहार या जल के जीवित रह सकता था। नंगे शरीर से भीषण शीत और ताप सहन कर सकता था। अपने लक्ष्य पर अनिमिष आँख गड़ाए दिन-के-दिन देखता रह सकता था। किसी अन्य दिशा में देखते हुए भी उसकी एक-एक गतिविधि का अनुमान लगा सकता था। तेल के पुते चिकने खम्भे पर बिना फिसले चढ़ सकता था। बिना किसी अन्य सहारे के एक डंडे के सहारे ऊपर खड़ा हो कर किसी ऊँची वस्तु को पकड़ सकता था। बन्दर की तरह छलाँग लगा कर एक शाखा या छत से दूसरी पर पहुँच सकता था। अपने शरीर की पूरी शक्ति को इच्छा मात्र से किसी एक अंग में केन्द्रित कर सकता था। भरी हुई चौड़ी-से-चौड़ी नदी को डूबे-डूबे ही पार सकता था। किसी कँटीली झाड़ी के बीच से सरकते हुए बिना किसी चोट या खरोंच के पार निकल सकता था। पेट के बल रेंगते हुए दूर तक जा सकता था। किसी खम्भे या पेड़ से इस तरह चिपक कर खड़ा हो सकता था कि देखनेवाले को इसका आभास तक न हो। वह साँस रोक कर इस तरह घंटों पड़ा रह सकता था कि उलट-पलट कर देखने पर भी किसी को लगे कि वह मर गया है। विषम स्थितियों में किसी पेड़ की पत्ती या छाल खा कर ही अपनी भूख-प्यास मिटा सकता था। उसे जड़ी बूटियों का इतना अच्छा ज्ञान था कि कोई चिकित्सक भी उससे शिक्षा ग्रहण कर सके। बिच्छु, ततैया, चींटी-चींटे आदि के काटने का उस पर सामान्यतः कोई प्रभाव नहीं पड़ सकता था। साँप आदि के काट लेने के बाद वह ऐसी कोई जड़ी ढूँढ़ कर चबा सकता था कि विष निष्प्रभाव हो जाए।

"वह अपने पास कोई हथियार नहीं रख सकता था। हथियार ले कर चलने पर उसको छिपने और बचने में बाधा पड़ सकती थी। किसी के प्राण लेने के लिए वह वध्य व्यक्ति के पास उसकी निद्रा या असावधानी के क्षणों में पहुँच कर उसका गला दबा सकता था। शक्तिशाली से शक्तिशाली व्यक्ति की गर्दन भी एक बार उसकी पकड़ में आ गई तो वह उससे छूट कर बच नहीं सकता था। निकट पहुँचने पर वह अपनी तर्जनी की एक चोट किसी मर्मस्थल पर करके मूर्छित कर सकता था। वह मित्र बन कर विष दे सकता था। वध्य व्यक्ति चाहे जितना भी

विद्वान् हो, जिस भी वय या लिंग का हो, जितना भी सदाचारी और लोक समादृत हो, उसके लिए एक वध्य पशु से अधिक कुछ भी नहीं था। वह अपने शरीर को रंग कर या किसी बंदर, भालू, हिरन या कुत्ते की खाल ओढ़ कर उसी जैसा मायारूप धारण कर सकता था।"

"यदि सुमन्त्र के परामर्श को गाँठ बाँध कर राम और लक्ष्मण बारी-बारी से सोते-जागते अनिमिष पहरा न देते रहे होते तो वह हमें कभी का यमलोक पहुँचा चुका होता। वह अयोध्या से ही हमारा पीछा कर रहा था, पर पूरे मार्ग में उसका हमसे सामना नहीं हुआ था। जहाँ यह भ्रम होता भी कि कोई हमारा पीछा कर रहा है, वहाँ भी इधर-उधर दृष्टि डालने पर मनुष्य की छाया तक दिखाई न देती। वह सदा हमारे साथ नहीं चलता। हमारे जाने के मार्ग का अनुमान वह दबी हुई सूखी या हरी पत्तियों और घासों, मिट्टी पर पड़े चिन्हों, उनमें शेष रह गई गन्ध, पशुओं-पक्षियों की उत्सुकता या घबराहट, वन्य जनों से पूछताछ, आश्रमों की गतिविधियों आदि से करता आया था। उसमें किसी भी व्यक्ति से बात-की-बात में मैत्री करने और उस पर अपनी सरलता की छाप डालने की और नई बोलियाँ सीखने की असाधारण योग्यता थी। सन्देश भेजने के लिए भी वह विचित्र युक्तियाँ निकालता रहता।

"जाने कितनी बार किसी यात्रा पथ के निकट पड़ने पर उसने कैकेयी को सन्देश भेजे थे। वह उस अंचल की किसी विशेष जड़ी या बूटी को लेकर यात्रा पथ पर पहुँच जाता और अयोध्या की ओर जानेवाले किसी यात्री, या व्यापारी, या उसके सेवक से सम्पर्क करके बताता कि महारानी कैकेयी को उस जड़ी या बूटी की नितान्त आवश्यकता है। यदि वह स्वस्थ होता तो स्वयं शीघ्रातिशीघ्र लौट कर उनसे भारी पुरस्कार प्राप्त करता। यदि वह व्यक्ति ऐसा कर सके तो उसे भी पुरस्कार मिलेगा। बस इतना ही। इसके बाद कैकेयी को यह सूचना मिल जाती कि वह किस समय किस क्षेत्र में था। कि वह आज भी जीवित था और अपने काम पर जुटा हुआ था। विराध की मृत्यु की सूचना उसने एक टहनी में लगे दो फलों में से एक को कुचल कर और दूसरे को अक्षत रख कर तथा साथ में तीन फलोंवाली एक टहनी को भेज कर दी थी। आशय यह कि वह स्वयं जीवित है। हम लोग भी जीवित हैं पर उसकी सहायता के लिए भेजे गए व्यक्ति का राम ने वध कर दिया है।

"उसे अभी तक अपने काम में सफलता इसलिए भी नहीं मिली थी कि उसे हमारे प्राण लेने का आदेश नहीं था। कैकेयी को किसी पर इतना विश्वास नहीं था कि उसके यह कहने से ही हमारा वध कर दिया गया, वह इसे सच मान लेतीं। उसे किसी भी युक्ति से मुझे पकड़ कर कैकेयी के पास पहुँचाने का ही निर्देश था। मुझे ही क्यों, इसका रहस्य मुझे कभी ज्ञात नहीं हुआ। वह इतने लम्बे समय से हमारे पीछे लगा था और फिर भी न थका था, न निराश हुआ था। उसकी जाति के

जो आस्था प्रतीक थे उनमें से अनेक ने तो अपने वध्य नरपशु का पीछा करते हुए पूरा जीवन ही लगा दिया था और निराश नहीं हुए थे। यदि वह मुझे किसी युक्ति से पकड़ या पकड़वा कर कैकेयी तक पहुँचा पाता तो उसका नाम भी अपनी जाति में अमर हो जाता। महारानी से अकूत पुरस्कार तो मिलना ही था। कैकेयी ने अपने इष्ट की सिद्धि को सुनिश्चित करने के लिए उसके परिवार के लोगों को भी अपने संरक्षण में ले लिया था। वे बंदी तो थे पर सुख और विलासिता के सभी साधन उन्हें उपलब्ध कराए गए थे, पर यदि कहीं मारीच को विफल लौटना पड़ता, या वह राम से मिल जाता, तो उसके वंश का नाश तो कर ही दिया जाता, उसके भी प्राण न बचते।

"दंडकारण्य की ओर बढ़ने पर हमें एक बार को यह भ्रम भी नहीं हुआ था कि कोई हमारा पीछा अब भी कर रहा है। वह कुछ समय के लिए भटक भी गया था। पर एक तो हम तीन का एक साथ होना और स्थानीय जनों से भिन्न हमारी भाषा और वेश-भूषा के कारण हमारा कहीं छिपना कठिन था, दूसरे राम और लक्ष्मण के आयुध और आखेट आदि के ढंग पर चकित होकर वन्य गण उनके असाधारण कौशल और शक्ति की कहानियाँ दूर-दर तक फैला देते थे। पाषाणी आयुधों की तुलना में हमारे आयुध इतने विकसित थे कि इनके विषय में हमारी असाधारण कीर्ति के कारण हमारा छिपा रह पाना असम्भव था। मारीच को हमारे पंचवटी में निवास की सूचना उसी सूर्पणखा से मिली थी जिसको राम के पास से अपमानित हो कर लौटना पड़ा था। अपने समाज में भी अब कुछ तिरस्कृत सी हो जाने के कारण वह अपने अपमान को भूल नहीं पाई थी।

"मारीच ने हमारे पंचवटी निवास का पता लगने पर गीधों के साथ मेल-जोल बढ़ाकर उन्हीं के बीच अपनी कुटी बना ली थी और हमारी एक-एक गतिविधि की टोह वह गीधों आदि से लेता रहता था। उसने उनके साथ राम से भी अधिक गहरी मैत्री स्थापित कर ली थी। उसने उनकी भाषा ही नहीं सीख ली, अपितु उन्हीं की जीवन-पद्धति भी अपना ली थी।

"इस बीच उसने कैकेयी से सम्पर्क ही नहीं कर लिया था, अपितु यह पता लगा कर कि दो तीन जाड़ों के बाद स्वर्ग से एक रथ गोदावरी मार्ग से आता है और वहाँ के दिव्य पदार्थ लोगों को खाने-पीने को देता है और भाग्यशाली लोगों को चुन कर सीधे स्वर्ग ले जाता है, मारीच ने यह समझने में भूल नहीं की थी कि यह दास-व्यवसायी रावण ही हो सकता है। उसके निर्देश पर ही कैकेयी ने गुप्त रीति से रावण को यह सन्देश भेजा था कि वह यदि मुझे पकड़ कर उन्हें सौंप सके तो वह उसे एक सहस्र दासों का मूल्य चुकाएँगी।

"सच पूछो, माँ, तो एक सहस्र दासों का मूल्य यदि मेरी विपत्ति का कारण बना था तो इसी ने मेरे सम्मान की रक्षा भी की थी। यदि जीवित अवस्था में मुझे

सौंपने का बन्ध न होता तो रावण जैसा अस्थिर चित्त जाने मेरे साथ क्या व्यवहार करता। क्रोध आने पर जब-तब वह इस बात को दुहराता भी था। वह जानता था कि यदि किसी भी कारण से मैंने अपमानित अनुभव किया तो प्राणांत करते मुझे विलम्ब नहीं होगा और फिर उसे अपने भारी लाभ से वंचित होना पड़ेगा। उसने न केवल मेरे सम्मान का पूरा ध्यान रखा था, अपितु मेरे सुख-सुविधा की भी पूरी व्यवस्था की थी। जब-तब वह स्वयं आ कर पूछ जाता कि मुझे किसी प्रकार का कष्ट तो नहीं है।

"रावण ने पंचवटी के निकट पहुँचने पर पहले तो अबोध गीधों को फुसला कर अपनी नौका में बैठा कर उन्हें बंदी बना लिया था। इन बंदी बनाए गए स्त्रियों और पुरुषों में सूर्पणखा स्वयं भी थी। उसी ने पंचवटी में हमारे निवास का और स्वयं मारीच का परिचय दिया था। मारीच ने ही रावण को यह युक्ति सुझाई थी और स्वयं मायामृग बन कर लक्ष्मण या राम को दूर भगा ले जाने का सुझाव दिया था। उसने लक्ष्मण का नाम लेकर आर्तनाद इसलिए किया था कि वह राम को विपत्ति में पड़ा जान कर उनकी सहायता के लिए दौड़े चले आएँ। लुकते-छिपते पंचवटी से श्रव्य दूरी पर बने रहने के पीछे भी उसकी यह सोची हुई चाल थी। उसने राम को यह सब इतने विस्तार से बताया भी इसलिए था कि वह उसकी बातों में फँस कर शीघ्र न लौट सकें और मुझे अकेली पा कर रावण मेरा अपहरण कर सके। वह उस वेदना के क्षण में भी अपनी सफलता पर मुस्करा रहा था, 'मैंने अपना काम पूरा कर लिया। अब तुम्हें जो करना हो कर लो।' उसने राम पर व्यंग्य करते हुए कहा था।

"राम ने एक चन्द्रबाण निकाल कर आवेश में उसके चौड़े फलक को मारीच के गले में भोंक दिया और पंचवटी की ओर दौड़े थे।

"लक्ष्मण उन्हें ही ढूँढ़ते हुए इधर-उधर दौड़ रहे थे। उन्हें देखकर राम अवसन्न रह गए, 'लक्ष्मण, तुम्हें सीता को अरक्षित नहीं छोड़ना था।' लक्ष्मण पर दृष्टि पड़ते ही उन्होंने कातर हो कर कहा था।

"दोनों भाई दौड़ते-हाँफते पंचवटी पहुँचे थे तो पाया था, बाड़े का द्वार खुला हुआ है। कुछ कंद और फल और भुने हुए मांस का एक टुकड़ा द्वार के पास ही बिखरे हैं। वह ऊँचे स्वर में मुझे पुकार रहे थे। कोई उत्तर न पाकर और इधर-उधर मेरी खोज से निराश होकर वे गोदावरी की ओर दौड़े थे। वहीं उन्हें आहत जटायु मिला था।

"उसी ने बताया था कि रावण मेरा हरण करके जल मार्ग से भाग गया है। उसका एक हाथ कटा हुआ था और शरीर से इतना रक्त बह चुका था कि उसे बोलने में भी कठिनाई हो रही थी। उसके प्राण जैसे यह सूचना देने के लिए ही शेष रह गए हों। उसने करुण स्वर में कहा था, 'रावण! भाग गया। लेकर भाग

गया।' उसने गोदावरी के प्रवाह की ओर आँख की पुतलियाँ घुमा कर संकेत किया था। राम ने एक अंजलि जल गोदावरी से लेकर उसके मुँह में डाला था, पर इसके साथ ही जटायु ने प्राण त्याग दिए थे।

"पहली बार राम के मुँह से उस गीध के लिए जटायु शब्द का प्रयोग होते सुन कर मुझे कुछ विचित्र लगा था, पर ध्यान देने पर लगा उस पुरुष के लिए जिसकी जटाएँ न केवल बहुत बड़ी थीं अपितु रावण पर प्रहार करते समय एक झटके से उसके मुँह पर आ गई थीं, इससे उपयुक्त कोई नाम नहीं हो सकता था।

"दिन डूब चुका था पर चन्द्रमा का प्रकाश अभी पूरा फैला नहीं था। रावण सीधे भागने के स्थान पर नदी की धारा में उभरी किसी चट्टान की ओट में या धार के मोड़ कर कहीं छिप भी सकता था, अतः वे झाड़ियों, झुरमुटों, खोहों, चट्टानों सभी को छानते, सरीसृपों और हिंस्र पशुओं की चिन्ता किए बिना, उस रात में भी मेरा नाम लेकर गुहार करते नदी की कगार पकड़े मुझे ढूँढ़ रहे थे। चाँदनी खिलने के साथ और हवा की सरसराहट के कारण उन्हें बार-बार श्रुति भ्रम और दृष्टि भ्रम होता।

"वे मुझे ढूँढ़ने में सफल नहीं हो पाए। वे गोदावरी की दंडी पकड़े वन-वन भटकते मुझे ही ढूँढ़ते रहे। इस बीच एक लम्बा समय बीत गया था और फिर वे ऋष्यमूक पर्वत के क्षेत्र में पहुँचे थे। इस क्षेत्र में ऋष्य मृगों की इतनी बहुलता थी कि इनके आधार पर ही राम ने इस क्षेत्र को ऋष्यमूक नाम दिया था। वे एक ऊँचे टीले पर खड़े चतुर्दिक देख रहे थे कि वे आगे अब किस दिशा में बढ़ें कि इसी समह उनकी दृष्टि वानर जाति के एक दल पर पड़ी थी। वे एक छोटी सी उपत्यका में घास चरते हिरनों के एक झुंड को चारों ओर से घेर कर अपनी परिधि को क्रमशः छोटा करते जा रहे थे। कुछ समय तक हिरनों का ध्यान इनकी ओर नहीं गया था और जब गया तो वे चौंककर इधर-उधर भागे थे। उनकी पकड़ में एक भी मृग नहीं आया था। उनके ढेले पत्थर भी बेकार गए थे। उसी समय राम ने बाण साध कर एक हिरन की गर्दन में इस तरह मारा था कि वह अगली छलाँग में ही तड़प कर गिर गया था। लक्ष्मण का बाण एक दूसरे मृग की टाँग में लगा था और उसी में धँसा रह गया था। वह तीन टाँगों पर लँगड़ाता हुआ भागने लगा था पर वेदना के कारण उसकी गति मंद पड़ गई थी। लक्ष्मण ने दौड़ कर उसे पकड़ लिया था।

"वे वनचर यह देखकर चकित थे कि जिन हिरनों पर उनके ढेलों-पत्थरों का भी इतना असर नहीं होता वे एक इन अज्ञात व्यक्तियों द्वारा फेंके गए एक सरकंडे से ही इतने अशक्त हो गए थे कि एक तो घायल हो कर छटपटा रहा था और दूसरा भाग कर बच ही नहीं पाया था। उन्हें आश्चर्य और भय से अपनी ओर देखते पा कर राम ने संकेत से कहा था कि यदि वे इन हिरनों को उनकी ओर से

उपहार मानकर स्वीकार करें तो उन्हें प्रसन्नता होगी। इस संकेत के बाद भी उनका साहस न तो हिरन की ओर बढ़ने का हुआ था, न ही राम और लक्ष्मण के निकट आने का। उनमें परस्पर कुछ देर तक गुप-चुप बातें होती रहीं, और फिर उनमें से एक तरुण साहस करके कुछ झिझकता हुआ उनकी ओर बढ़ा था। उसका शरीर गठा हुआ और डील-डौल भी असाधारण था, पर सबसे विचित्र थी उसकी ठुड्डी जो उसके आकार को देखते हुए भी अधिक बड़ी और भद्दी लगती थी और उसकी किंचित् दबी हुई नाक के साथ इतनी अनमेल पड़ती थी कि किसी को उसे देखकर हँसी आए बिना नहीं रह सकती थी। उस विषाद की मनोदशा में भी राम अपनी हँसी रोक नहीं पाए थे। लक्ष्मण ने उनकी हँसी का कारण जानते हुए हँसते हुए ही कहा था। 'हनुमान!'

"उस तरुण ने इस हँसी का बुरा नहीं माना था। सम्भव है उसने समझा ही न हो कि वे उसी को लेकर हँस रहे हैं। उसने उनकी हँसी को उनकी सौमनस्यता का सूचक मान लिया था। वह प्रसन्न भाव से मुस्कराने लगा था। अब उसकी चाल की झिझक भी दूर हो गई थी। निकट आ कर उसने बड़ी नम्रता से दोनों हाथ जोड़ एक पाँव को धरती पर मोड़ और दूसरे को कुछ आगे बढ़ा कर घुटने से मोड़ कर, सिर झुका कर, नमस्कार किया था। अभिवादन का उसके गण का यही ढंग था। उसने राम और लक्ष्मण का परिचय जानना चाहा था। दो-चार वाक्यों के बाद पता चल गया था कि उसकी भाषा गीधों की भाषा से बहुत भिन्न नहीं थी।

"राम ने अपना परिचय देते हुए अपनी व्यथा और दुश्चिंता का भी उल्लेख किया था। यह जान कर कि रावण नाम के एक दुष्ट ने उनकी पत्नी का अपहरण कर लिया और उसे लेकर गोदावरी के मार्ग से, पोत से, भाग गया, वह अपना सिर पीटने लगा था। राम को यह देखकर आश्चर्य हो रहा था कि उनकी व्यथा से वह इतना व्यथित हो रहा था। उसने बताया कि जब उसके यूथ के लोग गोदावरी के तटीय क्षेत्र में विचरण कर रहे थे तो उन्होंने स्वयं भी एक बड़ा पोत और उसके साथ एक छोटी नौका को जाते देखा था जिसमें बहुत से स्त्री और पुरुष बन्दी बना कर रखे गए थे। इन लोगों को देखकर वे क्रंदन करने लगे थे। उनमें एक स्त्री ऐसी भी थी जिसकी भाषा इनके लिए अपरिचित थी। वे यह सोच पाते कि मामला क्या है और उन्हें इनकी सहायता के लिए क्या करना चाहिए, इससे पहले ही नाविकों ने पोत की गति बढ़ा दी थी और पोत को नदी की बीच धारा में कर लिया था। अब वह पछता रहा था कि यदि उसे पता होता कि वह इन्हें चोरी से ले जा रहा था, तो उस पर आक्रमण कर दिया होता।

"अपना और अपने दल का परिचय देते हुए उसने अपने यूथपति की ओर संकेत किया था जो दूर से ही इनको लक्ष्य कर रहा था। राम ने कहा था कि उनके द्वारा मारे गए आखेट उनके लिए उपहार हैं, तो वह भावुक हो उठा था। वह लौट

कर अपने यूथपति की ओर गया था और उन्हें साथ ले कर लौटा था। यह व्यक्ति भी हनुमान की तरह ही सुगठित और बलिष्ट था। वह सुन्दर भी था। उसकी पुष्ट ग्रीवा को देखकर राम ने कहा था, 'इसकी ग्रीवा को तो देखो लक्ष्मण।' उसका नाम कुछ विचित्र था पर अब वह इसके लिए सुग्रीव हो गया था। वे बाद में भी उसे इसी नाम से पुकारते रहे। हम किसी विशेष लक्षण के आधार पर इसी तरह के नाम गढ़ लिया करते थे।

"हनुमान ने बताया था कि वह प्रौढ़ व्यक्ति उनके गण का प्रधान था। उसने स्वयं भी राम के साथ सहानुभूति प्रकट की थी और दोनों बड़े सम्मान के साथ राम और लक्ष्मण को अपने पड़ाव पर ले गए थे। दूसरे व्यक्तियों ने हिरनों को टाँग लिया था अैर अपने साथ ले आए थे। अपरिचित जनों के साथ, यहाँ तक कि नरभक्षी गणों के साथ भी अपने उन्नत आयुध और उदार और कोमल स्वभाव के कारण राम को आत्मीयता स्थापित करने में कभी कोई कठिनाई नहीं होती थी, पर यहाँ उनका सम्पर्क एक ऐसे गण से हुआ था जो दूसरों की अपेक्षा अधिक आगे बढ़ा हुआ था। ये लोग बस्ती बसा कर रहते थे और आग से भी परिचित थे। इनका विश्वास था कि वे एक बहुत शक्तिशाली वानर की सन्तान हैं। वह शक्तिशाली वानर बहुत दूर, दक्षिण में एक बहुत-बहुत ऊँचे वृक्ष की सबसे ऊँची शाखा पर रहता है जो आकाश तक उठी हुई है। वह अपने दोनों हाथों से पूरे आकाश को घुमाता रहता है जिससे दिन और रात होते हैं। वह जब फुफकार भरता है तो आँधी आती है और प्रस्राव करता है तो बरसात होती है। समस्त सृष्टि का संचालन वही करता है और उस महावानर की सन्तान होने के कारण मनुष्यों में सबसे श्रेष्ठ उसकी वानर जाति ही है। उनका गण चिह्न भी वानर था और बन्दरों को देखकर वे हाथ जोड़ कर नमस्कार करते थे।

"राम को कुछ बाद में पता चला था कि यह जान कर कि राम की पत्नी का किसी ने हरण कर लिया है, हनुमान इतने विगलित क्यों हो गए थे। इस वानर जाति में विवाह आदि के बन्धन तो नहीं थे, परन्तु यदि किसी स्त्री को किसी दूसरे समूह का व्यक्ति छीन ले तो इसे वे अपने पूरे गण का अपमान समझते थे और अपने पौरुष की कमी का सूचक मानते थे। इस प्रकार के अपमान को वे कभी भूलते नहीं थे और यदि उनका वश चले तो उस पूरे गण को मिटा देने में भी नहीं झिझकते थे। उनके दल को इसी अपमान के साथ जीना पड़ रहा था, क्योंकि एक अन्य गण के प्रधान ने इनके दल की सबसे सुन्दर युवती का अपहरण कर लिया था और इसी बात पर दोनों में ठन गई थी, पर दूसरा दल इतना शक्तिशाली था कि वे उससे बदला नहीं ले पा रहे थे।

"सीता के हरण के समाचार ने इसलिए उन्हें कातर बना दिया था और राम के धनुष-बाण की शक्ति ने उन्हें कुछ बल भी दिया था। हनुमान ने सोचा था कि

ये असाधारण युवक यदि उनका साथ दें तो वे अपने शत्रुओं से बदला ले सकते हैं। राम ने जब उनकी कहानी सुनी थी तो उन्हें उस बलशाली दल पर कुछ ऐसा सात्विक क्रोध आया था कि उन्हें लगा था उसे दंडित करके वह मेरे अपहरण का ही बदला लेंगे। उन्होंने सुग्रीव को सान्त्वना देते हुए कहा था, 'चिन्ता न करो, मित्र। तुम्हारे दल का अपमान करनेवाला जितना भी बली क्यों न हो, वह मेरे बाणों के प्रहार से बच नहीं सकता।'

"सुग्रीव यह सुनकर गद्गद हो गया था, 'यदि ऐसा हो गया तो मेरा यह वचन कि पूरे संसार में सीता को कोई कहीं भी लेकर क्यों न गया हो, हम उसका पता लगा कर ही रहेंगे।'

"राम के वचन व्यर्थ नहीं होते। उन्होंने जो कहा था उसे किया भी था। अपने अपमान के बाद पहली बार सुग्रीव ने बालि के दल को चुनौती दी थी और जब बालि का दल अहंकार में चूर इन पर झपटा था तो पहली चपेट में ये डर कर भाग चले थे, पर राम के विश्वास दिलाने पर जब फिर बढ़े थे तो सुग्रीव से मल्ल युद्ध करते हुए बालि की पीठ में राम का विषबुझा बाण लगा था। वह इस तरह तड़पने लगा था जैसे उसके शरीर को किसी ने जलती हुई आग पर रख दिया हो। उसको इस तरह तड़पते देखकर और राम व लक्ष्मण को अपने तीर ताने हुए देख कर उस गण के दूसरे योद्धा इतने घबरा गए थे कि वे हाथ जोड़ कर खड़े हो गए थे।

"शरणागतों पर प्रहार करने की तो यूँ भी परम्परा नहीं है, पर इस अवसर पर राम के क्षमादान का लाभ यह हुआ था कि वह पूरा दल भी सुग्रीव को अपना प्रधान मानने को तैयार हो गया था। वास्तव में बालि का गण सुग्रीव से भिन्न नहीं था। वे भी बानर गण के ही थे, पर उनका दल अलग था। इस घटना ने न केवल सुग्रीव का महत्त्व बढ़ा दिया अपितु मेरी खोज करने में भी इसी से सहायता मिली। मुझे खोजता हुआ जो वानर लंका में आया था वह यही हनुमान थे—सुग्रीव के वानर गण के एक असाधारण योद्धा।

"राम को यह पता नहीं चल पा रहा था कि रावण मुझे लेकर गया कहाँ है। सुदूर देशों से उसका व्यापार चलता था और वहाँ अन्य वस्तुओं की भाँति दासों का भी हाट लगता था। वह सीधे अपनी नौका उन देशों की ओर भी ले जा सकता था। यदि अयोध्या से उसे वचन मिला था कि मुझे जीवित लौटाने पर उसे एक सहस्र दासों का मूल्य मिलेगा तो वह नौका को लेकर सीधे अयोध्या की ओर भी जा सकता था। इसके अतिरिक्त कुछ द्वीपों पर भी उसके अड्डे थे जहाँ वह हमें छिपा कर रख सकता था। सिन्धु के पार उसका अपना नगर तो था ही जो अपने वैभव में अमरावती को भी लज्जित करता था।

"राम की समझ में सचमुच नहीं आ रहा था कि वह मुझे ढूँढ़ते हुए किस दिशा में जाएँ और क्या करें।

" 'मेरा मन उद्‌भ्रान्त हो रहा है, मित्र। मेरी समझ में नहीं आता कि मैं सीता की खोज में किस दिशा में जाऊँ और क्या करूँ। एक साथ इतने संशय मेरे मन में उठ रहे हैं कि कुछ स्थिर ही नहीं कर पाता।' राम ने कातर हो कर कहा था।

"'आपको कहीं नहीं जाना है। आप यहीं पंपासर पर ही रहेंगे। हमारे गण के योद्धा ही इन चारों दिशाओं में अलग-अलग टुकड़ियाँ बना कर जाएँगे और जब सीता का निश्चित पता लगा कर आएँगे, तब हम उनको प्राप्त करने के लिए पूरी गणशक्ति से प्रयाण करेंगे।' सुग्रीव ने कहा था और राम को भी यह बात पसन्द आई थी। लक्ष्यहीन भटक कर वह अपनी विक्षिप्तता ही बढ़ा सकते थे। मुझे तो अकेले ढूँढ़ नहीं सकते थे!

"वानरों का जो दल सिन्धु देश की ओर आया था उसी में स्वयं हनुमान भी थे।"

"पर उसे लंका में प्रवेश करने में कोई कठिनाई नहीं हुई? तुम तो कह रही थीं कि वहाँ पहरा इतना कड़ा था कि कोई अपरिचित व्यक्ति उसमें प्रवेश तक नहीं कर सकता था?"

"लंका नगरी सिन्धु के तट पर बसी थी, माँ। सिन्धु को पार करने की कोई भी कल्पना नहीं कर सकता था। लंका से दस योजन उत्तर और दस योजन दक्षिण पर रावण की वे चौकियाँ थीं जिन पर व्यापारी आ कर अपनी रक्षा के लिए लंका के सैनिकों को भाड़े पर लेते और उनके संरक्षण में यात्रा करते थे। उनके रहते हुए न तो कोई नौ-सार्थ सिन्धु का वह भाग अकेले पार कर सकता था जिससे सट कर लंका नगरी थी, न ही इन संरक्षकों को साथ ले कर चलने पर वह लंका के लिए कोई संकट पैदा कर सकता था। इससे निश्चिंत हो कर सिन्धु की ओर नगर प्राचीर न तो बहुत ऊँचे थे न ही उन पर पहरा दिया जाता था। लंकावासियों की कल्पना में भी यह बात नहीं आई थी कि हनुमान जैसा कोई असाधारण तैराक भी हो सकता है जो उमड़ते हुए सिन्धु नद को पार करके लंका में पहुँच सके। तभी तो रावण ने अपने अन्तिम क्षणों में पश्चात्ताप करते हुए कहा था, 'यदि वह जानता होता कि ऐसी स्थिति भी हो सकती है तो उसने नगर के पूर्व दिशा के प्राचीर को भी सुदृढ़ और सुरक्षित किया होता।' वह अकेले ही तैर कर सिन्धु को पार कर गए थे और मेरा पता भी लगा लिया था।"

मंगला को हनुमान की प्रशंसा अपनी प्रशंसा जैसी लग रही थी। यह सोच कर कि जो काम दूसरा कोई नहीं कर सकता था उसे एक वनवासी मनुष्य ने कर दिया था वह बहुत प्रसन्न अनुभव कर रही थीं, "क्या सिन्धु सचमुच इतना विशाल नद है कि उसे पार करना किसी मनुष्य के लिए असम्भव माना जाता था?"

"बहुत विशाल, माँ। चार योजन विस्तार हो जाता है उसका बाढ़ के दिनों में और हनुमान ऐसे ही समय में पहुँचे थे। उसमें ग्रीष्म में आनेवाली बाढ़ वर्षाकाल में

आनेवाली बाढ़ से कम वेगवान नहीं होती। हनुमान पूरे दल के साथ इसी ऋतु में पहुँच थे इसके तट पर। दूसरे किसी का साहस उसे पार करने का नहीं हुआ था, इसलिए वह अकेले ही पार गए थे। उनके अन्य साथी उस पार ही रह गए थे।" सीता भी हनुमान का प्रसंग आने पर कुछ अधिक उल्लास में आ गई थीं।

"परन्तु उस नगर में उसने तुम्हारा पता कैसे लगा लिया? पहरेदारों का भय जो था, वह तो था ही, वह लंका की भाषा भी तो नहीं जानते थे!"

"वह देखने में जितने अनाड़ी लगते हैं, भीतर से उतने ही चतुर हैं। मैंने भी यही प्रश्न किया था उनसे, जो तुम मुझसे कर रही हो। बोले, 'दिन में तो एक उपेक्षित कोने में दुबका छिपा बैठा रहा। रात हुई तो चुपके से नगर में प्रवेश किया। इस धुँधलके में पहचाने जाने का डर नहीं था। अभी रात गहरी नहीं हुई थी। राजमार्गों पर लोगों का आना-जाना लगा हुआ था। सूनी रात में अकेले चलने पर पहरेदारों का सामना होने का अधिक डर था, पर आने-जानेवालों के बीच पहचान इतनी आसान नहीं थी। इस पर मेरी चाल भी लंका के नागरिकों से कुछ अलग अवश्य थी। कई लोगों ने उस धुँधलके में भी मेरी ओर कुछ चौंक कर देखा, पर मैं न रुका, न झिझका, न ही डर कर भागा। अपनी स्वाभाविक गति से पर कुछ लँगड़ाते हुए चलने लगा, जिससे मेरी चाल की अस्वाभाविकता छिप जाए।

"'मुझे सबसे अधिक डर इस बात का लगा हुआ था कि कहीं कोई पूछ न बैठे। बोलते ही मेरा सारा भेद खुल जाता और मैं पकड़ लिया जाता। लंकावासी हमसे इस बात में भी भिन्न थे कि वे बिना कारण किसी को रोकते-टोकते नहीं थे। यह काम राजपुरुषों और पहरेदारों और सैनिकों का था, जिनसे वे भी चिढ़ते थे। एक बार मुझे लगा मेरा पीछा किया जा रहा है। पीछा करनेवाले ने कुछ बोलने की तैयारी में एक बार खाँस कर गला भी साफ किया पर जाने क्या सोच कर रुक गया। वह कुछ पूछ बैठता तो मैं केवल उन्हीं प्रश्नों के उत्तर दे सकता था जिन्हें राम ने बार-बार दुहरा कर कंठस्थ कराया था।

"'तो माँ, यदि कोई पूछता भी तो यह बता कर मैं किसी व्यक्ति का दास हूँ बच तो सकता था, पर कठिनाई यह थी कि मैं उस नगर के किसी व्यक्ति का नाम भी नहीं जानता था। इसके अतिरिक्त नए दासों को रात में बाहर निकलने नहीं दिया जाता। हाट-दूकान से कुछ लाना भी हो तो उन्हें दिन में जाना पड़ता है। अतः यह लक्ष्य करके कि कोई मेरा पीछा कर रहा है और किसी भी क्षण मुझसे कोई प्रश्न कर सकता है, मैं एक गली में मुड़ा और फिर एक घर में घुस गया। यह एक बड़ा भवन था। बाहर घेरे को पार करने पर एक बहुत बड़ा आँगन पड़ता था। इसमें अनेक गायें, भैंसे, घोड़े आदि बँधे थे। सेवक उनकी परिचर्या में लगे थे। एक किनारे एक रथ पड़ा था। ये सेवक बीच-बीच में एक-दूसरे से जो कुछ बोलते थे उससे इतना प्रकट हो गया कि ये भी दास ही हैं, पर आश्चर्य इस बात पर था कि

ये सामान्य चाकरों की तरह काम पर लगे थे। न इन पर कोई पहरा था, न रोक। काम से निबट कर दो दास एक चबूतरे पर बैठे तो मैं भी उनके पास जा बैठा। ये दोनों दास इन गृहस्वामी द्वारा कुछ समय पहले मोल लिए गए थे और सुयोग कुछ ऐसा कि उन्होंने अपनी यात्रा की बातें आरम्भ कीं तो मुझे यह समझने में कठिनाई नहीं हुई कि ये उसी पोत पर बन्दी बना कर लाए गए थे जिससे आप आई थीं। इन्हीं से मुझे इस स्थान का पता चला, माँ।'

"मुझे उस गृह स्वामी पर विस्मय हुआ तो हनुमान हँसने लगे, 'जानती हो माँ, उसका नाम क्या है? विभीषण। इतना दयालु और उदार मनुष्य कि उसकी प्रशंसा उसके दास तक कर रहे थे, पर नाम विभीषण। यह नाम उसे स्वयं रावण ने दे रखा था। उस महापुरुष को जो अपनी विद्वत्ता के साथ ही साथ विचारों की निर्भीकता के लिए भी पूरी लंका नगरी में प्रसिद्ध था, एक खतरनाक आदमी समझता था और उसके सुझावों का उपहास करता था, जबकि उन्हीं विचारों के लिए उसके दूसरे सभासद उनका सम्मान करते थे। आरम्भ में रावण के उपहास-कथन को विभीषण ने स्वयं विनोद वश अपने लिए प्रयोग किया और फिर तो यही उनका वास्तविक नाम बन गया था और आज किसी को यह स्मरण ही नहीं कि उनका वास्तविक नाम था क्या।'

"मेरे निवास के लिए रावण ने अशोक वाटिका में जो भवन बनवाया था उसके सामने ही एक वृक्ष था। मैं कुछ खिन्न और उद्विग्न होकर, उसके नीचे पड़ी हुई पत्थर की एक पटिया पर बैठी थी कि अकस्मात् पेड़ की डालियों में कुछ कम्पन सी अनुभव हुई। ऊपर सिर उठाया तो कुछ दिखाई नहीं पड़ा। मैं पुनः शोकमग्न सी बैठी, इधर-उधर देख कर अपने मन को किसी भी विषय में लगाने का प्रयत्न कर रही थी कि ऊपर से एक अँगूठी मेरे ठीक सामने आ कर गिरी। मैंने उसे उठा कर देखा तो पाया यह ठीक वही अँगूठी थी, जो राम स्वयं पहना करते थे। मेरी चिन्ता सचमुच बढ़ गई। लगा, रावण ने जो यह कहा था कि मारीच ने राम के जीवन का अन्त कर दिया होगा वह सच ही होगा अन्यथा यह अँगूठी राम की अँगुली से अलग कैसे हो सकती थी। प्रश्न मात्र उन्हीं आकृतियों और लक्षणों का नहीं था। यह उतनी ही घिसी, उतनी ही चमकदार या मलिन थी जो मात्र कौशल से निर्मित नहीं हो सकती थी। मैंने पुनः ऊपर देखा। यह मेरी हताशा के कारण हो या उत्तेजना के कारण, पर ऊपर कोई दिखाई नहीं दिया था। इसके बाद मैं अपना मन स्थिर नहीं रख पाई थी। मैंने कहा था, 'तुम जो कोई भी हो, मेरे सामने आओ और बताओ कि यह अँगूठी तुम्हें कैसे मिली।' और अगले ही क्षण पत्तियों में एक खरखराहट सी हुई और मेरे सामने एक भीमकाय तरुण उपस्थित था। उसकी आकृति देख कर मुझे कुछ अटपटा लगा था, पर मैं अपने विषाद और राम की अँगूठी को देखकर ऐसे आतंक की स्थिति में थी कि हँसना तो दूर, इसकी

कल्पना भी मेरे लिए असम्भव थी।

"उसे नम्रता के साथ प्रणाम करते देख मेरे मन में कुछ ढाढस बँधा। मैंने पूछा, 'तुम कौन हो, यह मैं नहीं जानती। यह अँगूठी तुम्हें कहाँ और कैसे मिली, क्या यह मुझे बता सकते हो?'

"उसने अपने परिचय के व्याज से वह पूरी कथा ही दुहरा दी और जब मुझे विश्वास हो गया कि वह राम का ही दूत है और मेरा पता लगाने निकला है तो मैं उनका स्मरण करके रोने लगी। वह ठिठोली पर उतर आया, 'मैं इतनी दूर से इतना बड़ा नद तैर कर आया हूँ। कल रात से मुझे कुछ खाने को भी नहीं मिला। कुछ खाने को देना तो दूर रहा, आपने यह तक नहीं पूछा कि तुम्हें भूख-प्यास लगी भी है या नहीं।'

"उसकी बात सुन कर मुझे सचमुच बहुत ग्लानि हुई। मैं झपट कर भीतर गई। कुछ खाने की वस्तुएँ ला कर उसे दीं और वह कुछ भूख और कुछ विनोद के कारण झट-झट उन्हें मुँह में डालता चला गया और फिर पेट पर हाथ फेरने लगा, 'इतने से मेरा क्या होता है, माँ। यह तो मेरे कलेऊ के लिए भी पर्याप्त नहीं था।'

"अशोक वाटिका केवल नाम मात्र की वाटिका नहीं थी। इसमें कुछ वृक्ष भी लगे हुए थे और इनमें आम के वृक्षों पर पके हुए फल लटक रहे थे। उसने मुझसे कहा, 'यदि आपकी अनुमति हो तो आप के ये पके हुए फल चख कर देख लूँ। सम्भव है मेरी भूख कुछ मिट जाए।'

"मैंने समझाया था कि यदि किसी की दृष्टि पड़ गई तो वह जीवित लौट नहीं पाएगा। बताया था कि जिसे वह केवल वाटिका समझ रहा है उससे सटा हुआ ही रावण का यातना गृह भी है और उसमें बंदी बनाए गए लोगों को जितनी असह्य यातनाएँ सहनी पड़ती हैं, उसकी कल्पना करना भी कठिन है। उनका आर्तनाद सुन कर मैं पागल सी हो जाती हूँ।

"उस पर मेरे समझाने का कोई प्रभाव नहीं पड़ा था। कहने लगा, 'यह बात तो वह मेरे बताए बिना ही जानता था। वह पिछली रात को ही इस वाटिका में आ गया था और तब से इस वृक्ष पर छिप कर ही उन यातनाओं को देखता और उन आर्तनादों को सुनता रहा था। पूरी रात इस तरह जागते रहने के कारण ही तो उसकी क्षुधा और भी प्रबल हो चली थी।'

"अब उसे अनुमति देने के अतिरिक्त दूसरा उपाय ही क्या था। पर वह कुछ दुस्साहसी भी था। एक पेड़ पर चढ़ कर फल खाते-खाते छलाँग लगा कर वह उस प्राचीर को लाँघ कर स्वयं उस यातनागृह के द्वार पर पहुँच गया था। दिन के समय बंदियों को काम करना पड़ता और उनके हाथों में हथियार होता था, अतः सामान्य पहरे के अतिरिक्त कारा में अधिक सैनिक नहीं रहते थे। उसे देखकर जब पहरे पर नियुक्त रक्षकों ने हल्ला मचाया था तो उसने उनको आम फेंक कर मारना भी

आरम्भ कर दिया था। एक ने जब उसे शूल चुभाने का प्रयत्न किया था तो वह छलाँग लगा नीचे आ गया था और उसके प्राण ही ले लिए थे। पहरेदारों में घबराहट फैल गई थी। उन्हें इससे पहले ऐसी स्थिति का सामना करना ही नहीं पड़ा था। वे भाग कर रावण को समाचार देने को बढ़े थे और इस अवसर का लाभ उठा कर उसने उन बन्दियों की काठी और यन्त्र बन्धन खोलना आरम्भ कर दिया था, जो जाने कब से उन यातना-गृहों में सड़ रहे थे। अकेले उनमें से किसी का साहस नहीं था, कि वह अपने को यातना देनेवालों की मौखिक भर्त्सना भी कर सके, पर बन्धन खुलने और क्रमशः उनकी संख्या बढ़ने के साथ उनमें जो शक्ति फूटी थी उसकी कल्पना भी नहीं की जा सकती थी। जब तक पहरेदार कुछ सैनिकों को लेकर स्थिति पर काबू पाने के लिए लौटें तब तक यहाँ विद्रोह की तरंगें उठ रही थीं। इन्होंने न केवल उन सैनिकों का सामना करके उन्हें मार भगाया अपितु अपने क्रोध में उन्होंने अपने प्राणों की चिन्ता न करके नगर में ही आग लगाना आरम्भ कर दिया था। पूरी लंका नगरी में त्राहि-त्राहि मच गई थी। नगर में पहुँचने पर इनकी शक्ति घटने के स्थान पर बढ़ती जा रही थी, क्योंकि विभिन्न कार्यों पर लगे हुए दास भी उत्साह में इनके साथ होते जा रहे थे।

"इस विक्षोभ की स्थिति में भी वह दौड़ा हुआ मेरे पास आया था। बोला, 'अब मेरा यहाँ रहना निरापद नहीं है। मैं रुक गया तो कुछ ठीक नहीं कि राम को आपका समाचार मिल भी पाए या नहीं। अतः आज्ञा दें। पर आज की घटना से यह भी समझ लें कि रावण का अन्त निकट आ गया है। उसके शत्रु बाहर नहीं, स्वयं उसके नगर में, उसी के घर में विद्यमान हैं। राम को तो मात्र एक चिनगारी लगानी है। अपनी चिता तो रावण ने पहले से सजा रखी है। आप चिन्ता न करें, माँ। हम शीघ्र आएँगे और आपको सम्मान सहित वापस ले जाएँगे।'

"वह अभी ये बातें कर ही रहा था कि कुछ सैनिक उसको खोजते हुए इधर आते दिखाई दिए और वह सिन्धु नद की ओर भाग चला। मुझे जब तक यह पता नहीं चल गया कि इस बार भी वह सैनिकों की पकड़ में आने से पहले ही नदी में कूद पड़ा और गोता लगा गया, मैं भीतर से डरती ही रही। डर तो उसके बाद भी बना रहा। क्या पता वह सिन्धु को पार भी कर पाया हो या नहीं। क्या पता लंका के सैनिकों ने नौका से उसका पीछा करके उसे बीच धारा में ही मार दिया हो। पर कुछ दिनों बाद जब पता चला कि राम सिन्धु के पार पहुँच चुके हैं और लंका पर आक्रमण की तैयारी कर रहे हैं तब तो किसी सन्देह का प्रश्न ही नहीं रह गया था।"

29

उस महादुर्भिक्ष की याद कोसल और विदेह के लोगों को आज भी है जिसने मत्स्य,

त्रिगर्त, कुरु, पंचाल देशों को उजाड़ दिया था। लाखों दीन, जर्जर, रुग्ण, क्षुधातुर जन प्राण-रक्षा के लिए भाग कर कोसल और विदेह में आए थे। अपनी क्षुधा शान्त करने के लिए वे कैसे टिड्डियों की भाँति पेड़ों की पत्तियों, फलों, कंदों और छालों तक को खा गए थे इसकी कहानियाँ यहाँ आज भी सुनने को मिल जाती हैं—मानव यातना और क्षुधार्त मनुष्यों की क्रूरता की, उनके पाशविक उन्माद और अनन्य करुणा की ऐसी कहानियाँ जिन्हें सुनकर विश्वास नहीं होता। दिन बदले पर इन्हें यह क्षेत्र इतना सम्पन्न लगा कि वे इसे छोड़ कर जाने को तैयार ही न थे। उन्होंने आग लगा कर जंगलों की सफाई शुरू कर दी। पहले तो कौसलों और वैदेहों को लगा जंगलों के कटने से जंगली पशुओं के आतंक से उन्हें मुक्ति मिल जाएगी। वे झुंड के झुंड आते और इनकी खेती को चर जाते। हिंस्र पशु आते और सोए हुए मनुष्यों पर आक्रमण कर देते। सोचा इनसे मुक्ति मिलेगी, अतः उन्होंने इन कर्मठ शरणार्थियों की इस काम में यथासम्भव सहायता भी की।

पर ये शरणार्थी अपने साथ अपना दुर्भाग्य भी लेकर आए थे। वे जिस क्षेत्र से आए थे, उसमें तो सूखा और दुर्भिक्ष आए वर्ष की आपदा बन ही गया था, वहाँ की भूमि भी ऊसर हो चली थी। उनके दुर्भाग्य से अब कोसल और विदेह में भी ऋतु के विपर्यय आरम्भ हो गए। दूसरा कोई उन्हें क्या दोष देता, वे स्वयं अपने को कोसते कि उनके जाने किन अपराधों के कारण इन्द्र का प्रकोप यहाँ भी उनका पीछा नहीं छोड़ रहा था। लोग कहते, सूखा तो यहाँ कभी पड़ता ही नहीं था, पर अब दूसरे-चौथे साल इसकी आवृत्ति से ये बातें भी अतीत की सुखद स्मृतियों का ही रूप लेती जा रही थीं। किसी की समझ में नहीं आ रहा था कि यह एकाएक हुआ क्या है। वन अब भी कटते जा रहे थे। खेती की ललक में जब-तब इतने बड़े वनखंड को जला कर उजाड़ दिया जाता जिसका कोई उपयोग जलानेवालों के लिए भी नहीं हो सकता था। वन्य गणों और पशुओं की दशा तो यह थी कि वे आग की चमक देखकर ही आतंकित होकर भागने लगते थे।

धर्मप्राण लोग कहते, यह निरीह जीवों-ज़न्तुओं को जला कर मारने का परिणाम है। वनचर कहते, धरती माता का प्रकोप है। दुष्ट लोगों ने धरती माता को जला दिया। अब वही आग उनके भीतर प्रवेश कर गई है और ग्रीष्म ऋतु में उभर आती है। उन्होंने हमारा आहार छीन लिया, धरती माता उनका आहार छीन रही हैं। चिन्तक-विचारक कहते युग बदल रहा है। प्रकृति का विपर्यय न हो तो युग परिवर्तन का पता कैसे चलेगा। जो दुष्ट हैं वे मर जाएँगे। जो सत्यनिष्ठ हैं वह ही बचे रहेंगे और अगले युग के लिए प्रजावृद्धि करेंगे। पुरोधा कहते यज्ञ की मर्यादा क्षीण हो रही है। लोगों में लोभ पैदा हो गया है। वे अपनी कमाई का एक-एक दाना अपने पास रख कर केवल अपना पेट पालना चाहते हैं और देवताओं को उनका भाग पहुँचाने के लिए यज्ञ कराने में प्रमाद कर रहे हैं, सो इन्द्र

का प्रकोप तो होगा ही। सरल चित्त लोग सभी प्रकार की बातों पर सिर हिलाते पर यह निश्चय न कर पाते कि इनमें वास्तविक कारण कौन सा है।

ऋतुओं के इस विपर्यय ने ही राम को जलाशयों के निर्माण के लिए प्रेरित किया था। लक्ष्य केवल यह था कि वर्षा काल में पानी को रोक कर रखा जा सके और इस जल को ही अभाव के दिनों में उपयोग में लाया जा सके। इससे कृषि में तो उन्नति हुई ही थी, लोगों की धार्मिक प्रवृत्ति में भी अन्तर आया था। राजा को प्रसन्न करने के लिए अनेक सामन्तों और श्रेष्ठियों ने ही नहीं, स्वयं किसानों ने भी मिल-जुल कर तड़ागों और वापियों का निर्माण आरम्भ कर दिया था और इसी क्रम में यह पता चला कि कि विशाल सरोवरों को यदि कुछ स्थलों पर अधिक गहरा किया जा सके जिससे जल के सोते फूट निकलें तो जल का यह भंडार अक्षय हो सकता है और दुर्भिक्ष के समय में भी इससे जल प्राप्त हो सकता है।

इस सफलता से उत्साहित हो कर ही राम ने परती पड़ी उस भूमि पर आम, महुआ, जामुन, गूलर आदि के वृक्ष लगाने की बात सोची थी। विचार बहुत सरल था। पेड़ों की जड़ें अधिक गहरी होती हैं, अतः इन पर सूखे का प्रभाव नहीं पड़ सकता। अभाव के दिनों में इन फलों से विशेष रूप से सहारा मिल सकता है। फल कृषि के पूरक हो सकते हैं। एक बार वृक्ष लगाने के बाद श्रम से पूरी मुक्ति। कृषि की भाँति प्रतिवर्ष का श्रम नहीं। आधी खेती आधी बाड़ी। दोनों एक दूसरे के पूरक। सबसे बड़ी बात, ग्रीष्म के प्रकोप से मुक्ति। इस अभियान को चारणों और मागधों ने जिस रूप में प्रचारित करना आरम्भ किया वह पुरोहितों को कुछ पीड़ा अवश्य दे रहा था। वृक्ष लगाए जाएँ, इससे किसी को क्या विरोध हो सकता था, पर इसे पूर्त कह कर इष्टि या यज्ञ से श्रेष्ठ सिद्ध किया जा रहा था, यह सोचकर उन्हें कष्ट हो रहा था। कहा जा रहा था, यदि इष्टि यज्ञ है तो पूर्त महायज्ञ। यज्ञ में तो सूखे काठ का चयन किया जाता है पर पूर्त में लगाए गए वृक्ष तो सरस-सुरस काष्ठ का चयन हैं। वृक्ष तो महाचिति हैं, चैत्य हैं ये। यज्ञ का फल परलोक में किसी को प्राप्त होता है या नहीं, यह तो सन्देह का विषय है, पर वृक्ष का फल तो इस लोक में ही प्रतिवर्ष प्राप्त होता है। इन्हें लगा कर शीत-ताप से मुक्ति ही नहीं मिलती, धरती पर ही स्वर्ग उतर आता है। पुत्रेष्टि आदि से यदि सन्तान का लाभ होता है तो वृक्ष लगाना तो स्वतः सन्तति का विस्तार है। पुत्रजनन की एक सीमा है, यह नियत आयु है, पर वृक्षारोपण की न तो कोई आयु है न ही समय की कोई बाधा। पुत्र तर्पण और पिंड-दान से मृत पितरों को तृप्त करता है, पर जलाशयों का निर्माण तो महातर्पण है और पितरों की आत्माएँ तो चैत्य में निवास करती हैं, प्रतिवर्ष ये वृक्ष फलों से उनको तुष्ट करते हैं। यज्ञ कोई-कोई महाशाल द्विज ही सम्पन्न करा सकता है, पर वृक्षारोपण जैसा पूर्त अनुष्ठान तो शूद्र तक कर सकता है।

यज्ञ के स्थान पर पूर्त के इस आयोजन से केवल वसिष्ठ ही अप्रसन्न नहीं हुए थे। यज्ञ के समारोहों में महोत्सव मनानेवाले और दान पर जीनेवाले लोगों की पूरी जमात को ही इस पर भारी आक्रोश था। पूर्त का लाभ शूद्रों को तो मिल सकता था, क्योंकि वृक्ष लगाने से ले कर जलाशय निर्माण और मार्गों के निर्माण तक में वे काम कर सकते थे और इसके बदले पुण्य और पारिश्रमिक दोनों पा सकते थे। वणिक जलाशय आदि के निर्माण में धन लगा कर पुण्य कमा सकते थे और पथों के निर्माण से उनकी यात्रा सुगम हो सकती थी। उनकी शर्मशालाओं में देशान्तर के व्यापारी और यात्री ठहर सकते थे। क्षत्रियों के पास भूमि थी और वे भी अपने पुण्य के साथ जलाशयों से सिंचाई करके तथा वृक्ष लगा कर अधिक अन्न और फल पा सकते थे। पर ब्राह्मणों के पास न तो धरती थी, न धन, और न ही श्रम की इच्छा। बौद्धिक श्रम करनेवाला यदि शारीरिक श्रम करे तो यह उसका अपमान तो है ही, इसके साथ ही उसकी स्थिति शूद्रों जैसी हो जानी थी।

अतः वह न तो पूर्त का पूरा भौतिक लाभ पा सकता था न ही पुण्य कमा सकता था। असन्तुष्ट होना और यह मानना स्वाभाविक ही था कि महाराज ब्रह्मद्वेषी हैं और उन्होंने ब्राह्मणों को दंडित, उपेक्षित और अपमानित करने के उद्देश्य से ही पूर्त के आयोजन आरम्भ किए हैं। वसिष्ठ की कठिनाई यह थी कि अब उनके हर प्रस्ताव को दुर्भाव प्रेरित मान लिया जाता था।

सुयज्ञ ने वसिष्ठ को राजसभा में यज्ञ के विषय में उदासीन देखकर एक बार स्वयं राम को समझाने का प्रयत्न किया था, "यज्ञ केवल प्रायश्चित्त के लिए ही नहीं होता, महाराज। ब्राह्मणों ने समाज में शिक्षा और ज्ञान का प्रसार करने का जो काम अपने ऊपर ले रखा है वह भी समाज के लिए उतना ही आवश्यक है जितना भौतिक समृद्धि। भौतिक समृद्धि यदि योग है तो ज्ञान और शिक्षा क्षेम। योग और क्षेम दोनों ही समाज की रक्षा के लिए आवश्यक हैं। यदि शिक्षा ही न मिली तो मनुष्य मनुष्य नहीं रह जाएगा। माता-पिता जन्म से अपनी सन्तान को मनुष्य की आकृति प्रदान करते हैं, गुरु उसे आत्मा प्रदान करते हैं। उसकी पाशविक प्रकृति को सुधार कर मानवोचित संस्कृति प्रदान करते हैं। उसे मननशील मानव बनाते हैं। शिक्षकों और ज्ञानियों का यह समाज, ब्राह्मणों का यह समाज भौतिक उत्पादन और संपत्ति संग्रह के प्रति उदासीन रहने के कारण अपनी जीविका के लिए दान पर ही निर्भर करता है। यज्ञ पापमोचन और इच्छापूर्ति के साधन के अतिरिक्त ब्राह्मणों को दान और उपहार देने का अवसर प्रदान करता है। यदि यज्ञ समाप्त हुए तो ब्राह्मण संकट में पड़ जाएँगे। ब्राह्मण संकट में पड़े तो धर्म, शिक्षा और संस्कार संकट में पड़ जाएँगे और इनके अभाव में मानव समाज मानवाकृति पशुओं का यूथ बनकर रह जाएगा।"

सुयज्ञ की प्रतिभा का यह रूप तो किसी ने आज से पहले कभी देखा ही नहीं

था। वसिष्ठ झूम से रहे थे। स्वयं महाराज राम उनके कथन पर बीच-बीच में सहमति सूचक सिर हिलाते थे और अन्यथा भी इतनी गम्भीरता से एक-एक शब्द को सुन रहे थे कि लग रहा था उनके दृष्टिकोण में भारी बदलाव आ रहा है। वसिष्ठ को सन्तोष इस बात पर अनुभव हो रहा था कि पहले अवसर पर जब उन्होंने अश्वमेध के आयोजन का प्रस्ताव रखा था तो सुयज्ञ उनका उपहास होते देख कर भी चुप रह गए थे। और इस पर उन्होंने सुयज्ञ की खूब भर्त्सना भी की थी। उन्हें लग रहा था यह उनकी उस भर्त्सना का ही परिणाम है। वसिष्ठ के होंठों की चमक और महाराज राम की दत्तचित्तता और सहमतिसूचक ढंग से सिर हिलाने को देखकर सुयज्ञ कुछ अधिक उत्साहित हो गए थे। उन्होंने बड़े ओजस्वी ढंग से अपनी बात आगे बढ़ाई थी, "महाराज, आपके पिताश्री ने यज्ञ के इसी महत्त्व को समझ कर यज्ञ सम्पादन के लिए एक विशेष पुरोहित की आवश्यकता समझी थी और इसके निमित्त मेरी नियुक्ति की थी। वह रोग, शोक, उल्लास, अवसाद, आक्रमण, विजय, पुंसवन, जन्म, नामकरण, चूडाकर्म, उपनयन, विवाह सभी अवसरों पर यज्ञ का आयोजन करके विद्वान ब्राह्मणों को पुरस्कृत करते रहते थे।"

राम ने भी महाराज दशरथ के यज्ञ प्रेम की सराहना आरम्भ की तो सभासदों को यह विश्वास हो गया कि अब वह स्वयं भी किसी यज्ञ के अनुष्ठान की घोषणा अवश्य करने जा रहे हैं, पर जल्द ही राम ने उनके अनुमान को मिथ्या सिद्ध कर दिया, "पिताश्री की दृष्टि में जो धर्म था उसका आजीवन निर्वाह करने पर भी उसके परिणाम न तो उनके लिए सुखद रहे, न अवध के लिए, न अयोध्यावासियों के लिए। उनके यज्ञ-प्रेम से सभी का अनिष्ट हुआ। यज्ञ न धर्मबीज है, न ही ज्ञानबीज। यज्ञ से प्राप्त दक्षिणा का उपयोग कभी मैंने शिक्षा के निमित्त होते नहीं देखा। यह एक प्रकार का उत्सव है। समारोह है। एक प्रकार की विलासिता है जिसे धार्मिक आटोप दे दिया गया है। इसका लाभ ज्ञानसाधकों और उपाध्यायों को नहीं, उदरंभर कामसाधकों को मिलता है।"

राम एक क्षण को रुके और यह देख कर कि सुयज्ञ अस्थिर हो उठे हैं, कहने लगे, "पर आपने एक महत्त्वपूर्ण समस्या की ओर ध्यान दिलाया है जिसके लिए मैं आप को धन्यवाद देता हूँ। यह है मनुष्य को मनुष्य बनाने के लिए उन्हें सुसंस्कृत बनाने के लिए शिक्षा का विस्तार। इसका समुचित प्रबन्ध करना होगा कि ज्ञानसाधना और शिक्षा के प्रसार में लगे हुए ब्राह्मणों को राजवृत्ति दी जाए। यह भी पूर्त का ही अंग है। यही क्यों चिकित्सा और शिल्पकार्य में लगे हुए व्यक्तियों को भी पुरस्कृत करना उचित है। इसकी भी व्यवस्था होगी।"

वसिष्ठ ने अपने मन में जाने कितनी बार प्रतिज्ञा की होगी कि यज्ञ के विषय में वह राम से कुछ नहीं कहेंगे, पर परिस्थितियाँ ऐसी आ जाती हैं कि उनसे चुप नहीं रहा जाता। इस समय जब सुयज्ञ कुछ विचलित से इधर-उधर देख रहे थे,

यदि वसिष्ठ चुप हो जाते तो बाद में उन्हें भी सुयज्ञ से वैसी ही जली-कटी सुननी पड़ती जैसी पहले सुयज्ञ को वसिष्ठ से सुननी पड़ी थीं। उन्हें लगा इस अवसर पर चुप रहना बौद्धिक कायरता होगी, "परन्तु महाराज, यह दस-बीस अध्यापकों और आचार्यों की समस्या नहीं है। पूरी ब्राह्मण जाति इस यज्ञ-याग के दान पर ही निर्भर करती है। उसके पास जीविका का कोई अन्य साधन नहीं है। यदि सभी अध्यापन ही करने लगे तो इतने छात्र कहाँ से आएँगे?"

"शिक्षा तो मनुष्यमात्र के लिए आवश्यक है, आचार्य। अशिक्षितों की भी संख्या कुछ कम तो है नहीं। अब तो शूद्रों में भी शिक्षा की ललक पैदा हो रही है।" राम ने यह बात पूरी शालीनता से ही कही थी, पर वसिष्ठ को लगा ऐसा कह कर वह उनका और पूरी ब्राह्मण जाति का अपमान कर रहे हैं।

वसिष्ठ ने कुछ पीड़ा के साथ कहा, "शूद्र भी शिक्षा पाएँगे, अब?"

"यदि शिक्षा सचमुच मानव पशु को मननशील मानव बनाती है तो इसकी सबसे अधिक आवश्यकता तो शूद्रों को ही है जो जाने कितने हजार वर्षों से पशुवत जीवन जीते आ रहे हैं।" राम अब भी गम्भीर ही थे।

"फिर ब्राह्मणों का क्या होगा, महाराज?" वसिष्ठ ने इस प्रश्न के साथ दूसरे सभासदों को इस आशा में देखा था कि इतने गम्भीर विषय पर वे उनका समर्थन करेंगे। सम्भवतः उनमें से अनेक सभासदों के मन में वसिष्ठ का प्रश्न व्यग्रता भी पैदा कर रहा था, पर अब तक यह बात किसी से छिपी नहीं रह गई थी कि महाराज राम के निर्वासन में ही नहीं, सीता के निर्वासन में भी उनकी जो भूमिका रह चुकी थी उसका पता राम को है। वे यह भी जानते थे कि वसिष्ठ कोई भी अवसर आने पर राम के ऊपर प्रहार कर सकते हैं, और इसके लिए निरन्तर प्रयत्नशील रहते हैं और इसका आभास भी राम को है। ऐसी स्थिति में उनके सही विचारों का ही समर्थन करते हुए उन्हें डर लगता था कि महाराज की दृष्टि में वे भी वसिष्ठ के सहचक्री न मान लिए जाएँ।

किसी भी सभासद में कोई सुगबुगाहट नहीं दिखाई दे रही थी। राम ने वसिष्ठ के प्रश्न को कुछ समय तक सभाकक्ष में गूँजने के लिए छोड़ दिया था। वसिष्ठ ने इसे अपनी उपेक्षा समझी थी और इसलिए अपनी झुँझलाहट को रोकने का प्रयत्न करते हुए उन्होंने फिर दुहराया था, "ब्राह्मणों का क्या होगा महाराज?" पर स्वर पर नियन्त्रण न कर पाने के कारण झुँझलाहट प्रकट हो ही गई थी।

"ब्राह्मणों का मान बढ़ेगा। अभी तक शूद्र उनसे डरते थे, अब श्रद्धा करने लगेंगे। गुरु का मान उसके शिष्यों की संख्या पर निर्भर करता है। उनकी विलक्षण प्रतिभा पर निर्भर करता है। उन शिष्यों द्वारा अर्जित कीर्ति और गुरु के प्रति श्रद्धा-निवेदन पर निर्भर करता है। अधिकस्य अधिकं फलम्। और अब तो शूद्रों की स्थिति भी दक्षिणा देने की होती जा रही है?" अब राम मुस्करा भी रहे थे।

"शूद्र तो जीवित श्मशान होता है, महाराज! उसकी तो परछाईं से भी शरीर अपवित्र हो जाता है। उसके होंठों से उच्चरित होने पर तो वेद भी दूषित हो जाएगा। उसे शिक्षा कौन देगा?" इस बार वसिष्ठ ने अपने को संयत करने का कोई प्रयत्न नहीं किया था।

"जीवित मनुष्य को श्मशान माननेवाले को क्या जीवित कहा जा सकता है, आचार्य? अपने संस्कारों या अपसंस्कारों के कारण जो स्वतः शव बन चुका है उसके ऊपर क्या यह निर्णय छोड़ा जा सकता है कि उचित क्या है, और अनुचित क्या? क्या उस वेद के महात्म्य को स्वीकार किया जा सकता है आचार्य, जो एक शूद्र को पवित्र नहीं कर सकता, पर उसके उच्चारण मात्र से स्वयं अपवित्र हो सकता है? तब तो मानना होगा कि शूद्र वेद से भी अधिक शक्तिशाली है। वेद उसे प्रभावित नहीं कर सकता, पर वह वेद को प्रभावित कर सकता है! और जहाँ तक शिक्षा देनेवाले गुरुओं का प्रश्न है, सभी गुरु आप जैसे नहीं हैं। सभी ब्राह्मण आप जैसे ही नहीं हैं, आचार्य। कुछ ऐसे भी हैं जो आज भी प्रतिभाशाली शूद्र बालकों को उसी स्नेह से शिक्षा दे रहे हैं जैसे द्विज छात्रों को। उनका महत्त्व मेरी दृष्टि में किसी अन्य गुरु से बहुत अधिक है।"

झन्न्न। बाहर प्रहर की चोट पड़ी थी और उसकी आवाज कई गुना हो कर सभाकक्ष में गूँजने लगी थी। एक दीवार से दूसरी पर चोट करके लौटती और फिर टकराती हुई। सभाकक्ष से अधिक गूँज वसिष्ठ के मस्तिष्क में हो रही थी। लग रहा था उनका मुकुट उनकी खोपड़ी को कसता जा रहा है। श्वास रुद्ध हो गया है। ब्रह्मरन्ध्र महाशून्य में बदल गया है। घंटे के डूबते हुए नाद के साथ यह बोध क्रमशः बढ़ता हुआ असह्य लगने लगा था।

राम स्वयं भी अपने ही कथन से स्तम्भित रह गए थे। दुखी और पीड़ित मानवता के साथ राम की सहानुभूति उनकी स्वानुभूति का अंग है। उन्हें करुणवेदी कहनेवाले भी उनकी इस वेदना को नहीं जानते। बचपन से ही उन्हें महाराज की उपेक्षा और परिजनों के स्नेह के दाह और लेप के बीच जीना पड़ा था। माँ कौसल्या जब अपनी उपेक्षा से कातर हो उठतीं तो उनकी पीड़ा को बँटानेवाली उनकी बूढ़ी दासी ही मिलती जो कौसल्या को इस तरह समझाने दुलराने लगती मानो वह उनकी दासी नहीं, धात्री माँ हो। राम ने स्वयं उस दासी को दासी के रूप में ही जाना था। उन्हें शैशव से ही जो अनुभव हुए थे। उसमें उन्हें लगता, जिन्हें लोग शूद्र कह कर उनकी उपेक्षा करते हैं, वे अपने को कुलीन मान कर गर्व करनेवालों की तुलना में अधिक श्रेष्ठ और मानवीय होते हैं। अकिंचन होने के बाद भी अपने उत्पीड़कों तक के कष्ट और यातना से द्रवित होने की मानवीय क्षमता उनमें बनी रहती है।

अपनी इस सहानुभूति के कारण ही जब उन्हें गुरुदेव से मिथिलानरेश की उस

पुत्री के विषय में पता चला था, जिसके अज्ञात-कुलीन होने के कारण कोई उससे विवाह करने को तैयार ही नहीं हो रहा है, और विवश होकर महाराज जनक ने इसके निमित्त एक स्वयंवर का आयोजन किया तो यह पता चलते ही कि उसके जन्म का कोई ठिकाना नहीं, आमन्त्रित राजाओं ने न केवल स्वयंवर की सभा में भाग लेने से इनकार कर दिया था, बल्कि अपने आमन्त्रण को अपने साथ किया गया छल और जातीय अपमान समझ कर उन्होंने मिथिला को घेर लिया था, तो राम के मुँह से आवेश में निकल गया था, "यदि मैं होता..." पर उन्होंने तुरन्त अपने को सँभाल भी लिया था। अज्ञात कुलीनता जहाँ दूसरे राजाओं के लिए सबसे बड़ा दोष था, वहाँ राम के लिए सीता का सबसे बड़ा गुण।

राम ने उस वर्ण-मर्यादा को तोड़ा था तो इसके कारण समाज में खलबली सी मच गई थी। लोग कहते इन्होंने वरुण की वर्जना के पाश को नहीं, वरुण के धनुर्दंड को ही तोड़ दिया। स्वयं महाराज जनक भी अनिश्चय में पड़ गए थे। राजकुमारों के लिए किसी भी जाति की कन्या से विवाह करना वर्जित नहीं था, परन्तु किसी युवराज का प्रथम विवाह तो क्षत्रिय कुल की कन्या से ही सम्भव था। उसका सबसे बड़ा पुत्र ही राज्य का उत्तराधिकारी हो सकता था, अतः यदि वह माता और पिता दोनों ही पक्षों से क्षत्रिय नहीं हुआ तो उत्तराधिकार के समय संकट उत्पन्न हो जाएगा। पहले किसी क्षत्रिय कन्या से विवाहित होने के बाद यदि राम ने सीता के साथ विवाह की सहमति जताई होती तो जनक को किसी प्रकार का संशय न होता। उन्होंने इसके लिए महाराज दशरथ को आमन्त्रित किया था। उनके आने पर तो एक ब्राह्मण ने इस अनियमितता को लेकर बवाल ही खड़ा कर दिया था, पर राम को अविचलित देखकर सभी को झुकना पड़ा था। वर्ण मर्यादा का इतना ध्यान ब्राह्मणों को होता है कि वे कहीं से इस पर कोई आँच आते देख तड़प उठते हैं!

अपने निर्वासन के दौरान भी उन्हें निषादों, शबरों, गीधों, मतंगों, वानरों और भल्लूकों से जो अपार स्नेह और समर्थन मिला था, उसके बिना न तो उतने अभावों और संकटों के बीच उनका दंडवास कट पाया होता, न ही वह सीता का पता लगा पाए होते; न रावण को पराजित कर पाते, न ही अपना खोया हुआ राज्य वापस ले पाते। एक ओर तो अपने आश्रम जमाए वे ऋषि थे जिनके बीच राम केवल इस प्रलोभन से रहना चाहते थे कि उनके साथ भाषा का संकट नहीं पैदा होगा, अतः सीता को कष्ट नहीं होगा। वे यह जानते हैं कि राम को निर्वासित कर दिया है, उन्हें सलाह देने लगते थे कि वह उस आश्रम को छोड़ कर आगे चले जाएँ। दूसरी ओर वे उपेक्षित और हीन जन्म माने जाने वाले गण थे जिनके स्पर्श तक से कुलीन लोग मलिन हो जाते हैं पर जो इस बात को जानते ही अपने जातीय दर्प और अभिमान से कहते कि राम उनके राजा बन कर उनके बीच रहें। राजकीय दंड की याद दिलाने पर झुकने के स्थान पर और अकड़ जाते थे। कोई उनके जीते जी

उनका कुछ बिगाड़ नहीं सकता।

आज भी सीता को शरण देकर उनके सम्मान की रक्षा करनेवाले वाल्मीकि ही थे। अपने को कुलीन और शिरोधार्य माननेवालों ने राम को केवल आघात और अपघात ही मिले हैं। इनके स्नेह के प्रदर्शन के पीछे भी उन्हें इनका कोई-न-कोई स्वार्थ ही झलकता दीखता है। सच्चा मानवीय प्रेम, त्याग, उत्सर्ग और बलिदान से भरा निःस्वार्थ प्रेम और समर्थन उन्हें केवल उन हीन-जन्म जनों से ही मिला है जिन्हें वसिष्ठ ने जीवित श्मशान कह दिया था। वह इससे इतना तिलमिला उठे थे कि अपने क्षोभ को नियन्त्रित नहीं कर सके थे। फिर इस बात से आहत और स्तब्ध अनुभव कर रहे थे कि उन्होंने सभ्य व्यवहार का उल्लंघन किया था। नहीं, उल्लंघन तो स्वयं वसिष्ठ ने किया था। किसी भी मनुष्य के लिए 'जीवित श्मशान' जैसे घृणित शब्द का प्रयोग तो उन्होंने ही किया था। राम ने स्वयं चूक यह की थी कि क्षोभवश वह स्वयं भी वसिष्ठ के स्तर पर उतर आए थे। वसिष्ठ के लिए शूद्र मनुष्य होते ही नहीं। उनका कोई सम्मान नहीं होता। अपमान से उन्हें पीड़ा नहीं होती। उनके लिए गर्हित से गर्हित शब्द और सम्बोधन प्रयोग में लाए जा सकते हैं। नहीं सम्बोधन ही नहीं, उन्हें अपना नाम तक ऐसा रखने का अधिकार नहीं जो घृणित न हो। शूद्र का नाम जुगुप्सित होना चाहि...शूद्रस्य तु जुगुप्सितम्। राम को उस क्षण लगा था जो व्यक्ति किसी के लिए इतने कठोर शब्दों का प्रयोग कर सकता है, उसके जीवन का ही निषेध कर सकता है, वह कोई भी हो, उसको न तो एक मनुष्य के रूप में जीवित माना जा सकता है, न एक मनीषी के रूप में। उसका अपमान यदि होता हो तो हो। उस ग्रन्थ का उपहास होता हो तो हो जिसे उसने अपने दम्भ की गेरु रज्जु बना रखा है। सभी शास्त्रों से ऊपर मनुष्य है और सभी वर्णों से ऊपर मनुष्यता।

एक मौन पूरी सभा को पीस रहा था। स्थिति को सँभालने का कोई सूत्र किसी अन्य सभासद को भी नहीं सूझ रहा था। सामान्य खिन्नता या उदासी की स्थिति होती तो सभासदों में अनेक ऐसे भे जो अपनी एक टिप्पणी से ही चिन्ता और उदासी को अट्टहास में बदल सकते थे, पर यह एक महात्रास का सा अनुभव था, जिसमें सभी को घुटन हो रही थी।

उस दिन सभा स्थगित हो गई थी। वसिष्ठ उसके बाद सभा से अनुपस्थित रहने लगे थे। यदि उनके पास अन्यत्र कहीं चले जाने का विकल्प होता तो अपने सम्मान की रक्षा के लिए अयोध्या छोड़ कर चले भी जाते, पर उनकी आँखों में उनका रचित इतिहास ही इस तरह घूरता रहता था कि वह अपनी परिणति की कल्पना से ही सिहर उठते थे। यदि उन्होंने ऐसा किया तो रूठ कर जानेवाले वसिष्ठ को किसी भी युक्ति से समझा-मना कर लाने के लिए भेजे गए राजपुरुष मार्ग में उन्हें कहीं से भी पकड़ और बाँध कर उसी तरह ला सकते हैं, जैसे पहले

उन्होंने विश्वामित्र को मँगवाया था। इससे उपयुक्त अवसर कौशिक-शिष्य को गुरु-ऋण से मुक्ति पाने का मिल ही नहीं सकता था। वसिष्ठ सब कुछ सहने को तैयार थे, पर विश्वामित्र को इस बात का सन्तोष नहीं देना चाहते थे कि उन्होंने अपने शिष्य के माध्यम से अपना बदला चुका ही लिया।

कुछ दिन की अनुपस्थिति के बाद जब राम ने उन्हें बुलाने के लिए सुयज्ञ को भेजा था तो 'मेरी वहाँ क्या आवश्यकता है, सुयज्ञ। मैं अपने शिष्यों के बीच ही प्रसन्न हूँ।' का विरोध जताने के बाद वसिष्ठ मान भी गए थे, क्योंकि वह सुयज्ञ का अनुरोध टाल भी तो नहीं सकते थे। राम न तो वसिष्ठ को अपनी आँखों से ओझल रहने देना चाहते थे, न ही वसिष्ठ स्वयं राम को। इसके बाद वह एक लम्बे समय तक सभा में चुप ही रहते। किसी चर्चा में भाग नहीं लेते। दूसरों के विचारों को सुन कर सहमति की स्थिति में 'अस्तु' 'भवतु' के निमित्त होंठों को खोल कर थोड़ी सी प्राणवायु बाहर निकाल देते और असहमति की स्थिति को हल्का सा नीचे कर लेते।

और फिर आया था वह दुष्काल जिसकी छाया अवध पर भी मँडराने लगी थी।

30

सरोवरों और तड़ागों के निर्माण से जल का संग्रह तो किया जा सकता है, वर्षा नहीं कराई जा सकती है। ऋतुचक्र के विपर्यय ने पूरे भारत को अनावृष्टि और अकाल के गाल में झोंक दिया था। अनावृष्टि के दौर पहले भी आते रहे थे, परन्तु इस बार यह प्रकोप अधिक भयंकर था। जलाशय सूख गए थे और नदियाँ जल के अभाव में पतली नालियों में बदल गई थीं। समूचे देश में त्राहि-त्राहि मची हुई थी। इस आपदा में भी वसिष्ठ को आशा की एक नई किरण दिखाई दी थी। वह स्वयं 'राजमाता' के दर्शन को उपस्थित हुए थे और वह भी किसी पूर्वसूचना के बिना ही। कैकेयी को उनकी इस उदारता पर स्वयं भी आश्चर्य हुआ था।

"अपने पुत्र को समझाइए राजमाता। महाराज को समझाइए। जनता बड़े कष्ट में है।" वसिष्ठ ने औपचारिक शिष्टाचार के बाद बिना किसी भूमिका के 'आर्त' स्वर में निवेदन किया।

उनके इस अनुरोध ने कैकेयी के आश्चर्य को कुछ और बढ़ा दिया, "आचार्य कहना क्या चाहते हैं?"

"जनता बड़े कष्ट में है। ब्राह्मण मर रहे हैं। महाराज की अनीतियों से ब्राह्मण मर रहे हैं।"

कैकेयी की स्थिति से मुनिवर अवगत न हों, ऐसा तो था नहीं। इसके बाद भी वह अपना परिवाद ले कर उनके पास आए हैं तो इसका लक्ष्य बिन्दु कहीं और

होगा, यह समझने में उन्हें समय नहीं लगा था, अतः सीधे विषय पर आने के स्थान पर उन्होंने भी शब्दक्रीड़ा का ही सहारा लिया था, "जिसने शरीर धारण किया है वह मरता भी है। यह कोई नई बात तो है नहीं। मुझे तो इस बात पर दुख होता है, आचार्य, कि मैं क्यों जीवित हूँ।"

"आप ऐसी अशुभ बात न कहें, राजमाता। आप नहीं रहेंगी तब तो हमारी आशा की अन्तिम रज्जु भी टूट जाएगी। हम तो केवल यह चाहते हैं कि अब आप अपना मौन त्याग कर महाराज को समझाइए कि वह अधिक अनर्थ न करें। कब तक चुप रहेंगी आप?"

कैकेयी बिना यह जाने हुए ही कि वसिष्ठ कैकेयी से क्या समझाने को कह रहे हैं, या समझाने के बहाने राम के किस अनर्थ की ओर उनका ध्यान दिला रहे हैं, बोलीं, "आप तो स्वयं ही उनके सभासद हैं। आप स्वयं क्यों नहीं समझाते?"

"प्रयत्न तो किया था परन्तु अब मेरे विचारों का वह आदर नहीं रहा जो महाराज भरत के समय में था। अब मेरा उपहास किया जाता है। मैं कुछ कहना चाहता हूँ तो महाराज वर्जित कर देते हैं, 'राजपुरोहित को धार्मिक अनुष्ठानों और रीति-विधानों तक ही सीमित रहना चाहिए!'"

"इस बार रहा नहीं गया तो बोला, 'धार्मिक अनुष्ठानों की ही बात कर रहा हूँ, महाराज' तो मुस्कराने लगे। कहा, 'अभी विचार इस महान् आपदा पर चल रहा है जो इस अकाल के रूप में देश के सामने आई है। इसके बाद आप धर्मचर्चा भी कर लीजिएगा।' मुझसे इसके बाद भी रुका नहीं गया। कहा, 'जिस धर्मचर्चा की ओर मैं ले जाना चाहता हूँ उसका सम्बन्ध इस अकाल से भी है, महाराज।' इसके बाद तो उन्होंने मुझे बोलने का अवसर दिया।" वसिष्ठ क्रोध से काँप रहे थे। उचित अवसर पर क्रोध न कर पाने की विवशता संचित भाप की तरह आसव-नली को तोड़ कर फूट पड़ी थी। पहली बार कैकेयी को लगा कि वसिष्ठ दिखावा नहीं कर रहे हैं। वह वास्तव में क्षुब्ध हैं और इससे उन्हें बड़ी प्रसन्नता अनुभव हुई।

"वर्जना के बाद भी आपको कुछ कहने और समझाने का अवसर तो मिला। मेरी तो उनसे बात भी नहीं हो पाती। आज तक कभी किसी विषय में परामर्श का अवसर तो दूर, बातचीत का भी अवसर रीति निर्वाह के अवसरों पर ही आता है। सभासद होने के कारण आपको जो कुछ हो रहा है उसका पता तो रहता है। मैं तो दृष्टिहीन व्यक्ति की तरह टटोल-टटोल कर पाँव रखती हूँ आचार्य।" कैकेयी का स्वर भी काँप रहा था।

"सभा में बैठने का कोई लाभ नहीं। सुनता कोई नहीं। मैंने कहा, 'महाराज, पूरे देश में अकाल फैला है। फसल पानी के अभाव में झुलस गई है। दूसरे सभी राज्यों में इन्द्रदेव को प्रसन्न करने के लिए यज्ञ किए जा रहे हैं। आपका राज्य अकेला ऐसा है जहाँ राजकोष उन्हीं सूखे पुष्करों और तड़ागों को और गहरा कराने

पर लुटाया जा रहा है जिन्हें पहले भी भारी व्यय से खुदवाया गया था।

"बोले, 'धर्म बहुत पवित्र वस्तु है, आचार्य। राजकार्य की भी अपनी गरिमा है। इन दोनों को एक में न मिलाएँ, इनके मिलाप से वैसा ही अनिष्ट घटता है जैसे मधु और घी के मिश्रण से।'

"मैंने कहा, 'धर्म को राजनीति से अलग कर देंगे तो राजा को राजधर्म का बोध कैसे होगा?' लोग मेरा उत्तर सुन कर मेरा मुँह देखने लगे।

"कहने लगे, 'जैसे काठ में आग सोई रहती है और इसे छूने से इसका बोध नहीं होता। देखने से इसका आभास नहीं मिलता। वह काठ भी अग्नि का गर्भ है इसे शास्त्रचर्चा से ही जाना जाता है, उसी तरह सोए हुए राजा में, विलासी और शिथिल राजा में भी राजधर्म के बीच विद्यमान हैं, इसे शास्त्रचर्चा या यज्ञ विधान से बताया जा सकता है। पर जैसे घर्षण से काठ में सोई आग प्रकट हो जाती है और आग के गुण-धर्म स्वयं प्रकट हो जाते हैं और इन पर किसी उपदेश की आवश्यकता नहीं रहती, उसी तरह प्रजा के हित में अप्रमाद और सक्रिय रहनेवाले राजा के राज्य में होनेवाले प्रत्येक कार्य और व्यापार में राजधर्म प्रकाशित होता रहता है। इसके लिए शास्त्रज्ञान से अधिक लोकनिष्ठा की आवश्यकता होती है, आचार्य।'

"मैं भी चुप न रह सका। बोला, 'महाराज, लोकनिष्ठा और लोकहित की चिन्ता से ही दूसरे राजा इन्द्र को प्रसन्न करने के लिए यज्ञ करा रहे हैं।'

"प्रश्न किया, 'जिन राज्यों में यज्ञ कराए जा रहे हैं उनमें वर्षा हुई?'

"मैंने कहा, 'हुई तो नहीं, परन्तु प्रयत्न तो किए जा रहे हैं।'

"कहने लगे, 'पत्थर की चट्टान पर बीज बोने को खेती करना नहीं कहा जाता, आचार्य। इस समय तो वैसे ही आतप यज्ञ चल रहा है। सूर्य वैश्वानर सारी धरती को जला रहे हैं और आप धरती पर आग जला कर ताप को कुछ और बढ़ाने की बात कर रहे हैं। दुर्भिक्ष की स्थिति आ गई है और आप जो अन्न-तिल, घी-गुड़ बचा रह गया है उसे भी आग में झोंकने का परामर्श दे रहे हैं।'

" 'परन्तु देश के दूसरे राजा पागल तो नहीं हैं, महाराज। वे यज्ञ कर रहे हैं और आप सूखे तड़ागों को गहरा कराने पर राजकोष लुटा रहे हैं। स्थिति यह है कि अब लोगों के भूखों मरने के लक्षण प्रकट हो रहे हैं।'

"अपने को रोक पाना अब मेरे लिए असम्भव हो रहा था। मैं चीख पड़ा, 'इस आसन्न आपदा के कारण ही मैं व्यग्र हूँ, महाराज। लोकहित की चिन्ता के कारण ही। मेरा अपना कोई स्वार्थ नहीं है, पर मैं आपको समझा नहीं पा रहा हूँ।'

"कहने लगे, 'मैं आपके मनोभाव का आदर करता हूँ, आचार्य। पर यहाँ हमारे अपने राज्य में आपको केवल यह भय है कि अकाल से लोगों के मरने की स्थिति पैदा हो रही है, जबकि अभी इस सभा में जो चर्चा हो रही थी उसके अनुसार अन्य राज्यों में, लोग मर रहे हैं। भारी संख्या में मर रहे हैं। भूख से मर रहे हैं और मृतकों

को उठाने वाले नहीं मिल रहे हैं और सड़ते शवों से फैली दुर्गंध और दूषण के कारण मारी भी फैल रही है। यह उन्हीं राज्यों का हाल है जहाँ इन्द्र को प्रसन्न करने के लिए यज्ञ कराए जा रहे हैं। वहाँ के राजा पागल तो नहीं हैं, पर भ्रम में अवश्य हैं। वे आग जला कर पानी पैदा करना चाहते हैं और हमने धरती को खोद कर पानी निकाला है और निकालने के प्रयत्न कर रहे हैं। इन तड़ागों और सरोवरों का ही परिणाम है कि हम सबसे बाद में और सबसे कम प्रभावित हुए हैं। यहाँ इस बात की आशंका है कि भूख से लोगों के मरने की स्थिति आ सकती है और जिन राज्यों में यज्ञ किए जा रहे हैं वहाँ लोग वास्तव में मर रहे हैं।'

"मैंने कहा, 'परन्तु उन राज्यों में ब्राह्मण तो नहीं मर रहे हैं। यहाँ तो ब्राह्मणों के मरने की स्थिति आ रही है।'

"वह आश्चर्य प्रकट करते हुए बोले, 'ब्राह्मण नहीं मर रहे हैं! यह कैसे हो सकता है कि ब्राह्मणों के लिए प्रकृति ने अपने नियम में परिवर्तन कर दिया हो। यदि लोग मरेंगे तो उनमें जाति विचार कैसे चलेगा!'

"मैं कुछ कहूँ, इससे पहले ही सुमन्त्र बोल पड़ा, 'जो शेष जगत् के लिए अकाल होता है वही ब्राह्मणों और बनियों के लिए सुकाल होता है, महाराज। दुर्दिन में सुदिन। वस्तुओं का अभाव होता है तो बनिया जो स्वल्प वस्तुएँ उपलब्ध भी होती हैं उन्हें भाव बढ़ाने के लिए दबा कर रख लेता है और इस तरह अभाव को ही अपनी समृद्धि का सेतु बना लेता है जबकि दूसरे लोग उसी कमी के कारण मरने लगते हैं। जब दुर्दिन आते हैं तो ब्राह्मण यज्ञ, पूजा और दान से दुर्दिन भगाने के काम में जुट कर सुदिन भोगते हैं। आचार्य को चिन्ता आए हुए दुर्दिनों की नहीं लगती, अपने सुदिनों के आने में हो रहे विलम्ब की लगती है।'

"अब इसके बाद क्या सुनना शेष था, राजमाता! वह कायस्थ जो मेरे सामने सिर तानकर खड़ा नहीं हो सकता था, आज मेरा उपहास भरी सभा में कर रहा था। उसकी बात सुन कर महाराज उसे बरजने के स्थान पर स्वयं भी मुस्कराते से लग रहे थे। मैं आज सभा छोड़ कर चला आया और कहता भी आया कि अपमान की भी एक सीमा होती है, महाराज।"

कैकेयी चुपचाप वसिष्ठ की बातें सुन रही थीं। वह भीतर-भीतर प्रसन्न भी हो रही थीं कि अब आचार्य का रहा-सहा भ्रम भी टूट गया और वह पूरे मन से उनका साथ दे सकते हैं, परन्तु इसका आभास उन्होंने वसिष्ठ को न होने दिया, "उल्टी बुद्धि है, आचार्य। उन्हें कौन समझाए कि जब यज्ञ का धुआँ ही नहीं उठेगा तो बादल कैसे बनेंगे। बादल तो धुएँ से ही बनते हैं। कभी-कभी एक अधर्मी के कारण दूसरे सैकड़ों लोगों को दुख भोगना पड़ता है, और वह स्वयं उससे अछूता रहता है। मुझे तो कभी-कभी लगता है कि इस एक राज्य में यज्ञों-यागों में कमी आ जाने का ही दुष्परिणाम अयोध्या के पड़ोसी राज्यों को भोगना पड़ रहा है।"

अवसाद और अपमान के उस क्षण में भी वसिष्ठ की आँखों में चमक आ गई। कैकेयी से उन्हें सहानुभूति तो मिलनी ही थी, परन्तु उनकी यह सूझ तो एक ऐसा ब्रह्मास्त्र थी जिसका उपयोग करके पड़ोस के राज्यों को ही नहीं अयोध्या की प्रजा को भी उत्तेजित किया जा सकता था।

"परन्तु आपको सभा छोड़ कर नहीं आना चाहिए था। अपने विचारों को निडर हो कर राजा के सम्मुख रखनेवाले का जब-तब अपमान तो हो ही सकता है। इसीलिए तो उसका मान दूना होता है कि अपमान का भय होने पर भी वह सत्य कहने से नहीं डरा। आप तो स्वयं कहा करते थे, आचार्य, कि ब्राह्मण को सम्मान से उसी तरह डरना चाहिए जैसे विष से डरा जाता है और अपमान को अमृत समझ कर इसकी कामना करनी चाहिए। आज आप स्वयं अपना ही उपदेश भूल गए।" कैकेयी को वसिष्ठ से केवल उतना ही लगाव था जितना किसी को अपने कुंद पड़े हथियार से होता है। वह उसकी अपनी दुर्गति की चिन्ता किए बिना उसे रगड़ कर धार को पैना करना चाहती थीं।

"वहाँ रुके रहने से क्या लाभ था, राजमाता?"

"लाभ था। आप वहाँ रहते हुए अपने प्रभाव का अधिक कुशलता से उपयोग कर सकते थे। आपको यह पता चलता रह सकता था कि वहाँ हो क्या रहा है। क्या आपने यह पता लगाया कि आपके आने के बाद क्या हुआ?"

"मेरा उपहास हुआ होगा। और क्या हो सकता है। मेरी राजवृत्ति समाप्त करने की धमकी दी गई होगी। इसमें पता लगाने की क्या बात है। यह तो यहाँ बैठ कर भी समझा जा सकता है।" वसिष्ठ के स्वर में कुछ गिरावट आ गई थी।

"ऐसा कुछ नहीं हुआ होगा। आप राम को समझने में भूल कर रहे हैं। उन्होंने आप के आने पर इस बात का शोक प्रकट किया होगा कि एक छोटी-सी बात ने आप जैसे महत्त्वपूर्ण व्यक्ति को रुष्ट कर दिया। अपनी विवशता प्रकट की होगी कि अपनी ओर से पूरी चेष्टा करने, आपको समझाने-मनाने के हर सम्भव प्रयत्न के बाद भी वह आपको रोकने में सफल नहीं हो सके। सुमन्त्र की आलोचना की होगी कि उन्हें ब्राह्मणों के विषय में इतनी कठोर टिप्पणी करने से पहले कुछ विचार कर लेना चाहिए था। आपके असन्तोष के मूल में किसी छोटी-मोटी असुविधा को बता कर आदेश दिया होगा कि इस बात की पूरी व्यवस्था की जाए कि दुर्भिक्ष के प्रकोप के होते हुए भी आपके सुख-सुविधा के सामानों में किसी प्रकार की कटौती न की जाए। यह आशा प्रकट की होगी कि आप अपना कोष शमित होने के बाद स्वयं यह समझ लेंगे कि राम को आपके सम्मान की कितनी चिन्ता रहती है। कहा होगा कि यदि आवश्यक हुआ तो वह स्वयं आएँगे और आपको मना कर ले जाएँगे। उन्होंने आपकी अनुपस्थिति को आपके विरुद्ध सबसे उपयुक्त अवसर के रूप में काम में लाया होगा।" कैकेयी के स्वर में स्थिरता और

विचार में इतनी स्पष्टता देख कर वसिष्ट स्वयं भी चकित थे और अब उन्हें लग रहा था कि उनसे सचमुच भूल हो गई।

"अब?" वसिष्ठ स्वयं कैकेयी से परामर्श ले रहे थे और ऐसा करते हुए स्वयं अपनी ही दृष्टि में छोटा अनुभव कर रहे थे।

"अब प्रतीक्षा करनी होगी। राम को आपकी चिन्ता हो या नहीं, अपनी चिन्ता तो होनी ही चाहिए, और यदि अपनी चिन्ता है तो आनेवाले दुर्दिनों में ब्राह्मणों की उपेक्षा कैसे हो सकती है। या तो उन्हें स्वयं झुक कर आपको इस आश्वासन के साथ बुलाना होगा कि अकाल निवारण के लिए आप यज्ञ का सम्पादन करें और दान-दक्षिणा की योजना सुझाएँ या..." कैकेयी ने इससे आगे कुछ कहना उचित नहीं समझा।

"वह दुराग्रही हैं।" वसिष्ठ को अब पुनः यज्ञ दिखाई देने लगा था।

"आप ठीक समझते हैं। दुराग्रही ही नहीं, ब्राह्मणद्रोही भी, पर छिपे ब्राह्मणद्रोही। वह स्वजाति द्रोही भी हैं। इसलिए तो उन्होंने एक अज्ञात जाति-कुल की स्त्री से विवाह किया। उसको भी इतना सिर चढ़ा लिया था। कोई अपनी कुलीन महिषी को भी इतना सम्मान नहीं देता होगा जितना वह इस अकुलीना को देते रहे हैं। छूट भी इतनी कि जहाँ भी जाए, जैसे भी रहे, कोई चिन्ता ही नहीं। और फिर शूद्रा के पुत्र को कोई अपना सेनापति बनाता है? यह जानबूझ कर ब्राह्मणों को शूद्रों की स्थिति में और शूद्रों को विप्रों की स्थिति में पहुँचाना चाहते हैं। यज्ञ के स्थान पर तड़ाग और सरोवर खुदवाने के पीछे भी यही रहस्य है। ब्राह्मण काम तो करने जाएगा नहीं। भूख से विचलित हो कर यदि गया भी तो शूद्रों के साथ ही तो काम करना होगा उसे। उसे भी उनके बीच शूद्र बन कर ही तो रहना होगा? इस राज्य और कुल की उज्ज्वल परम्परा को कलंकित करते हुए वह ब्राह्मणों के स्थान पर शूद्रों का पालन कर रहे हैं। ब्राह्मणों को मिलनेवाला दान शूद्रों में बाँटा जा रहा है। आप की आशंका ठीक लगती है कि अब अयोध्या राज्य में ब्राह्मण अकाल से मरेंगे और शूद्र जीवित रहेंगे। सरयूपारीण ब्राह्मणों की सारी गरिमा, सारी महिमा नष्ट होने जा रही है।" कैकेयी के स्वर में सचमुच भारीपन आ गया था।

कैकेयी ने संकट का जो चित्र खींचा था उसकी भयावहता की ओर तो वसिष्ठ का भी ध्यान नहीं गया था। दुर्भिक्ष तो एक अस्थायी आपदा है। वर्षा होने पर सब कुछ ठीक हो जाएगा। उन्हें अब राम के हाथों अपनी पूरी जाति के अपमान का संकट दिखाई देने लगा था, जिसके अन्त का कोई उपाय उन्हें सूझ नहीं रहा था। इसका सामना तो करना ही होगा और यदि सामना करना ही है तो आज से उपयुक्त दूसरा अवसर भी नहीं आ सकता। वसिष्ठ भीतर-ही-भीतर कसमसा रहे थे। कैकेयी उनके मनोभावों को ताड़ रही थीं।

"मुझे केवल एक ही बात की पीड़ा होती है, आचार्य। मैं स्त्री क्यों हुई। यदि

कुछ समय के लिए भी मैं आपकी स्थिति में आ जाती तो आप पाते, अयोध्या का इतिहास बदल चुका है।" कैकेयी की कसमसाहट उनके चेहरे पर उभर आई थी।

"इतिहास तो बदल सकता है, राजमाता। इतिहास को बदलने की मेधा वसिष्ठ में है, पर साधन? महायज्ञ की आग तो वसिष्ठ पैदा कर सकता है, पर महाहवि? मैं यहीं दुर्बल अनुभव करने लगता हूँ।"

"महाहवि का परिणाम क्या है, यह मैं नहीं जानती। जो मुझसे सम्भव है वह अंत्याहुति के रूप में आपको अवश्य सौंप सकती हूँ।" कैकेयी उठीं और कक्ष में चली गईं। लौटीं तो उनके हाथों में एक थैली थी। इसे वसिष्ठ के चरणों पर रखती हुई बोलीं, "अंत्याहुति!" और चुप हो गईं। उनकी चुप्पी उनके शब्दों से अधिक मुखर थी।

कैकेयी की चुप्पी, चुप्पी नहीं, एक विस्फोट की तैयारी थी, "यह मेरी अन्तिम लड़ाई है, आचार्य, और सम्भव है आपके लिए भी सँभलने का अन्तिम अवसर। मैं आज कुछ भी छिपाऊँगी नहीं। मुझे केवल राम से नहीं, आप से भी लड़ना पड़ा है। आपके लोभ से। आप यह भूल कर भी न सोचें कि मैं राजसत्ता के लिए लड़ती रही हूँ। मैं अपने सम्मान के लिए लड़ती रही हूँ और मेरी पूँजी ये निष्क नहीं हैं, जिनको आज मैंने अन्तिम सिक्के तक आपके पाँवों पर डाल दिया। मेरी पूँजी मेरा आहत अभिमान है। आप राम की दया पर जीवित रह सकते थे, रहने का प्रयत्न भी किया हो तो आश्चर्य नहीं। मैं नहीं रह सकती। भौतिक रूप से मुझे सभी सुविधाएँ प्राप्त हैं–वे सभी सुविधाएँ जो कौसल्या को प्राप्त हैं। परन्तु ये ही मेरे अभिमान को सबसे अधिक आहत करती हैं। यदि मुझे दारुण अभाव में रखा गया होता तो सम्भव है मैं अपने सिर को अधिक तान कर जी पाती। अपने सपत्न से दयापूर्वक प्राप्त सुविधाओं के बीच जीने से मर जाना मेरे लिए अधिक श्रेयस्कर है! परन्तु आप?"

वसिष्ठ ने उस थैली को हाथ में उठा लिया था। वह उसे तौल रहे थे। वह कुछ सोच रहे थे। वह अपने पर नियन्त्रण कर रहे थे। उन्होंने थैली को कैकेयी की ओर बढ़ा दिया, "आपने कहा, आपको मेरे लोभ से भी लड़ना पड़ा है तो मुझे बुरा नहीं लगा। कोई अन्य अवसर होता तो मैं इस वाक्य पर तिलमिला उठता, पर आज यह शल्यक्रिया जैसा पीड़क, पर साथ ही पथ्य भी, लगा। आज के बाद आप देखेंगी कि यदि वसिष्ठ लड़ने पर आ जाए तो वह अपने नख को भी शूल बना सकता है। आज तक जो अदृश्य युद्ध था वह अब सामने आ गया है। वह अब चूहे की भाँति बिल में भाग कर छिपने की तैयारी करके नहीं, जीतने या मरने की तैयारी के साथ लड़ेगा। अवस्था ढल चली है। अभ्यास भी नहीं है। स्वयं दौड़-भाग नहीं सकता, पर इस महायज्ञ में वह अपने पुत्र को नियुक्त करेगा। यह केवल उसकी लड़ाई नहीं है। यह पूरी ब्राह्मण जाति के जीवन और सम्मान की लड़ाई

है–विजय या मृत्यु पर्यंत लड़ा जानेवाला युद्ध। इस कोष को आप रखें। आवश्यकता हुई तो आपको कष्ट दूँगा–अपना सब कुछ होम कर दूँगा तब।" वसिष्ठ उठ खड़े हुए।

"परन्तु इसे तो आपको दे चुकी हूँ।" कैकेयी ने प्रतिवाद किया।

"यदि दान समझ कर दिया हो तो इसकी आवश्यकता नहीं। यदि हविष्यान्न समझ कर दिया हो तो यज्ञाग्नि प्रज्वलित होने तक प्रतीक्षा कीजिए। उसमें तो मैं अपने पुत्र तक की, अपने प्राण तक की आहुति देने को तैयार हूँ। अग्नि प्रज्वलित होने से पहले ही हवि झोंक दी गई तो आग जल नहीं पाएगी और जलनी आरम्भ हुई तो भी बुझ जाएगी।" वह कैकेयी के हाथ बढ़ाने की प्रतीक्षा किए बिना झुके और उस थैली को नीचे रख कर बाहर की ओर चल पड़े। आज पहली बार वसिष्ठ ने बातें करते हुए न कनखियों से यह देखने का प्रयत्न किया था कि कोई आसपास है तो नहीं, न चौकन्ना हो कर यह आहट लेने का प्रयत्न कि कोई उनकी बात सुन तो नहीं रहा है। पहली बार निकलते हुए भी वह नीचे सिर झुका कर चुपके से बाहरी आँगन में बैठी दासी के मनोभावो को ताड़ने का प्रयत्न नहीं कर रहे थे। उनका सिर तना हुआ था और आँखों में उनका अभिमान ब्रह्मतेज बनकर फूट रहा था। पहली बार उनके मन में इच्छा हो रही थी कि किसी ने चोरी से ही सही, उनकी बातों को सुना होता और राम को सुना कर उनकी उस पीड़ा को कम कर पाता कि यह चुनौती उन्होंने राजसभा से उठते हुए क्यों न दी। इतना सारा सुख भोगने के बाद स्वाभिमान से मरने की आशंका से बड़ी कौन सी लालसा शेष रह गई थी उनके मन में!

कैकेयी कुछ देर तक वहीं खड़ी रहीं। उस थैली के पास। फिर झुकीं। धीरे से वह थैली उठाई और फिर कक्ष में चली गईं। वह प्रसन्न थीं पर इससे भी अधिक चकित थीं। वसिष्ठ के भीतर यह दूसरा वसिष्ठ इतने लम्बे समय तक कहाँ छिपा बैठा था? उनके उदरकोश में?

31

"महाराज कुछ चिन्तित दिखाई दे रहे हैं।" लक्ष्मण ने कुछ समय तक प्रतीक्षा करने के बाद कुछ अधीर हो कर कहा था।

राम राजोद्यान में दूब के ऊपर बिना कुछ बिछाए बैठे थे। उन्होंने अपने दोनों हाथ कुछ पीछे की ओर टिका कर गर्दन को पीछे की ओर तान रखा था। आँखें बंद थीं और डूबते सूरज का लाल प्रकाश उनके मुख पर पड़ रहा था। उनको लक्ष्मण का यह वाक्य कशाघात की तरह लगा था। वह चौंक कर सीधे बैठ गए थे, "तुमने कुछ कहा?" उन्होंने लक्ष्मण को कुछ इस तरह देखा था मानो उन्हें पहचानने का

प्रयत्न कर रहे हों।

लक्ष्मण ने अपना प्रश्न बदल दिया था, "महाराज कुछ थके हुए दिखाई दे रहे हैं!"

"थके हुए नहीं, उलझे हुए।" राम ने लक्ष्मण को पास ही बैठने का संकेत किया था और उनके बैठ जाने के बाद कुछ झिझकते हुए पूछा था, "तुम्हें याद है लक्ष्मण, रावण ने मरते समय क्या कहा था?"

इस प्रश्न के बाद वह फिर आँखें बंद करके कुछ सोचने लगे थे। उन्हें उत्तर की अपेक्षा नहीं थी। उन्हें स्वयं भी रावण का यह वाक्य याद था। उन्होंने इस प्रश्न के साथ लक्ष्मण को भी विचारों की एक भँवर में चक्कर खाने, डूबने और उतराने को छोड़ दिया था।

लक्ष्मण के लिए यह समझना कठिन नहीं था कि राम राजसभा में जिस आशंका को प्रायः हँस कर उड़ाने का प्रयत्न करते आ रहे हैं उससे कहीं वह स्वयं भी चिन्तित हैं। यदि ऐसा न होता तो इस समय उन्हें रावण के वे वाक्य क्यों याद आते!

युद्धभूमि में रावण क्षत-विक्षत पड़ा था। आसपास मृत सैनिकों के शव और कटे हुए अंग बिखरे थे। कुछ प्राणांतक पीड़ा से तड़प रहे थे। रावण के धराशायी होने के बाद उसके बचे हुए सैनिक भाग खड़े हुए थे। नेतृत्व विहीन होने के कारण उनका मनोबल, इतना गिर गया था कि सैनिकों ने अपने राजा का शव तक उठाने का प्रयत्न नहीं किया था। भाग कर भी वे अपने प्राणों की रक्षा शायद ही कर पाए हों। अपनी यातनओं से कातर और बदले के लिए व्यग्र मरकटों ने भागते समय उनका पीछा किया था और उनके घेरे से बच कर किसी का निकल पाना आसान नहीं था। उन्होंने रावण को भी घेर लिया था और उस घायल अवस्था में भी उसे उत्पीड़ित करने के लिए तैयार थे। राम ने लक्ष्मण को आदेश दिया था, "उन्हें रोको लक्ष्मण। किसी निरस्त्र और भूपतित योद्धा से इस तरह का व्यवहार जघन्य है।"

और जब लक्ष्मण ने घेरा बनाए उन मरकटों को दूर हटाने के लिए उन्हें धिक्कारना आरम्भ किया था, जो रावण को प्राण रहते जला कर तड़पाते हुए मारने का आयोजन करने लगे थे, तो रावण ने उपकृत अनुभव करने के स्थान पर जो वाक्य कहा था, उससे लक्ष्मण की दृष्टि में उसका महत्त्व कुछ बढ़ गया था, "मेरे अन्तिम क्षणों में मुझ पर दया दिखा कर मुझे छोटा मत करो, योद्धा। मैंने एक शूर का जीवन जिया है और एक शूर की ही भाँति मरना चाहता हूँ। तुम्हारे पास यन्त्रणा के जितने साधन हों सबका प्रयोग करो, पर दया दिखा कर मुझे छोटा मत करो। मैंने कभी किसी को क्षमा नहीं किया, स्वयं भी किसी की क्षमा नहीं चाहता।" बोलने में उसे कठिनाई हो रही थी। उसके शरीर से बहुत अधिक रक्त बह चुका था। चेहरा पीला पड़ गया था पर दुर्बलता से काँपते अपने स्वर को वह

इस समय भी स्थिर बनाए रखने का प्रयत्न कर रहा था।

लक्ष्मण ने श्रद्धा वश अपने दोनों हाथ जोड़ लिए थे, "तुम मृत्यु में भी अजेय हो, महावीर। मृत्यु से बहुत बड़े हो तुम।"

उन्होंने लौट कर रावण का यह वाक्य राम को सुनाया था और राम ने लक्ष्मण के कथन को सुनने के बाद कहा था, "तुम मेरी अन्तरात्मा हो लक्ष्मण। तुमने रावण को सम्मान दे कर मेरा मान बढ़ा दिया।"

वह स्वयं भी विभीषण को साथ ले कर रावण के पास पहुँचे थे और आदर सहित नमस्कार किया था। इस समय तक रावण ने अपनी आँखें मूँद ली थीं। नमस्कार का उच्चार सुन कर उसने आँखें बंद किए-किए ही पूछा था, "कौन?"

विभीषण ने उत्तर दिया था, "आपके सम्मुख श्री राम खड़े हैं, तात।"

"तुमने मेरी ही प्रजा को मेरे विरुद्ध भड़का कर मुझे पराजित तो कर दिया राम, पर यह विजय आज से किसी भी राजा के लिए भारी पड़ेगी। तुम्हारे लिए भी प्रजा को भड़काकर सिंहासन को हिलाने का खेल दूसरे भी खेल सकते हैं।"

"यदि शासक अनीति करेगा तो प्रजा विद्रोह के लिए तैयार होगी ही। इसमें दोष शासक का है, लंकेश्वर, प्रजा का नहीं।" राम ने प्रतिवाद में कहा था।

"शासक के किसी भी आचरण को अनीति कह कर प्रजा को बहकाया जा सकता है, राम।" रावण ने कहा था और मुँह फेर लिया था। उसने इसके बाद किसी प्रश्न का उत्तर नहीं दिया था। इस प्रश्न का भी नहीं कि उसकी अन्तिम इच्छा क्या है।

आज रावण का यह वाक्य कितना सार्थक लग रहा था।

राम के पास इतनी शक्ति नहीं थी कि वह रावण जैसे प्रतापी राजा से युद्ध कर सकें। सीता के जीवित होने का समाचार पाकर और यह जानकर कि रावण ने उनके अपहरण के बाद भी उन्हें उचित सम्मान से रखा है, राम के मन में यह आशा उत्पन्न हो गई थी कि यदि किसी तरह रावण से अनुनय विनय किया जाए तो वह सीता को ससम्मान उन्हें लौटा देगा। इसी आशा से वह वानर और भल्ल गणों के साथ सिन्धु तट पर पहुँचे थे। सिन्धु नद अपने पूरे उफान पर था और इसकी प्रखर धारा और जमकातरों के कारण इसे पार करने का साहस समुद्रगामी नौकाओं को ही नहीं हो सकता था। रात के समय इसकी गर्जना इतनी प्रखर हो जाती थी कि लगता था कहीं भीषण युद्ध हो रहा है और उसका ही तुमुलनाद वायुमण्डल को चीरता हुआ यहाँ तक आ रहा है। वह समुद्र की भाँति चौड़ा दिखाई दे रहा था और उसके दूसरे कूल का कहीं पता नहीं चलता था। लगता था आगे केवल समुद्र ही समुद्र है। यदि सामान्य स्थिति होती और राम इसे पार करने की स्थिति में होते तो वह स्वयं भी रावण के पास जाने में संकोच नहीं करते। वह सिन्धु के इस पार ही पूरे दल के साथ ठहर गए थे और बाढ़ के उतरने की प्रतीक्षा

करने लगे थे।

पर नौका आदि से अपरिचित वन्य गणों में ऐसे साहसी युवकों का अभाव नहीं होता जो किसी प्रखर-से-प्रखर नदी को पार करने में भी संकोच न करें। हनुमान अकेले ऐसे पराक्रमी नहीं थे। अनुनय-विनय के इस अवसर पर उन्हें भेजने का तो प्रश्न भी नहीं था, अतः पराक्रम में उनकी समकक्षता वाले तरुण अंगद ने जब कहा था कि यदि राम का आदेश हो तो वह राम का प्रस्ताव ले कर, उने दूत के रूप में, लंका-नरेश के पास जा सकते हैं, तो राम के मन में आशा का संचार हो गया था। अंगद को उन्होंने तरह-तरह से समझाया था।

"रावण को अब तक यह तो पता चल ही गया होगा कि हनुमान को मैंने ही भेजा था। यदि उनके आचरण पर उसके मन में रोष हो तो क्षमा याचना करते हुए कहना, वह जंगली गँवार, आपकी नगरी के वैभव को देखकर इतना घबरा गया था कि वह आपके सामने जाने का साहस ही न कर पाया। राम ने भेजा उसे भी आपके सम्मुख नम्र अनुरोध करने के लिए ही था, पर एक जंगली मूढ़ से आप आशा ही क्या कर सकते हैं। यदि कहें कि सीता के बदले में उसे अयोध्या से एक सहस्र दासों का मोल मिलने का आश्वासन मिला है, तो कहना, 'अब राम को स्वयं अयोध्या का राज्य मिलनेवाला है और वह राजा बनते ही रावण को उससे भी अधिक सम्पदा देने को तैयार हैं।' कहना सीता को लिए बिना राम का अयोध्या जा पाना सम्भव नहीं है। कहना उन्होंने आपका कोई अपराध न तो किया है न ही भविष्य में करेंगे।" आदि, आदि।

अपने इस प्रस्ताव के बदले में मिला था राम को रावण का उपहास और अपनी चातुरी का दम्भपूर्ण प्रदर्शन, "जो अपने राज्य से राह के भिखारियों की तरह निकाल बाहर किया गया, वह पुनः राजा बनने के सपने देखता है? रावण राजाओं से सन्धि करता है भिखारियों से नहीं। रावण ठोस धरती पर पाँव रखता है, आकाशकुसुमों का उसे लोभ नहीं। यदि राम मेरे सम्मुख आ गया तो मैं उसे भी बंदी बना कर भरत के सम्मुख प्रस्तुत कर दूँगा और तब सम्भव है वह मुझे दो सहस्र दासों के मूल्य का प्रतिदान दें।"

सुन कर राम ने बहुत अपमानित अनुभव किया था। यदि सिन्धु नद बाधक न होता तो अपने उन थोड़े से साथियों के साथ ही वह सीधे रावण की लंका पर आक्रमण कर देते, चाहे लड़ते हुए वीर गति ही क्यों न प्राप्त करनी पड़ती।

प्रतीक्षा के उस लम्बे समय में जब भोजन आदि के लिए ग्रामीण जनों के सम्पर्क में आना हुआ तब राम को एक नए सत्य का पता चला था। रावण की कृषक प्रजा भी उससे अत्यन्त आतंकित और पीड़ित थी। उसका साहस उसके विरुद्ध विद्रोह करने का तो नहीं होता था, पर घृणा इतनी प्रखर थी कि यह विश्वास दिलाए जाने पर कि रावण का विनाश सम्भव है, वह रावण के किसी भी

विरोधी का साथ देने के लिए पूरी तरह तैयार थी। राम ने यही किया।

न्याय और प्रशासन की रावण की मान्यताएँ बहुत पैशाचिक थीं। वह मानता था कि योग्य प्रशासक वही हो सकता है जो यम की तरह क्रूर हो और दंड देते समय किसी प्रकार की दया या ममता न दिखाता हो। वह कहता था यमराज का ही नाम धर्मराज भी तो है।

लक्ष्मण को सहसा रावण की यह उक्ति याद आ गई थी और उनके मुँह से निकल गया था, "रावण जब कहता था यमराज ही धर्मराज भी हैं, तो उसका कथन जितना भी परुष लगता रहा हो, इसमें कुछ सच्चाई तो थी ही। दंडप्रयोग के बिना न तो राजा अपनी रक्षा कर सकता है, न अपने राज्य की, न ही अपनी प्रजा की।" वाक्य पूरा करके वह इस तरह सहम गए जैसे कोई अपराध हो गया हो। वह जब आवेश में आ कर कुछ कहते थे तो राम उनके तीखे विचारों को प्रायः हँस कर उड़ा देते थे। वह सचेत हो गए थे कि इस बार भी यही होने जा रहा है। कुछ समय प्रतीक्षा के बाद उन्हें यह देखकर आश्चर्य हो रहा था कि राम के होंठों पर न मुस्कान थी, न व्यंग्य। वह गम्भीर हो गए थे। उनके होंठ एक दो बार काँपे और फिर रुक गए। वह कुछ कहना चाहते थे पर इसके लिए उपयुक्त शब्दों का चुनाव नहीं कर पा रहे थे। उनके मन में कहीं उस विचार की काट पैदा हो रही थी और वह काट फिर किसी नए विचार से कट जा रही थी।

"एक गड़रिया अपनी भेड़ों पर भी डंडे का प्रयोग करता है और भेड़िए पर भी। इन दोनों में अन्तर होता है, लक्ष्मण। रावण इस अन्तर को प्रायः भूल जाता था।" राम के स्वर में कुछ ऐसा भारीपन था मानो वह रावण की चूक के लिए स्वयं पश्चात्ताप कर रहे हों।

लक्ष्मण विचलित नहीं हुए, "महाराज, यह बात तो आपने ही कही थी कि रावण अनुभव और ज्ञान में अद्वितीय है।"

"अपने अनुभव से मनुष्य सदा सीखता ही नहीं है, लक्ष्मण। कभी-कभी तो अपने कड़वे अनुभवों को भी बार-बार दुहरा कर वह ऐसी आदत में बदल लेता है कि न केवल उनसे उबर नहीं पाता अपितु अपने ज्ञान का उपयोग भी उन्हें उचित सिद्ध करने में और इन्हें एक व्याधि के रूप में दूसरों में प्रसारित करने में, करने लगता है। मनुष्य के सारे दुर्व्यसनों का मूल यही तो है। अतः ज्ञान और अनुभव शील का स्थान नहीं ले सकते। शील के बिना इनका सही उपयोग नहीं हो सकता। शील ही ज्ञान और अनुभव को विवेक में बदलता है, और इसका अभाव उसी ज्ञान और अनुभव को दम्भ में बदल देता है।"

"यह जानते हुए भी आपने मुझे रावण से अन्तिम मन्त्र के रूप में कुछ जानने को क्यों भेजा था, महाराज?" राम की बहुत सी बातें लक्ष्मण को पहेली सी मालूम होती हैं।

"इसलिए लक्ष्मण कि अनुभव का सार और ज्ञान व्यसनी और दम्भी व्यक्ति

भी दूसरों को वितरित करने में प्रसन्नता अनुभव करता है। स्वयं अपने अनुभवों से न सीख पाने या अपने ज्ञान का लाभ न उठा पाने का प्रायश्चित्त करने के लिए। जुआ खेलनेवाला किसी दूसरे की अपेक्षा अधिक वेदना के साथ यह बता सकता है कि जुआ खेलने से मनुष्य का पतन होता है।"

"और शील?"

"वह ज्ञान पर नहीं, अनुभव पर नहीं, आत्मविस्तार पर निर्भर करता है। इसे किसी सन्त से भी उधार नहीं लिया जा सकता। इसे अपने भीतर स्वयं पैदा करके दूसरों तक विस्तृत करना होता है। यह अपने स्व की सीमा से ऊपर उठने का, अपने पशु को नियन्त्रित करने और दूसरे व्यक्तियों की सीमाओं को सम्मान देने का ही दूसरा नाम है। जिसे हम दूरदर्शिता कहते हैं, वह दूर तक अपने ही स्वार्थ को देखने का नाम नहीं है, लक्ष्मण। यह आत्मसात ज्ञान और अनुभव से उत्पन्न विवेक के निस्तरंग-निर्मल जल पर पड़ते जीवन और जगत् के प्रतिबिम्ब में, जिसमें हमारा अपना प्रतिबिम्ब भी शामिल है, दूरगामी लोकहित का दर्शन है। लोभ ने अनन्य ज्ञान और अनुभव-सम्पन्न रावण को भी अपना वाहन ही बना कर रखा और अन्ततः अपना बलिपशु भी बना दिया।"

"बलिपशु!" लक्ष्मण ने कुछ कहा नहीं, केवल आह भरी।

राम अपने विचारों में ही खोए रहे, "वह ज्ञानी था, बुद्धिमान नहीं। अत्याचारी और दुस्साहसी था, वीर नहीं। रावण ने तुमसे कुछ कहा या नहीं, पर मैंने तुम्हें उसके पास यही सीखने के लिए भेजा था, लक्ष्मण। इसके लिए उसका कुछ बोलना आवश्यक भी नहीं था।"

लक्ष्मण ने कुछ कहा नहीं। उनके माथे पर बल अवश्य पड़ गया।

राम अब भी खोए हुए ही थे, "जो राजा अपनी प्रजा को इसलिए घोर कंगाली में रखता हो कि पेट भरते ही वह अधिक अधिकारों और सुविधाओं की माँग करेगी और सुविधाएँ न मिलने पर तन कर खड़ी हो जाएगी, वह वीर कैसे हो सकता है! जिस राजा को उसकी प्रजा तक प्यार करना न चाहे, वह शक्तिशाली कैसे हो सकता है! तुमने तो उसकी प्रजा के मुँह से सुना ही था लक्ष्मण कि प्रजा के निर्मम दोहन और उत्पीड़न को उचित ठहराने के लिए वह कहता था, 'राजा तो होता ही जनभक्ष है। अपनी प्रजा को अपना ग्रास बना कर ही वह अपनी शक्ति बढ़ा सकता है।' उसकी अपनी प्रजा और आस-पड़ोस के राज्यों में ही नहीं, दूर-दूर तक यह विश्वास फैल गया था कि यह पिशाच है। मनुष्यों को खा जाता है। अपने अहंकारवश वह यह सोच भी नहीं पाता था कि यह उसकी कीर्ति नहीं, अपकीर्ति है। शक्ति नहीं, दुर्बलता है। इस लोक विश्वास को सुन कर वह इसका निराकरण करने का प्रयत्न नहीं करता था। उल्टे अट्टहास करता हुआ कहता था, 'प्रजा आतंकित रहे तो राजा के लिए अच्छा है। वह उसके आदेशों का पालन करने में

हीला-हवाला नहीं करती।'"

"उसको पिशाच और क्रव्याद कहने के मूल में उसके नरमेध के आयोजन भी तो रहे हो सकते हैं?"

"सम्भव है। बहुत सम्भव है, इसका एक प्रधान कारण यह भी रहा हो। वह उन अंधचेत लोगों में ही था जो धर्म और परम्परा को तर्क और औचित्य से ऊपर मानते हैं, अतः इनके गर्हित और घृणित पक्षों को भी छोड़ने या बदलने के लिए तैयार नहीं होते। तुम्हें रावण के नरमेधों की बात सुनकर आश्चर्य इसलिए हो रहा है कि हमारे अपने समाज में नरबलि का स्थान पशुमेध और प्रतीक नरमेध ने ले लिया है। परन्तु इतने से ही अपने समाज को रावण से श्रेष्ठ मानना भूल होगी। तुम्हें यह पता नहीं होगा कि इस नरबलि को बंद कराने के लिए गुरुदेव को क्या करना पड़ा था और तुम इस बात पर भी ध्यान नहीं देते कि हमारे यहाँ आज भी ऐसे अंधचेत हैं, जिनका वश चले तो ये पुनः नरमेध का प्रचलन आरम्भ कर सकते हैं।"

लक्ष्मण को इस बात पर सचमुच आश्चर्य हुआ कि नरमेध का प्रचलन उनके समाज में भी रहा है और इसे भी बंद कराने का श्रेय गुरुदेव को ही है। छोटी अवस्था में ही शिक्षा के लिए सिद्धाश्रम और फिर वहाँ से लौटने पर वन को चले जाने के कारण उन्हें ऐसी अनेक बातों का ज्ञान नहीं था जिन्हें उनके समाज के साधारण लोग भी जानते थे और कुछ ने अपनी आँखों से देखा भी था। गुरुदेव तो अपने विषय में अल्पभाषी भी थे। उन्होंने चकित हो कर कहा, "हमारे अपने समाज में भी?"

"हाँ, इसमें भी। आज भी अनेक ऋषि हैं जो प्रतीक यज्ञ को नरमेध की तुलना में हीन ही नहीं, यज्ञ के देवता का अपमान समझते हैं। वे यह प्रचारित करते हैं कि इससे यजमान का अनिष्ट होता है। विश्व के सभी समाजों के धर्मोन्मादी एक जैसे ही होते हैं, लक्ष्मण, और वे सबसे बड़े शत्रु अपने ही समाज के होते हैं। नरमेध के पक्षधर ऋषि और ब्राह्मण यह भी नहीं सोचते कि उनके अपने ही सजातीयों को निर्धनता से मुक्ति पाने के लिए अपने पुत्रों को बलिपशु बनने के लिए बेचने को बाध्य होना पड़ता था और दरिद्रता का ऐसा प्रकोप कभी उनके वंशधरों में से किसी पर भी हो सकता है। तुम जानते हो, नरबलि में सर्वश्रेष्ठ बलिपशु ब्राह्मण-पुत्रों को ही माना जाता था! रावण धर्मोन्मादी तो था ही। उसने अनेक नरमेध किए थे। इस पर उसे अनुताप या ग्लानि का अनुभव नहीं होता था। उल्टे वह बड़े गर्व से कहता था, 'मैंने अनगिनत बार मानव सिर काट कर और उन्हें रुद्र को चढ़ा कर प्रसन्न किया है।' धर्मजड़!"

"रावण को तो किसी पुरोधा की भी आवश्यकता नहीं थी। वह स्वयं घोर कर्मकांडी ब्राह्मण जो था! और नरमेध के लिए उसे दास भी तो उपलब्ध थे!

पलस्ति-तमदग्नि का यह रुद्रोपासक वंशधर नरमेध का समर्थक क्यों हो गया?" लक्ष्मण के मन में यह प्रश्न पहले भी कई बार उठा था, पर वह इसे पूछ नहीं पाए थे।

"नरमेध तो है ही उस प्राचीन अवस्था का यज्ञ जब प्रधान देवता रुद्र और रुद्राणी हुआ करते थे। तब मनुष्य वनों में रहता था और जीवन रक्षा और कुटुम्ब की रक्षा के अतिरिक्त उसमें किसी तरह का नीति-विचार नहीं था। गीधों, शबरों, भल्लूकों और मतंगों को तो तुमने देखा ही था। उन्हीं जैसी दशा कभी हमारे समाज की भी थी। कभी आखेट के पशुओं की कमी होने पर इनकी वृद्धि के लिए नरबलि दी जाती थी। जब पृथुवैन्य ने कृषि का आरम्भ किया तब इन्द्र प्रधान देवता बने। अकाल-दुकाल पड़ने पर अब इनको प्रसन्न करने के लिए भी नरबलि दी जाने लगी।

"पलस्ति जमदग्नि स्वयं कितने क्रांतदर्शी थे। गुरुदेव ने स्वयं भी तो उन्हीं से अक्षरज्ञान प्राप्त किया था। उन्होंने प्राचीन काल से चली आ रही रुद्रोपासना को ही नहीं, स्वयं रुद्र को भी बदल कर शिव बनाया था जिनको बलि के रूप में उसी प्राचीन अवस्था के झरबेरी और बेल के फल, गन्ने की पोरियाँ, बेल के पत्ते और मादन के लिए भंग और धतूरे का अर्पण आरम्भ किया था। परन्तु यदि पूरा समाज रूढ़िग्रस्त और जड़धर्मी हो तो किसी एक व्यक्ति के उदार और अग्रचेता होने से क्या होता है! जब तक अनर्गल पुरातन से चिपकने पर गर्व करनेवाले बने रहेंगे तब तक उदार व्यक्ति की अपनी सन्तान भी अनुदार और जड़चेत हो सकती है। धर्म का क्षेत्र है ही कुछ विचित्र। उदार व्यक्ति की सन्तान अपने पिता और पितामह की क्षति पूर्ति करने के लिए दूसरों से अधिक रूढ़िवादी भी हो सकती है और यदि वह असाधारण प्रतिभाशाली और ज्ञानी हुई तो उसके अहंकार के कारण यह कट्टरता अधिक जघन्य रूप भी ले सकती है। रावण के साथ यही हुआ।

"तुम जानते हो लक्ष्मण कि रावण नरमेध पर इसलिए भी अधिक बल देता था कि इससे उसकी नृशंसता का प्रचार होता था और वह मानता था कि इससे उसे अपने दासों और प्रजाजनों को नियन्त्रित और छन्दानुवर्ती बनाए रखने में सुविधा होती थी। उसकी क्रूरता का भी एक अर्थशास्त्र था लक्ष्मण। रूढ़िग्रस्तता का भी अपना अर्थशास्त्र और मूर्खता का भी अपना तर्कशास्त्र होता है, लक्ष्मण। इनका स्रोत सिद्धान्तहीन जनों के अपने जघन्य स्वार्थ में होता है जिसे वे स्वीकार नहीं करना चाहते। रावण इसकी आड़ में अपनी प्रजा से निर्ममतापूर्वक वसूली करता था। वह अपने पड़ोसी राजाओं को दुर्बल और आतंकित बना कर रखता था। वह अपनी प्रजा को विपन्न बना कर रखता था। अपने अहंकार के कारण यह देख ही नहीं पाता था कि इस नीति में कोई त्रुटि है। ये दोनों सिद्धान्त भ्रामक हैं, लक्ष्मण। न दुर्बल प्रजा राजा की शक्ति बन सकती है, न दुर्बल पड़ोसी देश। जो राजा अपनी प्रजा को ही अपना शत्रु मानता है वह स्वयं भी तो उसे अपना शत्रु ही

मानेगी। जिसे वह दुर्बल बना कर रखना चाहता है वह किसी भी ऐसे व्यक्ति का साथ दे सकती है जो उसे निर्मूल करने को तैयार हो। चाहे वह दूसरे देश का आक्रमणकारी राजा ही क्यों न हो। वह उसका साथ न भी दे तो आक्रमण के समय पूरी तरह तटस्थ तो रह ही सकती है यही स्थिति पड़ोस के दुर्बल राजा की है। इतना ज्ञान और अनुभव रखते हुए भी रावण यह नहीं समझ सका कि प्रेम और सद्भाव हितचिन्ता और उपकार सबसे शक्तिशाली बन्धन हैं—आयसी शृंखलाओं से भी अधिक शक्तिशाली। प्रेम और सौहार्द में बँधा व्यक्ति न केवल पहले से अधिक सुरक्षित और शक्तिशाली हो जाता है, अपितु उसकी पूरी शक्ति भी तुम्हारी अपनी शक्ति बन जाती है। इसके विरुद्ध रज्जुपाश से बँधा व्यक्ति न केवल असहाय होता है, वह तुम्हारी शक्ति के एक बड़े अंश को इस बात में लगाए रहता है कि उसे बन्धन से मुक्त न होने दिया जाए और यदि कोई ऐसा व्यक्ति कहीं से प्रकट हो गया जो उसके बन्धन को काट सके तो वह अपनी पूरी शक्ति उसके साथ लगा देता है। हमें इसी का लाभ तो मिला था लक्ष्मण, इसे क्यों भूल जाते हो।”

लक्ष्मण भूल कुछ नहीं रहे हैं। उन्हें याद है कि किस तरह रावण की प्रजा को ही उसके विरुद्ध भड़का कर राम ने एक ऐसी महाशक्ति पैदा कर दी थी जिससे रावण स्वयं घबरा गया था। वह यह भी समझ गया था कि अब उसका अन्त आ गया है, पर इस अन्त को किसी प्रकार की सन्धि और प्रतिदान से नहीं रोका जा सकता था। यदि राम एक राजा होते और उनके साथ विशाल सेना होती तो उनके सामने अपने को अरक्षित पा कर आत्मसमर्पण करके अपना जीवन और राज्य दोनों बचाया जा सकता था। पर यहाँ तो स्वयं उसी की प्रजा भड़क उठी थी। अब उसे समझा पाना तो राम के लिए भी सम्भव नहीं था। यदि सम्भव भी होता तो राम यह विश्वासघात तो कर ही नहीं सकते थे। प्रजा को उत्तेजित करके पुनः उसे उसी अन्यायी शासक के क्रूर दमन के लिए छोड़ देना तो राम के लिए अकल्पनीय था। रावण इसे जान गया था। उसके लिए अपनी रक्षा का एक ही उपाय दिखाई दे रहा था। उमड़े हुए सिन्धु नद को यदि पार करने का प्रयत्न किया भी गया तो अपनी सेना और नौशक्ति के बल पर वह पार आनेवालों को डुबा कर नदी में ही समाप्त कर सकता था। बाढ़ उतरने तक तीन-चार महीने लग जाने थे। इतने लम्बे समय तक राम का प्रतिरोध में डटे रहना संदिग्ध तो था ही। यदि स्थिति फिर भी न बदली तो वह जीवन-मृत्यु का युद्ध लड़ कर ही अपनी सुरक्षा की आशा कर सकता था।

पर जो सिन्धु नद राम को लंका पर आक्रमण करने में बाधक था उसी के कारण रावण प्रजा के दमन के लिए अपनी सेना भी नहीं भेज सकता था। ऐसे अवसर पर तो उसे स्वयं अपनी लंकापुरी के लिए ही सिन्धु नद एक आपदा बन

जाता था। कई योजन तक फैल जाता था, उसका जल। स्वयं लंकापुरी को चारों ओर से बाँध-बाँध कर और नगर के भीतर के जल को बाहर उलीच कर बचाना पड़ता था। सिन्धु लंका का सबसे बड़ा मित्र था और सबसे बड़ा शत्रु।

पर राम न थकना जानते हैं, न विचलित होना। उन्होंने इसी अवधि का लाभ उठा कर जनविद्रोह को अधिक प्रबल बना दिया था। लंका पर चढ़ाई सम्भव हो या नहीं, लंका से सैनिक भेज कर दमन कराना सम्भव हो या नहीं, बढ़ते हुए जनविद्रोह का समाचार तो रावण को निरन्तर मिल ही रहा था। उसके लिए अशुभ बात यह थी कि स्वयं लंकापुरी की जनता भी रावण के प्रति अपना क्षोभ प्रकट करने लगी थी। जीवन में पहली बार रावण की बुद्धिमत्ता को लंकावासी न केवल सन्देह की दृष्टि से देख रहे थे अपितु उसे दुराग्रही, मूर्ख और राजनीतिक दृष्टि से जड़ समझने लगे थे और घर-घर में उसकी आलोचना होने लगी थी। कुछ प्रधान व्यक्ति तो रावण के सामने ही उसकी आलोचना करने लगे थे और एक की आलोचना तो इतनी कटु थी कि रावण ने उसे अपमानित करके अपनी सभा से ही निकाल दिया था और उसने अपने अपमान की पीड़ा के कारण चोरी से सिन्धु नद पार करके राम से सम्पर्क भी कर लिया था।

यदि विभीषण को रावण ने अपमानित करके सभा से निकाला न होता तो राम को कम से कम यह तो पता न ही चलता कि स्वयं लंका के निवासी भी जिनके सुख-वैभव की उसे आज तक इतनी चिन्ता रहा करती थी, रावण के प्रति किसी प्रकार की सहानुभूति नहीं रखते। पर विभीषण ने राम से जो सबसे महत्त्वपूर्ण बात कही थी वह यह नहीं थी कि लंका के निवासी भी रावण से खिन्न हैं। इसका कुछ अनुमान तो वह हनुमान के लंका दहन के समाचार से भी कर चुके थे। विभीषण ने जो सूचना दी थी वह यह थी कि रावण से अपने घोर असन्तोष के होते हुए भी लंका का एक-एक नागरिक अपने प्राणों की बाजी लगा कर भी रावण की ओर से लड़ेगा।

"उसके आतंक के कारण?" राम ने प्रश्न किया था।

"नहीं महाराज, आतंक के कारण नहीं। वहाँ के नागरिकों को भय है कि विद्रोही प्रजा रावण के पराजित होते ही लंका के नागरिकों को लूटना-पीटना आरम्भ कर देगी और उस समय कोई भी उसे अपमान, उत्पीड़न और विनाश से बचा नहीं पाएगा। स्वयं आप भी नहीं। लंका के नागरिक समृद्ध हैं। असाधारण समृद्ध हैं। वे इसके लिए रावण के कठोर शासन के ऋणी भी हैं, जिसके कारण उन्हें चोरों और लुटेरों का भय बहुत अधिक नहीं रहता। उसके आतंक के कारण कोई भी दस्युदल लंका के व्यापारियों के साथ या बेड़े पर आँख उठाकर देखने का साहस नहीं कर पाता। परन्तु उनकी प्रधान चिन्ता इस रावण को बचाने की नहीं, स्वयं अपने को बचाने की है। वे अपने लिए रावण के साथ लड़ेंगे। प्रजा के

आक्रोश और प्रतिहिंसा से रावण को नहीं, स्वयं अपने को बचाने के लिए लड़ेंगे वे। अपनी समद्धि की रक्षा के लिए लड़ेंगे।"

राम ने पहली बार इस पाठ को पूरी तरह समझा था कि समृद्ध प्रजा स्वयं राजा की शक्ति और क्षुब्ध और विपन्न प्रजा उसकी सबसे बड़ी दुर्बलता, उसका सबसे बड़ा शत्रु कैसे बन जाती है।

असन्तुष्ट और क्षुब्ध प्रजा के बिना, सताए हुए शिल्पियों के बिना, राम कहाँ से लाते वह विशाल सेना जो रावण की मजी हुई सेना का सामना कर सके। कहाँ से लाते नल और नील जैसे कुशल तक्षक जिनके निर्देशन में पेड़ों को काट-काट कर तनों और बल्लियों का पहाड़ लगा दिया गया था और सिन्धु का प्लावन उतरते ही इन्होंने ऐसा विशाल सेतु बना कर तैयार कर दिया था जैसा सेतु इससे पहले किसी ने कभी देखा ही नहीं था। कहाँ से आते सुषेण चिकित्सक जो रावण के आतंक से काँप तो रहे थे, पर चोरी-छिपे रात को राम के सैनिकों का उपचार स्वयं कर जाते थे।

राम बार-बार लक्ष्मण को यह समझाने का प्रयत्न करते रहे हैं कि राजा की जड़ें अपनी प्रजा के भीतर होती हैं। यदि उसे ही उलट दिया गया तो राजा तो एक क्षण को भी खड़ा नहीं रह सकता। प्रजा को सुखी और सम्पन्न बना कर, उसे न्याय और सम्मान और शिक्षा दे कर ही राजसत्ता को सुदृढ़ बनाया जा सकता है। जिस राजा की प्रजा सुखी और सन्तुष्ट है उसे प्रबल से प्रबल विजेता भी पराजित नहीं कर सकता। आज भी वह यही करने का प्रयत्न कर रहे थे और इसमें सफल भी हो रहे थे।

पर तभी लक्ष्मण ने एक अटपटा प्रश्न कर दिया, "महाराज को रावण के अन्तिम वाक्य का स्मरण किस प्रसंग में आ गया था?" लक्ष्मण अब राम से सीधे उनकी चिन्ता का कारण पुनः नहीं पूछना चाहते थे। उन्होंने अपनी दृष्टि राम की ओर से हटा कर अस्ताचल की ओर टिका दी थी, जिधर राम रावण की दुर्बलताओं की चर्चा करते समय बार-बार देख लेते थे और जिससे लक्ष्मण की इस आशंका की लगातार पुष्टि हो रही थी कि राम के मन में कहीं गहरे कोई ऐसा मंथन चल रहा है जिसे वह प्रकट भी नहीं करना चाहते और जिस पर काबू पाने में भी वह सफल नहीं हो पा रहे हैं। इस समय तक सूर्य डूब चुका था और धुमैले अस्ताचल के शिखर पर और उसके ऊपर जहाँ-तहाँ बिखरे ईंगुरी, बैंगनी, पीले और चटक श्वेत रंग के बादलों का ऐसा उत्सव मचा हुआ था जिसमें प्रत्येक रंग निरन्तर बदलता जा रहा था। हवा में तैरते मेघ खंड अपनी ऊँचाई और भार के अनुसार अलग-अलग गतियों के कारण एक-दूसरे से मिलते-टूटते हुए नए-नए आकार ग्रहण कर रहे थे। कुछ ऊँचाई पर बादलों का एक खंड जो धुली हुई रुई की तरह दिखाई दे रहा था, अब टूट कर चरते हुए मेमनों के रेवड़ में बदलता जा रहा था

और उससे कुछ दूर एक टुकड़ा सचमुच एक छलाँग लेते सिंह सा लग रहा था। संध्या के इतने सुन्दर दृश्य कम ही देखने को मिलते हैं पर क्या राम सचमुच इस सांध्य दृश्य पर मुग्ध होकर ही इतने बँटे हुए थे कि तर्क संगत बातें भी कुछ उखड़ी और क्रमहीन सी लग रही थीं।

राम ने लक्ष्मण के प्रश्न का कुछ देर तक कोई उत्तर नहीं दिया। वह अपने को तौल रहे थे। जब बोले तो इतने आवेश में आकर जो उनके स्वभाव को देखते हुए कुछ अस्वाभाविक लग रहा था, "रावण का वही वाक्य बार-बार अलग-अलग रूपों और रंगों और आशयों के साथ मेरे मस्तिष्क में घुमड़ रहा है, लक्ष्मण।"

लक्ष्मण अस्ताचल से दृष्टि हटा कर अब राम को देख रहे थे। एक अजनबी की तरह।

"उसका वही वाक्य, 'राम, मेरे 'जनभक्ष' विरुद को तुमने जनता में मेरे विरुद्ध घृणा का प्रसार करने के लिए जिस रूप में प्रचारित किया, वह निन्दनीय था। इस तरह के प्रवाद फैला कर तो किसी भी राजा के विरुद्ध उसकी प्रजा को भड़काया जा सकता है। तुम्हारे विरुद्ध भी।'"

लक्ष्मण को ऐसा कोई वाक्य राम के स्मरण दिलाने पर भी याद नहीं आ रहा था। उन्हें यह भी याद नहीं आ रहा था कि राम ने इस तरह का कोई आरोप स्वयं कभी रावण के विरुद्ध लगाया हो। यह प्रचार तो जनता में पहले से था। कभी-कभी राज्यादेश की अवज्ञा करनेवाले कुछ लोग जिन्हें पकड़ कर लंका में बुलवाया जाता था और मृत्युदंड दे दिया जाता था जब लौट कर नहीं आते तो लोगों को इस प्रवाद का प्रमाण भी मिल जाता था। स्वयं राम के सम्मुख अनेक लोगों ने इस तरह की कहानियाँ सुनाई थीं और कुछ कहानियाँ तो आँखों देखी घटना के रूप में सुनाई जाती थीं। राम ने इसका कभी प्रतिवाद नहीं किया। इसकी पुष्टि में वह केवल इतना ही कहते कि ऐसी बातें सुनी तो उन्होंने भी हैं पर यदि ऐसा है तब तो रावण सचमुच बहुत घृणित व्यक्ति है। लक्ष्मण की समझ में नहीं आ रहा था कि राम इस तरह की बातें गढ़ क्यों रहे हैं।

"आपके स्मरण दिलाने पर भी मुझे रावण का ऐसा कोई वाक्य याद नहीं आ रहा है, महाराज। मुझे ऐसा कोई अवसर भी नहीं याद आ रहा जब आपने स्वयं कोई प्रवाद फैलाया हो। रावण की यह कुख्याति तो पूरे राज्य में व्याप्त थी और स्वयं रावण भी इस पर अट्टहास करता था, यह आप भी सुन चुके हैं।" लक्ष्मण ने राम को उसी विस्मय से देखते हुए कहा।

"रावण का यह कथन शब्दों में नहीं व्यक्त हुआ था, लक्ष्मण। यह उसकी दृष्टि में व्यक्त हुआ था। उस उपेक्षा में व्यक्त हुआ था जिससे उसने मेरी ओर से मुँह फेर लिया था और मेरे किसी भी प्रश्न का उत्तर देना अपने सम्मान के विपरीत समझा था। पहले मैं इसका अर्थ नहीं समझ पाया था। आज ही समझा। इसीलिए

तुझसे पूछ बैठा था।"

लक्ष्मण केवल सुन रहे थे। यह राम की आत्मग्लानि का क्षण था। इसका वास्तविकता से जितना भी सम्बन्ध हो, पर राम की मनोदशा से गहरा सम्बन्ध तो था ही।

"रावण का आरोप निराधार भी नहीं था। मैं उसके विषय में व्याप्त लोक प्रवाद की निरर्थकता को जानता था और फिर भी जनता के आक्रोश को बढ़ाने के लिए इसे सुन कर भी केवल चुप ही नहीं लगाए रहता था अपितु अपनी ओर से इस बात की पुष्टि भी करता था कि ऐसा प्रवाद मैंने भी सुन रखा था। मैं इस तरह की कहानियाँ गढ़नेवालों की भर्त्सना करने के स्थान पर रावण को नरभक्षी कह कर उसी की भर्त्सना करने लगता था।"

"परन्तु रावण ने स्वयं भी तो इसका खंडन न करके अपने विषय में इस भ्रम को प्रसारित किया था।" लक्ष्मण ने एक क्षीण प्रतिरोध किया।

"कोई भी स्वाभिमानी व्यक्ति इतने अनर्गल आक्षेप का क्या उत्तर दे सकता है, लक्ष्मण? वह या तो इसका उपहास करेगा या कहेगा, यदि लोग ऐसा मानते हैं तो यही सही, इसके भी लाभ हैं। रावण की लोकदृष्टि गलत हो सकती है। उसकी धर्मदृष्टि जड़ हो सकती है। उसकी राजदृष्टि मलिन हो सकती है। पर अपने ज्ञान और अनुभव पर उसका गर्व और अपने मत में उसकी निष्ठा और अभिमान तो झूठा नहीं! क्या सफाई देता वह इतने जघन्य आरोप का? और फिर जब उसे अपने प्रमाद का बोध हुआ होगा तब कौन सुनता उसकी बात?"

लक्ष्मण को राम का कथन न तो उचित लग रहा था, न ही सत्य। रावण जैसा दुःशील दस्यु भी कुछ ऐसी मर्यादाओं का ध्यान रखता है जिसका ध्यान दूसरे नहीं रख पाते, यह तो सीता के प्रसंग में लक्ष्मण समझ ही चुके थे, पर अपने पिशाच होने का प्रतिवाद उसने किसी गरिमा के कारण नहीं, आतंक बनाए रखने के लिए किया था, यह विश्वास भी उन्हें था। जैसा कि स्वयं सीता ने बताया था, वनचरों को फँसा कर अपने पोत में डाल लेने के बाद किसी प्रकार का प्रतिरोध करनेवालों की बोटियाँ काट कर बाँट देने की धमकी किसी गरिमा की रक्षा के लिए उसने नहीं दी थी। पर लक्ष्मण यह जानते थे कि इस समय वह अपने सारे तर्क और प्रमाण देकर भी राम को यह समझा नहीं सकते कि उनका सोचना ठीक नहीं है। राम से किसी विषय में मतभेद पैदा होने पर जब लक्ष्मण निरुत्तर रह जाते हैं तो इसका यह अर्थ कदापि नहीं होता कि वह राम के विचारों से सहमत भी हो गए हैं। कई बार तो उनकी खीझ उनके निर्णय को स्वीकार कर लेने के बाद भी घंटों और दिनों तक बनी रह जाती है।

"और जो कुछ तुमने अपने कानों से सुना था, लक्ष्मण, वह रावण का अभियोग नहीं था। वह मरनेवाले का शाप था।" राम की आँखों में गहरी पीड़ा उभर

आई थी जो संध्या के झुटपुटे में अधिक गहरी प्रतीत हो रही थी।

अन्तिम वाक्य ने लक्ष्मण को चौंका दिया था। राम की चिन्ता का कारण अतीत की स्मृति नहीं थी। इसका सम्बन्ध वर्तमान से था। किसी नए प्रवाद से था। लक्ष्मण के लिए यह अनुमान लगाना कठिन नहीं था कि इस अपप्रचार का, जिसकी वास्तविक प्रकृति अभी तक उनकी समझ में नहीं आ पाई थी, स्रोत क्या हो सकता है।

कुछ समय तक मौन रहने के बाद राम ने कहा, "लक्ष्मण, आज रात को ही तुम्हें अगस्त्य ऋषि के आश्रम के लिए प्रस्थान करना होगा।" जाने क्या सोच कर वह रुक गए। कुछ देर तक लक्ष्मण की आँखों में देखते रहे; फिर न जाने क्या सोच कर बोले, "नहीं, तुम्हारा जाना आवश्यक नहीं। तुम्हारी आवश्यकता यहाँ अधिक है। किसी विश्वस्त व्यक्ति को भेजने से काम चल जाएगा। उनसे मेरी ओर से आग्रह करना है कि यदि धर्म-परिषद का आमन्त्रण उन्हें मिला हो तो वह उसमें भाग अवश्य लें। इससे लोक का कल्याण होगा।"

लक्ष्मण को निर्देश तो स्पष्ट हो गया, परन्तु उनकी उलझन पहले से अधिक बढ़ गई। वह एक क्षण तक इस आशा में राम की ओर देखते रहे कि सम्भव है वह कुछ और आदेश दें, पर राम को मौन देखकर उन्होंने प्रणाम किया और आदेश पालन के लिए उठ खड़े हुए।

32

अगस्त्य और विश्वामित्र दो ही ऋषि ऐसे नहीं हैं जो कर्मकांड और वर्णवाद का विरोध करते हों। भृगु ने तो यज्ञ रूपी विष्णु को ही ठुकरा दिया था, वे इन्द्र का भी उपहास करते थे। वह अनाहिताग्नि थे। वरुण के उपासक। व्रत और नियम का पालन करनेवाले। आध्यात्मिक उत्कर्ष और साधना को व्यक्ति की श्रेष्ठता की कसौटी माननेवाले वर्णवादियों ने इन्द्र को वर्ण मर्यादा का प्रतीक बना दिया था, पर भृगुवंशी इसका उपहास करते थे। वे कहते, भाई, इन्द्र को यदि तुमने देखा हो तो उनकी आराधना करो। मैंने तो न उसे देखा, न ही यह जानता हूँ कि वह कभी हुआ भी था या नहीं। मैं भला उसकी स्तुति क्यों करूँ? अगस्त्य और विश्वामित्र की यदि अपनी कोई विशेषता थी तो यह कि ये इन्द्र को तो मानते थे, पर वर्ण के बन्धन को नहीं। अगस्त्य तो परजीविता को भी ज्ञान के मार्ग में बाधक मानते थे। वह अपनी खंती-खुरपी चला कर अपने निर्वाह के लिए अन्न स्वयं उपजाते थे। ब्राह्मणवादी लोग कहते वह कुलीन नहीं हैं और इसीलिए न केवल श्रम करते हैं अपितु वह दोनों वर्णों का समादर करते हैं–आर्यों का भी, दासों का भी। सवर्णों का भी, असवर्णों का भी। उनकी मान्यता थी कि वर्णवाद परोपजीविता का ही दूसरा

नाम है और इसीलिए विलासी ब्राह्मणों का एक वर्ग अपनी जातिगत श्रेष्ठता के बल पर ही अपनी जीविका और सामाजिक प्रतिष्ठा की रक्षा करना चाहता है, पर इस वर्णवाद से एक ओर तो ब्राह्मणों की दशा दयनीय होती गई है और दूसरी ओर इसने हमारे समाज को बाँट रखा है। आवश्यकता इस विलगाव को समाप्त करके अपने समाज को और स्वयं ब्राह्मणों को भी शक्तिशाली बनाने की है। वर्णवाद की आलोचना करते समय वह इतने क्षुब्ध और असहिष्णु हो जाते कि लोगों ने उनका नाम ही उग्र ऋषि या क्रोधी बाबा रख दिया था। विश्वामित्र के तो नाम का ही अर्थ था सबका मित्र, सबका हितैषी। ऊँच-नीच का भेद उनके यहाँ था ही नहीं। राम जानते थे कि यदि विश्वामित्र को वसिष्ठ की धर्मसभा का निमन्त्रण मिला भी तो, वह नहीं जाएँगे, पर यदि अगस्त्य भी इस सभा में नहीं गए तो कोई ऐसा प्रभावशाली ऋषि उसमें नहीं रहेगा जो वसिष्ठ के विचारों का जम कर प्रतिवाद कर सके।

अगस्त्य से यदि महाराज राम की ओर से कोई अनुरोध न भी किया गया होता तो भी वह धर्मसभा में भाग अवश्य लेते। उनका एक छात्र शम्बूक इतना प्रतिभाशाली और वादकुशल था कि वह कुछ अरसे से इस बात की प्रतीक्षा में थे कि कोई वादगोष्ठी हो और वह लोगों को दिखा सकें कि प्रतिभा का न तो कुल से सम्बन्ध है, न रक्त से। यह प्रभु प्रदत्त है। और जिसे भगवान ने स्वयं ब्राह्मणों जैसी प्रतिभा दी उसे कोई मनुष्य, चाहे वह किसी जाति या कुल का क्यों न हो, तिरस्कृत करके ब्रह्मपद से वंचित कैसे कर सकता है। मनुष्य ईश्वर से ऊँचा हो कैसे सकता है जिसे ईश्वर ने दिया उसे वह स्वयं छीनने का दुस्साहस कर सके?

परन्तु जो बात अगस्त्य नहीं जानते थे वह यह कि शम्बूक के माध्यम से वह ऋषि समाज को दिखा देना चाहते थे कि अगस्त्य की शिक्षा दृष्टि का महत्त्व क्या है। युवावस्था तो थी नहीं जो भरी सभा को 'वादं देहि' के गर्व से ललकारते रहते और प्रतिवादियों को ध्वस्त करके अपनी श्रेष्ठता सिद्ध करते रहते। जो काम वह स्वयं नहीं कर सकते थे वह उनका शिष्य करेगा। यह इसलिए और भी जरूरी लग रहा था कि वसिष्ठ ने शक्ति की ओर से सभा का निमन्त्रण भेज कर उनके सम्मुख एक प्रच्छन्न चुनौती भी फेंक दी थी।

वसिष्ठ की कुटिलता अब किसी से छिपी नहीं रह गई है। पहले लगा था कि राम के प्रति अपनी अनन्य निष्ठा प्रकट करके वह अपनी पिछली भूलों का मार्जन करना चाहते हैं। पुरोधा का तो वैसे भी कोई मित्र या शत्रु नहीं होता। जब-तब तो एक ही पुरोहित को अपने दो यजमानों की पारस्परिक शत्रुता के रहते हुए भी उनका पौरोहित्य करना होता है। राजपुरोहित भी राजा के बदलते ही अपनी निष्ठा बदल लेता है। उसे अपनी दक्षिणा से मतलब। पर वसिष्ठ ने केवल पौरोहित्य नहीं किया था उन्होंने गुरुपीठ को ही राजपीठ भी बना लिया था और भरत के नाम पर कैकेयी की आड़ में स्वयं राज्य किया था। अगस्त्य अपनी आत्मनिर्भरता के कारण

पौरोहित्य कर्म को यूँ भी सम्मान की दृष्टि से नहीं देखते, पर वसिष्ठ से तो उनकी सत्ता-लोलुपता के कारण भी चिढ़ है।

वसिष्ठ केवल पुरोहित नहीं, प्रपंची भी हैं। उन्होंने यज्ञ को एक पाखंड बना दिया है। विधि-विधान का आटोप खड़ा करके उन्होंने यह सिद्ध कर दिया है कि उनके अतिरिक्त कोई दूसरा व्यक्ति यज्ञ के ब्रह्मा पद का अधिकारी ही नहीं है। वह कहते हैं कि यज्ञ के विधि-विधान में कहीं कोई भी त्रुटि रह गई तो इससे यजमान का तत्काल नाश हो सकता है। यदि कोई उनके कर्मकांडीय विधानों का औचित्य जानना चाहे या इसकी व्यर्थता पर आपत्ति करे, तो वह व्यक्ति को छिद्रान्वेषी कह कर गाली देने लगते हैं—छिद्रं हि मृगयंते स्म विद्वांसः ब्रह्म राक्षसाः।

परन्तु उन्हें वसिष्ठ पर सबसे अधिक क्रोध इसलिए आता है कि वह कायर हैं। अपने जीवन के जिस तथ्य को उन्हें साहसपूर्वक स्वीकार करके यह दावा करना चाहिए था कि जन्म और जाति का व्यक्ति की श्रेष्ठता से और उसकी प्रतिभा से कोई सम्बन्ध नहीं, उसे छिपाने के लिए उन्होंने न केवल कहानियाँ गढ़ रखी हैं अपितु वर्णवाद को पागलपन की सीमा तक कठोर बनाने के प्रयत्न में लगे रहे हैं। वह उसी व्यवस्था के भृत्य बन गए हैं जिसे उन्हें निर्मूल करना चाहिए था। वह अपने को कुलीनों से भी अधिक कुलीन सिद्ध करने का प्रयत्न करते हैं और अपने को मित्र और वरुण की सन्तान बताते हैं।

एक बार जब अगस्त्य से सहन नहीं हुआ था तो उन्होंने कह ही दिया था, "यदि आप अपने को उर्वशीपुत्र कहते तो आपके लिए मेरे मन में बहुत अधिक आदर होता, ऋषिवर। मित्र और वरुण की सन्तान कह कर आप अपना सम्मान नहीं बढ़ा रहे हैं। प्रश्न यही नहीं है कि कोई भी व्यक्ति किसी एक ही पिता की सन्तान होता है, दो की नहीं। वह व्यक्ति अभागा है जिसे मनुष्यों के समाज में रहते हुए देवताओं को अपना पिता बनाना पड़े, चाहे वह देवता स्वयं इन्द्र ही क्यों न हो। ऋषिवर भले न जानते हों पर लोग जानते हैं कि देवपुत्र और देवांगनापुत्र का अर्थ एक ही होता है।"

वसिष्ठ खीझ उठे थे, "कुंभज ऋषि को यह पता नहीं हो सकता कि मैं केवल उस देवशक्ति की बात करता हूँ जो मुझमें जन्म से विद्यमान है।"

अगस्त्य उनकी खीझ पर हँस पड़े थे। अपने अज्ञात पितृत्व को वह अपने लिए कलंक नहीं मानते। गौरव मानते हैं इसे कि पिता के संरक्षण और जातिगत श्रेष्ठता के सम्बल के बिना भी वह उस ऊँचाई पर पहुँच सके कि कोई उनका सामना नहीं कर सकता। हँसते हुए कहा था, "जिसे आप गाली समझ कर मेरी ओर उछाल रहे हैं वह मेरे लिए एक अप्रिय जीवनतथ्य से अधिक कुछ नहीं है। सन्तान न अपने माता-पिता या कुल-गोत्र का चुनाव कर सकती है न ही इसके कारण वह किसी गौरव या अगौरव का पात्र हो सकती है। मैं न तो अपने पिता

को जानता हूँ न ही उस पिता को जानने की कोई उत्सुकता है जो उसी तरह अपने पितृत्व के गर्व को वहन नहीं कर सका जिस तरह मेरी माँ ने अपने मातृत्व को वहन किया था। मैं केवल उस गर्भ को जानता हूँ जिसमें मैं पला और बढ़ा और जिसने मुझे जन्म दिया। मेरे मन में उस समाज और उस व्यवस्था के लिए भी कोई आदर नहीं है जिसके दबाव और डर से मेरा पिता अपनी सन्तान को भी अपनी सन्तान न कह सका। मैं आपसे अधिक भाग्यशाली हूँ ऋषिवर कि मैं अपनी माँ को तो जानता और सम्मान देता हूँ। आप में तो इसका भी नैतिक साहस नहीं।" वसिष्ठ का व्यंग्य-वज्र लक्ष्यभ्रष्ट चक्रायुध की भाँति लौट कर उन्हें ही सालने लगा था।

अगस्त्य जानते थे कि यदि धर्मसभा का आयोजन वसिष्ठपुत्र ने किया है तो इसमें धर्म के किस रूप और पक्ष पर चर्चा होगी। उन्होंने इसके लिए शम्बूक को मानसिक रूप से तैयार भी कर लिया था, "चाहे वादद्वन्द्व हो या मल्लद्वन्द्व जो निर्भीक होकर इसमें उतरता है, विजय उसी की होती है। इसमें किसी की ज्येष्ठता या कनिष्ठता का महत्त्व नहीं होता। महत्त्व होता है प्रतिभा, ज्ञान और ओजस्विता का। यदि वाद अपने गुरु से भी ठन जाए तो अपने विचारों को निडर हो कर रखने में संकोच नहीं करना चाहिए।"

शम्बूक सुन कर मन ही मन गद्गद हो गया था। संसार में उस जैसे कितने भाग्यशाली होंगे जिन्हें ऐसा गुरु मिला होगा। जिस जन्म के कारण दूसरे उसका उपहास करते और दूर से ही भगा देते उसे ही अगस्त्य उसकी श्रेष्ठता की कसौटी मानते हैं। एक बार इस प्रश्न पर उन्होंने कहा था, "कभी वट के बीज को देखा है तुमने? इतना क्षुद्र, इतना अकिंचन कि उर्वर मिट्टी पर पड़ने पर भी सड़ जाता है। पर यदि किसी तरह उसे कोई ठोस भूमि मिल गई तो चिड़िया के बीट से भी अपना आहार जुटाकर वह अपनी जड़ें फैलाना आरम्भ कर देता है और जब तन कर उठने लगता है तो अपनी जड़ों से दुर्ग के प्राचीरों को भी तोड़ते हुए नीचे पाताल तक और ऊपर महाकाश तक पहुँच जाता है। तू तो महावट है, शम्बूक।" कितना गर्व हुआ था उस दिन भी अपने गुरु पर और उनका शिष्य होने के कारण अपने आप पर!

सभास्थल पर पहुँच कर अगस्त्य के मन की रही-सही दुविधा भी जाती रही थी। आयोजन इतने भव्य स्तर पर किया गया था कि किसी अन्धे को भी वह अदृश्य हाथ और उसका इष्ट दिखाई दिए बिना नहीं रह सकता था जिसने इसका व्ययभार वहन किया था। अगस्त्य ने अनेक यज्ञसत्र और धर्मसभाएँ देखी थीं, अतः उनकी दृष्टि केवल व्यवस्था और व्ययभार तक ही टिकी रही थी, पर शम्बूक जिसके लिए यह पहली सभा थी, इसके पीछे कुछ और भी देख रहा था। इससे उसे मार्मिक पीड़ा भी हो रही थी। यह 'कुछ और' थीं वे दासियाँ जिन्हें ऋषियों की सेवा

के लिए नियुक्त किया गया था और जिस सेवा में कुछ ऐसा भी था जो पुरोहितों के धर्मानुकूल भले हो, नीतिविरुद्ध अवश्य था। इनमें से अनेक की आयु तो दस बारह की ही थी और इन्हें पदप्रतिष्ठा के अनुसार विलोम आयुक्रम में नियुक्त किया गया था।

विचारसत्र का आरम्भ होने पर अगस्त्य को लगा निर्णय पहले ही लिए जा चुके हैं। विचार उन निर्णयों की पुष्टि कराने मात्र के लिए है। सबसे पहले वसिष्ठ ने ही आरम्भ किया, "ऋषिवृंद, जब राजा का पुत्र शक्ति और शौर्य में पिता से आगे निकल जाए और पिता में ह्रास के लक्षण प्रकट होने लगें तो विधान है कि राजा पुत्र को राज्य सौंप कर स्वयं वानप्रस्थ ले ले। इसी तरह यदि किसी तरुण ऋषि के ज्ञान और प्रज्ञा का ऐसा उत्कर्ष दिखाई दे जो वयोवृद्ध ऋषियों में भी दुर्लभ हो और लगे कि समाज का नेतृत्व करने की उसमें अधिक क्षमता है जो नेतृत्व का भार उसे सौंप दिया जाना चाहिए। शक्ति में जो ज्ञान निष्ठा, धर्म निष्ठा और तत्त्वदृष्टि है उसे देखकर ही मैंने इस आयोजन से विरति ली है।

"धर्म का जो क्षय हो रहा है उसे लेकर वह अहर्निश चिन्तित रहते हैं। मुझे उद्‌बोधित करते, 'निरुपाय रहने से कैसे चलेगा, तात। यदि संसार से धर्म का ही लोप हो गया तो यह सृष्टि कैसे रहेगी।' सुझाव मेरा ही था कि अकेले चिन्तित होने से तो निरुपाय अनुभव करोगे ही। धर्म की रक्षा का भार तुम्हीं पर नहीं, समस्त ऋषियों और ब्राह्मणों पर है। उनकी परिषद ही निर्णय करे कि धर्म की रक्षा का क्या उपाय हो।" वसिष्ठ चुप हो गए। चुप होना अकारण नहीं था। यह समस्या को गम्भीर बनाने के लिए अपनी मुद्रा को भी गम्भीर बनाते हुए माथे पर बल डाल रहे थे और उनकी दृष्टि सोमांग पर पड़ गई थी। वह बूढ़ा कुछ इस आश्चर्य से वसिष्ठ की ओर देख रहा था मानो किसी विचित्र जीव को पहली बार देख रहा हो। वसिष्ठ को लगा वह शक्ति के विषय में अतिरिक्त प्रशंसोक्तियाँ करके या एकाएक धर्म के क्षय की चिन्ता प्रकट करके हास्यास्पद बन गए हैं और इस चेतना के साथ ही उनका विचार प्रवाह रुक गया। उनकी समझ में ही नहीं आ रहा था कि वह आगे क्या कहें। एक क्षण चुप रहने के बाद उन्होंने शक्ति की ओर दृष्टि डाली और चुपचाप ही बैठ गए। बैठने के बाद भी वह दबी आँखों से सोमांग को ही देख रहे थे।

वसिष्ठ ने पुत्र-स्नेहवश शक्ति की कुछ अतिरंजित प्रशंसा भले कर दी हो, शक्ति ने जब बोलना आरम्भ किया तो उनकी वाणी के ओज से उपस्थित ऋषि प्रभावित हुए बिना न रह सके :

"समवेत ऋषिगण मुझ नगण्य के अनुरोध पर इतना कष्ट सह कर यहाँ पधारे, यह मेरे प्रति आपके स्नेह और धर्म में आपकी निष्ठा का ही प्रमाण है। महाराज राम ने जब से सत्ता सँभाली तब से एक नई धर्म-दृष्टि का प्रवर्तन हो रहा है,

जिसने धर्म और अधर्म के भेद को मिटा दिया है।

"इसे लेकर मेरे मन में निरन्तर ऊहापोह चलता आया है। इस पर आपके मतामत से अपनी उलझनों को दूर करने और आपके सहयोग से धर्म की मर्यादा को स्थापित करने की कोई युक्ति निकालने के लिए ही इस महापरिषद का अनुष्ठान किया गया है। यदि मेरी दृष्टि में कोई दोष हो तो ऋषिगण उसे दूर करने की कृपा करेंगे। यदि कहीं अनुभवहीनता के कारण, या अति उत्साह के कारण, वाचालता या वैचारिक स्खलन दिखाई दे, तो उसे क्षमा करेंगे।

"आप में से अनेक आयु और ज्ञान में मुझसे बड़े हैं अतः आपको धर्मोपदेश का दुस्साहस नहीं कर सकता, परन्तु इस बात का स्मरण तो दिला ही सकता हूँ कि आज महाराज राम के राज्य में धर्म पर बहुत बड़ा संकट आ पड़ा है। यज्ञधूम मन्द पड़ गया है। देव और पितर अतृप्त भटक रहे हैं। कुपित हो कर इन्द्र ने अपने जल भंडार को द्युलोक में छिपा लिया है। अग्निवैश्वानर के प्रकोप से धरती दहक रही है और दुर्भिक्ष का संकट आ उपस्थित हुआ है। महाराज ब्रह्मद्वेषी, यज्ञद्वेषी और धर्मद्वेषी हैं और सत्ता के अहंकार में आए दिन त्रिलोकपूज्य ब्राह्मणों और त्रिकालदर्शी ऋषियों का भी अपमान करते रहते हैं। महाराज को यह भ्रम हो गया है कि यह राज्य उनका है। वह भूल गए हैं कि जिस राज्य के वह स्वामी हैं वह उनको ब्राह्मणों ने दिया है, क्योंकि धर्मदृष्टि से ब्राह्मण ही समग्र सृष्टि का स्वामी है :

"सर्वस्यैवास्य सर्गस्य धर्मतः ब्राह्मणो प्रभुः।"

"इस धरती को अश्वमेध के अवसर पर बार-बार क्षत्रियों ने ब्राह्मणों को लौटाया है और बार-बार ब्राह्मणों ने इसे राजाओं को दान में दिया है कि इसका शासन हमारी ओर से तुम्हीं सँभालो। यदि किसी राजा की स्मृति क्षीण हो जाए, वह इस प्राचीन इतिहास को भूल जाए, वह भूल जाए कि ब्राह्मण का अनुरोध भी राजा के लिए आदेश होता है, क्योंकि वह अपने द्वारा प्रदत्त राज्य के धर्मसम्मत संचालन के लिए राजा को निर्देश दे रहा होता है, तो इसका क्या उपचार है? उसे याचक समझना, यह भ्रम पालना कि राजा ब्राह्मण को अपनी ओर से कुछ दे सकता है, मूढ़ता नहीं तो क्या है! इस धरती पर जो कुछ है क्या वह ब्राह्मण का अपना ही नहीं है? शास्त्र का विधान स्पष्ट है :

"सर्वं स्वं ब्राह्मणस्येदं यत्किंचित् जगती-गतम्।"

"अतः यह भ्रम है कि ब्राह्मण को कोई दान देता, खिलाता या पालता है। इसके विपरीत ब्राह्मण जो कुछ खाता, पहनता या देता है वह उसका अपना ही है और उसी की कृपा से, उसी के दान से दूसरे जनों का भी पालन होता है :

"स्वं एव ब्राह्मणो भुंक्ते, स्वं वस्ते, स्वं ददाति च।
आनृशंस्यात् ब्राह्मणस्य भुंजतेहीतरे जनाः।"

"यदि यह सनातन सत्य महाराज को भूल गया है तो सामान्य जनों की क्या स्थिति हो सकती है। ब्राह्मणों का निरादर इसलिए होता आ रहता है कि ब्राह्मणों को स्वयं अपने अधिकार की चेतना नहीं रह गई है। जो अपने अधिकार को नहीं जता सकता, अपने प्रभुत्व को नहीं प्राप्त कर सकता, वह अपनी गरिमा की रक्षा कैसे कर सकता है। समय आ गया है जब हमें उस धरती को, उस राज्य और सम्पदा को पुनः अपने अधिकार में लेना होगा जिसे हमने राजा को सौंप दिया था।"

भाषण इतना प्रभावशाली था और शक्ति के स्वर में ऐसा ओज था कि समवेत ऋषि मुग्ध हो गए थे। अपने स्वत्व का यह बोध उन्हें इससे पहले क्यों नहीं हुआ। शक्ति सच ही तो कह रहे थे, यह धरती तो धर्मतः ब्राह्मणों की ही है, उन्हीं के लिए बनी, उन्हीं के द्वारा क्षत्रियों को सौंपी और बार-बार लौटाई गई, फिर ब्राह्मणों को इतना दीन हो कर क्यों जीना पड़ता है? कुछ तरुण ऋषियों की नाक उत्तेजना में फड़कने लगी थी और उनके सिर अभिमान में तन गए थे। इस समय सचमुच उन्हें वसिष्ठ जैसे संशयी नहीं, अपितु शक्ति जैसे तेजस्वी नेता की आवश्यकता है। अपना वक्तव्य समाप्त करके शक्ति आत्ममुग्ध से सभा का अवलोकन करते हुए अभी खड़े ही थे कि अगस्त्य से अनुमति लेकर शम्बूक उठे और बड़े शान्त और कोमल स्वर में एक प्रश्न कर दिया, "ऋषि परिषद् का आह्वान वसिष्ठ ने यह निर्देश देने के लिए किया था, या विचार-विमर्श के लिए?"

प्रश्न बहुत सीधा था और पूछा भी एक तरुण द्वारा गया था, पर इसने जैसे शक्ति के दर्प से तने हुए सिर को चूर कर दिया। जिन तरुणों की नासिका अभी एक क्षण पहले रोष से फड़क रही थी, अब वे आश्चर्य से शम्बूक की ओर देख रहे थे, और उन्हें लग रहा था कि शक्ति ने सचमुच अनजाने ही ऋषियों की अवज्ञा कर दी है। समस्या सामने रखने के स्थान पर उसने अपने मन में बने विचारों और समाधानों को उसी तरह रखा है, जैसे कोई आचार्य अपने शिष्यों के सामने रखता है। दूसरे ऋषि अनुमोदन में सिर हिला रहे थे।

शक्ति को इस अनभ्र वज्रपात की न तो आशंका थी न ही वह इसके लिए तैयार थे। उनकी वाणी का तेज समाप्त हो गया था। वह हकलाते हुए अपना स्पष्टीकरण दे रहे थे, "मैं ऋषियों के सम्मुख विचार के लिए ही इस समस्या को रखना चाहता था और इसीलिए आप सभी को यहाँ आने का कष्ट भी दिया है। यदि समस्या को प्रस्तुत करने में कहीं से भी यह आभास होता हो कि मैं निर्देश के स्वर में बोल रहा था तो उसके लिए मैं क्षमा चाहता हूँ।"

"समस्या यह नहीं है, वसिष्ठ, कि आपने समस्या को इस रूप में रखा कि इससे आदेश या निर्देश का आभास मिले, समस्या यह है कि आपके सामने कोई समस्या नहीं है, कोई कार्य योजना है जिसका अनुपालन आप ऋषियों से चाहते

हैं। जहाँ तक विचार का प्रश्न है, आपके मत पहले से स्थिर है। आप, और सम्भवतः अकेले आप, मानते हैं कि महाराज राम के शासन में धर्म पर बहुत बड़ा संकट आ गया है। राजपुरोहित का संकट धर्म का संकट नहीं है, वसिष्ठ।"

शम्बूक ने एक बार उपस्थित ऋषियों की ओर दृष्टिपात किया। उनमें से कुछ विस्मित होकर उनकी ओर देख रहे थे और कुछ अपनी स्मिति को गम्भीरता का आवरण दे रहे थे। अगस्त्य की आँखों में चमक थी। शम्बूक को निराशा नहीं हुई, "वसिष्ठ कहते हैं कि यज्ञधूम मंद हुआ है। हम देखते हैं, इसका विस्तार हुआ है। अब यज्ञ कराना केवल राजाओं के वश की बात नहीं। अब सामान्य गृहपति और श्रेष्ठिजन भी यज्ञ कराने लगे हैं। सच कहें तो राजा का धर्म यज्ञ करना नहीं प्रजा का कल्याण करना, उसकी रक्षा करना है, जिससे राज्य में समृद्धि आ सके और प्रजा स्वयं धर्म और पुण्य का लाभ उठा सके। आज यही हो रहा है। अब तो अपने अभावों से मुक्ति पाने के कारण शूद्र तक होम करने लगे हैं। वसिष्ठ कहते हैं, देव और पितर अतृप्त भटक रहे हैं। हम देखते हैं कि पहली बार वे पूरी तरह तृप्त होकर प्रतिष्ठित हो रहे हैं। आज प्रजा द्वारा लगाए गए नीम के पेड़ सूर्यदेव के अधिष्ठान हैं। बेल और कोविदार के वृक्षों पर भगवान शिव विराजमान हैं। विष्णु और शिव पीपल और बरगद के वृक्षों के रूप में प्रतिष्ठित हैं। पितरों की आत्माएँ भटकना छोड़ कर पीपल और वट के वृक्षों पर देवताओं के साथ विराजमान हैं। सरोवरों में वरुण का निवास है।

"वसिष्ठ कहते हैं, महाराज ब्रह्मद्वेषी हैं, जबकि उनके राज्य में जो सुख और वैभव आया है उसके कारण ब्राह्मणों का अंशभाग बढ़ा है और उनकी दीनता दूर हुई है। जलाशयों के निर्माण के बाद देवसमर्पण के अवसर पर स्थालीपाक और समिष्ठ कटाह के आयोजन, दान-पुण्य के आयोजन इतने बढ़ गए हैं कि एक-एक ब्राह्मण को जब-तब एक ही वेला में दो-तीन यजमानों के यहाँ भोजन और दक्षिणा प्राप्त होती है। आज क्षुधार्त ब्राह्मण कहीं देखने को नहीं मिलते।

"महाराज के शासन से पहले तक ब्राह्मण की सबसे बड़ी समस्या उदरपूर्ति की थी। वे इसी के लिए लोगों को डराते रहते थे कि यदि किसी के द्वार से ब्राह्मण बिना भिक्षा पाए लौट गया तो उसका नाश हो जाएगा। ब्राह्मणों ने दान पाने के लिए, भिक्षा पाने के लिए, दुर्वासा जैसे विकट ऋषियों की कल्पना की थी जो भिक्षा मिलने में तनिक भी प्रमाद होने पर भयंकर शाप दे बैठते थे। दान देनेवाले विकट चरित्रों की सृष्टि की गई थी, जो ब्राह्मण को स्वप्न या असावधानी में भी दिए गए वचन को पूरा करने के लिए अपने राज्य को छोड़ सकते थे, स्वयं अपने को, अपनी पत्नी और बच्चे तक को बेच सकते थे और उनके साथ अमानवीय निष्ठुरता बरत सकते थे। अपने कई दिन तक भूखा रहने के बाद भी सामने आई थाली को किसी आर्त ब्राह्मण की पुकार सुनकर उसे दे सकते थे। यहाँ तक कि

अपने बच्चे को स्वयं अपने हाथों आरे से चीर सकते थे। अपनी अस्थियाँ तक दान में दे सकते थे। इतिहास को केवल ब्राह्मणों को दान देनेवाले विचित्र चरित्रों की कहानियाँ बना कर रख दिया गया था। सत्य को केवल ब्राह्मणों को दिए गए वचन को पूरा करने तक सीमित कर दिया गया था। लोगों को समझाया जाता था कि वे यश के लिए दान दें। यश की चिन्ता न हो तो अपयश से बचने के लिए या लाज से दान दें। यदि यह भी समझ में नहीं आता तो ब्राह्मण के शाप से होनेवाले अनिष्ट से डर कर दान दें। इसके बाद भी ब्राह्मण भूखे और अतृप्त रहते थे। वे श्राद्धभोज तक के लिए तरसते रहते थे। जहाँ किसी की मृत्यु से उसके परिवार में अवसाद छा जाता था, वहाँ ब्राह्मण प्रसन्न होते कि चलो मृत को स्वर्ग में भोजन-वस्त्र वाहन आदि पहुँचाने के नाम पर कुछ दान और रुचिकर भोजन तो मिलेगा। आज अपनी सम्पन्नता के कारण वे उसी श्राद्धभोज को अशुचिकर मानते हैं और आमन्त्रित होने पर धर्मसंकट में पड़ जाते हैं। क्या यह सत्य नहीं है कि आज कोई ब्राह्मण भिक्षाटन करता नहीं दिखाई देता। सदावर्त के आयोजनों के चलते केवल ब्राह्मण ही नहीं, किसी को भी भीख माँगने की आवश्यकता नहीं रह गई है? क्या यह धर्म का विस्तार नहीं है?

"क्या यह देवों, पितरों और ब्राह्मणों की तुष्टि का ही प्रमाण नहीं है कि जहाँ पास-पड़ोस के राज्यों में ही नहीं समस्त भूमंडल में अनावृष्टि और दुर्भिक्ष से हाहाकार मचा हुआ था, पशु और प्राणी भूख और प्यास और व्याधि से मर रहे थे और प्राणरक्षा के लिए इधर-उधर भाग रहे थे वहाँ अवध में न अकाल पड़ा, न ही किसी की भूख के कारण मृत्यु हुई। यह अन्य राज्यों से भाग कर आनेवाले क्षुधार्त जनों की जीवन रक्षा के लिए भी चिन्तित रहा। महाराज तो धर्मप्राण और धर्मबीज हैं, वसिष्ठ। वह तो स्वयं महान् तत्त्वदर्शी हैं। जो जल द्युलोक में संचित रहता है और इन्द्र की कृपा से धरती पर बरसता और समुद्र की ओर भागता है, उसे महाराज ने तड़ागों और सरोवरों में संचित करने की व्यवस्था की और संचित करने की प्रेरणा दी। उन्होंने तो द्युलोक को भूलोक पर उतार दिया।"

शम्बूक ऋषि के कथन का एक-एक शब्द सच था। अपने शिष्य की प्रतिभा और विदग्धता पर अगस्त्य मन ही मन हर्ष विह्वल हो रहे थे पर ऊपर से गम्भीर बने हुए थे। अन्य ऋषियों की दृष्टि उन पर आशीष बन कर बरस रही थी और उनके समर्थन में उनके सिर मलय समीर में झूमते कमलवन जैसा दृश्य उपस्थित कर रहे थे।

शम्बूक ने एक क्षण अपने वक्तव्य का प्रभाव देखने के बाद अपने स्वर को नम्र बना कर कहा, "यदि ऋषिगण क्षमा करें तो अतीत के एक अप्रिय प्रसंग की याद दिलाऊँ?"

एक साथ अनेक ऋषियों के अनुमति सूचक हाथ आगे बढ़ आए "अस्तु।"

"अभी कुछ समय पहले इसी अयोध्या राज्य में राजा ब्राह्मण कुमारों को बलि चढ़ाने में भी संकोच न करते थे और ब्राह्मणों की दशा इतनी कष्टदायिनी थी कि उदरपीड़ा से बचने के लिए वे अपने पुत्र को वध के लिए बेचने तक को विवश हो जाते थे, क्या उन राजाओं से ही तुलना करके वसिष्ठ महाराज राम को धर्मद्वेषी मान बैठे? क्या उस काल के ब्राह्मणों से ही तुलना करके वसिष्ठ आज ब्राह्मणों को दैन्य, उपेक्षा और अपमान से ग्रस्त मान बैठे हैं? राम तो इस अवध को भी उस ब्रह्मर्षि देश जैसा बनाने के लिए कृतसंकल्प हैं जिसमें शिक्षा, संस्कार और समृद्धि से न कोई मूर्ख था, न अविचारी, न दीन, न रोगी। ब्रह्मर्षिदेश पहले कभी कहीं था या नहीं, महाराज राम की कृपा से अवध अवश्य ब्रह्मर्षिदेश बन जाएगा। ब्राह्मणों के प्रति इससे अधिक अनुराग क्या हो सकता है कि समस्त प्रजा ब्रह्मत्व को प्राप्त हो जाए।" शम्बूक इतने आवेश में आ गए थे कि वे इस एक ही कथन को कंठ सूखने तक अनेक रूपों में दुहराते ही चले जाना चाहते थे। वह 'राम नमामि, नमामि, नमामी' वाली भावदशा में पहुँच गए थे। उन्होंने कुछ रुकते हुए, एक-एक शब्द को तौलते हुए और अपने कथ्य के दंश को प्रखर बनाने के लिए व्यंग्य से मुस्कराते हुए कहा, "ऋषिवर, राम का ब्रह्मद्वेषी होना तो समझ में नहीं आता, परन्तु आपके रामद्वेष के पीछे राजद्वेष की भावना अवश्य दिखाई देती है।"

शम्बूक के एक-एक शब्द पर ऋषिगण लगभग झूम से रहे थे। वह उनके अपने ही विचारों को मुखर कर रहे थे। परन्तु अन्तिम वाक्य को सुनकर वे स्तब्ध रह गए। थोड़ी देर के लिए लगा वायु ने अपना संचार ही रोक दिया हो, अपने प्राण अंश को वायु ने स्वयं सोख लिया हो जैसे। वे अवसन्न हो कर शम्बूक को और फिर एक दूसरे को देखने लगे। उनकी समझ में ही न आ रहा था कि इस कथन पर वे क्या प्रतिक्रिया व्यक्त करें। यह एक कठोर वचन था परन्तु जितना कठोर था उससे भी अधिक सत्य था। वास्तव में इसके सच होने के कारण ही इसकी कठोरता इतनी वज्रसार प्रतीत हो रही थी।

महाराज राम की न्यायप्रियता और धर्मप्रियता और उनकी प्रजावत्सलता की प्रशंसा तो सभी दिशाओं में हो ही रही थी। उनको कलंकित करने के लिए जो अभियान सीता की आड़ में चलाया गया था उसके जनक स्वयं वसिष्ठ थे और इसके पीछे उनकी अपनी आकांक्षाएँ थीं, यह अब, कम से कम ऋषियों के बीच, सर्वविदित था। राम ने सीता को न केवल निर्वासित कर दिया था अपितु वसिष्ठ से बदला लेने का भी प्रयत्न नहीं किया था। उन्हें अपनी सभा से निकाला तक नहीं था। यह बात सभी के मन में उनकी महिमा को शतगुणित बना देती थी। वसिष्ठ ने उनकी दृष्टि में अपना गौरव खो दिया था। अधिकांश ऋषि सीता के प्रवाद में अपने को भी अपराधी मानते थे और इस प्रमाद के लिए अपने को भी क्षमा नहीं कर पाए थे। शम्बूक ने जो आरोप लगाया था उसकी पुष्टि शक्ति के

इस घोष से तो होती ही थी कि राम ब्रह्मद्वेषी, यज्ञद्वेषी, और धर्मद्वेषी हैं और ब्राह्मणों को अपना खोया हुआ अधिकार वापस लेने के लिए आगे आना चाहिए। इसके बावजूद वसिष्ठ के वय और ज्ञान का अनादर करते हुए एक तरुण का उनके सामने ही उनके पुत्र को और उसके व्याज से स्वयं वसिष्ठ को राजद्वेषी कहना उन्हें आहत कर गया था। वे कर्तव्य-अकर्तव्य का निर्णय ही नहीं कर पा रहे थे। वसिष्ठ का मुख विवर्ण हो गया था और शक्ति क्रोध में दहकती हुई आग जैसे हो रहे थे।

सोमांग ने अपने आपको नियंत्रित करते हुए कहा, "सभ्य आचार में प्रतिवाद तो उचित है पर अतिवाद नहीं। आप लोग यदि..." उन्होंने जान बूझ कर अपना वाक्य पूरा नहीं किया।

वसिष्ठ ने इस बीच अपने को सँभाल लिया था। वह कुछ कहने के लिए खाँसते हुए अपना गला ठीक करने लगे थे परन्तु अपने विचारों को व्यवस्थित और वाणी को नियन्त्रित करने में वह सफल नहीं हो रहे थे। इस तरह का अपमान तो उन्हें राजसभा में महाराज से या उनके प्रिय पार्षदों से भी नहीं सहना पड़ा था। उत्तेजना में उनके विचार उलट-पलट जा रहे थे। शायद उन्हें शम्बूक का कोई उपयुक्त उत्तर ढूँढ़ने में भी नहीं आ रहा था। उनको कुछ कहने के प्रयत्न में देखकर दूसरे सभी ऋषि स्तब्ध भाव से उन्हीं की ओर देख रहे थे। अन्ततः फँसे हुए गले से वसिष्ठ ने कहना आरम्भ किया, "ब्रह्मर्षि देश का निर्माण राजा नहीं करते, ब्राह्मण ही करते हैं। ब्रह्मर्षि देश वह नहीं है जहाँ सभी ब्राह्मण बना दिए जाएँ अपितु वह जहाँ ब्राह्मण का मान होता है।" इस चेतना के साथ कि उन्होंने एक तर्क गढ़ लिया है, उनका आत्मविश्वास लौट आया और आवाज की खरखराहट और कम्पन दूर हो गई, "ब्राह्मण का मान दान और दक्षिणा से नहीं होता। धन सम्पदा का ब्राह्मण के लिए कोई मोल नहीं। श्री उसे शोभा नहीं देती। राज्य उसे चाहिए नहीं–न वै ब्राह्मणाय श्री रमते। अलं राज्याय।...वह तो धर्म के लिए जीता है और धर्म ही उसका प्राण है। शास्त्र कहता है कि ब्राह्मण की उत्पत्ति धर्म की शाश्वत मूर्ति के रूप में हुई है, वह धर्म के लिए उत्पन्न होने के कारण ही ब्राह्मण है :

उत्पतिः एव विप्रस्य मूर्तिः धर्मस्य शाश्वती।
स हि धर्मार्थ उत्पन्नः ब्रह्म भूयाय कल्पते।

"अतः जो धर्म की रक्षा के लिए अपने प्राण नहीं दे सकता, इसके ह्रास और क्षय को चुपचाप सहन कर सकता है, वह वास्तव में ब्राह्मण ही नहीं है। और धर्म क्या है? वर्ण-मर्यादा की रक्षा ही धर्म है। ब्राह्मण को परम पुरुष ने अपने मुख से निर्मित किया? क्यों? इसलिए कि देव और पितर ब्राह्मण के मुख से ही आहार ग्रहण करते हैं। जो राजा ब्राह्मणों को दान नहीं देता वह ब्राह्मण की हानि नहीं

करता। वह देवताओं और पितरों को भूखा रखता है। वे अतृप्त रहते हैं और उनके प्रकोप का फल पूरे संसार को भोगना पड़ता है। यदि ब्राह्मण तृप्त हैं और वे स्वयं समस्त प्रजा का कल्याण करेंगे, अतः राजा का कर्तव्य केवल ब्राह्मणों की रक्षा करना है। यदि वह समस्त प्रजा की समान भाव से रक्षा करता है तो वह ब्राह्मण और शूद्र के बीच कोई भेद ही नहीं करता। जो राजा ब्राह्मण और शूद्र के बीच भेद नहीं करता, वह ब्राह्मणों को शूद्रों के समान मानता है। ऐसा व्यवहार करनेवाला राजा ब्राह्मणों का सम्मान कैसे कर सकता है? महाराज राम आज ऐसा ही कर रहे हैं। यदि राजा धर्म का अर्थ ही नहीं जानता, वह उसका पालन नहीं करता तो क्या ब्राह्मण भी धर्म को नहीं जानेगा? उसका पालन नहीं करेगा? वह केवल पेट भर कर ही शूद्रों के साथ प्रसन्न रहेगा? महाराज कहते हैं वह शास्त्र को नहीं मानते, क्या ब्राह्मण भी शास्त्रों को नहीं मानेंगे? मैंने महाराज को बार-बार याद दिलाया कि, महाराज, ब्राह्मण का जन्म परम पुरुष के मुख से इसलिए भी हुआ था कि भूलोक पर वही परमात्मा का मुख है। उसके मुख से निकला वाक्य ही धर्म है और धर्म और ज्ञान की बात केवल वही कह सकता है। इस पर वही विचार कर सकता है। और क्षत्रिय का जन्म परम पुरुष की बाहुओं से इसलिए हुआ कि वह ब्राह्मण के कहने पर शस्त्र उठा कर धर्म की रक्षा करे। हमारे महाराज का उत्तर क्या था, आपको पता है? महाराज ने कहा यह बात शास्त्रों और वेदों में लिखी है तो सच तो होगी, परन्तु यह उस प्रथम ब्राह्मण के विषय में ही सच हो सकती है जिसका जन्म परम पुरुष के मुख से हुआ होगा। आज वह नियम कहाँ रहा। आज तो सभी ब्राह्मण, क्षत्रिय उसी रीति से पैदा होते हैं जैसे शूद्र। सभी का जन्म माँ के गर्भ से होता है अतः सभी जन्म से शूद्र ही पैदा होते हैं। जिन्हें उचित संस्कार मिल जाता है वे द्विज हो जाते हैं, ब्राह्मण और क्षत्रिय और वैश्य बन जाते हैं, जिन्हें यह सुलभ नहीं वे शूद्र रह जाते हैं। यदि उन्हें भी उचित संस्कार मिलें तो वे भी द्विज बन सकते हैं। अब महाराज मुझे समझाने का दुस्साहस करते हैं : जन्मना जायते शूद्रः संस्कारात् द्विज उच्यते। ब्राह्मणों को जन्म से शूद्र समझनेवाले और शूद्रों को संस्कार से ब्राह्मण बनानेवाले राजा को ब्रह्मद्वेषी कहना क्या अयुक्त है?

"आप सभी विज्ञ और बहुश्रुत हैं। आपके विचारों का मैं सम्मान करता हूँ पर मेरी अपनी धारणा यह है कि धर्म तर्क का विषय नहीं है। इसकी व्याख्या शास्त्रों में की जा चुकी है। प्रत्येक वर्ण का अपना धर्म क्या है, इसका विधान किया जा चुका है। वर्ण को धर्म से न तो अलग किया जा सकता है न ही अलग करके समझा जा सकता है। ब्राह्मण का तो जन्म ही धर्म की प्रतिमूर्ति के रूप में हुआ है। उन्होंने एक बार फिर वही श्लोक दुहराया :

उत्पत्तिः एव विप्रस्य मूर्तिः धर्मस्य शाश्वती।
स हि धर्मार्थ उत्पन्नः ब्रह्म भूयाय कल्पते।

"अतः यदि धर्म का लोप हो जाएगा तो ब्राह्मण का भी लोप हो जाएगा। यह हमारे लिए जीवन-मृत्यु का प्रश्न है। इस धर्म की रक्षा के लिए ही ब्राह्मणों ने अपनी सन्तान तक को बलि के लिए सहर्ष अर्पित कर दिया कि यज्ञ और धर्म की रक्षा हो सके। यह कितने शोक का विषय है कि आज उनके महान् बलिदान का उपहास किया जा रहा है। जो राजा यज्ञ की उपेक्षा करता है, वह क्या यज्ञद्वेषी नहीं है? जो वर्ण-व्यवस्था का उच्छेदन करता है, वह क्या वर्ण-धर्म का उच्छेदन नहीं करता और ऐसा राजा क्या धर्मद्वेषी नहीं? यह सच है कि राजा की उपेक्षा से खिन्न हो कर गृहस्थों ने यज्ञ के प्रति अपना अनुराग दिखाया था कि यज्ञ का लोप न होने पाए, पर यह यज्ञ का विस्तार नहीं है, यह यज्ञ का ह्रास है। कहाँ राजाओं द्वारा आयोजित विराट् यज्ञ जिनमें सैकड़ों पशुओं का बलिदान होता था, हजारों ब्राह्मण आमन्त्रित होते थे, महीनों और वर्षों यज्ञ-सत्र चलता था और एक महोत्सव का दृश्य उपस्थित हो जाता था, दक्षिणा के रूप में अनगिनत दास, दासियाँ, स्वर्ण-मुद्राएँ कुलीन ब्राह्मणों के चरणों पर न्यौछावर करने के बाद भी राजा हाथ जोड़ कर पूछता था, 'विप्रदेव तुष्ट और प्रसन्न तो हैं' और कहाँ सामान्य गृहस्थों द्वारा भिक्षादान जैसे कृपण आयोजन? क्या ब्राह्मण अपनी गरिमा छोड़ कर मात्र उदरपूर्ति से ही सन्तुष्ट हो जाएँगे? वसिष्ठ को अपनी चिन्ता न कभी थी, न आज है। वह केवल धर्म के वृषभ को चतुष्पाद देखना चाहता है जिसमें चारों वर्ण अपनी-अपनी नियत मर्यादा में रह कर धर्म का पालन करें। त्रुटि कहाँ है और इसका परिहार कैसे हो इसका निर्णय आपको ही करना है।" वसिष्ठ विजय दर्प से एक दृष्टि पूरी सभा पर डाल कर पुनः चुनौती भरी दृष्टि से एक-एक ऋषि को निहारने लगे।

वसिष्ठ जैसे समादृत व्यक्ति के वक्तव्य के बाद उचित था कि उन्हीं की समकक्षता का कोई व्यक्ति उनका प्रतिवाद करता। अगस्त्य स्वयं ऐसा कर सकते थे। परन्तु जब वसिष्ठ की दृष्टि उनकी ओर पड़ी तो स्वयं कुछ कहने के स्थान पर शम्बूक की ओर मुड़े, "क्या अब भी तुम्हारे मन में कोई भ्रम बना रह गया है, वत्स?" यह इस बात का संकेत और अनुमति थी कि वह वसिष्ठ के विचारों का खंडन करना चाहें तो कर सकते हैं।

"आप जानते हैं, महर्षि, कि सभी ब्राह्मण ब्राह्मण के धर्म का पालन नहीं करते। हजारों ऐसे हैं जो शिक्षित तक नहीं हैं। अपने धर्म का पालन न करनेवाले इन ब्राह्मणों को क्या धर्मच्युत और इसलिए वर्णच्युत नहीं कहा जाएगा? क्षत्रियों में लाखों ऐसे हीनवीर्य मिलेंगे जो दूसरों की रक्षा तो दूर अपनी रक्षा तक नहीं कर सकते। इन धर्मच्युत क्षत्रियों को क्या क्षत्रिय कहा जा सकता है?" शम्बूक ने वसिष्ठ से प्रश्न किया।

वसिष्ठ एक क्षण को उलझन में पड़ गए परन्तु जल्द ही उन्होंने उत्तर ढूँढ़

लिया, "जन्म तो उनका ब्राह्मण और क्षत्रिण के रूप में ही हुआ है। निर्धारण तो उसी से होगा।"

"यदि जन्म से ही निर्धारण हो गया तो धर्म का क्या होगा? धर्म का निर्वाह हो या न हो, इससे अन्तर क्या पड़ता है? आप पुनः विचार करें, महर्षि, कहीं धर्म के मूल का उच्छेदन आप स्वयं तो नहीं कर रहे हैं? आपने स्वयं कहा, यदि धर्म न रहेगा तो ब्राह्मण भी नहीं रहेगा, फिर वह ब्राह्मण जिसमें ब्राह्मण धर्म नहीं है, वह ब्राह्मण तो रहा नहीं।" शम्बूक ने अपने को तो नियन्त्रित रखा पर उसके प्रश्न को सुनकर अनेक ऋषि अपनी मुस्कराहट न रोक सके।

शम्बूक के प्रश्न ने, और इससे भी अधिक ऋषियों की मुस्कराहट ने, वसिष्ठ को सकते में डाल दिया। उन्हें निकलने का कोई रास्ता नहीं दिखाई दे रहा था, परन्तु वह हत्प्रभ नहीं हुए "आपका तात्पर्य क्या है?"

"तात्पर्य बहुत स्पष्ट है, महर्षि। जन्म से धर्म का निर्धारण नहीं हो सकता। ब्राह्मण कुल में जन्म लेनेवाले सभी व्यक्तियों में ब्राह्मण बनने की योग्यता नहीं होती और वे शूद्रवत आचरण करते हैं। कुछ वैश्यवत दिन-रात हानि-लाभ की ही सोचते हैं। कुछ क्षात्र धर्म अपना लेते हैं। ठीक यही बात क्षत्रियों और वैश्यों और शूद्रों पर भी घटित होती है। ऐसे शूद्र भी हो सकते हैं जो तेजस्वी हों और ब्रह्मत्व को प्राप्त कर सकें या संकट की घड़ी में देश और समाज की रक्षा कर सकें। अतः महाराज यदि यह मानते हैं कि सभी मनुष्य जन्म से शूद्र होते हैं और संस्कार से ही द्विज बनते हैं तो उनका यह विश्वास कि ऐसा संस्कार प्राप्त करने का सभी को अधिकार है, न तो धर्म-विरुद्ध है न वर्ण-विरुद्ध, न ही समाज विरुद्ध। इसमें तो सभी का कल्याण है। यदि पूरे समाज के मेधावी व्यक्ति ब्राह्मण धर्म का पालन करें, यदि पूरे समाज के स्वस्थ और ओजस्वी व्यक्ति क्षात्र धर्म अपनाएँ, यदि उत्पादन, वृद्धि, योग और क्षेम में अभिरुचि रखनेवाले वैश्य धर्म का पालन करें और जो किसी भी दृष्टि से उत्कर्ष न प्राप्त कर सकें वे शूद्र धर्म का निर्वाह करें तो पूरे समाज की क्षमता और ओजस्विता का सर्वोत्तम उपयोग होगा और धर्म ही प्रधान रहेगा। यही धर्म की सच्ची स्थापना होगी और यही वर्ण-धर्म का सम्यक् निर्वाह होगा। महाराज यही कर रहे हैं।"

जब शम्बूक बोल रहे थे उसी समय वसिष्ठ के एक शिष्य ने आकर धीरे से उनके कान में कुछ कहा। वसिष्ठ की आँखों में सहसा एक चमक उभर आई, "तुम्हारी-धर्मदृष्टि तो बहुत विलक्षण है, तरुण। तुम्हारा नाम-गोत्र क्या है?"

"मुझे शम्बूक कहते हैं और मैं महर्षि अगस्त्य का शिष्य हूँ।"

"शम्बूक? विचित्र नाम है। और गोत्र?" उनकी खीझ अब उपहास का रूप ले चुकी थी। स्वयं वसिष्ठ को इस बात का ध्यान क्यों न आया कि अगस्त्य के शिष्य का जातक कुछ विशेष भी हो सकता है।

"किसी शिष्य का गोत्र तो उसके गुरु से ही जाना जाता है, महर्षि, और आप उसे जानते हैं। यदि गोत्र के बहाने जाति में जिज्ञासा हो तो मैं शूद्र कुलोत्पन्न हूँ।"

वसिष्ठ की त्यौरियाँ चढ़ गईं, "तू शूद्र हो कर मुझे धर्मोपदेश करने चला है? नीच। दुर्बुद्धि। तुझे पता नहीं यह ऋषि सभा है? पता नहीं यह ब्रह्म सभा है। यहाँ धर्मविदों और वेदविदों को आमन्त्रित किया गया है।"

अभी एक क्षण पहले तक जो ऋषि शम्बूक के तर्क पर मुग्धभाव से सिर हिला रहे थे, वे यह जानते ही कि वह शूद्र कुलोत्पन्न है, क्रोध से काँप रहे थे। उनका ब्राह्मणत्व एकाएक जाग उठा था और अब वे उन्हीं तर्कों और विचारों से अपमानित अनुभव कर रहे थे जिन्हें वे एक क्षण पहले सराह रहे थे। उनमें से एक-दो की स्थिति ऐसी लग रही थी कि वे वसिष्ठ का संकेत पाते ही शम्बूक पर प्रहार भी कर सकते थे। अगस्त्य के लिए अब तटस्थता दिखाना सम्भव नहीं रह गया था।

"आमन्त्रित अतिथियों के साथ इस तरह का व्यवहार किस धर्मनीति का अंग है, वसिष्ठ? किसी के नाम का उपहास करना किस विवेक का परिचायक है? शम्बूक, शूद्रजात तो है पर वह मेरा शिष्य भी है। ऋषिगण जानते हैं कि कोई छात्र अपने माता-पिता का पुत्र नहीं अपने गुरु का भी पुत्र होता है। उसको ग्रहण करने के बाद गुरु तीन दिन, तीन रात तक अपने गर्भ में धारण करता है और यह उसका दूसरा जन्म होता है जो उपनयन के बाद गुरु उसे देता है। यही उसे द्विजत्व प्रदान करता है। शम्बूक मेरा शिष्य है, इस रूप में स्वीकार किए जाने के कारण ही द्विज है और यहाँ उपस्थित ऋषियों के समान ही ब्रह्मविद और धर्म-चर्चा का अधिकारी भी है। उसे मैं अपने शिष्य के रूप में लेकर आया हूँ और उसका अपमान मेरा अपमान है।" अगस्त्य की आँखें क्रोध से बाहर को निकली आ रही थीं।

"मैंने ब्रह्मसभा का आयोजन किया था, मुनिवर।" वसिष्ठ के कुछ बोलने से पहले ही शक्ति बोल पड़े थे।

अगस्त्य ने शक्ति की ओर कुछ इस उपेक्षा से देखा मानो उनके शब्दों की ओर ध्यान देना भी उन्हें अपनी गरिमा के अनुकूल न लग रहा हो। इससे शक्ति का आवेश कुछ बढ़ गया। उनका चेहरा लाल हो रहा था, "हमारे नियन्त्रण में यह कहीं गर्भित नहीं था कि ऋषिगण अपने शिष्यों के कुल शील का विचार किए बिना ही..." शक्ति अपना संयम इस तरह खो बैठे थे कि उनके जबड़े ऐंठने लगे और वह अपना वाक्य तक पूरा नहीं कर पाए।

अपना और अपने गुरु का इस प्रकार अनादर होते देख शम्बूक अपने को सँभाल न सके, "किस कुल शील की बात करते हो वासिष्ठ। मुझे यह तो पता है कि मैं शूद्रजात हूँ, यहाँ उपस्थित ऋषियों में बहुतों को तो अपने पितृत्व तक का

ज्ञान न होगा। अपनी स्वच्छंदता के कारण किसी भी वर्ण और जाति को तो छोड़ते नहीं आप लोग और आप ही से शिक्षा लेकर आपकी पत्नियाँ जब कुछ करने लगती हैं तो आप लोग 'गुरुतल्पगामिता' का भय दिखा कर उन्हें उसी तरह डराने का प्रयत्न करते हैं जैसे किसान धोखे खड़े करके फसल को जानवरों और पक्षियों से बचाने का प्रयत्न करता है, पर कुछ लाभ होता है क्या? सुनो वसिष्ठ, इस समाज में या तो कोई ब्राह्मण या क्षत्रिय, वैश्य या शूद्र है नहीं, या सभी ब्राह्मण हो चुके हैं। यदि वर्ण का अनुराग सता ही रहा हो तो श्रेष्ठ ब्राह्मण और अब्राह्मणों में ही मिलेंगे। वृक्ष की प्रकृति तो बीज से निर्धारित होती है, क्षेत्र से नहीं। आप तो क्षेत्रज ब्राह्मण हैं।"

स्थिति अब विस्फोटक हो चली थी। अगस्त्य स्वयं भी सम्भावित अनिष्ट का अनुमान करके कुछ विचलित अनुभव कर रहे थे। स्थिति को सँभालने का अब एक ही उपाय था, "उठो शंबूक, चलो। यह महर्षियों की नहीं, ब्रह्ममूर्खों की सभा है। यहाँ न धर्म का लाभ हो सकता है, न ज्ञान की वृद्धि।" और वह स्वयं भी उठ कर चल दिए।

उपस्थित ऋषि अवसन्न और हतप्रभ अगस्त्य को अपने शिष्य के साथ प्रस्थान करते देखते रहे। न तो किसी का साहस उन्हें रोकने और मनाने का हुआ, न ही किसी तरह का प्रतिवाद करने का अवसर मिला। उनके कुछ दूर चले जाने पर उनका अपमान बोध इस चेतना के साथ कुछ अधिक तीखा हो गया कि हजारों ऋषियों को एक शूद्र अपमानित करके चला गया। उसका प्रतिवाद करने का तो कोई प्रश्न ही नहीं था। गालियों का उत्तर गालियों से भी देना सम्भव नहीं था। ऐसी कौन सी गाली है जो किसी शूद्र के लिए गाली बन सकती है! वह तो स्वयं अपना नाम भी हीन बना कर लेता है, मानो अपना परिचय नहीं, अपने आप को गाली दे रहा हो। दंड केवल एक था और वह था अंग-भंग, और अब वे सोच रहे थे कि शिकार उनके हाथ से निकल गया।

"यह...यह" क्रोध के मारे कल्मलीक के मुँह से आगे कोई शब्द तो फूट ही नहीं रहा था, यह 'यह' भी उनके मुँह से फक्-फक् करता और थूक के छींटे छोड़ता हुआ ही निकल पाया था। यह के बाद कोई कठोर गाली दे कर ही वह शम्बूक के विषय में आगे कुछ कहना चाहते थे पर उनका संकट यह था कि वह सही गाली का चुनाव ही नहीं कर पा रहे थे और बिना गाली के उसका नाम लेना उन्हें स्वयं अपना अपमान लग रहा था। गालियाँ केवल छोटी ही नहीं, कुछ तो उसे सम्मान देने जैसी लग रही थीं। दो-तीन बार पूरे मुँह में हवा भर कर केवल 'यह...यह' कह पाने के बाद वह सीधे कार्यक्रम पर आने के लिए कुछ तरुण ऋषियों की ओर देख कर अपना डंडा तानने ही चले थे कि उनकी दृष्टि ऋषि-कुटीरों की ओर से दौड़ती आती एक दासी पर पड़ी और उनकी आँखें वहीं ठहर गईं। हाथ में आधा उठा हुआ

डंडा कुछ देर उठा ही रहा और फिर हाथ से छूट कर नीचे आ गिरा, "क्या हुआ?" उन्होंने कुछ ऊँची आवाज में प्रश्न किया।

यह उनकी अपनी ही दासी थी जो केवल दौड़ती हुई ही नहीं आ रही थी, अपितु दो-एक बार मुँह के बल गिरते-गिरते भी बची थी, फिर भी हड़बड़ाई और घबराई हुई दौड़ती चली आ रही थी और जब निकट आई तो पता चला कल्मलीक के पुत्र को साँप ने काट लिया है। सूचना पाकर केवल कल्मलीक ही नहीं, उनके पीछे-पीछे ऋषि भी भागे।

33

राजमाता की कृपा से ऋषि सभा का आयोजन इतनी भव्यता से किया गया था कि इसे देख कर ऋषिगण स्वयं भी चमत्कृत थे। इतने सारे ऋषियों के लिए कुटीरों, चौकियों, तोशकों, वस्त्रों, पात्रों और भोजन-पान की ही समुचित व्यवस्था नहीं थी अपितु उनकी सेवा के लिए दासों-दासियों तक की व्यवस्था की गई थी। उनके 'हृदय परिवर्तन' के लिए यह मूल्य अधिक भी नहीं था। कुटीरों की व्यवस्था अलग-अलग की गई थी जिससे ऋषियों के यजन, ध्यान, पान और सेवा-सुख में बाधा न पड़े। शम्बूक के आक्रोश के पीछे इस व्यवस्था का भी हाथ अवश्य था। ये दासियाँ जिनसे अंगागी सहचर्या में भी इन ऋषियों को संकोच नहीं था, कौन थीं, यह किसी से छिपा नहीं था। वे ही ऋषि जब अपनी कुलीनता के दम्भ में सभा में किसी को शूद्र-शूद्र कह कर अपानित करने लगें और उसकी तर्कसंगत बातों को भी न सुनें, तो क्रोध तो आना ही था। सम्भव है शम्बूक के कथन में निहित सच्चाई का ही प्रभाव रहा हो कि अपमान के बोध के बाद ही ऋषिगण एक क्षण तक सकपकाए ही रह गए थे।

कल्मलीक की न तो अब वह अवस्था रह गई थी जिसमें अष्टांग सेवा का सुख भोग सकें, न ही वह इस प्रलोभन से आए ही थे। भोजन और पान का आकर्षण अवश्य था। वह जहाँ जाते वहाँ अपने एक मात्र पुत्र को ही लेते जाते। कई विवाहों के बाद, ढलती आयु में, दैव कृपा से प्राप्त हुआ था। बालक अभी सात-आठ वर्ष का ही हुआ था और उसके मन पर किसी प्रकार का कुप्रभाव न पड़े, इसलिए कल्मलीक ने जान बूझ कर किनारे की ओर एक कुटिया ली थी। कुछ अन्य ऋषियों की भाँति ही दासी का उपयोग उनके लिए सामान्य सेवा और प्रबन्ध तक ही था, अतः उनकी सेवा में नियुक्त दासी भी प्रौढ़ा थी। इतने सारे कुटीरों के लिए स्थान घास-कास साफ करके ही तैयार किया गया था और कल्मलीक की कुटिया से कुछ पीछे तो सरकंडे के जंगल भी आरम्भ हो जाते थे। कुटिया का चुनाव करते समय कल्मलीक का ध्यान इस ओर गया ही नहीं था।

बच्चा मूर्छित हो चला था। उसके शरीर से इतना पसीना निकला था कि उसकी कौपीन तक गीली हो चली थी और मुख पर पसीने की बूँदें भोर के समय पत्तियों पर टँगी ओस की बूँदों की तरह छलछला आई थीं। आँखों में एक पतली झिल्ली उतर आई थी—पलकें खुली होने के बाद भी यह आभास होता था कि वह किसी को देख नहीं रहा है। चेहरे का रंग पीला पड़ने लगा था। कल्मलीक उसे देख कर पहले पागल की तरह इधर-उधर कुछ खोजते हुए दौड़ने लगे और फिर बच्चे को गोद में उठा कर रोने लगे। बालक न रो रहा था, न तड़प रहा था, न बोल रहा था।

अब कल्मलीक की कुटिया के सामने भीड़ सी लग गई थी और एक साथ कई सुझाव मिलने आरम्भ हो गए थे। कपिंजल को यह ज्ञान तो था कि साँप के काटे हुए स्थान पर मुँह लगा कर यदि रक्त चूसा जाए तो विष का प्रभाव कुछ कम हो जाता है परन्तु ब्राह्मण होने के नाते न तो यह गर्हित काम वह स्वयं कर सकते थे, न ही किसी और को इसकी सलाह दे सकते थे। वह चीख रहे थे कि किसी दासी को बुला कर उससे रक्त चुसवाया जाए। दासियाँ ऋषियों की भीड़ देख कर पीछे खिसक गई थीं और कल्मलीक की दासी से साँप के आकार और रंग और काटने के ढंग और कारण को ले कर बातें कर रही थीं और हर वाक्य पर आह-ऊह कर रही थीं।

दर्भस्व को जड़ी-बूटियों का अच्छा ज्ञान था और वह कशीका बूटी की तलाश कर रहे थे। इसकी जड़ का रस यदि साँप काटने पर किसी को पिला दिया जाए तो विष का प्रभाव समाप्त हो जाता है। उन्हें बूटी का ज्ञान तो था पर इस बात का ज्ञान नहीं था कि इस स्थान के आस-पास वह मिल कहाँ सकती है।

जर्भुरायण कह रहे थे, "विष का शमन तो मन्त्र बल से मैं एक घड़ी में कर दूँ, परन्तु पूरा विधान सम्पन्न करने के लिए सामग्री मिलेगी कहाँ से!" सामग्री बहुत अधिक नहीं थी। केवल थोड़ी सी दूब, एक धनुष, महुवे के तने पर लगी दीमक की बाँबी की मिट्टी, थोड़ा सा सरकंडा, साही की लेंड़ी और काँटा, थोड़ा सा तिल और एक लौकी। दूब, तिल, सरकंडा और धनुष जुटाना तो कठिन नहीं था पर महुवे की मिट्टी और साही की लेंड़ी का प्रबन्ध इतनी आसानी से सम्भव नहीं था। लौकी की भी यह ऋतु नहीं थी। जर्भुरायण ने देखा कि उनके प्रस्ताव की ओर किसी ने ध्यान नहीं दिया तो वह इस तरह बेचैन होने लगे मानो सर्प के विष का प्रभाव उन पर भी हो गया हो। बेचैनी अकारण न थी। यदि सर्प का मन्त्र जाननेवाला मन्त्रोपचार न करे तो अगले जन्म में उसे स्वयं सर्प योनि में जन्म लेना पड़ता है। अतः अन्य कोई उपाय न देख कर जो वस्तुएँ वहाँ सुलभ हो सकती थीं उन्हें स्वयं जुटा कर मन्त्र पढ़ने बैठ गए और बालक को अपने सामने भूमि पर बैठा दिया और उसके दोनों हाथ जमीन पर टिका दिए। बालक को गिरने से

बचाने के लिए कल्मलीक ने उसे पीछे से पकड़ रखा था। जर्भुरायण बुदबुदाते हुए मन्त्रोपचार कुछ इस तेजी से कर रहे थे कि लग रहा था आवाज उनके मुँह से बाहर नहीं निकल रही है अपितु बाहर से भीतर की ओर जा रही है। वह बालक की वाम-परिक्रमा करते हुए मन्त्रपाठ कर रहे थे :

दिदिर्हि मह्यं वरुणो दिवः कविर्वचोभिरुग्रैर्नि रिणामि ते विषम्।
खातमखातमुत सक्तमग्रभमिरेव धन्वन्नि जजास ते विषम्।।
यत्ते अपोदकं विषं तत्त एतास्वग्रभम्!
गृह्णामि ते मध्यममुत्तमं रसमुतावमं भियसा नेशदादु ते।।

जर्भुरायण को मन्त्रसिद्धि थी अवश्य, क्योंकि जब दूसरा मन्त्र पढ़ कर उन्होंने दूर्वा उठा कर बालक के शरीर से स्पर्श कराया था, वह कुनमुनाया था और जब वह उस दूर्वा को उसकी चोटी से बाँधने लगे थे तो उसकी आँखों की पुतलियाँ भी चमकी थीं। ठीक इसी समय दर्भस्व कशीका की जड़ी खोज कर भी आ पहुँचे थे और वह इसे पीस कर पिलाने का आग्रह कर रहे थे, पर जर्भुरायण मन्त्रजाप में किसी तरह का व्यवधान नहीं चाहते थे। उन्होंने मन्त्रजाप जारी रखते हुए ही एक हाथ उठाकर दर्भस्व को बरज दिया था। इस बीच वह एक पूरा मन्त्र होंठों के कम्पन से ही निकाल गए थे और फिर एक-एक शब्द पर जोर देते हुए बोलने लगे :

चक्षुषा ते चक्षुः हन्मि विषेण हन्मि ते विषम्।
अहे म्रियस्व मा जीवीः प्रत्यगम्यतु त्वा विषम्।।

उन्होंने थोड़ी सी और दूब उठाई, उससे दंश के स्थान को रगड़ा और उठ कर खड़े हो गए, "हाँ, कौन सा स्थान है, जहाँ साँप ने काटा था?" कल्मलीक की दासी आगे बढ़ आई। उन्हें ले कर उस ओर चली जिधर की घास-फूस अभी तक पूरी तरह साफ नहीं की गई थी और जिससे कुछ ही आगे से सरकंडों का जंगल शुरू हो जाता था। वह एक स्थान पर खड़ी हो गई, "यहीं। छोटे बाबा एक बछिया के पीछे दौड़ लगा रहे थे और यहीं पहुँचे थे कि उनका क्रन्दन सुनाई पड़ा था और वह गिर गए थे और...मैंने तो मना भी किया था पर..."

जर्भुरायण ने मन्त्र बुदबुदा कर सर्पदंश के स्थान पर उस दूब को डाल दिया जिससे पाँव के उस स्थान को रगड़ा था, जहाँ साँप ने काटा था। वह लौट कर पुनः मन्त्रोच्चार करने लगे थे। उनके मन्त्र का प्रभाव दासी ने भी देख लिया, क्योंकि उसे ठीक उसी समय जब वह दूब फेंक रहे थे, सरकंडों के बीच कम्पन सी दिखाई दी थी और उसके अनुसार यह उस साँप के छटपटाने की रही होगी। मन्त्र के प्रभाव से वह बेचैन अवश्य हो रहा होगा। जर्भुरायण ने अगले मन्त्र के साथ उस झोंपड़ी से जो कल्मलीक के लिए बनाई गई थी, एक मुट्ठी कास निकाली और उसे जला कर पानी में डाल दिया और फिर उस पानी को बालक पर छिड़कते हुए पढ़ने लगे, "कैरात पृश्न उपतृण्य..." और आगे का मन्त्र चबा गए। फिर उन्होंने धनुष

उठा लिया और "असितस्य तैमातस्य ब्रभ्रोः अपोदकस्य च। सात्रासाहस्यांह मन्योरव ज्यामिव धन्वनो वि मुंचामि रथाँ इव।" पढ़ते हुए प्रत्यंचा को खोला और फिर इससे उस पाँव की जाँघ को कस कर बाँध दिया जिसमें साँप ने काटा था। मन्त्रोपचार कुछ समय तक और चलता रहा। जर्भुरायण साही की लेंड़ी के अभाव में बकरी की लेंड़ी, महुए की बांबी की मिट्टी के स्थान पर दीमक खाए एक उपले की मिट्टी से काम लेते हुए मन्त्रोपचार करते रहे और अन्त में, "तस्तुवं न तस्तुवं न घेत्समसि तस्तुवं। तत्सुवेनारसं विषम्।" का पाठ करते हुए उन्होंने लम्बी उसाँस के साथ आसन त्याग किया, "विधि-विधान में त्रुटि रहने पर...किन्तु देखिए ईश्वर ने चाहा तो मन्त्र तो अपना प्रभाव दिखाएगा ही।"

मन्त्र ने कोई प्रभाव नहीं दिखाया और अब बालक की आँखें बन्द होने लगी थीं। दर्भस्व ने फिर जड़ी पिलाने का और कपिंजल ने रक्त चूसने का सुझाव दिया। प्रत्यंचा से बँधे होने के कारण सर्पदंशवाला पाँव फूलता और नीला पड़ता जा रहा था। जड़ी पिलाई गई। कड़वी थी। बालक ने उस अर्धमूर्छित अवस्था में भी मुँह ऐंठा और आधा रस बाहर निकाल दिया। कोई विशेष लाभ न देख कर रक्त निकालने के लिए भी प्रयत्न किया गया। पहले कोई दासी इसके लिए तैयार नहीं थी। उन्हें डर था कि विष बालक के शरीर से निकल कर उनके शरीर में प्रवेश कर जाएगा। फिर कपिंजल को एकाएक सुझा कि तुरही के सींग और साही के काँटे से यह काम आसानी से कराया जा सकता है। साही का काटा दंश-स्थान के आस-पास तीन-चार बार चुभाया गया और फिर हिरन के सींग की बनी एक तुरही का चौड़ा सिरा दंश के स्थान पर रख कर दूसरे सिरे से रक्त चूसने के लिए एक अधेड़ सी दासी तैयार हुई, पर सींग के प्रयोग से हो या किसी अन्य कारण से, बच्चे ने उल्टी कर दी। अब वह सहारा लेकर बैठे रह सकने की स्थिति में ही नहीं था। वह निढाल हो कर कल्मलीक की गोद में गिर पड़ा।

संध्या होने को आ रही थी। अब एक-एक करके ऋषिगण सांध्य कर्म के लिए अपने-अपने कुटीरों को लौटने लगे थे। शक्ति को तो कुछ अन्य व्यस्तताएँ ऋषियों के भोजन-पान आदि को ले कर भी थीं। भीड़ के कारण कल्मलीक को एक ओर तो कुछ तोष मिल रहा था, दूसरी ओर अपने चारों ओर खड़े लोगों के बोलने-बतियाने के कारण उनके कान में झन्नाहट सी हो रही थी और इससे उन्हें डर सा लगने लगा था। वह स्वयं भी चाहते थे कि भीड़ कम हो और वह उसके दबाव के बाहर आएँ। दूसरों के चले जाने के बाद उनके पास स्वयं वसिष्ठ, जिन्हें जाने क्यों लग रहा था कि कल्मलीक की इस आपदा में उनका ही हाथ है, उनके दो शिष्य, जर्भुरायण जिन्हें अपने मन्त्रोपचार के प्रभाव की अब भी आशा बनी हुई थी, शाल्मलीक जो कल्मलीक के छोटे भाई थे, श्रुतिकंठ जिन्हें लग रहा था इतने दारुण अवसर पर कल्मलीक को छोड़ कर चल देना घोर अपराध है और वीतिरथ

जो पहले ही सांध्यकर्म से मुक्त हो कर आ गए थे, कल्मलीक के पास रह गए थे। बालक की दशा में न तो कोई सुधार हो रहा था न ही कोई अब किसी तरह का उपचार सुझा रहा था। कल्मलीक को अब भाग्य-लेख का ही भरोसा रह गया था।

वीतिरथ इतने विलम्ब से आए थे, इसलिए वह अपनी उपस्थिति का बोध कराने के लिए विशेष चिन्तित दिखाई दे रहे थे। इस प्रयास में उन्होंने अपने चेहरे पर चिन्ता की छाया ही अधिक गहरी नहीं बना ली थी, अपितु उनकी आँखें भी गीली हो गई थीं। अब तक हुए उपचारों की सूचना उन्होंने लोगों की बातें सुन कर प्राप्त कर ली थीं। उन्हें आश्चर्य हो रहा था कि अभी तक इस विषय में राजवैद्य की सेवा क्यों न ली गई, "अविनय न समझें तो इस बालक को शीघ्र राजवैद्य को दिखाया जाना चाहिए।" उन्होंने वसिष्ठ की ओर हाथ जोड़कर सुझाव दिया।

वसिष्ठ ने विषाद और विस्मय भरी दृष्टि से वीतिरथ की ओर देखा तो वीतिरथ को लगा जैसे उनसे कोई अपराध हो गया हो। वसिष्ठ ने धीरे-धीरे, जैसे अपने आप से बातें कर रहे हों, कहा, "जिस राजा को ब्राह्मणों के जीवन मरण की चिन्ता नहीं उसके राजवैद्य को उसकी क्या चिन्ता होगी? उसने यदि कोई विपरीत उपचार कर दिया तो जीवन की जो आशा मन्त्रोपचार आदि से उत्पन्न हुई है वह भी व्यर्थ चली जाएगी।"

वसिष्ठ जानते थे कि राजवैद्य ही नहीं, कोई साधारण से साधारण वैद्य भी इतना पतित नहीं हो सकता कि वह किसी रोगी का अनिष्ट करने की कल्पना तक कर सके। यदि यह प्रस्ताव उन्हें स्वीकार्य न था तो केवल इसलिए कि वह केवल राम ही नहीं, उनके आश्रय में पलनेवाले किसी भी व्यक्ति से, किसी प्रकार की, सहायता लेना अपनी पराजय समझ रहे थे। सच तो यह है कि कल्मलीक के पुत्र के शरीर में जितना विष घुल चुका था उससे अधिक विष स्वयं वसिष्ठ के मस्तिष्क में उतर चुका था। यह एक शूद्र द्वारा अपने अपमान का विष था, जिससे वह भीतर ही भीतर तिलमिला रहे थे। वह यहाँ बैठे हुए भी बालक की जीवन रक्षा के विषय में नहीं, अपने अपमान के विषय में ही सोच रहे थे। उनका मन अत्यन्त व्यग्र हो उठा था। मस्तिष्क में उठनेवाले विचार या तो एक-दूसरे में इस तरह उलझ जा रहे थे कि लगता था चेतना सुन्न हो गई है या एक साथ एकाधिक बिन्दुओं से उठनेवाले विचार एक-दूसरे से टकराकर एक ऐसी लौ का रूप ले लेते थे, जिसके दाह को तो वह अनुभव कर सकते थे, पर प्रकाश को नहीं। अपमान का बोध आयोजन की भव्यता के कारण और भी प्रखर हो जाता था। उनके मस्तिष्क की सक्रियता की दशा उस रथ के पहिए जैसी थी जो किसी ढाल पर तेजी से दौड़ते हुए किसी आकस्मिक अवरोध से घोड़ों के टकराने से उलट जाए और इसका सारथी छिटक कर दूर जा गिरे और आहत हो कर उल्टे हुए उसके पहियों को देखता रहे जो तेजी से चक्कर तो खा रहे हों पर पहिये आगे बढ़ने के

स्थान पर केवल धुरी के ऊपर घूम रहे हों। केवल एक ही विचार उन्हें इस तरह दबोचे हुए था कि उससे छूट कर भागने का सारा प्रयत्न करने के बाद भी वह उस एक ही विचार पर लौट आते थे। अपनी कल्पना में यहाँ बैठे-बैठे ही वह जाने कितनी बार, और जाने कितने रूपों में, शम्बूक का वध कर चुके थे पर किसी से उन्हें सन्तोष नहीं हो रहा था। प्रतिशोध के दूसरे रूप भी उन्हें अपमान की ज्वाला को शान्त करने के लिए पर्याप्त नहीं लग रहे थे। उसका ज्ञान-दम्भ उन्हें सबसे अधिक पीड़क लग रहा था। वह सोच रहे थे, जिन आँखों से उसने वेद वाक्य पढ़े हैं, उन आँखों को निकाल लिया जाना चाहिए। पर यह पर्याप्त नहीं था। जिन कानों से उसने वेदों का श्रवण किया हो उन कोनों में पिघला हुआ सीसा भर देना चाहिए। यह भी उसके लिए उचित दंड नहीं था। जिस जिह्वा से उसने वसिष्ठ का प्रतिवाद किया था, उस जिह्वा को ही काट लेना चाहिए। यह भी अपेक्षा से कम था। उसे एक शूली पर बैठाया जाना चाहिए और वसिष्ठ को तब तक उसको देख कर अट्टहास करते रहना चाहिए जब तक गुदा मार्ग को चीरती हुई शूली उसके उस ब्रह्मांड को पार करके बाहर न आ जाए जिसमें वसिष्ठ का अपमान करनेवाले तर्क उत्पन्न हुए थे। वसिष्ठ के होंठों पर पहली बार तुष्टि मुस्कान बन कर उभरी, पर तत्काल उन्होंने परिस्थिति की गम्भीरता का ध्यान करके इसे दबा लिया।

वसिष्ठ की विवशता यह थी कि प्रतिशोध की इन विभिन्न विकट कल्पनाओं में से एक भी ऐसी नहीं थीं जिसे वह प्रतिफलित कर सकें। वह उनका अपमान करके चला गया था और इतने ऋषि उपस्थित थे फिर भी वे उसका अंगभंग तक न कर सके थे। वीतिरथ के प्रस्ताव का उत्तर तो वसिष्ठ ने दे दिया, पर जाने कैसे इसके बाद भी यह प्रश्न उनके मस्तिष्क में कहीं अटका रह गया और हठात् जैसे पानी से सहसा कोई मछली ऊपर को उछले, एक प्रश्न स्वयं उनके मन में उछला, "यदि शम्बूक का वध स्वयं राम से ही कराया जा सके जिसका वह पक्ष-पोषण कर रहा था तो?" सम्भवतः इस प्रश्न का झटका ही था कि वसिष्ठ बैठे न रह सके। वह उठ कर खड़े हो गए और बिना कुछ कहे अपने कुटीर की ओर बढ़ चले। उनके पीछे-पीछे उनके दोनों शिष्य भी हो लिए। वसिष्ठ को चलते समय लग रहा था, यदि वह शम्बूक का वध राम के हाथों करा सके तो उनका सारा अन्तर्दाह मिट जाएगा।

उस संध्या को अन्य ऋषियों ने न तो सोमासव पान में संकोच किया, न ही मांसभोग में। कल्मलीक के पुत्र की दशा से उत्पन्न विषाद के कारण कुछ ने तो कुछ अतिपान भी कर लिया। सोभरि पर पान का प्रभाव इतना अधिक हो गया कि वह अनुपस्थित अगस्त्य को उछल-उछल पर गालियाँ देने लगे और यह बताने लगे कि यदि उनकी चमड़ी उतार कर कोई जूता बना कर भी रख दे तो उसे भी वह पहनने से इनकार कर देंगे। भविष्य में उनके साथ किसी सभा में सम्मिलित होने

का तो प्रश्न ही नहीं था। सोभरि सम्भवतः अन्य सभी ऋषियों की वेदना को ही मूर्त कर रहे थे, जिनके मन में आज जो कुछ घटित हुआ था उसके घाव अलग-अलग रूपों में बने रह गए थे।

यदि किसी ने अन्न-जल कुछ भी ग्रहण नहीं किया तो वे कल्मलीक, शाल्मलीक और सभी सभ्यागतों की सुख-सुविधा का प्रबन्ध करनेवाले वसिष्ठ स्वयं। ये अपनी व्यथा और चिन्ता में इतने डूबे हुए थे कि खान-पान का विचार तक उनके मन में ग्लानि उत्पन्न कर सकता था। कल्मलीक और शाल्मलीक तो उस रात सो भी न सके। वसिष्ठ के लिए बैठे रहना सम्भव नहीं था, अतः वह लौटने के बाद ही लेट गए थे, परन्तु आँखों में नींद नहीं थी। वे आँखें बंद किए हुए केवल एक ही बिन्दु पर सोच रहे थे। हठात् एक कौंध की तरह उनके सामने यह स्पष्ट हो गया कि कल्मलीक के पुत्र की मृत्यु का कारण क्या है। जिस साँप ने उसे काटा था वह और कोई नहीं, स्वयं वेद था, जो शूद्र द्वारा दूषित हो जाने पर अपने अपमान का बदला लेने के लिए आया था और ब्राह्मणपुत्र को उसने इसलिए काट लिया कि ब्राह्मण वेद की रक्षा नहीं कर सके। यदि शम्बूक का वध हो तो ही ब्राह्मणपुत्र की रक्षा हो सकती है। ब्राह्मण स्वयं किसी का वध नहीं कर सकता। इससे उसके ज्ञान और पुण्य का क्षय होगा, अतः यह काम राजा को स्वयं करना चाहिए। यदि ऐसा नहीं हुआ तो एक-एक करके सभी ब्राह्मणों को वेद सर्प बन कर काटेगा। जिस उद्भास के साथ यह विचार प्रकट हुआ था, वह क्या इस बात का प्रमाण नहीं था कि स्वयं वेद ने ही प्रकट हो कर वसिष्ठ को यह रहस्य बतलाया है।

वसिष्ठ जानते थे कि उनकी इस सूझ में कुछ छिद्र भी हैं। वेद साँप बन कर कल्मलीक के पुत्र को काटने क्यों आएगा? काटना ही होता तो वह दूषित होते ही साँप बन कर उस शूद्र को काटता जिसने वेदपाठ और ज्ञान प्राप्ति करके वेद को दूषित किया था, या उस अगस्त्य को काटता जिसने शम्बूक को वेद की शिक्षा दी थी, या अपनी रक्षा न कर पाने के कारण किसी प्रबुद्ध ऋषि को काटता। एक बालक को जिसका कोई दोष नहीं, जो यह भी नहीं जानता कि वेद क्या है, काटने का तो कोई कारण नहीं था। पर वह यह भी जानते थे कि लोक में विश्वास करने की अपार क्षमता है। चतुराई और हठ के साथ मनुष्य को यह भी समझाया जा सकता है कि जो कुछ वह देख रहा है उसे वह नहीं देख रहा है, और वह सब दिखाया जा सकता है जो, न उसे दिखाई दे रहा है, न किसी अन्य को दिखाई दे सकता है। यदि विश्वासपूर्वक लोगों को यह बताया जाए कि जो कुछ वे जानते हैं वह ज्ञान नहीं अज्ञान है और जिसे नहीं जानते, और केवल वक्ता जानता है, वही ज्ञान, तो वे इसे भी मानने को तैयार हो जाएँगे। जब वहाँ लोग तर्क और विमर्श से काम नहीं लेते तो यहाँ कौन छिद्रान्वेषण करनेवाला है। यदि बहुत सारे लोग

परस्पर एक ही बात को कहने लगें तो किसी एक-अकेले व्यक्ति में इतना साहस नहीं हो सकता कि वह उस पर सन्देह प्रकट करे। यूँ भी तर्कगम्य बातों को तो सभी लोग सामान्य स्वर और चिकित्सा-विचिकित्सा के साथ सुनते-सुनाते हैं और जो बातें समझ में नहीं आ पातीं, उन्हें शंकाओं का निवारण करते हुए युक्ति-पूर्वक समझाते हैं, पर तर्कहीन बातें तो अपरा विद्या का अंग हैं। इनका परम तर्क है कि विश्वास और आवेश, जो वज्रप्रहार के रूप में गिरता है और आशंकाओं को ही नहीं, शंकालु व्यक्ति को भी पीस कर रख देता है। आवश्यकता केवल यह थी कि किसी यत्न से इसे इस तरह प्रचारित कर दिया जाए कि सभी ऋषि एक स्वर से यही बात दुहराने लगें। परन्तु क्या सोभरि के प्रलाप की जो सूचना उन्हें दी गई थी उससे यह प्रकट नहीं कि सभी ऋषि भीतर-ही-भीतर प्रतिशोध के लिए छटपटा रहे हैं और उनके मन में कोई भी बात उतारी जा सकती है। आवश्यकता आविष्कार की ही नहीं, विश्वास की भी तो जननी होती है।

अब वसिष्ठ की आँखों की कड़वाहट मिट गई थी और मन शान्त हो चला था। उन्हें एक झपकी भी आ गई।

सूर्य बाद में निकला और यह समाचार ऋषियों के बीच पहले ही प्रचारित हो गया कि वेद ने स्वयं प्रकट हो कर वसिष्ठ को अपनी पीड़ा सुनाई है और कहा है कि यदि महाराज राम उस शूद्र का वध करें तो ही ब्राह्मणपुत्र जीवित हो सकता है और ब्राह्मणजाति की रक्षा हो सकती है। जाने कब वसिष्ठ के उन दो शिष्यों ने इसमें एक कड़ी साक्षी के रूप में जड़ दी थी। गुरुदेव जब व्यथित हो कर कल्मलीक की कुटी से लौटे तो वह इतने व्यग्र थे कि उन्हें नींद नहीं आ रही थी। जब तक गुरु को नींद न आ जाए तब तक उन्हें उनके चरण दबाने ही थे, अतः वे आधी रात तक उनके पाँव दबाते रहे। ठीक आधी रात को उन्होंने अपने सामने एक छाया को उभरते देखा और फिर उसने मानव आकार ले लिया। उसने उनकी आँखों के सामने गुरुदेव से हाथ जोड़ कर यह निवेदन किया था।

वसिष्ठ की अब पाँव आदि दबवाने की अवस्था नहीं रह गई थी। जब शरीर की पेशियाँ ही शिथिल हो चली थीं तो अंगमर्दन का सुख क्या मिलता। हड्डियाँ दबने से पीड़ा अवश्य होती। यह कहानी उस दिन के पहले पहर में ही इतनी बार उनके सामने दुहराई गई और समर्थन के साथ दुहराई गई कि सुन कर लगता था कि ऋषियों में से प्रत्येक ने अपनी आँखों के सामने वेद को प्रकट होते देखा था और अपने कानों से वह सब सुना था। उनके शिष्यों ने कब और कैसे यह उद्भावना कर ली यह सोच कर उनकी श्रद्धा और योग्यता दोनों में वसिष्ठ का विश्वास बढ़ गया था।

वसिष्ठ ने सर्पदंश का निरीक्षण करते समय जो चिह्न देखे थे उनसे उन्हें यह अनुमान हो गया था कि सर्प अधिक विषैला नहीं था और दंश अधिक गहरा नहीं

था, अतः बालक के प्राण विष के शमन से बच भी सकते थे। उनकी चिन्ता अब यह थी कि महाराज से शम्बूक को प्राणदंड दिलाने से पहले किसी रीति से प्राण संचार न हो। यह बालक की मृत्यु से अधिक विषादकर था। शम्बूक का वध होने के बाद भी बालक की मृत्यु हो जाने की स्थिति में तो यह बहाना बनाया जा सकता था कि अभी दूसरे बहुत से शूद्र हैं जो वेदपाठ कर रहे हैं। जब तक उन सबका पता लगा कर महाराज उनका वध नहीं करते और शूद्रों की शिक्षा पर रोक नहीं लगाते, तब तक जाने कितने ब्राह्मणपुत्रों को प्राण देने होंगे।

यह समाचार आसपास के गाँवों में इतने शीघ्र फैल गया था और उत्सुक दर्शकों और जिज्ञासुओं की इतनी बड़ी भीड़ एकत्र हो गई थी जो किसी महोत्सव के अवसर पर ही सम्भव थी। अब यह जनसम्मर्द राजभवन की ओर बढ़ रहा था। वह विषाद और सन्ताप में डूबी एक भीड़ थी। आगे-आगे बालक को कन्धे पर डाले कल्मलीक चल रहे थे। चलते समय उनके पाँव अस्थिर हो जाते थे। बीच-बीच में रुक कर वह सूनी आँखों से आकाश को निहारने लगते थे। शक्ति उनके साथ-साथ चल रहे थे। एक दो बार तो उन्होंने उन्हें लड़खड़ाने पर सँभाला भी था। वह अपने दायें हाथ से उनके बायें कन्धे को हल्के, बिना किसी दबाव के पकड़े हुए थे। बालक की दशा से अधिक कल्मलीक की दशा से लोग विगलित हो रहे थे।

भीड़ में सम्मिलित जनों में सभी वर्णों के लोग थे। शूद्रों की संख्या भी कम न थी। आज तक लोगों ने किसी साँप के पीछे झाड़-झंखाड़ ही देखे थे। पहली बार उन्हें एक साँप के पीछे वेद दिखाई दे रहा था। सभी इस बात से सहमत थे कि वेद का अध्ययन करके और ऋषियों-ब्राह्मणों का प्रतिवाद करके शम्बूक ने घोर अपराध किया था और इसके लिए उसे कठोर दंड मिलना ही चाहिए। परन्तु बालक की मृत्यु इस कारण हुई है या वेद ने साँप बन कर बालक को डंसा है, यह बात उनकी समझ में नहीं आ रही थी। यह बात उनकी समझ में और भी नहीं आ रही थी कि यदि शम्बूक नामक उस अपराधी का वध कर दिया जाए तो बालक के प्राण पुनः लौट आएँगे। लोग अपने अविश्वास को अपनी आँखों से या आश्चर्यकथा के रूप में तो प्रकट कर रहे थे पर सीधे सन्देह प्रकट करने का साहस नहीं कर पा रहे थे। उन्हें लग रहा था कि यदि उन्होंने अपना सन्देह प्रकट किया तो सुननेवाला व्यक्ति उन्हें ऐसा नृशंस मान बैठेगा जिसके मन में काल्मलीक को इस कातर अवस्था में देख कर भी सहानुभूति उत्पन्न नहीं हो रही थी। शूद्र तो अपने अविश्वास को दृष्टि से भी प्रकट नहीं कर सकते थे। यदि उनका सन्देह किसी प्रकार प्रकट हो जाता तो यह माना जा सकता था कि वे शूद्रों द्वारा वेदपाठ किए जाने को उचित मानते हैं, या वसिष्ठ जैसे महान् ऋषि को ही नहीं, पूरे ऋषि समाज को झूठा मानते हैं, या वेद की शक्ति पर सन्देह करते हैं। सच कहें तो वे अपने मन में यह भी सोच रहे थे कि शम्बूक के इस अपराध के कारण सभी लोग उन्हें भी किसी न

किसी रूप में अपराधी मान रहे होंगे। वे अपने को निर्दोष सिद्ध करने के लिए दूसरों से अधिक मुखर हो कर उसकी भर्त्सना कर रहे थे और कठोरतम दंड की माँग कर रहे थे। इस तरह अपने मनोभावों को अलग-अलग कारणों से, अलग-अलग लोगों द्वारा छिपा लिये जाने के कारण एक शोर भरे सन्नाटे की सृष्टि हो रही थी। इसमें सम्मिलित होकर प्रत्येक व्यक्ति क्षणिक सन्देह के बाद यह सोच कर कि दूसरे सभी लोग जिसे सच और उचित मान रहे हैं, वह गलत हो कैसे सकता था, विशेषतः तब जब कि उन जनों में से अनेकानेक ज्ञान और अनुभव में उनसे बड़े थे, अपने को ही संशयालु मान कर बहुत जल्द अपने को समझा लेता और अपनी तर्क बुद्धि को दबा लेता था। अतः वे सभी अपने तईं एक छोटे से अपवित्र झूठ को, अपनी साझेदारी से, एक महान्, पवित्र और सर्वधार्य सच बनाते हुए, एक भीड़ बनकर, एक ऐसे व्यक्ति को दंडित करने की माँग करते जा रहे थे जिसके अपराध को, न जानते हुए भी, वे इतनी अच्छी तरह जानते थे जितनी अच्छी तरह वे अपने से सट कर चल रहे लोगों को नहीं जानते थे।

नगर के मुख्य मार्ग पर पहुँचने के बाद तो भीड़ ने एक ऐसी बरसाती नदी का रूप ले लिया था जो अपनी जल-सम्पदा को न सँभाल पाने के कारण अपने कगारों को भी तोड़ती डुबाती चली जाती है। इसे नियन्त्रित करना उतना ही कठिन था जितना इससे होनेवाले अनिष्ट का पूर्वानुमान करना। अधिकांश नगरवासी तो इस जनसम्मर्द में इस उत्सुकता से सम्मिलित हो गए थे कि देखें महाराज इस विषम स्थिति से कैसे निबटते हैं। वे एक-दूसरे से होड़ लगा कर आगे पहुँचने का प्रयत्न कर रहे थे। इससे कुछ भागमभाग की सी स्थिति भी पैदा हो गई थी।

महाराज के चर सर्वत्र विद्यमान थे। कुछ तो बटु बन कर वसिष्ठ के आश्रम में ही शिक्षा ग्रहण कर रहे थे। ऋषियों की सेवा में नियुक्त दासों-दासियों में भी कुछ का प्रवेश हो गया था। इनसे प्राप्त सूचनाओं के आधार पर उन्हें यह तो पहले से ही मालूम था कि जिस ऋषि-सत्र का आयोजन शक्ति ने किया है उसका प्रयोजन क्या है। यह सोच-जान कर ही तो उन्होंने अगस्त्य से इसमें सम्मिलित होने का अनुरोध भी किया था। परन्तु स्वयं महाराज को भी इस अकल्पनीय स्थिति का पूर्वानुमान नहीं हो पाया था। दूतों ने पहली बार जब इस नए मोड़ की सूचना दी तो वह राजसभा की ओर प्रस्थान कर रहे थे। इस भीड़ का रूप इतना उग्र हो जाएगा इसका अनुमान उन्हें तब भी नहीं हो पाया था। भीड़ जब राज प्रांगण में पहुँच गई और उसकी हुंकार सभाकक्ष की दीवारों को पार करके सभा में गूँजने लगी तब उन्होंने सुमन्त्र और सुदक्ष को इस निर्देश के साथ बाहर भेजा कि वे किसी तरह भीड़ को समझा-बुझा कर लौटा दें और आर्त व्यक्ति को अपने अनुरोध सहित उपस्थित होने को कहें। परन्तु लोग न तो किसी अन्य की कोई बात सुनने को तैयार थे, न ही बिना न्याय पाए लौटने को तैयार।

इतने विशाल जन समुद्र को सभा में बुलाने का कोई प्रश्न ही नहीं था। न तो सभा-कक्ष इतना विशाल था, न ही इतने अधिक विक्षुब्ध जनों के बीच राम का स्वयं पहुँच जाना नीति संगत। दक्ष-से-दक्ष मानवदुर्ग भी किसी राजा को इतनी उग्र भीड़ के अनियन्त्रित होने पर बचा नहीं सकता था। कोई अन्य विकल्प न देख कर महाराज सभा-कक्ष से आगे आ कर उस दीर्घा में खड़े हो गए जहाँ राजा को प्रजा को दर्शन देने के लिए खड़ा होना पड़ता है। वह मात्र दर्शन दे कर प्रजा को आश्वस्त करता है कि आज भी राजा वही है, जिससे किसी भी प्रकार का कुचक्र रच कर कोई सत्ता का संकट न खड़ा कर दे। महाराज दर्शनदीर्घा में खड़े हो कर उस विशाल जन समूह को देख कर स्वयं भी चकित थे। भीड़ इतनी विशाल थी कि अपनी दृष्टि से भी वह इसका ओर छोर नहीं पा सकते थे। राम के व्यक्तित्व में जाने ऐसा क्या था कि एक क्षण पहले तक उत्तेजना में दहाड़ की तरह फूटनेवाले घोष ने, उनके सामने आते ही, कातर आर्तनाद का रूप ले लिया, "रक्षा करें महाराज!"

दर्शनदीर्घा की बनावट कुछ ऐसी थी कि इसके पत्थरों से टकराकर ध्वनि इतनी गम्भीर और सुश्रव्य हो जाती थी कि नीचे खड़े सैकड़ों जनों को यहाँ से सम्बोधित किया जा सकता था और इसके लिए किसी प्रकार के अतिरिक्त श्रम की आवश्यकता नहीं थी। परन्तु भीड़ इतनी विशाल थी कि ससस्रकंठ हो कर भी राम अपने कथन को सबको सुना ही नहीं सकते थे। इतने लोगों के श्वास-प्रश्वास से ही निस्तब्धता इतनी बाधित हो रही थी कि महाराज के शब्द उतने लोगों तक भी कठिनाई से ही पहुँच सकते थे, जितने लोगों तक सामान्य स्थितियों में पहुँच जाते। उनके वाक्य आगे की एक दो पंक्तियों तक ही पहुँच सकते थे, अतः भीड़ के अन्तिम सिरे तक कोई भी कथन अनेक मध्यवर्ती श्रोताओं और वक्ताओं और टीकाकारों से होता हुआ ही पहुँच सकता था। राम जानते थे कि ऐसी स्थितियों में बातें प्रायः अन्तिम छोर तक पहुँचते-पहुँचते उलट भी जाया करती हैं, पर उनके पास कोई अन्य विकल्प नहीं था।

"मेरी प्रजा को क्या कष्ट है?" राम ने सब कुछ जानते हुए भी अनजान सा बन कर प्रश्न किया।

"मेरा बच्चा, महाराज! मेरा बच्चा!" कल्मलीक की चीत्कार फूट पड़ी। बच्चे को ढोते-ढोते थक जाने के कारण इस समय उन्होंने उसे भूमि पर रख दिया था और उसकी ओर निहार कर रोते जा रहे थे, "मेरी एक ही सन्तान थी महाराज! बुढ़ापे का सहारा!" कल्मलीक रो नहीं रहे थे। उनकी आँखें पिघल कर आँसू बन कर बहती चली जा रही थीं और लग रहा था कुछ क्षण बाद अक्षिगोलक के स्थान पर केवल दो कोटर ही रह जाएँगे।

राम को उनकी ओर देखने का साहस नहीं हो रहा था। "क्या हुआ इस बच्चे को?" उन्होंने कल्मलीक के दाएँ हाथ की ओर खड़े व्यक्ति से पूछा। यह प्रश्न वह

शक्ति से भी कर सकते थे जो उस व्यक्ति से भी निकट कल्मलीक के बाईं ओर खड़े, उन्हें सँभाले हुए थे, परन्तु राम ने जान-बूझ कर उनकी उपेक्षा की। यह अपने आप में एक मौन संचार इस बात का भी था कि राम जानते हैं कि इस कुचक्र के पीछे किसका हाथ है।

जिस व्यक्ति से राम ने प्रश्न किया था वह जानता था कि प्रवक्ता की भूमिका यदि किसी को निभानी भी है तो शक्ति को, अतः वह अपेक्षा करने लगा कि वही इस प्रश्न का उत्तर दें। इसी बीच पीछे की ओर से एक अन्य व्यक्ति ने कहा, "साँप, महाराज। साँप ने काट लिया और बालक मर..." वह अपना वाक्य पूरा कर पाता इससे पहले ही एक अन्य ऋषि ने उसे डाँट दिया, "चुप रह। ऋषियों के रहते तुझे बोलने को किसने कह दिया!" वह व्यक्ति सचमुच झेंप गया।

राम ने मुड़ कर अपने एक अंगरक्षक को आदेश दिया कि वह शीघ्र राजवैद्य को ले कर आएँ और फिर उपस्थित जनसमूह की ओर मुड़े, "राजवैद्य आ रहे हैं। आप लोग धीरज रखें।" कुछ समय तक वह उस बालक को देखते रहे। उसका मुख विवर्ण हो गया था और शरीर कुछ अकड़ा हुआ था। इस दूरी से देखने पर जीवन का कोई लक्षण शेष नहीं दिखाई दे रहा था। उनका मन भारी हो आया। मृत्यु के सम्मुख मनुष्य की विवशता राम को बार-बार विगलित कर जाती है। वह अपने ऊपर नियन्त्रण रखने का प्रयत्न कर रहे थे कि तभी शक्ति का क्रुद्ध स्वर सुनाई पड़ा, "हम राजवैद्य के पास नहीं, महाराज के पास आए हैं।" राम की उपेक्षा ने शक्ति को आहत कर दिया था।

राम विस्मय से शक्ति की ओर देखने लगे, "क्या आप ऋषिपुत्र के जीवन की रक्षा नहीं करना चाहते!"

"जीवन शेष होता तो उसकी रक्षा भी होती। अब उसकी चिन्ता करने से क्या लाभ, महाराज!" शक्ति ने अविचलित स्वर में और कुछ उद्धत हो कर कहा, "हम यह चाहते हैं कि अपराधी को मृत्युदंड दिया जाए।"

राम जानते थे कि शक्ति का आशय क्या है, परन्तु वह अनजान बने रहे, "यह सच है कि साँपों के काटने से प्रतिवर्ष सैकड़ों लोगों की मृत्यु हो जाती है। यह नगर तक सर्प-भय से सुरक्षित नहीं है। परन्तु साँपों का विनाश करने के लिए तो यदि हम काँस और सरकंडों के साथ वनों को भी आग लगा दें, तो भी उन्हें नष्ट नहीं किया जा सकता। इससे वन सम्पदा का भले नाश हो जाए या लोगों को अपने छान-छप्पर के लिए काँस-फूस भले न मिले!"

"इस बालक को साँप ने नहीं काटा है।" शक्ति कुछ अधिक उद्धत हो रहे थे।

राम ने अपना सन्तुलन नहीं खोया, "विष-प्रयोग का मामला है? आप..." राम अपना वाक्य पूरा नहीं कर पाए क्योंकि लोगों के धीरे-धीरे बोलने पर भी कोलाहल इतना बढ़ गया था कि आगे कुछ भी कहना व्यर्थ था। राम ने एक अन्य अंगरक्षक

से कुछ कहा और फिर समवेत जन-समूह की ओर आश्वाससूचक मुद्रा में हाथ हिलाते हुए कुछ कहा और पीछे लौट गए। उन्होंने मृत बालक के पिता सहित पाँच व्यक्तियों को सभाकक्ष में आने की अनुमति दे कर अंगरक्षक को भेजा था, अतः वह लौट कर अपने राज्यासन पर बैठ गए।

जब कल्मलीक को साथ ले कर शक्ति, जर्भुरायण, वीतिरथ और शाल्मलीक सभा में उपस्थित होकर मृत बालक को राज्यासन के सम्मुख रखने जा रहे थे ठीक उसी समय राजवैद्य भी पहुँच गए। राम ने उन्हें आसन ग्रहण करने को कहा परन्तु वे खड़े ही रहे। उन्होंने वैद्य से बालक की परीक्षा करने का अनुरोध किया, "आपका कहना है कि बालक को विष दिया गया है।" उन्होंने शक्ति की ओर संकेत करते हुए, राजवैद्य से कहा, "कृपया देखें क्या..."

राम अपना वाक्य पूरा नहीं कर पाए। शक्ति ने व्यंग्य भरे स्वर में कहा "महाराज इस घोर विषाद के क्षण में हमारा उपहास कर रहे हैं?"

राम ने विस्मय के साथ कहा, "मैं कुछ भी समझ नहीं पा रहा हूँ कि आप कहना क्या चाहते हैं।" वह अपने भीतर एक साथ खिन्न और उत्तेजित अनुभव कर रहे थे, पर उन्होंने अपने को अनियन्त्रित नहीं होने दिया, "आप विस्तार से अपनी बात कहें।"

अब शक्ति ने आवेश भरे स्वर में ऋषियें के अपमान की और सर्पदंश की कहानी सुनाने के बाद वसिष्ठ के सम्मुख वेद के प्रकट होने और शम्बूक के वध से मृत बालक के पुनः जीवित होने की सम्भावना पर प्रकाश डाला। इस बीच राजवैद्य बालक की परीक्षा कर चुके थे। वह प्रतीक्षा कर रहे थे कि शक्ति अपनी बात समाप्त करें और महाराज उनसे जिज्ञासा करें तो वह अपना अभिमत प्रकट करें।

अवसर इतना करुण न होता तो इस विवरण को सुनकर राम के लिए अपनी हँसी रोक पाना सचमुच कठिन होता। उन्हें वसिष्ठ की कल्पनाशक्ति पर कभी सन्देह नहीं रहा, पर उनकी यह शक्ति राम के मन में कभी आदर नहीं पैदा कर सकी। आज की विषम स्थिति में यह उद्‌भावना क्षोभकर ही नहीं गर्हित भी लग रही थी। उनकी समझ में नहीं आ रहा था कि वह अपनी प्रतिक्रिया किस रूप में व्यक्त करें। वह चुप थे। उनके माथे पर बल पड़ गए थे। वैद्यराज ने ठीक इसी अवसर पर उन्हें सम्बोधित किया, "महाराज!" तो उन्होंने अपनी दृष्टि तो उठाई पर उसमें अनुमति-विमति, जिज्ञासा-अनुरोध किसी प्रकार का भाव नहीं था। यह बोध कि प्रतिशोध लेने के लिए अपने को ऋषि और लोकपूज्य बतानेवाले ये लोग कितने गर्हित अस्त्रों का सहारा ले सकते हैं, और इसके बाद भी कितने दर्प और अभिमान से खड़े हो सकते हैं, और सरल चित्त प्रजा को अपने स्वार्थ के लिए किस सीमा तक भड़का सकते हैं, उनके मन में एक साथ जुगुप्सा और व्यग्रता दोनों का संचार कर रहा था। इस व्यग्रता और जुगुप्सा के मिश्रित भाव के कारण ही राजवैद्य के

सम्बोधन को सुन कर भी वह तत्काल इस संकेत को ग्रहण नहीं कर पाए थे कि वह परीक्षा कर चुके हैं और अपना मत प्रकट करना चाहते हैं। अपने मन को सन्तुलित करने में उन्हें कुछ समय लगा। अब वह वैद्यराज की ओर मुड़े थे।

"बालक का शरीर निस्पंद है। नाड़ी लुप्त है। हाथ व पाँव और वक्ष ठंडे हो रहे हैं परन्तु ललाट में ऊष्मा शेष है। प्राणरक्षा की सम्भावना क्षीण है, परन्तु पूरी तरह समाप्त नहीं हुई है। सर्पविष के प्रभाव से प्राण ब्रह्मरन्ध्र में चला गया था। प्राणशक्ति प्रबल लगती है। विष के शमन की अब भी सम्भावना है।" राजवैद्य ने कुछ रुकते-झिझकते हुए अपना मंतव्य भारी स्वर में प्रकट किया, "यदि पहले ही इतना विलम्ब न कर दिया गया होता तो प्राणरक्षा की पूरी सम्भावना थी।"

अब रोष राम स्वयं प्रकट कर सकते थे परन्तु उन्होंने ऐसा नहीं किया। चिन्ता भरे स्वर में ही उन्होंने कहा, "ऋषिपुत्र की प्राणरक्षा के लिए जो भी सम्भव है किया जाएगा। बाहर लोग तपती धूप में व्यर्थ झुलस रहे हैं। आप उनसे कहें वे व्यर्थ कष्ट न उठाएँ।"

शक्ति को 'जो भी सम्भव है किया जाएगा' सुन कर लगा उन्होंने इच्छित आश्वासन पा लिया है और वह विजेता के विश्वास के साथ अपनी सफलता की सूचना देने के लिए सभाकक्ष से बाहर चले गए। बाहर उत्सुक खड़ी भीड़ को सम्बोधित करते हुए उन्होंने घोषणा की, "महाराज ने वचन दिया है कि वह बालक की प्राणरक्षा के लिए कुछ भी करने को तैयार हैं। अब शम्बूक को कोई बचा नहीं सकता। आप लोग अपने-अपने स्थान को लौटें।" जिसका स्वागत भीड़ के समवेत स्वर ने "महाराज की जय हो" के साथ किया और धीरे-धीरे छँटने लगी।

महाराज को बालक की अवस्था की सूचना दे कर वैद्यराज स्वयं बैठ गए थे और बालक की हथेलियों और पाँवों में ऊष्मा पहुँचाने के लिए अपनी हथेली से उन्हें रगड़ने लगे थे। उनकी इस तत्परता को देख कर कल्मलीक और शाल्मलीक स्वयं भी इस कार्य में जुट गए थे। जर्भुरायण सन्तुष्ट थे कि उनका मन्त्रप्रयोग व्यर्थ नहीं गया था। यह उसी का प्रताप था कि प्राण ब्रह्मरन्ध्र में अभी तक अटके हुए थे। वीतिरथ को अपनी दूरदर्शिता पर मन-ही-मन गर्व हो रहा था। यदि उनकी बात मान कर रात को ही बालक को राजवैद्य को दिखा दिया गया होता तो संकट निश्चय ही टल गया होता। महाराज के लिए स्वयं इस स्थिति में बैठे रहना खेदजनक लग रहा था। वह स्वयं उठ कर विश्राम करने चले गए थे। सामान्य स्थिति होती तो सभा विसर्जित हो गई होती, परन्तु आज सभासद उत्सुकतापूर्वक परिणाम की प्रतीक्षा कर रहे थे। लगभग एक घड़ी के बाद बालक के पूरे शरीर में ऊष्मा लौटती प्रतीत हुई। शक्ति स्वयं भी लौट कर इस घर्षोपचार को कुछ खीझ और अविश्वास के साथ देख रहे थे। पहली बार जब बालक की पलकों में हलका सा कम्पन हुआ तो उन्हें आश्चर्य के साथ कुछ निराशा भी हुई। उनके अतिरिक्त

वहाँ उपस्थित सभी व्यक्तियों की आँखों में आशा की एक चमक और राजवैद्य की असाधारण योग्यता में गहरी श्रद्धा दिखाई दे रही थी। जब बालक ने आँखें खोलीं तो प्रसन्नता व्यक्त करने का प्रयास करते हुए भी शक्ति के चेहरे पर अवसाद की छाया इतनी स्पष्ट हो गई कि इसके प्रति दूसरे दर्शक ही नहीं स्वयं शक्ति भी कुछ सचेत हो गए थे। लगभग एक प्रहर बाद जब बालक के शरीर में सिहरन सी हुई तो कल्मलीक की आँखों से अजस्र अश्रु प्रवाह आरम्भ हो गया। इस बार उनकी पुतलियाँ गलती हुई नहीं लग रही थीं अपितु आँखों में समाया हुआ कुहासा और अन्धकार छँट कर बहता हुआ लग रहा था। उनकी आँखें आँसुओं के पार से भी चमकती हुई लग रही थीं। उनकी समझ में नहीं आ रहा था कि महाराज और वैद्यराज के प्रति वह अपनी कृतज्ञता किस तरह व्यक्त करें। शक्ति प्रसन्न दिखने का प्रयत्न कर रहे थे पर भीतर से एक अधिक बड़ी विडम्बना से मुक्त होने का बोध भी उनके मन में समानान्तर बना हुआ था। यदि राम के अनुदेश से उन्होंने सभा प्रांगण में उपस्थित भीड़ को लौटा न दिया होता तो शम्बूक के वध के बिना ही कल्मलीक के पुत्र के प्राण लौट आने पर उन्हें कितने बड़े उपहास और तिरस्कार का सामना करना पड़ता! परन्तु वर्तमान स्थिति में भी क्या सभा में उपस्थित जन, स्वयं कल्मलीक, जर्भुरायण, वीतिरथ और शाल्मलीक मन-ही-मन उनका उपहास नहीं कर रहे होंगे!

बालक के पुनर्जीवन का समाचार मिलने पर महाराज राम स्वयं उपस्थित हुए। सभा ने पुनः औपचारिक रूप ले लिया। उन्होंने वैद्यराज को पुरस्कृत ही नहीं किया, कल्मलीक को बालक के स्वास्थ्य लाभ के लिए एक दुधारू गाय के साथ कुछ अन्न-वस्त्र का उपहार भी दिया और ऋषियों को सादर लौटने के लिए वाहन की भी व्यवस्था कराई। शक्ति का ध्यान इनमें से किसी बात की ओर नहीं था। वह अपने भीतर लौट गए थे और कोई ऐसा समाधान ढूँढ़ रहे थे जिससे यह लोक उपहास से अपनी और अपने पिता श्री की रक्षा कर सकें। कारण, आज नहीं तो कल, यह बात तो सब पर प्रकट ही हो जानी थी कि यह एक सामान्य सर्पदंश था और वेद के साँप बन कर काटने की कहानी वसिष्ठ की गढ़ी हुई थी।

शक्ति वसिष्ठ से कम मेधावी नहीं थे। सभाकक्ष से निकलते समय तक उनके मुख पर एक ऐसा उल्लास उभर आया था जिसे देख कर कोई भी समझ सकता था कि कल्मलीक के पुत्र की प्राण-रक्षा से सबसे अधिक तोष शक्ति को ही हुआ है। शक्ति अकेले थे जो अपनी प्रसन्नता का वास्तविक कारण जान रहे थे। बालक को ले कर ऋषियों के साथ लौटते समय जब वीतिरथ ने वैद्यराज की प्रशंसा करते हुए कहा, "वैद्यराज का ज्ञान असाधारण है। वह मृत शरीर में भी प्राण फूँक सकते हैं।" तो शक्ति ने उस रहस्य का उद्घाटन किया जिसका ज्ञान उनके अतिरिक्त पूरे लोक में किसी को नहीं था। बालक के प्राण वैद्यराज की चिकित्सा

से नहीं लौटे थे। यह सब महाराज का प्रताप है। महाराज स्वयं सभा से उठ कर चले गए थे और उस अल्पकाल में ही दिव्य रथ पर सवार होकर शम्बूक के पास पहुँच गए थे और शम्बूक का वध करके सभा में लौटे थे। शम्बूक का वध होने के साथ ही बालक की पलकों में स्पन्दन हुआ था और प्राण संचार आरम्भ हो गया था। "जब आप लोग उपचार में लीन थे, मैं अपने ध्यान में लीन हो कर यह देख रहा था कि महाराज गए कहाँ और कर क्या रहे हैं।"

शक्ति के कथन का विरोध करने का साहस किसी को न हुआ था। उल्टे कल्मलीक ने गद्गद हो कर कहा था, "धन्य हैं महाराज!" उनकी आँखें पुनः डबडबा आई थीं। भरी आँखों से ही उन्होंने अपने पुत्र को निहारा था, जिसकी श्वास गति तो लौट आई थी, पर आँखें अब भी बंद ही थीं। फिर उन्होंने एक कोने से उस दुधारू गाय को भी देख लिया था जो रथ के पीछे-पीछे बँधी चली आ रही थी और मुड़-मुड़ कर अपने बछड़े को भी देख रही थी, जो कभी रुकता, कभी दौड़ लगाता, उसके साथ चला आ रहा था। कल्मलीक की कृतज्ञता का कोई अन्त न था।

34

"मन्थरा, तू कहाँ है?"

"मैं आपके पास ही हूँ रानी माँ।" मन्थरा ने कैकेयी के माथे को स्पर्श करते हुए कहा। उनका माथा तप रहा था। आँखें चढ़ी हुई थीं। वह एकटक छत की ओर देख रही थीं। मन्थरा का उत्तर सुन कर कैकेयी ने कुछ कहा नहीं। उन्होंने अपना हाथ बढ़ा कर मन्थरा का हाथ अपने हाथ में ले लिया।

"मन्थरा सच बता, क्या तू मुझसे प्यार करती है?"

"ऐसा क्यों पूछ रही हैं, रानी माँ?" मैं तो आपकी दासी हूँ। मैं तो आपके लिए प्राण तक दे सकती हूँ।"

"दासी तो तू है। प्राण भी दे सकती है, यह भी जानती हूँ। पर, सच बता, क्या तू मुझे प्यार भी करती है?"

"यह आपको हो क्या गया है, रानी माँ? आप ऐसे प्रश्न क्यों कर रही हैं? क्या मुझसे कोई त्रुटि हुई है?"

"तू बता तो सही। तू मुझे प्यार करती है या नहीं।"

"करती हूँ, रानी माँ। जितना अपने आप से करती हूँ उससे भी अधिक। जितना किसी दासी ने कभी किसी स्वामिनी से किया होगा, उससे भी अधिक।"

"पर मैं किसी से प्यार नहीं करती। अपने आप से भी नहीं। मुझे याद नहीं आता कि जीवन में मैंने कभी किसी को प्यार किया हो। अहंकार ने मुझे यह सोचने का अवसर ही नहीं दिया कि इससे भी ऊँची कोई वस्तु इस संसार में है।

छोटी थी तभी इस बोध ने कि मैं असाधारण सुन्दरी हूँ, मुझे रूप गर्व से इस तरह भर दिया था कि मैं यह समझ ही नहीं पाई कि यह एक ऐसी आग है जो कच्ची मिट्टी को जला कर ठीकरे में बदल देती है और उसके भीतर की कोमलता और उर्वरता को नष्ट कर देती है। मैंने एक पुत्र को जन्म तो दिया पर उसे भी कभी उस तरह प्यार नहीं कर पाई जैसे कोई अकिंचन-से-अकिंचन माँ अपनी सन्तान को करती होगी। पुत्रवती हो कर भी मैं वंध्या ही रह गई। मैंने समझ लिया था कि अपनी सन्तान के लिए सुखों और सुविधाओं का अम्बार लगा देने का ही दूसरा नाम सन्तान से प्यार है। अब सोचती हूँ तो कष्ट होता है। तू सुन रही है न? तू बोलती क्यों नहीं? कहाँ चली गई, तू मन्थरा?"

मन्थरा सुन ही नहीं रही थी, भीतर कहीं बहुत गहरे एक अन्तर्दाह से कातर भी हो रही थी। रानी माँ की पीड़ा उससे सही नहीं जाती। वह रो रही थी और अब बोलते हुए कष्ट हो रहा था, "मैं आपके पास ही तो हूँ, रानी माँ। मेरे हाथ तो आपके हाथ में हैं, रानी माँ, फिर आप क्यों सोचती हैं कि मैं कहीं चली गई हूँ।"

"हाँ रे, इसका तो मुझे ध्यान ही नहीं रहा। ठीक है तू सदा मेरे पास ही रहा कर।" कैकेयी ने मन्थरा के हाथ को भींच कर अपने वक्ष पर टिका दिया, "इस समय तू जानती है मुझे कैसा लग रहा है? मुझे लग रहा है तेरे इस हाथ के सहारे मैं डूबने से बच जाऊँगी। तू मुझसे प्यार करती है न, इसलिए। जब सोचती हूँ तू मेरे पास से चली गई है तो लगता है मैं एक ऐसा पोत हूँ जिसकी पेंदी में छेद हो गया है और जिसमें पानी भरता जा रहा है। लगता है मैं डूबती जा रही हूँ और तेरी उपस्थिति के बोध के साथ लगता है नाव एक झटके के साथ फिर ऊपर उठ आई है। मैं बच गई हूँ तभी तो मैंने सोचा, तू अवश्य मुझसे प्यार करती होगी। तभी तो तुझसे पूछा भी। तुझे छोड़ कर मुझसे कोई प्यार नहीं करता। भरत भी नहीं। उसके आने पर डूबने का मेरा बोध और तीखा हो जाता है। लगता है छेद और चौड़ा हो गया है। मैं चाहती हूँ वह यहाँ से जल्द-से-जल्द चला जाए। क्या तू बता सकती है, ऐसा क्यों होता है? बार-बार एक ही रूप में मेरी असुरक्षा का यह बोध क्यों जागता है? यह जानती भी हूँ कि मैं एक स्त्री हूँ, नाव नहीं हूँ, पर फिर भी मुझे बार-बार अपने को नाव के रूप में कल्पित करने से मुक्ति क्यों नहीं मिल पाती?

मन्थरा इसका क्या उत्तर देती, "आपका मन अशान्त है, रानी माँ। ज्वर कुपित हो गया है, और कुछ नहीं। ज्वर शान्त होते ही मन स्थिर हो जाएगा।"

"नहीं रे! ज्वर के कुपित होने के कारण ऐसा नहीं कह रही, मैं। ज्वर चढ़े तो अभी चार दिन भी नहीं हुए। यह विचार तो मुझे उस दिन से ही सता रहा है जिस दिन वसिष्ठ की धर्मसभा का विध्वंस हुआ था। तू जानती है, उस यज्ञ में मैंने अपना संचित एक-एक पण तक हवि बना कर झोंक दिया था। अब मैं रिक्त हो चुकी हूँ। वह आकर्षण जिसके कारण सत्ता से वंचित हो जाने पर भी

अनेक चर और अनुचर अपनी भक्ति की शपथ खाते हुए मुझे गुप्त सूचनाएँ दे जाया करते थे, समाप्त हो गया है। अब कोई मेरे पास नहीं आता। मैंने कितना बड़ा मोल चुका कर यह जाना है कि कोई मुझसे प्यार नहीं करता! किसी को कभी मुझसे प्यार नहीं था। मैं केवल एक नाव थी जिसके सहारे दूसरे अपनी नदी पार करते रहे और अब, जब इसकी पेंदी में छेद हो गया है, यह स्वयं डूब रही है, कोई भूल कर भी इधर नहीं देखता। वसिष्ठ भी नहीं। शक्ति भी नहीं। शक्ति केवल एक बार यह बताने के लिए आए थे कि वसिष्ठ के मन पर सभा की विफलता से इतना बड़ा आघात लगा है कि उन्होंने शैया ग्रहण कर ली है। न किसी से बोलते हैं न किसी से मिलना चाहते हैं। कोई सहानुभूतिवश आ जाता है, तो उसकी ओर देखते तक नहीं। कुछ पूछता है तो उत्तर नहीं देते। किसी बात का प्रतिवाद तक नहीं करते।"

"शक्ति यदि रोने न लगे होते तो उनकी बातों पर विश्वास न आता। मैंने जीवन में बहुत कुछ ऐसा सुना और देखा है कि अब इन ऋषियों और ऋषिपुत्रों के किसी कथन पर विश्वास नहीं होता। कह रहे थे, 'मैंने उनकी सम्मान-रक्षा के लिए यह कहानी गढ़ ली थी कि महाराज ने यह सुन कर कि कल्मलीक के पुत्र की प्राणरक्षा शम्बूक के वध से ही सम्भव है, तत्काल सभा त्याग किया और दिव्य रथ से अगस्त्य के आश्रम में पहुँच कर उसका वध किया और इसके साथ ही उस मृत बालक के शरीर में प्राण संचार आरम्भ हो गया। इसे सुन कर समवेत ऋषि महाराज की जय-जयकार करने लगे थे, परन्तु पिताजी ने मेरी ओर सूनी आँखों से देखा था और बिना कुछ कहे मुड़ कर अपने कुटीर में चले गए थे। मैंने सोचा, वह एकान्त में मुझसे कुछ कहना चाहते हैं। मैं उनके पीछे हो लिया। पर उन्होंने मुझसे भी कुछ कहा नहीं। जा कर अपनी शैया पर पड़ रहे। मैंने पूछा, क्या हुआ, तो मेरी ओर घृणा से देखा और मुँह फेर लिया।'

" 'महाराज ने शम्बूक का वध किया हो या नहीं, पिताजी का वध तो कर ही दिया। वह अब अपना जीवन नहीं, अपनी मृत्यु जी रहे हैं। मनुष्य तो जन्म लेता ही मरने के लिए है। उनकी अवस्था भी ऐसी हो चुकी है कि उनके मरने का उतना कष्ट मुझे न होता, जितना जीवित रहते उनके इस मृत्यु-भोग से हो रहा है।' "

"तू क्या सोचती है, मन्थरा? यह सच हो सकता है?"

"मुझमें इतनी योग्यता कहाँ है, रानी माँ। पर अपने पिता के विषय में, उनकी यातना के विषय में कोई झूठ क्यों बोलेगा!"

"यही मैं भी सोचती हूँ। परन्तु फिर सोचती हूँ, यह तो साधारण मनुष्यों की बात हुई। ऋषियों और मुनियों के ऊपर तो वे नियम लागू नहीं होते जो सामान्य जनों पर लागू होते हैं। वे कुछ भी कह सकते हैं। कुछ भी कर सकते हैं। कहने लगे, 'मैं महाराज से यही याचना करने आया था कि शम्बूक का वध उन्होंने भले

न किया, पर अब जब चारों ओर उनके विरुद के रूप में इसका बखान किया जा रहा है तो क्या यह इस बात की व्यवस्था नहीं करेंगे कि शम्बूक के विषय में यह प्रचार मिथ्या सिद्ध हो।'

"महाराज चिन्ता में पड़ गए। एक क्षण कुछ सोचते रहे, फिर बोले, 'जिसे आप विरुद कह रहे हैं उससे बड़ी अपकीर्ति क्या हो सकती है? और यदि मैं आपके संकेत का अर्थ समझ पा रहा हूँ, तो इससे बड़ा अनर्थ कोई राजा कर भी क्या सकता है!'

"कह रहे थे, 'एक बार तो मुझे लगा मैं उठ कर चल दूँ, पर संयत रहा।' कहा 'यह मेरे पिता के प्राणों की रक्षा का प्रश्न है। मैं आपसे उनके जीवन की भीख माँग रहा हूँ।' इस पर बोले, 'आचार्य के प्राणों की रक्षा का कोई कम विकर्षक उपाय ढूँढ़िए, ऋषिपुत्र?' इस पर मैं क्या कहता! निराश लौट आया।"

"मन्थरा, जानती है, यह सब सुनते हुए मुझे कैसा लग रहा था? लग रहा था मुझे उबकाई आ रही है। मैंने कहा, 'आप थक गए होंगे। जा कर विश्राम करें। मन स्वस्थ हो जाए तो आप भी राम की प्रशस्ति में एक गान रच कर इस उपकार से उऋण हो लीजिएगा।' तू सुन तो रही है न?"

"सुन रही हूँ, रानी माँ। क्या कहा शक्ति ने आपकी बात सुन कर?" मन्थरा को समझ में नहीं आ रहा था कि वह कैकेयी को क्या कह कर ढाढस बँधाए। वह मन्थरा से बातें नहीं कर रही थीं। उसे साक्षी बना कर शब्दों में रो रही थीं। उसे केवल इतना ही पता था कि इस रोने से उनका विषाद गल रहा है।

"कहने लगे, 'प्रशस्तिगान मैं क्या करूँगा, राजमाता। उनकी प्रशस्ति गानेवालों का अभाव नहीं है। दो बालक घूम-घूम कर महाराज का विरुद गा रहे हैं। जाने किसने रची है यह महा गाथा। लोग उन्हें रोक-रोक कर यह गाथा सुनते हैं और उनके स्वर की मधुरता कुछ ऐसी है कि वे इसे सुन कर विभोर हो उठते हैं। सीता के निर्वासन की कथा सुन कर तो वे विह्वल हो कर रोने लगते हैं। कहते हैं महाराज ने अपने जीवन में एक ही अनर्थ किया है। उस देवी का निर्वासन जिन्होंने उनके संकट की घड़ी में भी राजसुख को तृणवत मान कर उनका साथ न छोड़ा, उनके चरित्र में वैसा ही लांछन है जैसे पूर्ण चन्द्रमा में कलंक की छाया। गाथा के अनुसार महारानी आज भी जीवित हैं और उन्होंने वन में पहुँच कर दो बालकों को जन्म भी दिया था। वे दोनों न केवल जीवित हैं अपितु असाधारण सुन्दर और सर्वगुण सम्पन्न हैं। सुना महाराज ने उन्हें आमन्त्रित करके उनसे गाथा सुनी थी। इसमें उनके ही चरित्र का गान है। लोग आ-आ कर उनसे अनुरोध करने लगे हैं कि वह महारानी को सादर ले आएँ और उचित सम्मान दे कर स्वयं अपने और अपनी प्रजा के पापों का प्रक्षालन करें।"

"मैं अपने को सँभाल नहीं पाई थी। लगा था मेरा हृदय विदीर्ण हो जाएगा।

मैंने कहा, 'लगता है, आप भी इस गाथा से विभोर हो गए हैं। इतने विभोर कि इस बात का भी ध्यान नहीं रह गया है कि आपके पिताजी आपकी अनुपस्थिति में कितने कष्ट में होंगे। मुझ पर नहीं तो उन पर तो दया करें। आप जाएँ और उनके स्वास्थ्य की सूचना देते रहा करें।' शक्ति मेरा आशय समझ गए थे और कुछ अपमानित अनुभव करते हुए विदा हो गए थे।" कैकेयी चुप हो गईं। वह कहना बहुत कुछ चाहती थीं, पर अन्तिम वाक्य तक उनका कंठ भर आया था और अब वह फूट-फूट कर रोने लगी थीं।

"आपका गला सूख रहा है। मैं पानी लाऊँ।" मन्थरा ने जानबूझ कर यह दिखाने के लिए कहा कि उसने कैकेयी के रोने को लक्ष्य ही नहीं किया है। उसके गले में कुछ फँस गया था।

कैकेयी ने उसके हाथों की पकड़ और कड़ी कर दी। कुछ कहना चाहा, पर बोल मुँह से नहीं फूटे। कुछ देर तक चुप रहीं फिर हाँफते हुए से स्वर में कहा, "मुझे पानी नहीं, गरल चाहिए मन्थरा। कहीं से ला सकती है?"

मन्थरा ने अपना सिर कैकेयी के वक्ष पर टिका दिया। वह सचमुच कातर हो उठी थी और रो रही थी। वह दिखा देना चाहती थी कि विगलित वही नहीं हैं, उनके दुख से उनसे अधिक विगलित वह स्वयं है, "मरना ही होगा तो आपकी यह दासी पहले मरेगी रानी माँ। आप ऐसी अशुभ बातें न किया करें।"

कैकेयी ने अपने को सँभाल लिया था, "राम को मेरे अस्वस्थ होने की सूचना किसने दी थी मन्थरा?"

मन्थरा ने कोई उत्तर नहीं दिया। उसने अपने सिर को कैकेयी के वक्ष से हटा लिया और उनकी आँखों में कुछ पढ़ती हुई एक क्षण तक देखती रही।

"तुझे मेरी अनुमति के बिना ऐसा नहीं करना था। मैं सब कुछ सह सकती हूँ पर किसी की दया नहीं। वह मेरे लिए अपथ्य है। राम जब मेरा कुशल जानने को स्वयं आए और नमस्कार किया तो मुझे लगा मेरे मुख से शिष्टाचार जनित 'चिरायु हो' का शब्द भी नहीं फूट रहा है। पूछ बैठी, कुशल तो है, वत्स!"

"आपके असुख को छोड़ कर कोई दुख नहीं है और आपके आशीष को छोड़ कर कोई अभाव नहीं है छोटी माँ!" कहते हुए वह मेरा माथा सहलाने लगे। मुझे लगा इस वाक्य के साथ मैं उससे भी अधिक अपमानित और नग्न हो गई हूँ जितनी पौर जनों के बीच अंशुक उतारने के मेरे आदेश पर सीता हुई होंगी। राम का विनय भी मुझे कशाघात जैसा क्यों लगता है, मन्थरा?"

"आप इतनी बुद्धिमान है रानी माँ! मैं भला आपके मन की बात क्या जान सकती हूँ!" मन्थरा को यह सोच कर आश्चर्य हो रहा था कि कैकेयी भी एक साधारण दुर्बल स्त्री की भाँति आचरण कर रही हैं। उसने उन्हें दुर्बलता के क्षणों में

भी कभी इतना कातर नहीं पाया था। सत्ता खो देने के बाद भी रूप का गर्व, बुद्धि का गर्व, शक्ति का गर्व उन्हें इतना ताने रहता था कि मन्थरा को लगता उनके पाँव धरती से कुछ ऊपर ही रह जाते हैं। उसने उन्हें देवी मान रखा था और ऐसी देवी तुल्य असाधारण रानी माँ की दासी के पद पर होने के कारण उसे अपने ऊपर भी कम गर्व न था, परन्तु आज उसका यह गर्व यह देख कर गल रहा था कि कैकेयी राजभवन की सामान्य दासियों की सी अन्तरंगता से उसके सामने अपने मन की वे गाँठें खोल रही थीं जिन्हें कोई दासी अपनी स्वामिनी तक के सामने इतने कातर भाव से न खोलेगी।

"बुद्धिमान मैं कभी न थी, मन्थरा। मुझे यह भ्रम था अवश्य, पर आज नहीं है। मैं जिस हठ के कारण महाराज को भी झुकाती रहती थी, उसके मूल में मेरी बुद्धि नहीं, अहंकार था। मेरा यह अहंकार ही मेरा सबसे बड़ा शत्रु रहा है। इसी ने मुझे बार-बार तोड़ा है। मेरे भीतर ही एक व्याधि की तरह पलते हुए इसने मुझे बार-बार रौंद कर रख दिया है और यह जानने तक का अवसर नहीं दिया कि मैं रौंदी जा रही हूँ।"

कैकेयी अब मन्थरा से नहीं अपने आप से बातें करने लगी थीं, पूरी तेरह की भी नहीं हुई थी पर दासियों और सखियों की ठिठोलियों के चलते वह सब कुछ जान चुकी थी जिसे उस आयु में न जान पाती तो मेरा कल्याण ही होता। कितनी रूप-सजग हो गई थी मैं। सोचती कोई बूढ़ा और जर्जर व्यक्ति भी मुझे देख ले तो वह अपने को संयत नहीं रख पाएगा। इस अहंकार के कारण ही पिताजी के साथ मैं महाराज के स्वागत को बढ़ी तो सचेष्ट भाव से आरक्त हो उठी थी। महाराज जब मुझे देख कर अपनी सुधबुध खो बैठे थे तो मैंने उनको मूर्ख बनाने के लिए कृत्रिम आसक्ति से उनकी ओर देखा था और फिर उनके सामने से लजा कर भाग चली थी। बस यही मेरे दुर्भाग्य का आरम्भ था।

"तू तो जानती है, मन्थरा। विवाह की चर्चा से माँ कितनी उद्विग्न थीं। मैंने तब तक पुतलियों के जो खेल खेले थे उनमें पुतली जितनी भी कोमल और सजीली क्यों न हो, पुतला यदि लम्बी दाढ़ी, तनी मूँछों और टेढ़ी पगड़ीवाला न हुआ तो लगता वह पुतली के योग्य है ही नहीं। उसकी आयु का कोई अर्थ नहीं था। इस ओर कभी ध्यान ही नहीं गया था मेरा। अतः विवाह का प्रस्ताव सुन कर पहले मेरे ध्यान में यह बात आई ही नहीं थी कि गतयौवन व्यक्ति से विवाह का अर्थ होता क्या है। और जब बोध हुआ तो अपने आप से और महाराज से केवल जुगुप्सा ही अनुभव कर सकती थी। इस जुगुप्सा ने ही पुनः उस दुराग्रह को जन्म दिया जो मेरे स्वभाव का अंग बन गया। महाराज की उचित से उचित बात को काट कर उनको ठीक उससे उल्टा करने को बाध्य करने में मुझे आनन्द आने लगा था। ऐसा प्रायः होता कि मैं उनकी बात पूरी सुन भी न पाती और उससे पहले ही

उसका निषेध कर बैठती। महाराज हँस कर कहते, 'पहले पूरी बात तो सुनी होती।' और इस पर मैं उग्र रूप धारण कर लेती, 'क्या आप मुझे सामान्य स्त्रियों की तरह मूर्ख समझते हैं?' महाराज घबरा उठते। कुछ दिनों के बाद उन्होंने अपनी बात मनवाने के लिए एक नई जुगत निकाली थी। वह समस्या मेरे सामने रख कर कहते, 'बोलो, इस विषय में क्या करना उचित होगा?' मैं राज-काज के विषय में कुछ जानती तो थी नहीं, पर यह दिखाना नहीं चाहती थी कि मैं निर्णय लेने में अक्षम हूँ। आचार्य का मेरे भवन में प्रवेश वर्जित न था। मैं कहती, 'समस्या गम्भीर है। इस पर कुछ सोच-विचार करके कल उत्तर दूँगी' और अगले दिन जो उत्तर देती, वह आचार्य का सुझाया हुआ उत्तर होता। इस तरह आचार्य ने मेरे माध्यम से महत्त्वपूर्ण विषयों में अपने निर्णय महाराज पर लादने आरम्भ किए थे और क्रमशः उन्हें भी लगने लगा था कि यदि सत्ता मेरे हाथ में आ जाए तो कहने को मैं रानी रहूँगी, पर राज्य वही करेंगे। मुझे अवश्य इसका तनिक भी आभास नहीं था। मैं यह क्यों नहीं देख पाती थी कि उनके हर एक समाधान में दान-दक्षिणा और यज्ञ-ज्ञान का विधान किसी न किसी रूप में अवश्य आ जाता था! महाराज की काया यदि उनका साथ देती तो सम्भवतः वह मेरे सुझावों को न मानते, पर क्षीण-सत्व होने के कारण मुझे प्रसन्न करने का उनके पास एक ही उपाय था, मेरे मूर्खतापूर्ण सुझावों और निर्णयों को भी स्वीकार करने के साथ मेरी प्रवीणता की प्रशंसा।"

कैकेयी चुप हो गईं। उनकी पलकें बंद थीं। मन्थरा कुछ तुष्ट हुई कि चलो, उन्हें किसी तरह नींद तो आई, पर उसका तोष अधिक समय तक टिक नहीं पाया। कैकेयी ने अपने हाथ से खिसकते मन्थरा के हाथ को कस कर पकड़ कर करवट ली और फिर उठ कर बैठ गईं। उन्होंने मन्थरा का हाथ छोड़ दिया और अपने दानों हाथों से अपनी आँखों को ढक कर बुदबुदाने लगीं, "महाराज ने केवल एक भूल की थी। सत्वहीन होने पर भी विवाह। पर इस भूल में मैं भी तो सम्मिलित थी! अपनी इस एक भूल के कारण महाराज आजीवन अपमानित होते रहे और अन्त में..."

कैकेयी को अचानक जाने क्या हुआ। वह एक झटके से उठीं और मन्थरा को एक थप्पड़ इतने कस कर मारा कि मन्थरा का जो कुछ भी हुआ हो, उनके अपने हाथ की नसें झन्ना उठीं और कनिष्ठिका उँगली तो ऐंठ कर टेढी हो गई। उनका क्रोध इस पर भी रुका नहीं। उन्होंने उठ कर मन्थरा की चोटी पकड़ कर एक ओर को धक्का दिया और वह लुढ़क गई, "तूने मुझे रोका क्यों नहीं? क्यो नहीं रोका, बता तो? मैं अन्धी हो गई थी, पर तू? तूने वह पात्र मेरे हाथ से छीन कर फेंक क्यों नहीं दिया?" कैकेयी अब फूट-फूट कर रो रही थीं।

मन्थरा उठ कर खड़ी हुई। बड़े जतन से कैकेयी को अपने अंक में सँभाला और किसी तरह पलंग पर बैठाया। वह बिना कुछ बोले, बिना किसी तरह का प्रतिवाद किए, कैकेयी के सिर और पीठ पर हाथ फेर रही थी। उसकी आँखें फिर

भर आई थीं, पर अपनी व्यथा के कारण नहीं। उसे कैकेयी की दशा से पीड़ा हो रही थी। उसने जीवन में कैकेयी को आँसू बहाते तो अनेक बार देखा था, पर रोते हुए पहली बार देख रही थी।

उसने अपने हाथों का सहारा दे कर कैकेयी को फिर लिटा दिया। कैकेयी ने अपनी ओर से कोई विरोध-प्रतिरोध नहीं किया। वह एक शिशु की तरह शान्त हो गई थीं। कुछ देर तक चुप रहीं, फिर हाथ बढ़ा कर कहा, "अपना मुँह इधर तो ला।" और जब मन्थरा ने अपना सिर आगे बढ़ाया तो उसके उसी गाल को सहलाते हुए बोलीं, "चोट अधिक तो नहीं आई?"

मन्थरा ने कोई उत्तर नहीं दिया। उसने कैकेयी के उस हाथ को पकड़ कर अपने उसी गाल से सटा कर अपने सिर को उसी पर टिका दिया। केवल मन्थरा समझ सकती थी कि उसे जीवन में कभी इतना सुख, इतना सम्मान नहीं मिला था, जितना आज रानी माँ ने दिया था।

एक लम्बे मौन के बाद कैकेयी फिर अपने आप से बातें करने लगीं, "शक्ति झूठ नहीं कह रहे थे। वसिष्ठ को ही नहीं, राम ने मुझे भी जीते जी मार डाला। अकेले वसिष्ठ ही नहीं, मैं भी अपनी मृत्यु ही जी रही हूँ। राम ने कहा, 'आपके आशीष को छोड़ कर कोई अभाव नहीं है, छोटी माँ।' उसके स्वर में न व्यंग्य था, न अभिमान। यदि उसने मुझ पर व्यंग्य किया होता तो पीड़ा तो होती, पर मैं जीवित रहती। यदि उसने मुझे यन्त्रणा गृह में डाल दिया होता तो, अपनी यातना के एक-एक क्षण को भोगती हुई, मैं अपनी अन्तिम साँस तक जीती रहती। पर उसका यह विनय और आशीष की निरभिमान याचना! मुझे लगा मुझे मेरे अभिमान के ऊँचे शिखर से उसने एक झटके में उठा कर नीचे फेंक दिया है, और मैं मुँह के बल ठीक उसके पाँवों पर आ गिरी हूँ। इस एक वाक्य के साथ ही मेरे प्राण निकल गए थे। मेरा दर्प ही तो मेरा जीवन था, मन्थरा। राम ने उसे भी कुचल दिया।"

"आप थक गई हैं, रानी माँ। अब विश्राम कीजिए।"

और कैकेयी ने एक आज्ञाकारी बालिका की भाँति सचमुच अपनी आँखें बंद कर लीं। मन्थरा उनके सिर पर हाथ फेरती रही। वह सचमुच थक गई थीं। कुछ ही समय बाद उनके श्वास की गति बदल गई। वह सचमुच सो गई थीं।

35

सीता को वाल्मीकि आश्रम में रहते स्वयं तो कष्ट नहीं था परन्तु वह कस्तूरी मृग की भाँति अपनी वेदना ग्रन्थि से निरन्तर तिलमिलाती रहती थीं। राम के विषय में उनकी दुश्चिंताओं का कोई अन्त नहीं था। वह कोई-न-कोई बहाना निकाल कर

किसी न किसी व्यक्ति को गंगा तट पर अवश्य भेजतीं। आरम्भ में तो उनके द्वारा नियोजित कार्य पर जानेवालों को सचमुच लगता कि उन्हें उसी काम से भेजा जा रहा है, पर सीता की अतिरिक्त जिज्ञासाओं से धीरे-धीरे अब यह सभी को पता चल गया था कि वास्तविक प्रयोजन कथित कार्य से कुछ भिन्न है। फिर भी गंगा में पूजा के फूल विसर्जित करने, गंगा जल ले आने, गंगा में संध्या को एक दीपक प्रवाहित करने या गंगा की मिट्टी ले आने जैसे नितान्त साधारण कामों के लिए भेजा जानेवाला व्यक्ति कभी सीता के सामने यह प्रकट नहीं होने देता कि वह इसका कोई अन्य आशय भी समझ रहा है। लौटने पर अब पहले की तरह सीता को यह तो नहीं पूछना पड़ता कि अयोध्या की कोई नौका, या उधर से आनेवाला कोई व्यापारी, वहाँ आ कर टिका था, या नहीं, वह महाराज राम के विषय में किसी से कोई बात कर रहा था या नहीं, क्योंकि प्रेषित व्यक्ति सीता के प्रश्न से पहले ही कोई-न-कोई बहाना बना कर नितान्त सामान्य ढंग से इसका विवरण स्वयं देने लगता था। वह इस बात का ध्यान अवश्य रखता कि सीता को यह पता नहीं चलना चाहिए कि वह यह भी जानता है कि सीता की इस तरह की सूचनाओं में किसी प्रकार की गहरी रुचि है।

सीता स्वयं इन चर्चाओं को सुनते समय एकदम निःसंग बनी रहतीं, पर एकान्त मिलते ही वह दूसरों से छिपा कर बिलखने लगतीं। कष्ट उन्हें केवल यह था कि राम आज भी शत्रुओं से घिरे हुए अहर्निश युद्ध कर रहे थे, और युद्ध भी ऐसा जिसमें वह केवल अपना बचाव कर सकते हैं, प्रहार नहीं। प्रहार एक साथ कई दिशाओं से अकेले उन पर किए जा रहे थे और इतने मायावी ढंग से कि यह पता लगा पाना भी आसान नहीं था कि प्रहार करनेवाला कौन है, और प्रहार की दिशा क्या है?

उन्हें ऐसे क्षणों में राम पर भी क्रोध आने लगता था। यदि उन्होंने दूसरा विवाह कर लिया होता तो उनका अपना पुत्र राज्य का उत्तराधिकारी तो होता। सीता को पराजय का यह दंश तो व्यथित न करता कि सपत्नों ने अपनी दुष्टता को ही ब्रह्मस्त्र बना कर राम से राज्य छीन लिया। राजाओं के तो यूँ भी जाने कितने विवाह होते हैं। तीनों वर्णों से एक-एक स्त्री को रानियाँ बनाने का तो उन्हें शास्त्रसम्मत अधिकार है। अधिकार नहीं कर्तव्य! ब्राह्मणों का आदर तो राजा को करना ही होता है। न करें तो उनके मन्त्री स्वयं उन्हें इसके लिए बाध्य करेंगे। शेष तीन वर्णों की रानियों—पटरानी, वावाता और परिवृक्ता—में पटरानी तो वर्णधर्म और कुल रक्षा के लिए थी। वैश्य कुलीन रानी वावाता तथा शूद्र जातीय परिवृक्ता नाम से विहित थीं। यह शास्त्रीय विधान इसलिए किया गया था कि ब्राह्मणों और क्षत्रियों के अतिरिक्त वैश्यों और शूद्रों के प्रति भी राजा का स्नेह बना रहे और वह उन्हें भी अपनी ही प्रजा या सन्तान समझे। पर राम इस नियम को भी नहीं मानते।

कहते हैं यदि कर्तव्य का बोध न हो तो संसार की सारी स्त्रियों को अपनी रानी बना कर भी राजा स्वयं उन्हें स्नेह और सम्मान नहीं दे सकता, उनके सगों और सजातीयों की तो बात ही अलग है। सीता के प्रति राम के अनन्य अनुराग और एक पत्नी व्रत के उनके हठ के कारण वाल्मीकि आश्रम में रहते हुए भी सीता को राम के विषय में किए जानेवाले व्यंग्यों को सुन कर क्लेश होता था। इन व्यंग्यों की नोंक केवल राम की ही ओर नहीं होती थीं। सीता को भी इनसे बेधने का प्रयत्न किया जाता था। लोग कहते, 'सीता ने पता नहीं क्या जादू कर दिया है महाराज पर कि वह किसी अन्य स्त्री से विवाह या विनोद की कल्पना तक नहीं करते।'

राम सीता के निर्वासन के बाद भी अपने उसी हठ पर अड़े हुए थे। एक बार घाट से लौट कर भाकुर ने बताया था कि दो नाविकों में इसी बात को ले कर चर्चा हो रही थी। इनमें से एक निश्चय ही अयोध्या का ही नाविक रहा होगा। वह दूसरे की जिज्ञासा पर उसे बता रहा था, "विवाह के लिए स्वजनों का आग्रह बढ़ने पर महाराज ने एक बार कुछ व्यग्र हो कर कहा था। 'जो अपनी एक पत्नी की रक्षा न कर सका, उसे दूसरा विवाह करने का अधिकार ही क्या है।'" भाकुर ने आ कर बताया था तो सीता को लगा था किसी ने दहकते हुए हृदय पर शीतलेप कर दिया है। उन्होंने अपने मनोभाव को प्रकट नहीं किया था। प्रकट रूप में तो भाकुर से इसका विरोध ही करती रही थीं, मानो भाकुर के मान जाने से राम का विचार बदल जाता, "यह भी कोई तर्क हुआ, भाकुर?" पत्नी की रक्षा की शक्ति न होती तो रावण का पूरा वंश, पूरी लंका नगरी का विनाश हो सकता था भला!" पर वह जानती थीं कि उनकी वाणी में कुछ वैसी ही निष्प्राणता है जो बिना रन्ध्र की बाँसुरी में फूँक मारने से पैदा होती है। स्वयं श्रोता पर भी इसका कोई प्रभाव नहीं पड़ रहा था।

"नहीं माँ, वह नाविक तो इसी बात के लिए झूम-झूम कर उनकी स्तुति कर रहा था।" भाकुर ने अपने ढंग से प्रतिवाद किया था।

"तू तो सचमुच भाकुर है रे! बुद्धि तो तुझे छू नहीं गई है।" सीता ने कहा था और हँसती हुई अपनी कुटिया में लौट आई थीं।

एकान्त में आ कर वह खूब रोई थीं। हिचकियाँ ले ले कर। इतना गहन अनुराग। इतना अक्षय सौभाग्य। इतना अपार सुख। जाने कितने जन्मों का संचित पुण्य इस एक वाक्य में उमड़ पड़ा था। सीता को लग रहा था कि यदि इस सुख और अभिमान को आँसुओं में गला कर बहा न दिया तो उनका हृदय फट जाएगा। नहीं, इस सुख ने तो इस बोध से पहले ही उमड़ कर उदासी से द्रवित चित्त को इस तरह मथना आरम्भ कर दिया था कि सीता तड़पने लगी थीं।

"राम! मेरे प्राण! मेरे नाथ!" सीता को इस बात का भी ध्यान नहीं था कि उनकी सुबकियों और सिसकियों के बीच से फूटता यह करुण नाद मंगला के कानों में भी पहुँच सकता था।

घबराई हुई मंगला ने आ कर जब उनकी पीठ को सहलाना आरम्भ कर दिया, तब जा कर उनकी यह मूर्छना टूटी थी, और फिर उन्होंने ग्लानि से कातर हो कर अपना मुँह अपनी हथेली में छिपा लिया था।

"तुम्हें अचानक क्या हो गया था, बेटी?" मंगला ने सीता की सिसकियों के थमने के बाद, बड़े लाड़ से, पूछा था।

सीता की समझ में नहीं आ रहा था कि वह इसका क्या उत्तर दें। एक नन्हीं बच्ची की तरह उन्होंने अपना मुँह मंगला की गोद में छिपा लिया था।

सुख के कितने अज्ञात रूप होते हैं! क्या ऐसा अगाध सुख कैकेयी को सत्ता और वैभव के चरम शिखर पर पहुँच कर एक क्षण को भी मिला होगा? क्या किसी अन्य स्त्री को इतना अनन्य सौभाग्य कभी मिला होगा? आगे कभी किसी को ऐसा सौभाग्य मिलेगा, पूरे विश्व में, कहीं भी, कभी भी?

"तुझे यहाँ किसी प्रकार का कष्ट है, बेटी?"

अब सीता के लिए अपने ऊपर संयम रखना कठिन हो गया था। यदि उन्होंने मंगला को सब कुछ बता न दिया तो वह इसका जाने क्या अर्थ लें। केवल यह कहने से काम नहीं चलनेवाला था कि उन्हें यहाँ जो सुख और शान्ति मिली है, वह महाराज जनक के पास रह कर भी नहीं मिलती। उन्होंने भाकुर से जो कुछ सुना था, मंगला को बता दिया। उन्होंने साथ ही अपनी यह दुश्चिंता भी प्रकट कर दी जो लव और कुश के भविष्य को ले कर उनके मन में बनी हुई थी।

मंगला ने सीता की व्यथा वाल्मीकि को सुनाई तो वह कुछ अस्थिर से हो उठे। कुछ समय तक मूक बने रहे और फिर उठ खड़े हुए। बिना कुछ बताए वह जंगल की ओर चले गए। घंटों जाने कहाँ-कहाँ भटकते रहे। लौटे तो उनकी खिन्नता कम नहीं हुई थी, अपितु इसने एक व्यग्रता का रूप ले लिया था। उनकी आँखें चढ़ी हुई थीं और नासा फड़क रही थी। वह सन्निपात की सी स्थिति में थे। जाने क्या सोच कर बार-बार एक ही वाक्य दुहरा रहे थे, "तुझे कभी शान्ति नहीं मिलेगी। कभी नहीं। कभी प्रतिष्ठा नहीं मिलेगी तुझे। संसार इस अपराध के लिए कभी क्षमा नहीं करेगा तुझे।"

कुछ समय तक आश्रम में पहुँच कर भी वह यही बुदबुदाते हुए अस्थिर चरणों से टहलते रहे और फिर कुटिया में जा कर अपनी चौकी पर लेट गए थे। मंगला की समझ में नहीं आ रहा था कि वह क्या करें। निकट जा कर माथा छू कर देखा, ताप नहीं था। शंका एक ही बात की थी कहीं किसी साँप ने न काट लिया हो। उन्होंने पूछा भी, "क्या हो गया? कोई साँप-बिच्छू..."

वाल्मीकि ने हाथ के संकेत से उन्हें बरज दिया। कुछ देर तक वह बुदबुदाना भी बंद हो गया। वह सूनी आँखों से कुटिया की छत को देख रहे थे। मंगला की उपस्थिति से उन्हें सम्भवतः कोई असुविधा हो रही थी। संकेत से ही उनसे बाहर

चले जाने को कहा। बाहर जाने पर मंगला को लगा वह फिर कुछ बुदबुदाने लगे हैं। आश्रम के दूसरे स्त्री पुरुष भी धीरे-धीरे वाल्मीकि की कुटिया के पास एकत्र होने लगे थे। सहसा मंगला को लगा इनका यहाँ खड़ा रहना ठीक नहीं। यदि उन्होंने मंगला को भी अपने पास से हटा दिया था, तो किसी भी तरह के व्यवधान, किसी तरह की फुसफुसाहट से उन्हें कष्ट हो सकता था। उन्होंने दूसरे लोगों को हाथ के संकेत से ही चुपचाप लौटने को कहा और जब सीता भी लौटने लगीं तो बिना कुछ कहे उनके माथे पर अपना हाथ रख दिया। इसका जो भी अर्थ रहा हो, सीता वहीं जड़ीभूत खड़ी रह गई थीं।

अब वाल्मीकि की कुटिया से आनेवाली बुदबुदाहट भी बंद हो गई थी। एकदम सन्नाटा और तभी एक करुण चीत्कार की तरह, बिलख कर रोने की तरह, वाल्मीकि के भरे कंठ से गाने की ध्वनि फूटी थी, कुटिया के तिनके-तिनके को कँपाती हुई, उसके एक-एक रन्ध्र से घुमड़ कर बाहर आती हुई, जैसे सुलगता हुआ धुआँ जाड़े की ओस-भीगी झोंपड़ी से बाहर निकलता है :

मा निषाद प्रतिष्ठां त्वं अगमः शाश्वती समाः।
यत् क्रौंचमिथुनादेकं अवधीः काम मोहितम्।

नहीं, वह गा नहीं रहे थे। रो रहे थे। अब वह फूट-फूट कर रो रहे थे। एक ही पंक्ति को बार-बार दुहराते हुए, "मा निषाद प्रतिष्ठां त्वं अगमः शाश्वती समाः मा निषाद प्रतिष्ठां त्वं..."

अब मंगला से न रहा गया। वह दौड़ कर भीतर चली गई। सीता भी उनके पीछे-पीछे वाल्मीकि के पास जा कर उनकी दशा निहारने लगीं। वाल्मीकि को इनकी उपस्थिति का ध्यान ही न हो जैसे। वह उसी वाक्य को बार-बार दुहरा रहे थे और बीच-बीच में दूसरी अर्धाली की भी आवृत्ति होती जाती थी, जैसे पहली पंक्ति मात्र टेक हो। उनकी आँखों से आँसू बह रहे थे और दृष्टि छत पर ही टिकी हुई थी। न तो सीता की समझ में कुछ आ रहा था, न ही मंगला के, पर एक बात दोनों को समझ में आ रही थी कि इस समय उनको किसी भी रूप में छेड़ना ठीक न होगा। वे चुपचाप उन्हें और फिर एक दूसरे को देख रही थीं। एक दूसरे से उन्हें कुछ बल भी मिल रहा होगा, क्योंकि घबराहट या दुश्चिंता के स्थान पर अब उनकी आँखों से केवल विस्मय ही झलक रहा था।

और फिर एक और श्लोकः

पादबद्धोक्षरसमः तंत्री-लय समन्वितः।
शोकार्तस्य प्रवृत्तः मे श्लोको भवतु नान्यथा।।

श्लोक या शाप! इतना व्यग्र वाल्मीकि को मंगला ने जीवन में कभी नहीं देखा था, पर इस तरह की ओजस्वी वाणी में अपनी घनीभूत व्यथा को मुखर करते भी तो उन्होंने जीवन में किसी को न देखा था।

रो केवल वाल्मीकि ही नहीं रहे थे। मंगला और सीता भी चुपचाप रो रही थीं। मंगला की समझ में तो इन पंक्तियों का अर्थ भी नहीं आ रहा था, पर वाल्मीकि की वाणी में जो कम्पन थी उसका अर्थ उनकी समझ में इतनी प्रखरता से आ रहा था, जो शायद शब्दों का अर्थ जानने पर हल्का पड़ जाता।

इसके बाद वाल्मीकि ने लव-कुश को इस छंद में ही राम की कथा रचते हुए अपने मुँह से कंठस्थ कराना आरम्भ कर दिया था। गाते हुए! झूमते हुए! रोते हुए! विह्वल होते हुए।

लव और कुश का स्वर भी कम मोहक न था। एकतारा बजाते हुए जब दोनों झूम कर इस कथा का गायन करते तो मनुष्यों की तो बात ही दूर, पशु-पक्षी भी स्तब्ध रह जाते। किशोर कंठ के सुरीलेपन में शौर्य के विवरण तो उतने प्रभावशाली नहीं बन पाते, पर करुण प्रसंग तो इतने मार्मिक हो उठते कि आश्रमवासी बार-बार सुनने पर भी अपने आप को सँभाल नहीं पाते। स्त्रियाँ तो फूट-फूट कर रोने लगतीं। यदि कोई निःसंग बनी रहती, तो वह थीं सीता। कोई ऐसा अवसर आया ही नहीं जब वह इस गाथा के गायन के समय दूसरों के साथ बैठी हों। सामान्य रूप से उनको कोई काम विशेष काम नहीं करना पड़ता था, परन्तु ठीक इस अवसर पर उन्हें कोई-न-कोई अवश्य याद पड़ जाता। काम भी ऐसा होता जिसे टाला नहीं जा सकता था। दूसरी महिलाएँ यदि उनको रोकना चाहतीं तो मंगला उन्हें बरज देतीं। कहतीं, "कोई काम होगा तभी तो जा रही हैं। रोकती क्यों हो!" और जब चली जातीं तब रहस्य खोलतीं, "माँ की दीठ बच्चों को बहुत लगती है। इतना सुन्दर कंठ है, यदि दीठ लग गई तो?"

लव पूछता, "यह राम कौन हैं माँ? कहाँ रहते हैं? क्या उन्होंने सचमुच अपनी देवी जैसी पत्नी को त्याग दिया है?"

सीता हँसने लगतीं, "गान क्या मैंने लिखा है, जो बताऊँ? गुरुदेव से ही क्यों नहीं पूछते?"

"पूछा था। कहते हैं, समय आने पर सब पता चल जाएगा।' इसका समय कब आएगा, माँ।" वह हठ करता, "तुम इतनी बड़ी हो, तुम्हें पता अवश्य होगा। बड़े लोगों को सब कुछ ज्ञात होता है। बताओ न!"

कहतीं, "यह भी उन्हें ही पता होगा। मैं क्या बता सकती हूँ।"

फिर वह कुश को हाथ दबा कर संकेत करता और वह डरते-डरते पूछता, "अच्छा माँ, तुम दूसरों के साथ हमारा गायन सुनने क्यों नहीं बैठतीं?"

सीता खीझ उठीं, "तुम लोगों का मन पढ़ने-लिखने में नहीं लगता। दिन रात गायन की ही बात करोगे। भागो यहाँ से। जाने कैसे-कैसे प्रश्न गढ़ कर लाते हो!"

परन्तु उस दिन बच्चे घुड़कियों-झिड़कियों का उत्तर गढ़ करके आए थे। वे एक साथ सीता के गले से झूल गए। आज तो उत्तर पा कर ही मानना था। अन्य

कोई उपाय न देख कर सीता ने कहा, "जानना ही चाहते हो तो सुनो। तुम्हारी गाथा में न राम को समझा गया है, न सीता को।"

"यह तुम क्या कहती हो माँ!" लव अपने को रोक नहीं पाया। "तुम जानती हो, स्वयं गुरुदेव ने लिखा है यह काव्य। उनसे भला कोई चूक हो सकती है?"

"चूक नहीं हो सकती, इसीलिए तो प्रतिवाद नहीं करती। परन्तु चूक नहीं हो सकती, इसका निर्णय भी तो हमारी चूक करती रहनेवाली बुद्धि ही करती है न! इसका क्या भरोसा!"

कुश को लगा माँ कोई पहेली बुझा रही हैं। उसके मुँह से केवल एक शब्द निकला, "माँ!"

"डर गए तुम? मुझसे कारण जानना चाहते थे न? तो अन्य कुछ जानने से पहले यह जान लो कि गुरुदेव अनुभव, ज्ञान और प्रतिभा में बहुत ऊँचे हैं, परन्तु हैं वह भी मनुष्य ही। चूक उनसे भी हो सकती है! उन्होंने जो कहा है वह कवि का सत्य है। उनकी कल्पना की आँखों से देखा हुआ है। सत्य के दूसरे रूप भी तो हो सकते हैं!"

"तुम कहना क्या चाहती हो, माँ?" कुश की समझ में नहीं आ रहा था कि वह माँ का प्रतिवाद किस तरह करे।

सीता ने दोनों बच्चों को अपने समीप बिठा लिया और फिर उनकी पीठ पर हाथ फेरती हुई बोलीं, "सच तो यह है कि राम ने सीता को निर्वासित नहीं किया। उन्होंने उसे अपने हृदय में छिपा लिया—समस्त आक्षेपों आघातों से बचाते हुए। उन्होंने सीता को कोई कष्ट नहीं दिया, पर उनके कल्पित कष्ट को दशगुणित करके वह स्वयं अवश्य झेलते हैं।"

"परन्तु यह तुम कैसे जानती हो, माँ? क्या तुमने सीता को देखा है? मिली हो उनसे?"

"मैंने नहीं देखा है, पर गुरुदेव ने तो देखा है। पूछना उनसे। वह सब कुछ जानते हैं। यह भी कि राम ने सीता को निर्वासित नहीं किया, अपने हृदय में छिपा लिया। उन्होंने राम के हृदय को भी देखा है और उसमें छिपी सीता को भी। वह कवि जो हैं!"

आज बच्चों के अचरज का अन्त नहीं था। गुरुदेव जानते हैं, और जानते हुए भी कहते हैं कि राम ने सीता को निर्वासित किया। ऐसा कहते हैं फिर भी यह झूठ नहीं है। कवियों का सत्य क्या कुछ अलग ही होता है? झूठ की इतनी निन्दा करते हैं, गुरुदेव, और फिर भी यदि हम पूछें तो वह मान लेंगे कि माँ का कथन ठीक है। यह संसार क्या इतना विचित्र है! है तो। कुछ तो ऐसा ही है जिसे गुरुदेव भी छिपाते हैं, अन्यथा वह यह क्यों कहते कि समय आने पर सब कुछ जान जाओगे। माँ स्वयं राम और सीता के विषय में कुछ जानती थीं, जिसे वह

अभी तक छिपाए हुई थीं। समय आने पर सब कुछ पता चल जाएगा। समय आने पर। पर वह समय आएगा कब?

"माँ, वह समय कब आएगा जब हम भी उस बात को स्पष्ट जान जाएँगे जिसे तुम जानती हो और गुरुदेव जानते हैं, और सम्भव है कोई और भी जानता हो। हमारे लिए उसे जानने का समय कब आएगा, माँ?" लव ने विकल हो कर पूछा। कुश की आँखों में भी वही विकलता और प्रश्नाकुलता थी।

"सच मेरे लाल, यह अकेला प्रश्न है जिसका उत्तर मेरे पास नहीं है! सम्भव है इसका उत्तर गुरुदेव जानते हों। सम्भव है, वह भी न जानते हों। समय आने पर ही जान पाएँ।" सीता ने इतने विह्वल भाव से कहा कि उनकी आँखों में आर्द्रता आ गई और बच्चों के किसी और बेधक प्रश्न से बचने के लिए अपना मुख मोड़ कर दूसरी ओर देखने लगीं।

यह एक विकट प्रश्न था। किसी को ज्ञात नहीं था इसका उत्तर। गुरुदेव को भी नहीं। काल देव के गर्भ में छिपा था इसका उत्तर। और जब इसका समय आया वाल्मीकि ने स्वतः कुश और लव को बुला कर निर्देश दिया, "वत्स, अब तुम्हें अपनी गाथा लोक को सुनाते हुए अयोध्या तक की यात्रा करनी है। महाराज राम को भी सुनानी है यह कथा। वह स्वयं भी इसकी प्रतीक्षा में होंगे। वही देंगे तुम्हें उन प्रश्नों के उत्तर जो तुम मुझसे पूछा करते थे।"

और जब लव और कुश ने विदा ले ली तब उन्होंने सीता से कहा, "तेरी तपस्या पूरी होने जा रही है, बेटी।"

सीता ने अपनी आँखें बंद कर अपने आराध्य को स्मरण किया था। बिना कोई उत्तर दिए, अपने से दूर जाते दोनों बालकों को देखती रही थीं।

36

शक्ति ने वसिष्ठ की दशा को देखने के बाद बहुत कुछ छिपाते और बचाते हुए कैकेयी को यह बताया था कि राम का चरित गान करते हुए दो बालक घूम रहे हैं और उनकी गाथा सुन कर लोग विभोर हो जाते हैं। यदि उन्होंने उनके रूप, स्वभाव, स्वर के माधुर्य और वाणी पर उनके स्वच्छ अधिकार का सविस्तार वर्णन किया होता तो आश्चर्य नहीं कि कैकेयी की भी दशा ठीक वही हुई होती जो वसिष्ठ की हुई थी।

जिन लोगों ने राम को किशोर वय में देखा था, वे इनके स्वर और ताल पर मुग्ध होने के अतिरिक्त ईश्वर की इस लीला पर भी आश्चर्य करने लगते थे कि इनका रूप, आकार और स्वभाव राम से इतना अभिन्न कैसे था कि लगता था राम स्वयं किशोर बन कर सामने आ गए हैं। अपने आवेग को लोग रोक भी नहीं पाते

थे और जब-तब उनके शब्द दोनों किशोरों को भी सुनाई पड़ जाते थे। उस समय उनके मुख पर जो भाव परिवर्तन होता, उनकी आँखों में विस्मय की जो छाया तैर जाती, उससे उनका सौन्दर्य सम्मोहन का रूप ले लेता।

उनके गायन पर मुग्ध हो कर भिक्षाटन के लिए निकले कुछ छात्र बड़े आग्रह के साथ उन्हें आश्रम में ले कर चले आए थे। उनका अनुमान था कि इनके गायन को सुन कर वसिष्ठ की खिन्नता अवश्य दूर होगी और यदि वह इनकी प्रशंसा में ही कुछ बोल पड़े तो, और कुछ न हो तो भी, उनका मौन तो टूटेगा ही। वसिष्ठ इस गायन को सुनने के लिए तैयार भी हो गए थे। उनका चित्त कुछ प्रसन्न भी लग रहा था। परन्तु जब करुण विलाप के साथ बालकों ने सीता के निर्वासन का प्रसंग उठाया तो जाने क्या हुआ, वसिष्ठ काँपने लगे। उनकी आँखों में भय की छाया उभरी और गहराती चली गई। फिर वह लड़खड़ाते हुए उठे और अपने दोनों कानों पर हाथ रख कर पीछे की ओर इस तरह भागे मानो इनका स्वर उनका पीछा कर रहा हो।

गायन रुक गया था। विस्मय के कारण दोनों किशोर ही नहीं, छात्रगण भी यह समझ नहीं पा रहे थे कि उन्हें एकाएक हुआ क्या है। यदि इसका कारण कोई समझ रहा था तो वह थे शक्ति। पर वह स्वयं अपने को ही सँभाल नहीं पा रहे थे, दूसरों को क्या समझाते।

इससे पहले कि दोनों किशोर राम की सभा में पहुँचें, उनकी कीर्ति और लोगों का यह अनुरोध महाराज तक पहुँचने लगा था कि महाराज स्वयं उनकी गाथा सुनें। लोग कह रहे थे कि हो न हो, ये महाराज के ही पुत्र हैं और महारानी सीता आज भी कहीं न कहीं जीवित हैं। वे याचना कर रहे थे कि महाराज उन बालकों से उनका पता लगा कर उन्हें सादर अयोध्या ले आएँ और स्वयं उनसे और उनकी प्रजा से जो महान् अपराध हुआ है, उसके लिए सभी एक स्वर से महारानी से क्षमायाचना करें।

महाराज को देख कर लग रहा था, उन्हें स्वयं यह सुन कर विस्मय हो रहा था। उन्होंने तत्काल दो मन्त्रियों को अपनी ओर से भेज कर दोनों किशोरों को सभा में आमन्त्रित किया था और जब उन बालकों ने उनका चरित सुनाना आरम्भ किया था तो महाराज सहित वे सभी लोग जो इन कथाओं से परिचित थे, लम्बी आहें भरते हुए, आँसू बहाते हुए अपने सिर धुनते हुए, यह चरित अन्त तक सुनते रहे। महाराज ने सब कुछ भूल कर, आगे बढ़ कर, उन किशोरों को अपने वक्ष से लगा लिया था और बारी-बारी से उनके मुख को अपनी हथेलियों में ले कर उनकी आँखों में निहारने लगे थे। अब वे दो गायक नहीं रह गए थे। राम के सम्मुख रखे दो दर्पण बन गए थे जिनमें से प्रत्येक में उन्हें अपना ही रूप दिखाई दे रहा था। सच कहें तो ऋषियों की जय-जयकार ने नहीं अपितु इस गाथा ने, इन किशोरों की

अद्भुत वाणी और राम के साथ उनके सादृश्य और उनके प्रति राम के अपार अनुराग ने, शक्ति के मनोबल को पूरी तरह तोड़ दिया था और वह विवश हो कर राम से एक तुच्छ याचना के बहाने अपने प्रमाद का मार्जन करने पहुँचे थे और इसी अवसर पर उन्हें कैकेयी की भी याद इसलिए आई थी कि कहीं लोग यह न समझ लें कि उनका मनोबल इतना टूट चुका है कि अब उनका साहस शील निर्वाह के लिए भी कैकेयी से मिलने का नहीं होता।

अग्निपरीक्षा के कितने तो रूप होते हैं! जाने कितनों को, कितनी बार, किन-किन रूपों में इस पर खरा उतरना पड़ता है! ये दोनों किशोर यदि निर्धूम अग्नि-शिखा नहीं थे, तो और क्या थे! और अब राम को अपनी परीक्षा देनी थी। उनकी समझ में नहीं आ रहा था कि वह इन बालकों को किस तरह विश्वास दिलाएँ कि राजभवन के भीतर का यह चौदह वर्षों का उनका निर्वासन चौदह वर्षों के अपने ही वनवास से कितना अधिक यातनापूर्ण था। कि रावण की लंका को अपनी वानरी सेना ले कर घेरने की तुलना में स्वयं एकाधिक रावणों और उनकी अदृश्य निशाचरी सेनाओं से घिर कर लगातार चौदह वर्ष तक अकेले लड़ते रहना, उनके लिए कितना पीड़क रहा है और उनके हृदय में आज भी कितने अदृश्य वाण चुभे रह गए हैं जिनको निकालने वाला कोई सुषेण उन्हें दूर-दूर तक नहीं दिखाई दे रहा था। जिस तरह चकित हो कर ये किशोर उनकी ओर देख रहे थे उससे तो यह भी नहीं लगता था कि उन्हें किसी ने उनका यथार्थ परिचय कराया भी है। भरी सभा में उनसे बात कर पाना क्या सम्भव था! राम उन्हें ले कर अपने महल की ओर चले गए थे।

"तुम्हारा परिचय क्या है, पुत्र?" राम ने अबोध बन कर पूछा था।

"पुत्र! क्या राजा लोग सभी बालकों को पुत्र ही कह कर पुकारते हैं?" क्या ये बालक सुर मिला कर गाते ही नहीं, एक ही सुर में प्रश्न भी करते हैं! उन दोनों के मुँह से एक साथ यह प्रश्न क्यों निकला था!

"केवल बालकों को ही नहीं, अपनी पूरी प्रजा को पुत्र ही समझते हैं, राजा लोग।" राम मुस्कराने लगे थे, "प्रजा का अर्थ जानते हो न! प्रजा का अर्थ ही पुत्र होता है। परन्तु तुम मेरे लिए प्रजा से कुछ अधिक हो। तुम लोगों ने अपना परिचय तो दिया नहीं।"

"समय आने पर सब कुछ ज्ञात हो जाएगा।" बालकों को अपना परिचय पूछने पर जो उत्तर बार-बार मिलता था, वही उन्होंने स्वयं भी दुहरा दिया था।

राम अट्टहास कर उठे थे और हँसी के बीच ही फिर पूछा था, "कब आएगा वह समय?"

"यह तो हमें भी ज्ञात नहीं। माँ को भी नहीं। गुरुदेव भी नहीं जानते थे, इसका उत्तर। जब भी प्रश्न किया, यही उत्तर मिला कि समय आने पर..." तभी

कुश को गुरुदेव का अन्तिम वाक्य याद आया, "हाँ गुरुदेव ने यह अवश्य कहा था, 'महाराज राम को भी सुनानी है यह कथा। वह भी इसकी प्रतीक्षा में होंगे। वहीं देंगे उन प्रश्नों के उत्तर जो तुम मुझसे पूछा करते थे।' क्या आपको सभी प्रश्नों के उत्तर मालूम हैं? गुरुदेव से और माँ से भी अधिक बातें जानते हैं आप?"

"तुम्हारी माँ कौन हैं?" राम ने सब कुछ जानते हुए अनजान बन कर प्रश्न किया, "कहाँ हैं वह?"

"गुरुदेव कहते हैं, वह वनदेवी हैं। माँ कहती हैं वह धरती से निकली हैं, जैसे धरती से अंकुर निकलते हैं। वह गुरुदेव के आश्रम में हैं। यहाँ से बहुत दूर, पूर्व की ओर!"

"यह कविता जिसे तुम गाते हो, किसने रची?"

"गुरुदेव ने। वही तो अकेले कवि हैं इस संसार में। वह रचते नहीं हैं, गाते हैं। बस, गाते चले जाते हैं। और गाते हुए रोने लगते हैं। हमने पूछा, आप रोते क्यों रहते हैं, गुरुदेव, तो बोले दोनों एक ही सत्य के रूप हैं। दोनों ही नहीं, तीनों। जब वह कंठ से फूटता है तो लोग उसे कविता कहते हैं, आँखों से झरता है तो आँसू और जब एकतारे से फूटता है, तो संगीत।"

राम की आँखें भर आईं और तभी कुश प्रश्न कर बैठा, "क्या आप भी कविता करने जा रहे हैं, महाराज?"

राम के आँसू थमे नहीं, पर इसके साथ ही वह मुस्कराने भी लगे, "तुम्हारे गुरुदेव ने तुम्हें एक बात नहीं बताई। जब वही सत्य होंठों से फूटता है तो इसे मुस्कान भी कहते हैं। सृष्टि की सबसे उत्कृष्ट कविता!"

बालक विस्मय से राम को देख रहे थे। यह कहाँ से पैदा हो गया अपने को उनके गुरुदेव से भी बड़ा कवि समझनेवाला!

"तम्हें अच्छा नहीं लगा मेरा उत्तर?"

विस्मय कम नहीं हुआ। जाने क्यों बालकों को यह कहने का साहस नहीं हो रहा था कि महाराज बहुत बड़े राजा तो हो सकते हैं, पर उनके गुरुदेव से बड़े कवि नहीं।

"अच्छा, न सही। पर तुम्हें जिस प्रश्न का उत्तर तुम्हरे गुरुदेव ने नहीं दिया था और तुम्हारी माताजी से भी देते न बना था, उसका उत्तर मैं दे सकता हूँ।" राम ने उनके विस्मय को बढ़ाते हुए कहा।

"कौन सा प्रश्न?" राम इतने महान् हैं यह तो बालकों को उनके चरित गान से ही ज्ञात हो चुका था, पर वे इतने सरल भी हैं कि राजा होते हुए भी इतने साधारण दिखें यह तो उन्होंने सोचा भी नहीं था। वे उन्हें अपने लिए उससे भी निकट प्रतीत हो रहे थे जितने गुरुदेव या गुरुपत्नी मंगला या स्वयं उनकी माँ उन्हें कभी लगती थीं।

"एक ही तो प्रश्न है, "कब आएगा वह समय?' वह समय आ गया है, पुत्र, जब तुम इस महाप्रश्न का उत्तर पा सको। तुम्हारी माँ वनदेवी नहीं, सीता स्वयं हैं।

उन्हें निर्वासित करनेवाला तुम्हारा अभागा पिता तुम्हारे सामने खड़ा है।"

"महाराज!" फिर वही युगल स्वर!

"विश्वास नहीं हुआ?" राम ने कातर स्वर में पूछा।

"परन्तु माँ तो कहती थीं राम ने उन्हें निर्वासित नहीं किया। उन्हें अपने हृदय में छिपा लिया है।" बालक प्रसन्न भी थे और विस्मित भी।

राम ने बढ़ कर उन्हें अपने वक्ष से सटा लिया। अब वह उनके सिरों को बारी-बारी से सूँघ रहे थे मानो अपने जीवन के शेष क्षण श्वासों से उनमें संचारित कर रहे हों। आत्मीय जनों के बालों से उठती पसीने की गन्ध से अधिक सम्मोहक गन्ध सृष्टि ने अभी तक पैदा क्यों नहीं की!

छूटने के साथ ही दोनों किशोरों ने उनके चरण स्पर्श किए। माँ और पिता के चरणों से पवित्र भूमि भी तो सृष्टि ने आज तक तैयार नहीं की है!

राम के आदेश से जब लक्ष्मण और शत्रुघ्न सीता को लेने के लिए वाल्मीकि आश्रम पहुँचे तो वाल्मीकि को भी क्या पता था कि जो सीता राम की चिन्ता में हर क्षण लीन रहती थीं, वही अयोध्या जाने से इन्कार कर देंगी, "मुझे यहाँ कोई कष्ट नहीं है। अयोध्या का जो भविष्य मेरे पास सुरक्षित था, उसे मैंने महाराज को लौटा दिया। मुझे राज्य का सुख नहीं चाहिए। महाराज से कहना, 'उनके अयोध्या के राक्ष्य से भी बड़ा राज्य है, मेरे पास। मेरे माता-पिता का स्नेह और मुझ अकिंचन का स्वाभिमान।'"

लौट आना पड़ा दोनों भाइयों को। अनुनय विनय से भी काम न चला। वाल्मीकि का आदेश भी पहली बार व्यर्थ गया।

और जब आए स्वयं महाराज राम। महाराज बन कर नहीं। एक याचक बन कर। क्षमा प्रार्थी बन कर। क्या सीता रूठी भी थीं। उन्हें कृतांजलि होते देख कर भी वह उनके चरणों में समर्पित हो गईं, "मेरा मान रख लिया आपने, महाराज।" सीता ने कहा नहीं, पर कौन था जिस पर उनका यह भाव प्रकट न हो गया हो।

एक बार भी तो अनुरोध नहीं करना पड़ा राम को। उनके हाथ पकड़ते ही सीता ने अश्रुविगलित दृष्टि से उन्हें देखा। हाथ छुड़ा कर वाल्मीकि के चरण स्पर्श किए। मंगला से लिपट कर रोईं और बिना किसी वाद-परिवाद के राम के साथ हो लीं। आश्रम से बाहर। तमसा के तट की ओर।

जब नौका अयोध्या की ओर चलने को हुई तो तट पर खड़े आश्रमवासी आँखों में आँसू भरे उन्हें निहार रहे थे। किसी कवि को अपनी कविता का इतना बड़ा पुरस्कार न तो कभी मिला होगा न आगे मिलेगा। वाल्मीकि कृतार्थ से खड़े उन्हें जाते निहार रहे थे। उनके पाँव धरती पर थे और सिर द्युलोक से भी ऊपर तक उठा हुआ।

❖❖❖